Wybawienie

Tego autora:

Kobieta w klatce
Zabójcy bażantów

Jussi

Adler-Olsen

Wybawienie

Z języka duńskiego przełożyła
Joanna Cymbrykiewicz

Tytuł oryginału:
Flaskepost fra P

Projekt graficzny okładki: Jadwiga Malik

Korekta: Iwona Wyrwisz, Anna Just

ISBN: 978-83-8110-239-1

WYDAWNICTWO SONIA DRAGA Sp. z o.o.
ul. Fitelberga 1, 40-588 Katowice
tel. 32 782 64 77, fax 32 253 77 28
e-mail: info@soniadraga.pl
www.soniadraga.pl
www.facebook.com/wydawnictwoSoniaDraga

Skład i łamanie: Wydawnictwo Sonia Draga

Katowice 2018. (N118)

Mojemu synowi, Kesowi

prolog

Trzeciego poranka zapach smoły i wodorostów zaczął przyklejać się do ubrania. Pod podłogą domku na łodzie lodowa breja chlupotała spokojnie o pale, przywołując wspomnienia dobrych dni.

Uniósł się z posłania ze zużytego papieru i wychylił, by spojrzeć na twarz młodszego brata, która nawet we śnie wyglądała na udręczoną i odrętwiałą.

Za chwilę się obudzi i rozejrzy z oszołomieniem. Poczuje skórzane pasy zaciśnięte na nadgarstkach i wokół talii. Usłyszy brzęk przytrzymującego go łańcucha. Zobaczy, jak płatki śniegu i światło próbują wedrzeć się do środka między pokrytymi smołą deskami. A potem zacznie się modlić.

Niezliczoną ilość razy oczy jego brata wypełniały się rozpaczą. Raz po raz słychać było zduszone modlitwy o litość Jehowy, dobiegające zza mocnej taśmy na ustach.

Ale wiedzieli obaj, że Jehowa nie zaszczyci ich nawet spojrzeniem, bo pili krew. Krew, którą ich strażnik wpuścił do szklanek z wodą. Dał im się z nich napić, nim powiedział, co zawierają. Wypili wodę z zakazaną krwią i teraz są na zawsze potępieni. Dlatego wstyd palił ich nawet głębiej niż pragnienie.

„Jak myślisz, co on nam zrobi?" – pytały przerażone oczy brata. Ale skąd ma znać odpowiedź? Po prostu czuł instynktownie, że to wszystko niedługo się skończy.

Wychylił się w tył i w słabym świetle obadał jeszcze raz pomieszczenie. Przesunął wzrokiem wzdłuż belek stropowych i między konstrukcjami z pajęczyn. Odnotował wszystkie wypukłości i sęki, zbutwiałe pagaje i wiosła wiszące pod sufitem. Zgniłą sieć rybacką, która już dawno dokonała ostatniego połowu.

Wtedy odkrył butelkę. Promień słońca prześlizgnął się po biało-niebieskim szkle, oślepiając go.

Była blisko, a jednak trudno było po nią sięgnąć. Znajdowała się dokładnie za nim, między nieoheblowanymi deskami, z których zbito podłogę.

Włożył palce w szparę między deskami, mocując się z szyjką butelki, a powietrze wokół niego zamieniało się w lód. Gdy wyciągnie butelkę, rozbije ją i przepiłuje kawałkami szkła pasek wokół związanych na plecach nadgarstków. A kiedy pasek się podda, pozbawionymi czucia rękami odszuka sprzączkę na plecach. Otworzy ją, zedrze taśmę z ust, zdejmie z siebie pasy, przytrzymujące go w talii i w udach, a kiedy tylko łańcuch przymocowany do skórzanych pasów przestanie go krępować, rzuci się uwolnić młodszego brata. Przyciągnie go do siebie i przytuli mocno, dopóki ich ciała nie przestaną się trząść.

Potem z całej siły będzie żłobił kawałkiem szkła w stolarce wokół drzwi. Sprawdzi, czy uda się zrobić zagłębienie w miejscu, gdzie tkwią zawiasy. A jeśli stanie się straszna rzecz i samochód przyjedzie, zanim on będzie gotowy, wtedy poczeka na tego mężczyznę. Poczeka za drzwiami z szyjką od butelki w ręce. Tak właśnie zrobi, mówił sobie.

Przechylił się w przód, splótł na plecach lodowate palce i pomodlił się o przebaczenie za złe myśli.

Następnie wrócił do wydrapywania szczeliny, by wydostać butelkę. Drapał i drapał, aż szyjka butelki poluzowała się na tyle, by mógł ją chwycić.

Nadstawił uszu.

Czy to dźwięk silnika? Tak, zgadza się. Brzmiał jak potężny silnik jakiegoś dużego samochodu. Ale czy samochód się zbliżał, czy tylko przejeżdżał gdzieś w oddali?

Przez chwilę niski dźwięk przybierał na sile, a on zaczął szarpać szyjkę butelki tak gorączkowo, że aż trzeszczały mu stawy palców. Jednak po chwili dźwięk ucichł. Czy to wiatraki tak huczą i dudnią na zewnątrz? Może to coś innego. Nie wiedział.

Wypuścił przez nozdrza ciepłe powietrze, które zawisło mu przed twarzą jak obłok pary. W tej chwili właściwie się nie bał. Dopóki myślał o Jehowie i darach jego łaski, czuł się lepiej.

Zacisnął usta i kontynuował. A gdy butelka w końcu ustąpiła, zaczął tłuc nią o deski tak mocno, że jego brat raptownie podniósł głowę i rozejrzał się z przestrachem.

Wielokrotnie walił butelką o deski podłogi. Trudno się porządnie zamachnąć, gdy ma się ręce na plecach, zbyt trudno. W końcu, kiedy już nie dawał rady utrzymać butelki w dłoniach, puścił ją, obrócił się i wlepił w nią puste spojrzenie, a kurz wzbił się pod belki stropowe ciasnego pomieszczenia.

Nie mógł jej stłuc. Po prostu nie mógł. Żałosnej buteleczki. Czy to dlatego, że pił krew? Czy Jehowa ich opuścił?

Spojrzał na brata, który powoli zawinął się w koc i opadł na posłanie. Milczał. Nawet nie próbował niczego wykrztusić zza taśmy klejącej.

Zebranie wszystkiego, czego potrzebował, zajęło mu chwilę. Najtrudniej było naprężyć łańcuch na tyle mocno, by dosięgnąć czubkiem palców do smoły między deskami dachu. Wszystko inne było w jego zasięgu: butelka, drzazga z desek podłogowych, papier, na którym siedział.

Zsunął but i wbił drzazgę tak mocno w nadgarstek, że oczy mimowolnie napełniły się łzami. Przez minutę czy dwie krew kapała na jego lśniący but. Potem podarł duży kawałek papieru z posłania, zanurzył drzazgę we krwi, wykręcił się i naciągnął łańcuch, aby widzieć, co pisze za plecami. Najlepiej, jak potrafił, używając drobnych liter, opowiedział o ich cierpieniu. Na koniec podpisał się, zwinął papier i włożył go do butelki.

Nie spieszył się, dociskając grudką smoły szyjkę butelki. Odwracał się i parę razy sprawdzał, czy porządnie to zrobił.

Kiedy wreszcie skończył, usłyszał niski warkot silnika. Tym razem nie było mowy o pomyłce. Przez bolesną sekundę spojrzał na brata, po czym z całej siły wyprężył się ku światłu wpadającemu przez szeroką szparę między deskami – ku jedynemu otworowi, przez który mógł przepchnąć butelkę.

Wtedy drzwi się otworzyły, a do środka wkroczył zwalisty cień w chmurze białego, śnieżnego pyłu.

Cisza.

Rozległo się pluśnięcie.

Butelka została wypuszczona.

1

Carlowi zdarzało się budzić w znacznie lepszych okolicznościach.

Pierwszą rzeczą, jaką zarejestrował, była fontanna kwasu żołądkowego, szemrząca w jego przewodzie pokarmowym, a później, gdy otworzył oczy w poszukiwaniu czegoś, co mogłoby złagodzić dyskomfort – zamazany widok lekko zaślinionej kobiecej twarzy na poduszce tuż obok.

„Kurde, przecież to Sysser" – pomyślał, próbując sobie przypomnieć, w co mógł się wpakować poprzedniego wieczora. Że też właśnie Sysser. Jego paląca jak komin sąsiadka. Paplająca jak najęta specjalistka od wszystkiego o krok od emerytury, pracująca w ratuszu w Allerød.

Uderzyła go przerażająca myśl i bardzo wolno uniósł kołdrę, po czym z westchnieniem ulgi stwierdził, że wciąż ma na sobie slipki.

– Cholera jasna – powiedział, odsuwając żylastą dłoń Sysser ze swojej klatki piersiowej. Takiego bólu głowy nie miał od czasów, kiedy w domu mieszkała Vigga.

– Bez szczegółów, proszę – powiedział, widząc w kuchni Mortena i Jespera. – Powiedzcie mi tylko, co ta pani na górze porabia na mojej poduszce.

– Ta baba ważyła chyba z tonę – wtrącił jego przybrany syn, przykładając do ust świeżo otwarty karton soku. Dnia, w którym Jesper nauczy się nalewać go do szklanki, nie znał nawet Nostradamus.

– No tak, Carl, wybacz – powiedział Morten. – Ale nie mogła znaleźć swoich kluczy, a ty już i tak padłeś jak betka, więc pomyślałem...

„Ostatni raz byłem na grillu u Mortena" – obiecał sobie Carl, zerkając do salonu na łóżko Hardy'ego.

Kiedy przed dwoma tygodniami jego dawny kolega został zainstalowany na pokojach, domowa atmosfera doznała uszczerbku. Bynajmniej nie dlatego, że łóżko o regulowanej wysokości zajmowało jedną czwartą powierzchni salonu i częściowo zasłaniało widok na ogród. I nie dlatego, że kroplówki na wysięgniku czy wypełnione pojemniki na mocz sprawiały, że Carl czuł się zażenowany. Nie chodziło też o to, że z całkowicie sparaliżowanego ciała Hardy'ego wydzielał się niekończący się strumień śmierdzących gazów. Nie, to wyrzuty sumienia wszystko zmieniły. Fakt, że sam Carl miał czucie w obu nogach i mógł sobie na nich czmychnąć, kiedy mu się żywnie podobało. No i poczucie, że przez cały czas trzeba za to płacić. Być na zawołanie Hardy'ego. Musieć coś robić dla sparaliżowanego człowieka.

– Spokojnie – przyszedł mu w sukurs Hardy, kiedy kilka miesięcy wcześniej dyskutowali na temat wad i zalet przeniesienia go z Kliniki Urazów Rdzenia Kręgowego w Hornbæk. – Tutaj potrafię cię nie widywać przez tydzień. Myślisz, że nie obejdę się bez twojej uwagi przez kilka godzin z rzędu, kiedy się do ciebie wprowadzę?

Ale sprawa polegała na tym, że Hardy mógł sobie nawet cichutko drzemać, tak jak teraz, a jednak tu był. W myślach, planowaniu dnia, we wszystkich słowach, które należało wyważyć, nim wypowiedziało się je na głos. To było męczące. A przecież dom nie powinien być męczącym miejscem.

Do tego dochodziły względy praktyczne. Pranie, zmiana pościeli, przesuwanie sporego ciała Hardy'ego, zakupy, kontakt z pielęgniarkami i władzami, gotowanie. Owszem, wszystko to robił Morten, ale cała reszta?

– Dobrze spałeś, stary? – spytał ostrożnie, zbliżając się do posłania Hardy'ego.

Jego dawny kolega otworzył oczy i spróbował się uśmiechnąć.

– No, czyli urlop się skończył. Z powrotem na posterunku, Carl. Dwa tygodnie przepierdzielone – ostro było. Ale poradzimy sobie z Mortenem. Pozdrów tylko ode mnie chłopaków, okej?

Carl kiwnął głową. Jakie to musi być trudne dla Hardy'ego. Kto mógłby się z nim zamienić choćby na jeden dzień?

Tylko jeden dzień dla Hardy'ego.

Jeśli nie liczyć ludzi z budki wartowniczej, Carl nie spotkał żywego ducha. Komendę Główną jakby wymiotło. Kolumnada była spowita zimową szarością i odstręczająca.

– Co się dzieje, do diabła? – krzyknął, wchodząc do piwnicy.

Spodziewał się wylewnych powitań albo przynajmniej smrodu miętowego ulepku Assada czy wielkich klasyków w aranżacji na flet, puszczanych przez Rose, ale wszystko tu było jak wymarłe. Czyżby opuścili statek, gdy on był na dwutygodniowym urlopie z okazji przenosin Hardy'ego?

Wszedł do nory Assada i rozejrzał się wokół z oszołomieniem. Zero zdjęć starych ciotek, zero dywanu modlitewnego, zero pudełek ze słodkimi jak cukier herbatnikami. Nawet świetlówki na suficie wyłączone.

Przeszedł przez piwniczny korytarz i zapalił światło w swoim gabinecie. Bezpieczne terytorium, gdzie rozwikłał trzy sprawy i poddał się z dwiema. Miejsce, do którego nie dotarł jeszcze zakaz palenia i gdzie wszystkie stare sprawy, stanowiące domenę Departamentu Q, leżały sobie bezpiecznie ułożone w trzech starannych stosach według nieomylnego systemu Carla.

Przyhamował na widok trudnego do zidentyfikowania biurka, wypolerowanego na wysoki połysk. Ani pyłku. Ani paproszka. Ani jednej gęsto zapisanej kartki formatu A4, na której człowiek mógłby położyć zmęczone nogi, a potem wyrzucić ją do śmietnika. Żadnych akt spraw. Krótko mówiąc – jakby wszystko wymiotło.

– ROSE! – krzyknął najdobitniej, jak potrafił.

A głos na próżno niósł się po korytarzach.

Był sam jak palec. Ostatni żyjący człowiek, kogut bez kurnika. Król, który chciał ofiarować królestwo za konia.

Chwycił za telefon i wystukał numer Lis z Wydziału Zabójstw na drugim piętrze.

Minęło dwadzieścia pięć sekund, nim podniesiono słuchawkę.

– Sekretariat, Departament A – rozległ się głos. To była pani Sørensen, koleżanka Carla o zdecydowanie najbardziej wrogim doń nastawieniu. Wilczyca Ilse we własnej osobie.

– Pani Sørensen – powiedział przymilnie. – Mówi Carl Mørck. Siedzę tu na dole całkiem sam. Co się dzieje? Wie pani przypadkiem, gdzie są Assad i Rose?

Nie minęła nawet milisekunda, a słuchawka została rzucona na widełki. Co za jędza.

Wstał i obrał kurs na siedzibę Rose, leżącą w dalszej części korytarza. Może tam znajduje się rozwiązanie zagadki zaginionych akt. Myśl była całkiem logiczna aż do bolesnej chwili, w której odkrył, że na ścianach korytarza między gabinetami Assada i Rose znajduje się co najmniej dziesięć płyt pilśniowych, pozaklejanych wszystkimi aktami spraw, które dwa tygodnie temu leżały sobie na jego biurku.

Drabina rozstawna z intensywnie żółtego drewna modrzewiowego wyznaczała miejsce, gdzie przyklejono ostatnią sprawę. Była to sprawa, którą musieli zarzucić. Druga nierozwiązana sprawa z rzędu.

Carl dał krok w tył, by móc ogarnąć bezmiar papierowego piekła. Co, u licha, jego sprawy robią na tej ścianie? Czy Rose i Assad już zupełnie poszaleli? Może to dlatego te głupki się ulotniły.

Tylko na tyle starczyło im odwagi.

Na górze na drugim piętrze sytuacja wyglądała tak samo. Zero ludzi. Nawet miejsce pani Sørensen ziało pustką. Gabinet szefa Wydziału Zabójstw, gabinet jego zastępcy, jadalnia, gabinet, gdzie odbywały się briefingi. Wszystko opuszczone.

„Co, do kurwy nędzy?" – pomyślał. Alarm bombowy? Czy może reforma policji zaszła w końcu tak daleko, że wyrzucono personel na bruk, a budynki przeznaczono na sprzedaż? Czy ten nowy tak zwany minister sprawiedliwości upadł na głowę? Czy do tego gówna dobrało się TV2?

Podrapał się w kark, podniósł słuchawkę i zadzwonił do wartowni.

– Tutaj Carl Mørck. Gdzie, do jasnej cholery, wszyscy się podziali?

– Większość zebrała się w Izbie Pamięci.

Izba Pamięci? Przecież do dziewiętnastego września zostało jeszcze ponad pół roku*.

– Dlaczego? Chyba nie z powodu rocznicy internowania duńskiej policji. Co oni tam robią?

– Komendantka policji chciała porozmawiać z kilkoma wydziałami na temat poprawek reformy. Wybacz, Carl. Myśleliśmy, że wiesz.

---

* Izba Pamięci (Mindegården) jest częścią kopenhaskiej Komendy Głównej. Co roku 19 września odbywają się tam uroczystości upamiętniające policjantów, którzy ponieśli śmierć podczas niemieckiej okupacji. (Wszystkie przypisy pochodzą od tłumaczki).

– No dobrze, ale przed chwilą rozmawiałem z panią Sørensen.
– Czyli pewnie przekierowała telefony na swoją komórkę.
Carl pokręcił głową. Co za banda popaprańców. Ledwie dotarł na komendę, a minister sprawiedliwości zdążył po raz kolejny zmienić całe to badziewie.
Utkwił spojrzenie w miękkim, kuszącym fotelu szefa Wydziału Zabójstw. Tam człowiek może przynajmniej przymknąć oczy bez widowni.
Dziesięć minut później się obudził. Dłoń zastępcy szefa spoczywała na jej ramieniu, a okrągłe jak kule, rozradowane oczy Assada tańczyły dziesięć centymetrów od jego twarzy.
Czyli koniec spokoju.
– Chodź, Assad – powiedział, gramoląc się z fotela. – Teraz ty i ja pójdziemy do piwnicy i szybciutko pozdzieramy papiery ze ściany, rozumiemy się? Gdzie jest Rose?
Assad pokręcił głową.
– Nie możemy tak, Carl.
Carl wstał i włożył koszulę w spodnie. Co ten człowiek sobie, u diabła, myśli? Oczywiście, że mogą. Czy to nie on sam tak zdecydował?
– Po prostu chodź. I weź Rose. JUŻ!
– Piwnica jest odcięta – powiedział zastępca szefa Lars Bjørn. – Azbest odpada z izolacji rur. Była tam Inspekcja Pracy i tak właśnie się sprawy mają.
Assad kiwnął głową.
– Tak. Musieliśmy zabrać nasze rzeczy na górę i teraz niedobrze nam się siedzi w tym pokoju. Ale znaleźliśmy dla ciebie ładne krzesło – dodał, jakby to mogło kogokolwiek pocieszyć. – Tak, jest nas tylko dwoje. Rose nie miała ochoty siedzieć na górze, więc zrobiła sobie długi weekend, ale przyjdzie dziś później.
Mogliby go równie dobrze kopnąć w przyrodzenie.

2

Siedziała, wpatrując się w świece, dopóki się nie wypaliły i nie ogarnął jej mrok. Zdarzało się już wielokrotnie, że zostawiał ją samą, ale nigdy w rocznicę ślubu.

Wzięła głęboki oddech i wstała. Ostatnio dała sobie spokój z wyczekiwaniem przy oknie. Przestała wypisywać jego imię na szybie, pokrytej parą jej oddechu.

Kiedy się poznali, posypały się ostrzeżenia. Jej przyjaciółka miała pewne wątpliwości, a matka powiedziała to bez ogródek. Był dla niej za stary. Źle mu z oczu patrzyło. Człowiek, któremu nie można ufać. Człowiek, którego trudno ocenić.

Dlatego też nie widziała się z przyjaciółką i z matką od bardzo dawna. I dlatego rozpacz się wzmagała, kiedy potrzeba kontaktu była większa niż kiedykolwiek. Z kim ma porozmawiać? Przecież nikogo nie ma.

Zajrzała do pustych, uporządkowanych pokoi i zacisnęła usta, a do oczu napłynęły jej łzy.

Wtedy usłyszała, że dziecko się kręci, i opanowała się. Wytarła czubek nosa palcem wskazującym i wzięła dwa głębokie wdechy.

Jeśli mąż ją zdradza, to niech na nią nie liczy.

Życie musi mieć coś więcej do zaoferowania.

Jej mąż wszedł do sypialni tak bezszelestnie, że zdradził go jedynie cień na ścianie. Szerokie barki i otwarte ramiona. Położył się i przyciągnął ją do siebie bez słowa. Gorący i nagi.

Spodziewała się miłych słów, ale też przemyślanych usprawiedliwień. Może obawiała się, że wyczuje nikły zapach obcej kobiety i pełne wyrzutów sumienia wahania w niewłaściwych momentach, ale zamiast tego chwycił ją, obrócił gwałtownie i pożądliwie zdarł z niej ubranie. Światło księżyca świeciło mu prosto w twarz i podniecało ją. Oczekiwanie, frustracja, zmartwienia i zwątpienie zniknęły.

Ostatnio był taki pół roku temu.

Całe szczęście, że tak się stało.

– Kochanie, musisz liczyć się z tym, że przez pewien czas mnie nie będzie – powiedział bez ostrzeżenia przy śniadaniu, gładząc dziecko po policzku. Z roztargnieniem, jakby jego słowa były nieistotne.

Zmarszczyła brwi i ściągnęła usta, by zdławić w sobie nieuchronne pytanie, po czym odłożyła widelec na talerz i siedziała ze wzrokiem utkwionym w jajecznicę z kawałkami bekonu. Noc była długa. Wciąż ją czuła w obolałym podbrzuszu, ale też w końcowych pieszczotach i gorących spojrzeniach, które aż do tej chwili pozwoliły jej zapomnieć czas i miejsce. Aż do teraz. W tej chwili blade marcowe słońce wtargnęło do pokoju jak nieproszony gość, obnażając fakty: jej mąż się dokądś wybiera. Znowu.

– Dlaczego nie możesz mi powiedzieć, czym się zajmujesz? Jestem twoją żoną. Nikomu nie powiem – rzekła.

Zastygł ze sztućcami w powietrzu. Już teraz oczy mu pociemniały.

– Nie, mówię poważnie – ciągnęła. – Ile czasu musi upłynąć, nim będziesz taki jak zeszłej nocy? Czy znów doszliśmy do momentu, w którym nie mam pojęcia, czym się zajmujesz, albo kiedy będąc tutaj, jesteś niemal nieobecny?

Spojrzał na nią aż nazbyt bezpośrednio.

– Przecież wiedziałaś od samego początku, że nie mogę mówić o swojej pracy.

– Tak, ale...

– Więc trzymaj się tego.

Opuścił widelec i nóż na talerz i obrócił się do ich syna z czymś w rodzaju uśmiechu.

Wzięła głęboki i spokojny oddech, ale wewnątrz przepełniała ją rozpacz. To przecież prawda. Na długo przed ślubem wyraził się jasno, że dostaje zadania, o których się nie mówi. Może nawet zasugerował, że ma to coś wspólnego z wywiadem, już nie pamiętała. Ale o ile wiedziała, ludzie ze służb wywiadowczych mieli poza pracą w miarę normalne życie. A ich życiu daleko było do normalności. Chyba że ci w służbach wywiadowczych przykładali się również do alternatywnych zadań, takich jak niewierność, bo w jej świecie musiało po prostu o to chodzić.

Zebrała talerze, zastanawiając się, czy powinna mu z miejsca postawić ultimatum. Zaryzykować jego gniew, którego się obawiała, ale którego rozmiaru jeszcze nie poznała.

– Kiedy cię znów zobaczę? – spytała.

Spojrzał na nią z uśmiechem.

– Może nawet wrócę do domu w następną środę. Ten typ zadania zajmuje zwykle jakieś osiem–dziesięć dni.

– Okej. Czyli akurat zdążysz na turniej bowlingowy – stwierdziła z przekąsem.

Wstał i przytulił jej plecy do swojego wielkiego ciała, splatając ręce pod jej piersiami. Poczucie, że jego głowa spoczywa na jej ramieniu, zawsze wcześniej sprawiało, że miękła. Teraz się odsunęła.

– Tak – powiedział. – Na pewno wrócę jakiś czas przed turniejem. Niedługo ty i ja odświeżymy sobie wydarzenia z ostatniej nocy. Umowa stoi?

Kiedy odjechał, a dźwięk samochodu ucichł, stała długo ze skrzyżowanymi rękami i nieprzytomnym spojrzeniem. Życie w samotności to jedno. Nieznajomość ceny, jaką trzeba za nie zapłacić – to co innego. Szanse wykrycia jakiegoś oszustwa u kogoś takiego jak jej mąż były minimalne. Wiedziała o tym, choć nigdy nie próbowała. Działał w dużym rewirze i był ostrożnym człowiekiem, wszystko w ich życiu o tym świadczyło. Emerytury, ubezpieczenia, dwukrotne sprawdzanie okien i drzwi, walizek i bagażu, wieczny porządek na stole, żadnych przypadkowych skrawków papieru czy paragonów w kieszeniach i szufladach. Był mężczyzną, który nie pozostawiał po sobie zbyt wielu śladów. Nawet jego zapach utrzymywał się w powietrzu nie dłużej niż parę minut po jego wyjściu z pomieszczenia. Jak miałaby kiedykolwiek odkryć romans, nie nasyłając na niego prywatnego detektywa? I skąd miałaby wziąć na to środki?

Wydęła dolną wargę i powoli wypuściła ciepłe powietrze na twarz – ten gest wykonywała zawsze przed podjęciem ważnej decyzji. Przed skokiem na koniu przez najwyższą poprzeczkę, przed wyborem sukni na konfirmację. A także nim odpowiedziała swojemu mężowi „tak" i zanim wyszła na ulicę, by sprawdzić, czy życie wygląda inaczej w delikatnym świetle dnia.

3

Mówiąc wprost: wielki, dobroduszny sierżant David Bell uwielbiał się obijać, siedząc i gapiąc się na fale rozbijające się o wystające skały. W John O'Groats, na północnym krańcu Szkocji, gdzie słońce świeciło o połowę krócej i podwójnie pięknie. David tu się urodził i tutaj umrze, kiedy nadejdzie pora.

David był po prostu stworzony dla nieokiełznanego morza. Dlaczego miałby tracić cały swój czas w gabinecie posterunku policji na Bankhead Road w Wick, położonym dwadzieścia kilometrów na południe? Nie, nie krył się z tym, że leniwe portowe miasteczko do niego nie przemawia.

Z tego też powodu jego przełożeni wysyłali właśnie jego, gdy w położonych na północy dziurach dochodziło do awantur. Wtedy David toczył się tam wozem służbowym i groził rozgorączkowanym kolesiom, że zadzwoni po funkcjonariusza z Inverness, po czym znów był spokój. Ci na północy nie potrzebowali, żeby obcy z miasta pałętali im się po podwórku. Już lepsze piwo Orkney Skull Splitter o smaku końskich sików. Tych, co płynęli promem do Orkney i wstępowali po drodze, było naprawdę sporo.

Po zażegnaniu konfliktów czekały na niego fale. A jeśli istniało coś, na co sierżant Bell nie szczędził czasu, były to właśnie one.

Gdyby nie ten słynny Bellowski spokój, butelkę wyrzucono by w diabły. Ale skoro sierżant i tak już tam siedział w swoim świeżo odprasowanym mundurze, z wiatrem we włosach i czapką leżącą na skale, było ją komu oddać.

I tak też się stało.

Butelka utknęła między okami sieci, migocząc lekko, choć czas mocno ją zmatowił. Najmłodszy członek załogi kutra „BrewDog" natychmiast dostrzegł, że jest niezwykła.

– Wyrzuć ją do morza, Seamus! – krzyknął szyper, widząc kartkę w butelce. – Takie butelki przynoszą nieszczęście. To się nazywa butelkowa zaraza. Diabeł siedzi w atramencie i czeka, żeby go wypuścić. Nie znasz tych historii?

Ale młody Seamus nie znał tych historii i postanowił ją dać Davidowi Bellowi.

Gdy sierżant w końcu wrócił na posterunek w Wick, jeden z miejscowych ochlaptusów zdemolował dwa gabinety i ludzie powoli zaczynali się męczyć przytrzymywaniem tego durnia na podłodze. Dlatego Bell zrzucił marynarkę, a butelka Seamusa wyleciała mu z kieszeni. Dlatego ją podniósł i odłożył na parapet, żeby móc się skoncentrować na dociśnięciu klatki piersiowej pijanego idioty tak, by uszło z niego powietrze. Ale tak to bywa, że kiedy człowiek przydusza pełnokrwistego potomka wikingów z Caithness, może trafić na godnego przeciwnika. I ochlaptus kopnął Davida Bella tak mocno w klejnoty, że wspomnienie butelki rozpłynęło się w ostrym, błękitnym lśnieniu, wysłanym przez jego zbolały system nerwowy.

Dlatego przez dość długi czas butelka stała niezauważona w nasłonecznionym kącie parapetu. Nikt na nią nie zwrócił uwagi, nikt się nie zatroszczył, że znajdującemu się w niej papierowi nie służy światło słoneczne ani skondensowana woda, która z czasem osadziła się na wewnętrznej ściance szkła.

Nikt nie raczył przeczytać paru na wpół rozmazanych liter, znajdujących się na samym początku, i dlatego nikt się nie zastanowił, co też może oznaczać słowo „HJÆLP".

***

Butelka trafiła ponownie w ludzkie ręce, gdy dupek, który poczuł się niesprawiedliwie potraktowany z powodu żałosnego mandatu za złe parkowanie, zalał intranet posterunku policji w Wick potopem wirusów. W takiej sytuacji dzwoniono zawsze po ekspertkę od komputerów, Mirandę McCulloch. Kiedy pedofile zaszyfrowywali swoje świństwa, kiedy hakerzy zacierali ślady po swoich internetowych transakcjach bankowych, kiedy nieuczciwi finansiści czyścili swoje twarde dyski – to przed nią padano na kolana.

Posadzono ją w gabinecie, gdzie bliski łez personel obsługiwał ją, jakby była królową. Ciągle pełne termosy z gorącą kawą, otwarte na oścież okna i radio nastawione na Radio Scotland. Tak, Mirandę McCulloch ceniono wszędzie, gdzie tylko się pojawiła.

Za sprawą otwartych okien i łopoczących firan dostrzegła butelkę już pierwszego dnia pracy.

„Zgrabna buteleczka" – pomyślała i zainteresowała się cieniem w jej wnętrzu, przedzierając się przez kolumny cyfr złośliwych kodów. Kiedy trzeciego dnia wstała zadowolona i gotowa, domyślając się, jakich rodzajów wirusów może się jeszcze spodziewać, podeszła do parapetu i podniosła butelkę. Była znacznie cięższa, niż się Miranda spodziewała. I ciepła w dotyku.

– Co jest w środku? – spytała siedzącą obok urzędniczkę. – List?

– Nie wiem – brzmiała odpowiedź. – David Bell ją tu kiedyś postawił. Myślę, że zrobił to dla zabawy.

Miranda potrzymała ją pod światło. Czy na kartce były litery? Trudno było to stwierdzić z powodu osadu kondensacyjnego po wewnętrznej stronie.

Przekręciła ją i nieco obróciła.

– Gdzie jest ten David Bell, wciąż na służbie?

Sekretarka pokręciła głową.

– Niestety nie. David zginął tuż za miastem parę lat temu. Rzucili się w pościg za uciekającym kierowcą i sprawy przybrały zły obrót. Nieciekawa historia. David był naprawdę miłym facetem.

Miranda kiwnęła głową. Właściwie nawet nie słuchała. W tej chwili była przekonana, że na papierze jest coś napisane, ale nie to ją zaintrygowało. Na dnie butelki coś było.

Jeśli dobrze zajrzeć przez zarysowane piaskiem szkło, skoagulowana masa do złudzenia przypominała krew.

– Myśli pani, że mogę wziąć tę butelkę? Kogo mam zapytać?

– Niech się pani pyta Emersona. Przez parę lat jeździł z Davidem. Na pewno się zgodzi. – Urzędniczka zwróciła się na korytarz. – Hej, Emerson! – krzyknęła, aż zadźwięczały szyby. – Pozwól tutaj!

Miranda się z nim przywitała. Był krępym, dobrodusznym facetem o zmartwionych brwiach.

– Czy może ją pani wziąć? Ależ tak, na Boga. Ja w każdym razie nie chcę mieć z nią nic do czynienia.

– O co panu chodzi?

– To pewnie jakieś brednie, ale tuż przed śmiercią David znalazł tę butelkę i powiedział, że musi ją otworzyć. Dostał ją od młodego rybaka na północy, w mieście, z którego pochodził. Chłopak i kuter poszli na dno parę lat później, więc David uważał, że jest winien chłopakowi sprawdzenie, co jest w środku. Ale przecież David zginął, zanim zdążył to zrobić, a to chyba nie jest dobry omen, prawda? – Emerson pokręcił głową. – Proszę ją wreszcie zabrać, nic dobrego się z tą butelką nie wiąże.

Tego samego wieczora w Granton na przedmieściach Edynburga Miranda zasiadła w swoim szeregowcu i przyjrzała się butelce. Około piętnastu centymetrów wysokości, biało-niebieska, nieco spłaszczona i z dość długą szyjką. Mogła to być buteleczka po perfumach, tyle że jest za duża. Pewnie po wodzie kolońskiej, prawdopodobnie też dość stara. Postukała w nią. W każdym razie wykonana z solidnego szkła.

Uśmiechnęła się.

– Jaką tajemnicę skrywasz, moja droga? – spytała, wzięła z kieliszka łyk czerwonego wina i zaczęła wydłubywać korkociągiem substancję, która zatykała butelkę. Grudka była zrobiona z czegoś o zapachu smoły, ale czas spędzony w wodzie sprawił, że trudno było ocenić pochodzenie materiału.

Próbowała wydobyć papier, ale był miękki i wilgotny. Następnie obróciła butelkę i postukała w dno, ale papier nie ruszył się nawet o milimetr. Wtedy zabrała butelkę do kuchni i uderzyła ją kilkakrotnie tłuczkiem do mięsa.

Pomogło: butelka rozprysła się na niebieskie kryształki, które rozsypały się po całym stole kuchennym jak tłuczony lód.

Przyjrzała się papierowi leżącemu na desce do krojenia, czując, jak brwi same jej się ściągają. Przebiegła wzrokiem po kawałkach szkła i wzięła głęboki oddech.

– Tak – potwierdził jej kolega Douglas z Wydziału Technicznego. – To krew. Nie ma żadnych wątpliwości. Dobrze widziałaś. Sposób, w jaki krew i skondensowana woda wsiąkają w papier, jest charakterystyczny. Szczególnie tu na dole, gdzie podpis jest zupełnie zamazany. Tak, i barwa, i sposób nasiąknięcia są dość typowe. – Rozłożył ostrożnie papier za pomocą pincety i oświetlił go jeszcze raz niebieskim światłem. Ślady krwi na całej powierzchni papieru. Każda litera świeciła rozproszonym światłem.

– Pisano to krwią?

– Zdecydowanie tak.

– I myślisz, tak jak ja, że nagłówek to apel o pomoc. W każdym razie tak to brzmi.

– Tak sądzę – odparł. – Ale wątpię, czy zdołamy uratować cokolwiek poza nagłówkiem. Ten list jest dość zniszczony. Poza tym może mieć wiele lat. Teraz trzeba go zaimpregnować i zakonserwować, a potem może uda nam się ustalić datę jego powstania. No i musimy też oczywiście pokazać go jakiemuś językowcowi. Miejmy nadzieję, że powie nam, co to za język.

Miranda kiwnęła głową. Ona w każdym razie miała hipotezę. Islandzki.

4

– Carl, przyszła Inspekcja Pracy. – Rose stała w drzwiach i ani myślała się ruszyć. Może miała nadzieję, że obie strony rzucą się sobie do gardeł.

Niewielki człowieczek w dobrze odprasowanym garniturze przedstawił się jako John Studsgaard. Mały i władczy. Jeśli nie liczyć chudej, brązowej teczki pod pachą, sprawiał nawet wiarygodne wrażenie. Przyjazny uśmiech i wyciągnięta dłoń. Wrażenie, które wyparowało, gdy otworzył usta.

– Przy ostatniej inspekcji stwierdzono obecność pyłu azbestowego w korytarzu i włazach. Dlatego należy skontrolować izolację rury, by można było uzdatnić lokal do bezpiecznego użytkowania.

Carl spojrzał na sufit. Pieprzona rura. Jedyna w całym piwnicznym korytarzu, a tyle z tym zachodu.

– Widzę, że urządzili tu państwo gabinety – ciągnęła kreatura z teczką. – Czy jest to zgodne z dyrektywami Komendy Głównej odnośnie do adaptacji pomieszczeń oraz z przepisami przeciwpożarowymi? – Już miał otworzyć swoją teczkę, w której miał na pewno stos papierów z odpowiedzią na to pytanie.

– Jakie gabinety? – spytał Carl. – Mówi pan o tym przyarchiwalnym pomieszczeniu przygotowawczym?

– Przyarchiwalne pomieszczenie przygotowawcze? – przez sekundę mężczyzna wyglądał na zagubionego, ale natura biurokraty wzięła górę. – Nie znam tego terminu, jest jednak rzeczą ewidentną, że spędza się tu znaczną część dnia pracy w celach, które nazwałbym tradycyjnie powiązanymi z wykonywaniem pracy.

– Ma pan na myśli ekspres do kawy? Możemy go usunąć.

– Absolutnie nie. Mówię o wszystkim – biurkach, tablicach, regałach, haczykach, szufladach z papierem, artykułach biurowych, fotokopiarkach.

– Ach tak! Wie pan, ile stąd jest schodów na drugie piętro?

– Nie.

– Aha. To może nie wie pan też, że brak nam personelu i że zapieprzanie dwa piętra w górę z każdym kserem potrzebnym do archiwum zajęłoby nam pół dnia. Może wolałby pan, żeby wszędzie grasowali mordercy, niż żebyśmy wykonywali swoją robotę?

Studsgaard już miał protestować, ale Carl zapobiegł temu, unosząc rękę.

– Gdzie jest ten azbest, o którym pan mówi?

Mężczyzna zmarszczył brwi.

– To nie jest dyskusja na temat miejsca i sposobu. Stwierdzono skażenie azbestem, który ma działanie rakotwórcze. Nie da się go wytrzeć za pomocą szmaty do podłogi.

– Rose, byłaś tu, kiedy inspekcja przeprowadzała kontrolę?

Wskazała korytarz.

– Znaleźli tam trochę pyłu.

– Assad! – Carl krzyknął tak głośno, że mężczyzna cofnął się o krok.

– Chodź, Rose, pokaż mi to – powiedział, gdy pojawił się Assad.

– Chodź z nami, Assad. Weź wiadro z wodą, szmatę i swoje eleganckie zielone gumowe rękawice. Przed nami zadanie.

Gdy przeszli korytarzem piętnaście kroków, Rose wskazała coś białego, przypominającego pudrowy pył, między swoimi czarnymi kozakami.

– Tam! – powiedziała.

Mężczyzna z Inspekcji Pracy zaprotestował, próbując wyjaśnić, że to, co zamierzają, nie przyniesie dobrego skutku. Że nie usuną przyczyny zła i że zdrowy rozsądek i przepisy mówią, że obiekty należy usuwać w sposób przewidziany w regulaminie.

To ostatnie Carl zignorował.

– Kiedy już zmyjesz to dziadostwo, Assad, zadzwoń po stolarza. Musimy zbudować ścianę, która oddzieli zanieczyszczoną strefę Inspekcji Pracy od naszego przyarchiwalnego pomieszczenia przygotowawczego. Przecież nie chcemy mieć obok siebie takiego paskudztwa, prawda?

Assad powoli pokręcił głową.

– O jakim pomieszczeniu mówiłeś, Carl? Przyarchi…?

– Po prostu myj, Assad. Ten pan się spieszy.

Urzędnik posłał Carlowi wrogie spojrzenie.

– Jeszcze się do państwa odezwiemy – to były ostatnie słowa, które wypowiedział, mknąc po korytarzu z przyciśniętą do brzucha teczką. „Odezwą się!" Owszem, nietrudno w to uwierzyć.

– A teraz wyjaśnij mi, Assad, jaki jest zamysł wieszania wszystkich moich akt spraw na ścianie – powiedział. – Przez wzgląd na ciebie mam nadzieję, że są to kopie.

– Kopie? Jeśli chcesz kopie, to ja je zaraz zdejmę, Carl. Dostaniesz wszystkie kopie, jasna sprawa.

Carl z trudnością przełknął ślinę.

– Mówisz mi prosto w twarz, że oryginalne akta wiszą tam i się suszą?

– Tak, popatrz na mój system, Carl. Powiedz wprost, jeśli uważasz, że nie jest taki fantastyczny. To tak zupełnie w porządku. Nie będę zły.

Carl odchylił głowę w tył. „Zły" – powiada. Człowieka nie ma przez czternaście dni, a w międzyczasie pracownicy wariują od wdychania azbestu.

– Popatrz, Carl. – Rozpromieniony Assad trzymał przed sobą dwa zwoje sznura.

– No, no, coś podobnego. Zdobyłeś zwój niebieskiego sznurka i zwój czerwonego w białe paski. Będziesz mógł zawinąć mnóstwo prezentów gwiazdkowych. Za dziewięć miesięcy.

Assad klepnął go po ramieniu.

– Ha, ha, Carl. Dobre! Znów jesteś sobą.

Carl pokręcił głową. Nic śmiesznego, zważywszy, że przyszła emerytura wiąże się z wiekiem, do którego mu jeszcze daleko.

– Popatrz tu – Assad rozwinął niebieski sznur. Oderwał kawałek taśmy klejącej, przymocował jeden koniec sznura do sprawy z lat sześćdziesiątych, przeciągnął zwój ponad mnóstwem innych spraw, przeciął go i przykleił jego drugi koniec do sprawy z lat osiemdziesiątych. – Niedobrze?

Carl założył ręce na kark, jakby chcąc utrzymać głowę w miejscu.

– Fantastyczne dzieło sztuki, Assad. Andy Warhol nie żył na próżno.

– Jaki Andy?

– I cóż takiego robisz, Assad? Próbujesz połączyć te dwie sprawy?

– No tak, pomyśl, jeśli te dwie sprawy faktycznie łączą się ze sobą, to będzie to widać – wskazał ponownie niebieski sznur. – Tutaj! Niebieski sznur! – pstryknął palcami. – Może sprawy mają ze sobą coś wspólnego.

Carl wziął głęboki oddech.

– Aha! To już wiem, po co jest ta czerwona.

– Prawda? Kiedy wiemy, że sprawy m a j ą ze sobą coś wspólnego. Dobry system, co?

Carl zaczerpnął głęboko powietrza.

– Tak, Assad. Z tym że w zasadzie żadna z tych spraw nie ma nic wspólnego z inną. I może jednak lepiej, żeby leżały na moim biurku, tak byśmy mogli je przeglądać, okej? – To nie było pytanie, ale odpowiedź i tak nadeszła.

– Tak, okej, szefie – Assad stał, kiwając się w tył i w przód w swoich sfatygowanych butach ecco. – To zacznę je tak kserować za dziesięć minut. Dostaniesz oryginały, a kopie powieszę.

Marcus Jacobsen jakby nagle się postarzał. Ostatnio na jego biurku znajdowało się sporo spraw. Przede wszystkim porachunki gangów oraz strzelaniny w dzielnicy Nørrebro i w okolicach, ale też paskudne pożary. Podpalenia z ogromnymi stratami materialnymi i niestety również z ofiarami. Zawsze nocą. Przez ostatni tydzień Marcus spał góra trzy godziny na dobę. Może trzeba spróbować dodać mu otuchy, bez względu na to, co mu leży na sercu.

– Co słychać, szefie? Po co mnie tu ściągnąłeś? – spytał Carl.

Marcus gmerał przy starej paczce po papierosach, biedny człowiek. Nigdy nie udało mu się przezwyciężyć głodu nikotynowego.

– Tak, dobrze wiem, że twój departament nie otrzymał tu na górze zbyt dużo miejsca, Carl. Ale mówiąc bez ogródek, nie mogę pozwolić, byś siedział w piwnicy. A teraz wydzwaniają do mnie z Inspekcji Pracy i mówią, że utrudniałeś wykonywanie poleceń ich człowieka.

– Panujemy nad tym, Marcus. Postawimy pośrodku korytarza ścianę z drzwiami i tak dalej. Żeby odgrodzić się od tego paskudztwa.

Podkówki pod oczami Marcusa nagle się pogłębiły.

– Właśnie tego nie mam ochoty słuchać, Carl – powiedział. – I właśnie dlatego ty, Rose i Assad wrócicie na górę. Nie mam siły szarpać się z inspekcją. Już i tak mamy syf. Wiesz, pod jaką presją ostatnio się znajduję. Spójrz tylko – wskazał malutki płaski ekran na ścianie, na którym leciało podsumowanie wyniku wojny gangów w stacji TV2 News. Żądanie zorganizowania konduktu pogrzebowego ulicami Kopenhagi dla jednej z ofiar dolało oliwy do ognia. Krzyczano, że teraz policja ma znaleźć winnych i położyć kres szaleństwu na ulicach.

Owszem, Marcus Jacobsen był pod presją.

– Okej, jeśli nas przeniesiesz na górę, konsekwencje będą takie, że w tej samej sekundzie zlikwidujesz Departament Q.

– Nie kuś mnie, Carl.

– I stracisz osiem milionów dofinansowania rocznie. Czy nie tyle przyznano Departamentowi Q? Pomyśl, czy benzyna do tego starego gruchota, którym jeździmy, naprawdę aż tyle kosztuje? No tak, i jeszcze wynagrodzenia dla Rose, Assada i dla mnie. Osiem milionów. Pomyśl tylko.

Szef Wydziału Zabójstw westchnął. Był w potrzasku. Bez dofinansowania zabraknie co najmniej pięciu milionów rocznie na jego własne departamenty. Kreatywne przeksięgowanie. Prawie jak gminny system wyrównujący. Rodzaj legalnego rozboju.

– Proszę o propozycje rozwiązań – powiedział zatem.

– Gdzie według ciebie mielibyśmy siedzieć? – spytał Carl. – W kiblu? Na tym parapecie, gdzie Assad wczoraj siedział? Albo może w twoim gabinecie?

– Na korytarzu jest miejsce – widać było, że Marcus Jacobsen skulił się przy tych słowach. – Na pewno coś znajdziemy. Przecież od samego początku tak miało być, Carl.

– Okej, dobre rozwiązanie, niech tak będzie. Ale chcemy trzy nowe biurka – Carl wstał z własnej inicjatywy i wyciągnął rękę. Czyli umowa stoi.

Szef Wydziału Zabójstw cofnął się lekko.

– Chwileczkę – powiedział. – Węszę jakiś podstęp w tej propozycji.

– Podstęp? Dostaniecie dodatkowo trzy stoły, a jak przyjdzie Inspekcja Pracy, przyślę tu Rose, żeby przyozdobiła puste krzesła.

– Nie ujdzie nam to na sucho, Carl – zrobił krótką pauzę. Jednak najwyraźniej to łyknął. – Ale czas pokaże, jak mawiała moja stara matka. Usiądź jeszcze na chwilę, Carl, mamy tu sprawę, na którą powinieneś zerknąć. Pamiętasz kolegów ze szkockiej policji, którym pomagałeś jakieś trzy, cztery lata temu?

Carl kiwnął głową z ociąganiem. Czyżby miał w planach narazić Departament Q na przypominające dźwięk palnika do metalu tony dud i na paćkę z mielonego mięsa? Lepiej nie, jeśli chodzi o niego. Już i tak jest źle, że raz na jakiś czas przyjeżdżają Norwedzy. Ale żeby Szkoci!

– Wysyłaliśmy im próbki DNA Szkota osadzonego w więzieniu Vestre, pewnie pamiętasz. To była sprawa Baka. Dzięki temu rozwikłali sprawę morderstwa, a teraz my coś od nich dostajemy. Technik policyjny z Edynburga, nazywa się Gilliam Douglas, wysłał do nas paczkę. Jest w niej list, który znaleźli w butelce. Po konsultacji z językowcem uznali, że musi pochodzić z Danii. – Podniósł z podłogi brązową paczkę z kartonu. – Chcieliby się dowiedzieć, co się dzieje z tą sprawą, jeśli się czegoś dowiemy. Proszę, Carl.

Podał mu paczkę i zrobił gest, jakby Carl miał z nią znikać.

– Co mam z nią zrobić? – spytał Carl. – Może pójdę z nią na pocztę?

Jacobsen się uśmiechnął

– Bardzo dowcipne, Carl. Tyle że na poczcie nie ma specjalistów od rozwiązywania zagadek, raczej od ich tworzenia.

– I tak mamy już na dole dość roboty – powiedział.

– Tak, tak, Carl, nie wątpię. Po prostu na to zerknij, to drobiazg. No i przecież sprawa spełnia wszystkie kryteria Departamentu Q. Jest stara, niewyjaśniona i nikt inny nie ma ochoty się do niej zabrać.

„Kolejna sprawa, która nie pozwoli mi walnąć gir na biurko" – pomyślał Carl i zważył pudełko w ręku, schodząc po schodach.

A jednak.

Godzinka drzemki nie zaważy chyba na przyjaznych stosunkach szkocko-duńskich.

– Jutro będę z tym gotów, Rose mi pomoże – powiedział Assad, zastanawiając się, na której z trzech stert w systemie Carla leżała pierwotnie sprawa, którą teraz trzymał w ręku.

Carl mruknął. Szkockie pudełko stało przed nim na biurku. Złe przeczucia lubią się sprawdzać, a aura otaczająca kartonowe pudło oklejone przez służby celne nie wzbudzała pozytywnych uczuć.

– Czy to tak nowa sprawa? – spytał Assad z zainteresowaniem, wlepiając oczy w brązowy prostokąt. – Kto otworzył pudło?

Carl wskazał kciukiem górę budynku.

– Rose, pozwól tutaj! – krzyknął w stronę korytarza.

Minęło pięć minut, nim się pojawiła. Był to dokładnie wymierzony czas, który w jej mniemaniu sygnalizował, kto decyduje, co należy zrobić, a w szczególności – kiedy. Człowiek się do tego przyzwyczaja.

– Co powiesz na swoją pierwszą samodzielną sprawę, Rose? – Delikatnie popchnął pudełko w jej stronę.

Nie widział jej oczu zza czarnej, punkowej grzywki, ale zachwycone nie były.

– To na pewno coś z dziecięcą pornografią albo handlem żywym towarem, prawda, Carl? Coś, czego sam nie chcesz ruszać. Powiem ci – nie, dziękuję. Jeśli sam nie masz na to energii, niech potrudzi się nad tym badziewiem nasz mały poganiacz wielbłądów. Mam co robić.

Carl się uśmiechnął. Żadnych przekleństw, żadnego kopania w futrynę. Sprawiała wrażenie, jakby była w dobrym humorze. Jeszcze raz popchnął pudło.

– To list, który znajdował się w butelce. Jeszcze go nie widziałem. Możemy go przecież razem wypakować.

Zmarszczyła nos. Sceptycyzm nie odstępował jej na krok.

Carl rozchylił wieka pudełka, odgarnął na bok styropianowe wypełnienie, wyciągnął kartonową teczkę i położył ją na stole. Następnie pogrzebał jeszcze w styropianie i znalazł plastikowy woreczek.

– Co jest w środku? – spytała.

– Zakładam, że stłuczone szkło butelki.

– Rozbili ją?

– Nie, tylko rozłożyli. W teczce jest instrukcja montażu pokazująca, jak ją na powrót złożyć. Kaszka z mlekiem dla takiej złotej rączki jak ty.

Pokazała mu język i zważyła woreczek w ręce.

– Niezbyt ciężkie. Jaka była duża?

Popchnął teczkę sprawy w jej stronę.

– Poczytaj sama.

Zostawiła kartonowe pudło i zniknęła w korytarzu. Czyli spokój. Za godzinę koniec dnia, pojedzie pociągiem do Allerød, kupi butelkę whisky, odurzy Hardy'ego i siebie odpowiednio szklaneczką ze słomką i szklaneczką z kostkami lodu. Zapowiada się spokojny wieczór.

Zamknął oczy i nie podrzemał nawet dziesięciu sekund, gdy pojawił się przed nim Assad.

– Coś znalazłem, Carl. Chodź i zobacz. Jest tam na ścianie.

Coś dziwnego dzieje się ze zmysłem równowagi, kiedy człowiek zaledwie na parę sekund odetnie się zupełnie od świata zewnętrznego – stwierdził Carl, opierając się z oszołomieniem o ścianę w korytarzu. Assad z dumą wskazywał wiszące tam akta sprawy.

Carl zmusił się do powrotu do rzeczywistości.

– Powiedz jeszcze raz, Assad. Zamyśliłem się.

– Powiedziałem tylko, czy nie myślisz, że może szef Wydziału Zabójstw powinien pomyśleć chwilkę o tej sprawie, skoro tyle tych pożarów w Kopenhadze.

Carl sprawdził, czy stoi pewnie na nogach, po czym przesunął się bliżej do sprawy na ścianie, na której spoczywał palec Assada. Sprawa miała czternaście lat. Pożar, w którym znaleziono zwłoki, możliwe, że podpalenie z zamiarem zabójstwa, w okolicy jeziora Damhussøen. Sprawa, która dotyczyła znalezienia ludzkiego ciała tak strawionego przez pożar, że nie dało się ustalić chwili śmierci, płci ani DNA. Nie pomagał też fakt, że żadna z osób zaginionych nie pasowała do opisu zwłok. W końcu sprawę zawieszono. Carl doskonale to pamiętał. To była sprawa Antonsena.

– Dlaczego sądzisz, że ma to coś wspólnego z pożarami, które teraz nawiedzają miasto, Assad?

– Nawiedzają?

– Mają teraz miejsce.

– Dlatego! – powiedział Assad, wskazując na szczegółowe zdjęcie pozostałości szkieletu. – To okrągłe wgłębienie w kości tego jego najmniejszego palca. Tu też coś o tym jest. – Zdjął plastikową koszulkę z tablicy korkowej i wyszukał kartkę z raportem. – Tutaj to opisano. „Jakby przez wiele lat znajdowała się tam obrączka" – tak jest napisane. Wgłębienie na całej szerokości.

– I?

– Carl, na tym najmniejszym palcu!
– Tak, i?
– Jak byłem na górze w Departamencie A, to w pierwszym pożarze było tam ciało, któremu całkiem brakowało tego najmniejszego palca.
– Okej. To się nazywa mały palec, Assad.
– Tak, i w kolejnym pożarze było też wgłębienie w tym najmniejszym palcu u tego człowieka, co go znaleźli. Tak jak tu.
Carl poczuł, że jego brwi znacząco się podnoszą.
– Myślę, że powinieneś iść na drugie piętro i powtórzyć szefowi Wydziału Zabójstw to, co właśnie powiedziałeś, Assad.
Uśmiechnął się od ucha do ucha.
– W ogóle bym tego nie zauważył, gdyby to zdjęcie nie wisiało mi przez cały czas przed samym nosem. Śmiesznie, nie?

Wraz z tym zadaniem na nieprzepuszczalnym, punkowo-czarnym pancerzu arogancji Rose pojawiło się jakby pęknięcie. W każdym razie nie rozpoczęła od rzucenia mu dokumentu na stół, ale najpierw usunęła z niego popielniczkę, po czym ostrożnie, niemal z nabożeństwem, położyła list na blacie.
– Nie można za dużo odczytać – powiedziała. – Z pewnością napisano to krwią, która powoli zawilgociła się przez wodę kondensacyjną i wniknęła głębiej w papier. Poza tym drukowane litery napisane są dość nieporadnie, ale nagłówek jest widoczny. Popatrz, jak wyraźnie widać. Tu jest napisane „POMOCY".
Carl przysunął się niechętnie i spojrzał na pozostałości drukowanych liter. Pewnie papier był kiedyś biały, ale teraz zrobił się brązowy. W wielu miejscach brakowało kawałków na brzegach, zapewne zniknęły, gdy rozłożono list po morskiej podróży.
– Jakim badaniom go poddano, jest coś na ten temat? Gdzie go znaleziono? I kiedy?
– Butelkę znaleziono na samej północy, przy Orkadach. Tkwiła w sieci rybackiej. Tu jest napisane, że w dwa tysiące drugim.
– W dwa tysiące drugim?! Widzę, że nie spieszyli się z jej przekazaniem.
– Stała zapomniana na parapecie. Pewnie dlatego zgromadziło się w niej tyle wody kondensacyjnej. Stała w samym słońcu.

– Nawaleni Szkoci – warknął Carl.

– Dołączono zupełnie niezdatny do użytku profil DNA. Są też fotki w ultrafiolecie. Próbowali zaimpregnować list, na ile potrafili. Patrz! To próba rekonstrukcji tekstu listu. Można kawałek przeczytać.

Carl spojrzał na kserokopię i wycofał się ze słów o nawalonych Szkotach. Bo gdy się porównało oryginalny list z opracowaną, naświetloną i obrobioną próbą rekonstrukcji tego, co faktycznie mogło być w nim napisane, rezultaty były imponujące.

Spojrzał na kartkę. Od wieków ludzi fascynowała myśl o wysłaniu w butelce listu, który ktoś wyłowi i przeczyta na drugim końcu świata. W ten sposób mogą się otworzyć możliwości nowych, nieoczekiwanych przygód.

Ale czuł, że w wypadku tego listu w butelce tak nie było. Tutaj była śmiertelna powaga. Żadne wygłupy, żaden harcerz, który wybrał się na ciekawą wycieczkę, żadnej harmonii i błękitnego nieba. Ten list był tym, czym miał być.

Rozpaczliwym wołaniem o pomoc.

5

Gdy ją opuszczał, zostawiał za sobą swe codzienne życie. Przejeżdżał dwadzieścia kilometrów z Roskilde do ustronnego gospodarstwa, położonego mniej więcej w połowie drogi między ich domem a domem nad fiordem. Wyprowadzał furgonetkę ze stodoły, po czym parkował tam mercedesa. Zamykał bramę na klucz, brał szybki prysznic i koloryzował włosy, stał przez dziesięć minut przed lustrem, przygotowując się, znajdował w szafach to, czego potrzebował, po czym wychodził z bagażem do jasnoniebieskiego samochodu marki Peugeot Partner, którego używał podczas wyjazdów. Auto nie miało znaków szczególnych, nie za duże, nie za małe, nie za mocno zabrudzone tablice rejestracyjne, a jednak dość nieczytelne. Zupełnie anonimowy pojazd, zarejestrowany na nazwisko, które zawłaszczył, gdy sprawił sobie to gospodarstwo. Dokładnie tak jak miało być, zważywszy na cel.

W tym punkcie był już dobrze przygotowany. Gruntowne przeszukiwanie Internetu i oficjalnych rejestrów, do których z upływem lat uzyskał kody, dostarczało mu pożądanych informacji o potencjalnych ofiarach. Miał przy sobie mnóstwo gotówki.

Na stacjach benzynowych i mostach płacił banknotami o średnich nominałach, nigdy nie patrzył do kamery, pilnował, by trzymać się z dala od niecodziennych wydarzeń.

Tym razem jego rewirem była Środkowa Jutlandia. Zagęszczenie sekt religijnych było tu duże, a ostatnio zaatakował w tym rejonie ładnych parę lat temu. Tak, starannie rozsiewał śmierć.

Przez jakiś czas obserwował, ale z reguły tylko kilka dni z rzędu. Pierwszy raz mieszkał u kobiety w Haderslev, a kolejne u innej w miasteczku o nazwie Lønne. Ryzyko rozpoznania w okolicach odległego Viborga było zatem znikome.

Miał dokonać wyboru między pięcioma rodzinami. Dwie z nich należały do świadków Jehowy, jedna do ewangelistów, jedna do strażników grzechu, a jedna do Kościoła Matki Bożej. W chwili obecnej skłaniał się ku tej ostatniej.

Przyjechał do Viborga około siódmej, być może nieco za wcześnie jak na swoje przedsięwzięcie, szczególnie w mieście tej wielkości, ale przecież nigdy nie wiadomo, co się może zdarzyć.

Kryteria, jakie musiały spełniać knajpy, w których wyszukiwał kobiety nadające się na gospodynie, były zawsze te same. Lokal nie mógł być zbyt mały, znajdować się w miejscu, gdzie wszyscy się znali i gdzie stali goście wprowadzają poufałą atmosferę. Nie mógł też być zanadto obskurny, tak by przyciągnąć samotną kobietę o pewnym standardzie w wieku od trzydziestu pięciu do pięćdziesięciu pięciu lat.

Pierwsze miejsce na trasie, „Julles Bar", było za ciasne i mroczne, ze zbyt dużą liczbą beczek piwa i maszyn do gier. W kolejnym miejscu poszło lepiej. Mały parkiet, odpowiednio skomponowany dobór gości, jeśli nie liczyć geja, który natychmiast usadowił się na krześle obok w odległości milimetra od niego. Jeśli znalazłby tam kobietę, gej niewątpliwie zapamiętałby go, mimo grzecznej odmowy, a nie o to chodziło.

Dopiero przy piątej próbie znalazł to, czego szukał. Podkreślały to nawet napisy nad barem, nadające odpowiedni ton: „Ten, kto nic nie mówi, jest najlepszą zdobyczą", „Wszędzie dobrze, ale w «Terminalu» najlepiej", a w szczególności „Najlepsze cycki w mieście – to tu".

Dobrze się składało, że obsługa zamykała „Terminal" na ulicy Gravene już o 23.00, ale ludziom dopisywały humory dzięki piwku Hancock Høkerbajer i lokalnemu rockowi. Przy takiej klienteli zdąży dokonać połowu jeszcze przed zamknięciem.

Upatrzył sobie niemłodą kobietę, siedzącą przy wejściu do części lokalu, gdzie grała muzyka. Kiedy wszedł, tańczyła sama, kołysząc rękami, na maleńkim parkiecie. Była całkiem ładna i nie stanowiła łatwej zdobyczy. To poważna łowczyni. Pragnąca mężczyzny, któremu można zaufać. Wartego, by się obok niego budzić przez resztę życia. Nie liczyła na to, że znajdzie go tutaj. Wyszła z dziewczynami z pracy po ciężkim dniu – i tyle. Było to widać z daleka. Dokładnie tak, jak powinno być.

Jej dwie zgrabne koleżanki kołysały się i chichotały w kabinie dla palących, a reszta rozproszyła się wokół wyjątkowo niejednorodnych stołów. Najwyraźniej od jakiegoś czasu towarzystwo bawiło się na wysokich obrotach. Stwierdził w każdym razie, że po upływie paru godzin pozostałe nie będą w stanie go zbyt dobrze opisać.

Skłaniał się ku niej po trwającym pięć minut kontakcie wzrokowym. Nie była zanadto wstawiona. Dobry znak.

– Powiadasz, że nie jesteś stąd? – powiedziała z oczami utkwionymi w jego brwiach. – Co w takim razie porabiasz w Viborgu?

Ładnie pachniała i miała stanowcze spojrzenie. Nietrudno było zgadnąć, jaką odpowiedź chciałaby usłyszeć. Powinien powiedzieć, że dość często przyjeżdża do miasta. Że lubi Viborg. Że ma wyższe wykształcenie i jest singlem. Dlatego też to powiedział. Cicho, spokojnie i w odpowiedniej kolejności. Powiedziałby cokolwiek, byle zadziałało.

Dwie godziny później leżeli w jej łóżku. Ona – więcej niż zaspokojona, on – wiedząc, że może tu pomieszkać przez kilka tygodni, nie narażając się na jej natarczywe pytania, jeśli nie liczyć tych co zwykle: czy ona naprawdę mu się podoba i czy chce z nią być na poważnie.

Uważał, żeby nie windować jej oczekiwań. Grał nieśmiałego, żeby nie wiedziała, z jakiej cechy charakteru bierze się powściągliwość jego odpowiedzi.

Następnego ranka obudził się zgodnie z planem o wpół do szóstej, doprowadził się do porządku, dyskretnie pomyszkował w jej schowkach i dowiedział się o niej mnóstwa rzeczy, nim zaczęła przeciągać się w łóżku. Rozwiedziona, co już wiedział. Miała dorosłe dzieci, które wyprowadziły się z domu, i najprawdopodobniej dobrą, ciepłą posadkę kierowniczą w gminie, która z równie dużym prawdopodobieństwem wysysała z niej całą energię. Miała pięćdziesiąt dwa lata i w obecnym momencie była bardziej niż gotowa, by przenieść swoje życie do świata baśni.

Nim postawił tacę z kawą i grzankami na łóżku obok niej, rozchylił zasłony, by mogła dostrzec jego uśmiech i świeży wygląd.

Później przytuliła się do niego. Z czułym oddaniem i z głębszymi niż wcześniej dołeczkami na policzkach. Pogłaskała go po policzku i chciała pocałować jego bliznę, ale nie zdążyła, bo ujął ją pod brodę i zadał pytanie:

– Mam się zameldować w „Hotelu Palads" czy wrócić wieczorem do ciebie?

Odpowiedź została udzielona. W każdym razie jeszcze raz przysunęła się do niego z uczuciem, po czym powiedziała mu, gdzie leży klucz, nim wymknął się do furgonetki i wyjechał z krainy domków jednorodzinnych.

Rodzina, którą sobie upatrzył, była w stanie szybko zapłacić milion okupu, którego zwykle żądał. Sprzedaż akcji może okazać się konieczna, choć prawdę mówiąc, nie jest to najdogodniejszy moment, ale tak poza tym rodzina była wyjątkowo zgrana. Jasne, że w czasach kryzysu trudniej popełnić w miarę opłacalne przestępstwo, ale przy starannym doborze ofiar zawsze znajdzie się jakieś wyjście. Oceniał w każdym razie, że ta rodzina może i zechce spełnić jego żądania i zrobi to dyskretnie.

Znał już rodzinę dobrze z obserwacji. Odwiedzał ich zgromadzenie i gawędził z rodzicami po mszy. Wiedział, od jak dawna są członkami sekty, w jaki sposób dorobili się majątku, ile mają dzieci, jak się nazywają i z grubsza również, jak wygląda ich codzienność.

Rodzina mieszkała na obrzeżach Frederiks. Pięcioro dzieci w wieku od dziesięciu do osiemnastu lat. Wszyscy mieszkają w domu i są aktywnymi członkami Kościoła Matki Bożej. Dwoje najstarszych chodzi do liceum w Viborgu, a resztę uczy w domu matka, niegdysiejsza ponadczterdziestoletnia nauczycielka z eksperymentalnej inicjatywy Tvind, która z braku życiowych treści zawłaszczyła sobie Boga. To ona nosiła spodnie w tym domu. Ona sprawowała kontrolę nad tą gromadą i nad religią. Mąż był dwadzieścia lat starszy i należał do najzamożniejszych przedsiębiorców w okolicy. Mimo że połowę zarobków oddawał na Kościół Matki Bożej, zgodnie z obietnicą składaną przez wszystkich członków, i tak sporo zostawało. Park maszyn, taki jak jego, nigdy nie bywa w opałach.

Przecież zboże rośnie również wtedy, gdy w bankach panuje zastój.

Jedynym problemem związanym z rodziną był fakt, że ich drugi w kolejności syn, który skądinąd był wyjątkowo nadającym się kandydatem, zaczął chodzić na karate. Nie było powodów do obaw, że ten drobny chłopak może stanowić zagrożenie, ale mógł udaremnić planowanie czasu.

Bo właśnie o zaplanowany czas chodziło, kiedy sprawy przybierały nieciekawy obrót. Zawsze o to.

Gdyby nie to, właśnie drugi w kolejności syn i jego młodsza siostra – numer cztery w gromadce – byli mu potrzebni, by odnieść sukces. Byli śmiali, najładniejsi z dzieci oraz mieli najwięcej cech przywódczych. Z pewnością oczka w głowie swojej matki. Gorliwi wyznawcy Kościoła Matki Bożej, ale jednocześnie trochę niesforni. Tacy, co kiedyś albo zostaną najwyższymi kapłanami, albo zostaną wyklęci. Wierzący, a jednak radośni. Idealna kombinacja.

Może trochę tacy, jak kiedyś on sam.

Zaparkował furgonetkę w pewnej odległości w zaroślach między drzewami i siedział długo z lornetką przy oczach, obserwując pozostające w domu dzieci, bawiące się na przerwach w ogrodzie przy gospodarstwie. Widać było, że wybrana przez niego dziewczynka jest zajęta czymś w kącie ogrodu, pod drzewami. Czymś, co nie nadawało się dla oczu pozostałych. Przez dłuższy czas klęczała w wysokiej trawie, buszując. Kolejna rzecz podkreślająca trafność jego wyboru.

„To, co robi, nie cieszyłoby się uznaniem jej matki i nie jest zgodne z regułami Kościoła Matki Bożej" – pomyślał i kiwnął do siebie głową. Bóg zawsze wystawia na próbę najlepsze owieczki w stadzie, a nieduża, dwunastoletnia Magdalena bynajmniej nie stanowiła wyjątku.

Przesiedział jeszcze kilka godzin na odchylonym w tył siedzeniu furgonetki i obserwował gospodarstwo, położone na zakręcie Stanghede. Przez lornetkę widział wyraźnie, że zachowanie dziewczynki było powtarzalne. Na każdej przerwie przez większość czasu siedziała sama w kącie ogrodu, zakrywając wszystko, gdy matka wołała na kolejną lekcję.

Ogólnie rzecz biorąc, jest dużo rzeczy, których należy się wystrzegać, kiedy się jest małą dziewczynką w rodzinie wyznającej religię Kościoła Matki Bożej i wszystko, co za tym idzie.

Taniec, muzyka, wydawane drukiem publikacje, nie licząc tych wydawanych przez Kościół Matki Bożej, alkohol, przebywanie z ludźmi spoza Kościoła, zwierzęta domowe, telewizja, Internet. Wszystko było zakazane, a kara za złamanie zakazu – surowa. Wykluczenie z rodziny i wspólnoty.

Odjechał, nim do domu wrócili starsi chłopcy, z poczuciem, że to właściwa rodzina. Teraz prześledzi jeszcze raz rachunki firmy mężczyzny i zeznania podatkowe, a potem przyjedzie nazajutrz, by poobserwować w miarę możliwości zachowanie dzieci.

Wkrótce nie będzie już odwrotu, a ta myśl dobrze mu robiła.

Kobieta, która udzieliła mu schronienia, miała na imię Isabel, ale już ona sama nie była tak egzotyczna jak jej imię. Szwedzkie kryminały na regale, płyty CD Anne Linnet. Nie zwykła robić przypadkowych zakupów w drodze do domu.

Spojrzał na zegarek. Może być w domu za pół godziny. Czyli jest czas, żeby sprawdzić, czy gdzieś w ukryciu nie czekają go niemiłe niespodzianki. Usiadł przy biurku, włączył jej laptop, trochę się rozeźlił, gdy został poproszony o kod dostępu, spróbował nadaremno jakieś sześć, siedem razy, po czym uniósł podkładkę i znalazł skrawek papieru z hasłami dostępu do wszystkich możliwych adresów, począwszy od randek internetowych poprzez bank, a skończywszy na koncie mejlowym. To rzadko zawodziło. Kobiety jej pokroju posługiwały się głównie datami urodzin, imionami dzieci albo psów, numerami telefonów albo po prostu szeregiem liczb, najczęściej malejących, a jeśli tak nie było – zabezpieczały się, zapisując kody. Bardzo rzadko kartki leżały dalej niż pół metra od klawiatury. Przecież trzeba by było wstawać.

Zalogował się do jej korespondencji z randek internetowych i skonstatował z zadowoleniem, że znalazła w nim mężczyznę, którego od jakiegoś czasu szukała. Może o kilka lat młodszego, niż chciała, ale która kobieta powiedziałaby z tego powodu nie?

Przejrzał jej kontakty adresowe na Outlooku. Jeden z nich pojawiał się wielokrotnie w skrzynce na listy. Nazywał się Karsten Jønsson. Może brat, może eksmąż, to mniej istotne. Ważniejszy był fakt, że adres mejlowy kończył się na „politi.dk".

„Jasna cholera" – pomyślał. Gdy nadejdzie właściwy czas, nie może sobie pozwolić na agresję wobec niej. Już lepiej brzydko się do niej odezwać albo rozrzucać wszędzie brudne ubrania. Oznaczyła te rzeczy w swoim profilu randkowym jako doprowadzające ją do szału.

Wyciągnął swój mały pendrive BlueTinum i włożył go do gniazda

USB. Konto na Skypie, słuchawki, odpowiednia książka telefoniczna - wszystko w jednym. Wystukał numer komórkowy swojej żony.

Zawsze o tej porze robiła zakupy. Zasugeruje jej, by kupiła butelkę szampana i ją schłodziła.

Przy dziesiątym sygnale zmarszczył brwi. Jak dotąd absolutnie nigdy się nie zdarzyło, by nie odebrała. Jeśli istniało coś, z czym jego żona się nie rozstawała, była to właśnie ta komórka.

Zadzwonił jeszcze raz. Znów bez powodzenia.

Przechylił się w przód i wlepił wzrok w klawiaturę, czując, że jego twarz robi się gorąca.

Miał nadzieję, że ona znajdzie dobre wytłumaczenie. Odsłaniając nieznane strony swojej osobowości, ryzykuje, że on będzie zmuszony odsłonić zupełnie nowe strony własnej.

A tego by wcale, ale to wcale, nie chciała.

6

– Owszem, muszę powiedzieć, że obserwacje Assada dały nam bardzo do myślenia, Carl – powiedział szef Wydziału Zabójstw ze skórzaną kurtką zarzuconą na ramiona. Za dziesięć minut będzie stał na rogu ulicy w dzielnicy Nordvest, przyglądając się plamie krwi po nocnej strzelaninie. Carl mu nie zazdrościł.

Carl kiwnął głową.

– Czyli uważasz, tak jak Assad, że to by wskazywało na związek między tymi pożarami?

– Identyczne wgłębienia w kości małego palca u ofiar dwóch z trzech pożarów. Owszem, to na pewno daje do myślenia. Ale zobaczymy. W tej chwili materiał czeka na badania w Instytucie Medycyny Sądowej, więc powinni udzielić na to odpowiedzi. Ale nos, Carl... – Postukał się w swoją osławioną wypukłość. W ciągu wieków niewiele nosów jak właśnie ten wściubiano w tyle paskudnych spraw. Tak, Assad i Jacobsen mieli z pewnością rację. Powiązanie istniało. Sam to czuł.

Carl wysilił się na dozę władczości w głosie. Niełatwe zadanie o tak wczesnej porze.

– Czyli rozumiem, że przekazujemy sprawę wam.

– Póki co – tak. Póki co.

Carl kiwnął głową. Wybierał się prosto na dół, by włączyć starą sprawę o podpalenie do rejestru spraw zakończonych w Departamencie Q. Czego się nie robi dla pięknych statystyk.

– Chodź, Carl! Rose chce ci tak coś pokazać! – rozległ się ryk, jakby w piwnicznych komnatach rozpanoszyły się wyjce. Assad nie cierpiał na nieżyt strun głosowych, to jasne jak słońce.

Stał uśmiechnięty od ucha do ucha z plikiem fotokopii w ręce. Nie z dokumentacją, o ile Carl dobrze widział. Raczej z powiększonymi fragmentami czegoś, co w najlepszym wypadku można by określić jako niewyraźne.

– Patrz, co ona wymyśliła.

Assad wskazał na ściankę działową w korytarzu, którą właśnie postawił stolarz jako zabezpieczenie przed azbestem. Albo raczej wskazał miejsce, gdzie powinna się znajdować. Gdyż w rzeczywistości zarówno ścianka, jak i osadzone w niej drzwi były zupełnie zakryte przez multum fotokopii, mozolnie posklejanych razem w całość. Jeśli chciałoby się przejść, trzeba by użyć nożyczek.

Już z odległości dziesięciu metrów widać było, że mowa o ogromnym powiększeniu listu z butelki.

„POMOCY" – brzmiał napis na ścianie piwnicznego korytarza.

– Razem sześćdziesiąt cztery arkusze A4, ładnie, co? Tu mam tak ostatnich pięć. Dwieście czterdzieści wysokości i sto siedemdziesiąt szerokości. Duże, prawda? Czy ona nie ma mądrej głowy?

Carl zbliżył się parę metrów, podczas gdy Rose leżała z tylną częścią ciała w górze, kończąc przyklejać kopie Assada w dolnym narożniku.

Carl obejrzał najpierw pupę, a potem dzieło. Widać było od razu, że gigantyczne powiększenie ma swoje wady i zalety. Miejsca, gdzie litery zostały wchłonięte przez papier, były wyjątkowo zamazane, podczas gdy inne obszary z praktycznie zupełnie niewyraźnymi, krzywymi literami, które usiłowali dorysować szkoccy konserwatorzy, nagle nabrały znaczenia.

Krótko mówiąc, nagle pojawiło się co najmniej dwadzieścia dodatkowych, możliwych do odczytania liter.

Rose obróciła się do niego na sekundę, zignorowała jego powitalny ruch ręką i przeciągnęła drabinę na środek korytarza.

– Właź, Assad. Powiem, gdzie masz wstawiać kropki, okej?

Odepchnęła Carla na bok i stanęła dokładnie w jego miejscu.

– Nie za mocno, Assad. Żeby je można było wymazać.

Kiwnął głową ze szczytu drabiny z ołówkiem w gotowości.

– Zacznij pod „POMOCY", przed „ni". Wydaje mi się, że widzę cztery odrębne plamy. Zgadzasz się?

Carl i Assad spojrzeli na smugi, wiszące jak czarnogranatowe obłoki obok napisanych liter „n" i „i".

Assad kiwnął głową i wstawił kropkę na każdej z czterech plam.

Carl przesunął się na bok. Chyba się zgadzało. Pod wyraźnym nagłówkiem „POMOCY" widniały ze cztery niewyraźne plamy przed dwiema kolejnymi literami. Woda morska i kondensacyjna zrobiły swoje. Cztery napisane krwią litery już dawno temu się rozpłynęły i wsiąkły w papierową masę. Gdyby tylko było wiadomo jakie.

Przez chwilę przyglądał się scence, podczas gdy Rose instruowała Assada. To była żmudna robota. No i jak przyszło co do czego - dokąd to ma prowadzić? Ciągnące się godzinami zgadywanki. I po co? Butelka może mieć przecież dziesiątki lat. Poza tym ciągle istnieje możliwość, że to niewybredny dowcip. Litery sprawiały wrażenie tak niezdarnych, jakby pisało je dziecko. Paru harcerzy i małe nacięcie na palcu. I sprawa jasna. Choć?

- Sam nie wiem, Rose - powiedział ostrożnie. - Może powinniśmy po prostu o tym zapomnieć? W końcu mamy co robić.

Dostrzegł, jaki efekt przyniosła ta wypowiedź. Rose zaczęła drżeć na całym ciele, a plecy przeobraziły się jakby w trzęsącą się galaretę. Gdyby człowiek nie wiedział, o co chodzi, mógłby pomyśleć, że zbliża się atak śmiechu. Ale Carl znał Rose, dlatego cofnął się, zaledwie o krok, ale starczyło, by nie dosięgła go eksplozja bluzgających, jadowitych przekleństw.

Czyli była niezadowolona z jego ingerencji. Aż taki nierozgarnięty nie był.

Kiwnął głową. Jak powiedział: mają co robić. Wiedział w każdym razie o istnieniu pewnych ważnych dokumentów, które po odpowiednim rozłożeniu w dogodny sposób zakryją mu twarz, a on zadośćuczyni niezaspokojonej potrzebie snu. Niech się inni w tym czasie bawią w harcerzy.

Rose zarejestrowała jego trwożną kapitulację, bo powoli się odwróciła i wlepiła weń zadające precyzyjne ukłucia źrenice.

- Ale dobrze to wymyśliłaś, Rose. Naprawdę nieźle - dodał pospiesznie, ale nie połasiła się na ten kąsek.

- Daję ci dwie możliwości, Carl - syknęła, podczas gdy Assad przewracał oczami na szczycie drabiny. - Albo się zamkniesz, albo spadam do domu. Mogę w zamian przysłać moją siostrę bliźniaczkę, i wiesz co?

Carl pokręcił głową. Fakt, że nie wiedział też, czy chce to wiedzieć.

– Pewnie przyjdzie z trojgiem dzieci i czterema kotami, czterema lokatorami i mężem dupkiem, tak to było? W każdym razie w twoim gabinecie zrobi się tłoczno. Tak brzmi odpowiedź? – spytał.

Ujęła się pięściami pod boki i przechyliła w jego stronę.

– Nie wiem, kto ci nawciskał takich kitów. Yrsa mieszka ze mną i nie ma ani kotów, ani lokatorów. – Określenie „dureń" aż biło z jej pomalowanych na czarno oczu.

Uniósł przed siebie dłonie w obronnym geście.

Fotel w gabinecie tęsknie nawoływał.

– O co chodzi z tą jej siostrą bliźniaczką, Assad? Czy Rose już wcześniej groziła czymś podobnym?

Assad wykonał obok niego parę lekkich kroków po schodach rotundy, podczas gdy Carl zaczynał już czuć ołów w nogach.

– Oj, nie przejmuj się tak, Carl. Rose jest jak piasek na grzbiecie wielbłąda. Czasami drapie w dupę, a czasami nie. Chodzi tylko o to, jak jest się gruboskórnym. – Obrócił się do Carla, odsłaniając pokryte szkliwem kolumny w dwóch rzędach. Jeśli w ciągu wieków czyjaś dupa zahartowała się dzięki twardej skórze, to na pewno jego.

– Mówiła mi o siostrze. Ma na imię Yrsa, dobrze pamiętam, bo rymuje się z Irma. Nie wydaje mi się, by się nawzajem przyjaźniły – dodał Assad.

„Yrsa? Czy naprawdę ktoś się tak jeszcze nazywa?" – pomyślał Carl, gdy dotarli na drugie piętro, a zastawki w jego sercu tańczyły fandango.

– Hej, chłopcy – zabrzmiał cudownie znajomy głos po drugiej stronie kontuaru. Czyli Lis jest z powrotem na posterunku. Lis, czterdziestoletnie doskonale utrzymane ciało i takież szare komórki. Prawdziwa uczta dla wszystkich zmysłów, w przeciwieństwie do pani Sørensen, która uśmiechnęła się mile do Assada, a na widok Carla uniosła głowę niczym rozdrażniona kobra.

– Opowiedz panu Mørckowi, jak świetnie bawiliście się z Frankiem w Stanach, Lis. – Wiedźma uśmiechnęła się złowieszczo.

– Innym razem – odparł szybko Carl. – Marcus czeka.

Pociągnął Assada za rękaw, ale na próżno.

„Niech cię licho, Assad" – pomyślał Carl, podczas gdy usta Lis o barwie infraczerwonej radośnie opowiadały o trwającej cały miesiąc wędrówce po Ameryce z przywiędłym mężem, który nagle rozniecił się jak bizon w podwójnym łóżku campera. Były to obrazy, które Carl ze wszystkich sił próbował od siebie odepchnąć, podobnie jak myśli o niedobrowolnym celibacie.

„Cholerna pani Sørensen" – pomyślał. Cholerny Assad i cholerny facet, który dorwał Lis. No i wreszcie cholerni Lekarze bez Granic, którzy zwabili Monę, epicentrum jego pożądania, w najciemniejsze rejony Afryki.

– Kiedy wraca ta pani psycholog, Carl? – spytał Assad przy drzwiach do gabinetu, w którym odbywały się briefingi. – Jak ona się nazywała, Mona, i jak dalej?

Carl zignorował figlarny uśmiech Assada i otworzył drzwi do gabinetu szefa Wydziału Zabójstw. Siedziała tu większa część Departamentu A, trąc oczy. Spędzili kilka trudnych dni w grzęzawisku, jakim jest społeczeństwo, a teraz odkrycie Assada ich stamtąd wyciągnęło.

Doinformowanie szefów zespołów zajęło Marcusowi dziesięć minut. Zarówno on, jak i Lars Bjørn sprawiali wrażenie bardzo rozentuzjazmowanych. Parokrotnie wymienili imię Assada. Parokrotnie zadowoloną twarz Assada omiatały spojrzenia wąskich oczu, za którymi kryło się zdziwienie, że też ten czarnuch sprzątacz nagle znalazł się w ich kręgu.

Ale nikt nie miał siły zadawać pytań. Koniec końców Assad znalazł związek między starymi i nowymi podpaleniami, który – zdaje się – miał sens. Wszystkie ciała znalezione na pogorzelisku miały wgłębienie na najniższym paliczku małego palca lewej ręki, jeśli nie liczyć sprawy, w której małego palca w ogóle nie było. Wyszło na jaw, że lekarze sądowi sporządzili na ten temat notatkę przy każdej ze spraw, tyle że nikt po prostu nie zwrócił uwagi, że są ze sobą powiązane.

Raporty z sekcji zwłok wskazywały, że dwoje spośród zmarłych nosiło obrączkę na małym palcu. Lekarze sądowi stwierdzili, że powodem wgłębienia w kościach nie było nadmierne rozgrzanie obrączek w pożarze. Bardziej sensowny wniosek był taki, że zmarli nosili je od najmłodszych lat i dlatego pierścionki zostawiły ślady aż na tkance kostnej. Ktoś zasugerował, że mogły mieć znaczenie kulturowe, podobnie jak krępowanie stóp przez Chińczyków, ktoś inny powiedział, że może to mieć związek z rytuałami.

Marcus Jacobsen kiwnął głową. Coś w tym stylu. Nie można wykluczyć jakiejś formy braterstwa. Kiedy już się włożyło obrączkę, nigdy się jej nie zdejmowało.

Inna sprawa, że nie wszystkie ciała miały palce w nienaruszonym stanie. Powodów mogło być wiele. Na przykład odrąbanie.

– Teraz trzeba się tylko dowiedzieć, kto i dlaczego – podsumował zastępca szefa Lars Bjørn.

Prawie wszyscy pokiwali głowami, niektórzy wzdychali. Owszem, trzeba się tylko tego dowiedzieć, prosta sprawa!

– Departament Q powiadomi nas, jeśli natknie się na inne równoległe sprawy – powiedział szef Wydziału Zabójstw, a Assada poklepał po ramieniu jakiś detektyw, który z pewnością nie miał ze sprawą nic wspólnego.

I znów znaleźli się na korytarzu.

– No i co z tą Moną Ibsen, Carl? – gad nie odpuszczał. – Nie powinieneś jej tak sprowadzić z powrotem do domu, nim twoje klejnoty zrobią się ciężkie jak kule armatnie?

W piwnicy wszystko z grubsza wyglądało po staremu. Rose postawiła stołek przed wiszącym na ścianie listem z butelki i siedziała, zastanawiając się tak głęboko, że zmarszczki na jej twarzy było wręcz widać od tyłu.

Najwyraźniej nie mogła ruszyć dalej.

Carl spojrzał na gigantyczną kopię. Rzeczywiście nie było to łatwe zadanie. Nic a nic.

Pociągnęła litery starannie flamastrem. Nie było to prawdopodobnie zbyt mądre, ale stwierdził, że dawało lepszy ogląd.

Kokieteryjnym ruchem przeczesała palcami czarne włosy, przypominające wronie gniazdo. Jako że wszystkie paznokcie miała uwalane tuszem, wszystko do siebie pasowało.

Pewnie teraz pomaluje paznokcie na czarno. Przecież zwykle tak robiła.

– Coś to znaczy? Ma to w ogóle jakiś sens? – spytał Carl, próbując przeczytać.

Napis brzmiał:

POMOCY

.ni. .. .ótego .... ..st.....y ó.....dzeni ...rano ... z .szystan.. przy ..ut.
op.... . Bal..... - Mężcz.... .. 18. wz..... .... włos. .... - Ma
.... praw.. .... Je.... nib..sk. fur.o...k. Tata . .... go .naj. - Fr.d.. i ...
na B - gros.. ... . - .. na. ..mordój. - ....ągną. .. ...w. ....t.
najpi... .. . ..tem .... brat. - Jehaliś.. ...... prz.. godzi.. . ...az .... n..
wod. T. ..chni. bżyd.. - .... szy... ... ...t .. .ry.g.. - .. .. lat
P... ....

Czyli wołanie o pomoc, a poza tym odniesienia do jakiegoś mężczyzny, taty i jazdy samochodem. Podpisano P, to wszystko. Nie, to nie miało wiele sensu.

Co się wydarzyło? Gdzie, kiedy i dlaczego?

– Jestem pewna, że to nadawca – powiedziała Rose, wskazując flamastrem literę P na samym dole. W końcu nie jest aż taka głupia.

– Jestem też pewna, że jego podpis składa się z dwóch słów, każde po cztery litery – dodała, stukając w oznaczenia zrobione ołówkiem przez Assada.

Carl przesunął wzrok z jej pokreślonych tuszem paznokci na kropki postawione ołówkiem na liście z butelki. Kto wie, może już czas na badanie wzroku? Skąd, u licha, ma wiedzieć, że tu mają być dwa razy cztery litery? Bo Assad postawił parę kropek na jakichś plamach? Według niego można by mówić o wielu innych możliwościach.

– Sprawdziłam z oryginałem – powiedziała. – I rozmawiałam o tym z technikiem ze Szkocji. W pełni się zgadzamy. Dwa razy cztery litery.

Carl kiwnął głową. Technik ze Szkocji, powiada. Bardzo proszę! Jeśli o niego chodzi, niech sobie rozmawia nawet z odzianą w pepitkę wróżką z Rejkiawiku. Według niego przeważająca część listu to pisane maczkiem bazgroły, cokolwiek by mówić.

– Jestem przekonana, że pisała to osoba płci męskiej. Przy założeniu, że w takiej sytuacji człowiek nie podpisałby się przezwiskiem, nie udało mi się znaleźć żadnych duńskich imion kobiecych zaczynających się na P i składających z czterech liter. Poza tym znalazłam takie imiona dla kobiet, jak Paca, Pala, Papa, Pele, Peta, Piia, Pili, Pina, Ping, Piri, Posy, Pris, Prue.

Wyliczyła je w ciągu sekundy, nie spoglądając nawet w notatki. Bardzo dziwna ta Rose.

– Papa – to takie dziwne imię dla dziewczyny – parsknął Assad.

Wzruszyła ramionami. I co z tego. Powiedziała, że na P nie ma żadnych czteroliterowych duńskich imion żeńskich. Nie ma takiej możliwości.

Carl spojrzał na Assada, na którego twarzy malowały się myślniki. Nikt nie potrafił myśleć z równie widoczną intensywnością, jak to krągłe stworzenie.

– To nie jest też tak muzułmańskie imię – dobiegło z jego napiętej twarzy. – W każdym razie nie przychodzi mi na myśl tak nic poza Pari, a to jest irańskie imię.

Carl wygiął kąciki ust w dół.

– Aha. Takich Irańczyków i tak prawie w Danii nie ma, co? No to facet ma na imię albo Poul, albo Paul, co za ulga! Czyli znajdziemy go w try miga.

Zmarszczki na czole Assada pogłębiły się.

– Jak go znajdziemy? Gdzie?

Carl wziął głęboki oddech. Niedługo będzie musiał wysłać swojego małego pomocnika do swojej ekszony. Wtedy nauczy się takich powiedzonek, że te jego wielkie oczy dostaną oczopląsu.

Carl spojrzał na zegarek.

– Czyli nazywa się Poul, możemy się zgodzić? Zrobię sobie teraz piętnastominutową przerwę, a wy w tym czasie pewnie znajdziecie nadawcę listu.

Rose usiłowała zignorować ton głosu, ale jej nozdrza wyraźnie się rozszerzyły.

– Owszem, Poul to oczywiście niezły pomysł. Albo Piet, albo Peer przez dwa e, Pehr przez h albo Petr. Równie dobrze może to być Pete, Piet i Phil. Jest tyle możliwości, Carl. Jesteśmy teraz społeczeństwem wielonarodowościowym, wokół roi się od nowych imion. Paco, Paki, Pall, Page, Pasi, Pedr, Pepe, Pere, Pero, Peru...

– Rose, przestań, do cholery, to nie księga imion. I o co ci chodzi z tym Peru? Przecież to, kurde, kraj, nie imię.

– ... i Peti, Ping, Pino, Pius...

– Pius? Jasne, papieży też wliczaj. Przecież są...

– Pons, Pran, Ptah, Puck, Pyry.

– Skończyłaś?

Nie odpowiedziała.

Carl spojrzał ponownie na podpis na ścianie. Tak czy siak, nie można ustalić nic oprócz tego, że list napisał ktoś o imieniu zaczynającym się na P. Ale kim był ten P? Raczej nie był to Piet Hein*. W takim razie kto?

– To może być równie dobrze dwuczłonowe imię, Rose. Jesteś pewna, że nie ma tam łącznika? – wskazał zamazany obszar. – Mogłoby tu na przykład być napisane Poul-Erik albo Paco-Paki czy Pili-Ping. – Spróbował zarazić Rose uśmiechem, ale tego typu zabiegi były jej obce, więc pies to drapał.

– Niech zatem ten gigantyczny list spokojniutko tu sobie wisi, a my ruszamy dalej z konkretnymi zadaniami. Wtedy Rose będzie miała czas, by polakierować swoje sfatygowane paznokcie na czarno – wydedukował Carl. – Przecież możemy sobie chodzić wte i wewte i raz na jakiś czas rzucać na to okiem. A nuż w międzyczasie nas olśni. Tak jak z krzyżówką, która czeka w ubikacji na kolejny raz.

Rose i Assad spojrzeli na niego, marszcząc brwi. Z krzyżówką do kibla? Tych dwoje najwidoczniej nie wysiadywało tak długo w klopie.

– Zresztą nie, jednak nie możemy zostawić tak tego listu na ściance, przecież przechodzą tędy ludzie. Wiecie sami, że za tymi drzwiami znajduje się część archiwum. Stare sprawy, chyba słyszeliście? – obrócił się, kierując się w stronę swojego gabinetu i czekającego nań wygodnego fotela. Zrobił dokładnie dwa kroki, nim przeszył go ostry jak igła głos Rose.

– Carl, obróć się no.

Obrócił się powoli i zobaczył, jak wskazuje za siebie na swe dzieło sztuki.

– Jeśli uważasz, że mam brzydkie paznokcie, to nie mam zamiaru nic z nimi robić, dotarło? A tak poza tym – widzisz to słowo na samej górze?

– Tak, Rose. To w zasadzie jedyne słowo, które rzeczywiście widzę. Jest tam dość wyraźnie napisane „pomocy".

* Piet Hein był dwudziestowiecznym duńskim artystą i poetą.

Wtedy wyciągnęła ku niemu ostrzegawczo udekorowane na czarno paznokcie.

– Dobrze. Właśnie to słowo będziesz wrzeszczeć wniebogłosy, jeśli odważysz się usunąć choćby kawałeczek papieru. Zrozumiano?

Oderwał spojrzenie od jej zbuntowanych oczu i gestem przywołał do siebie Assada.

Chyba już najwyższy czas nabrać charyzmy.

7

Patrząc na siebie w lustrze, myślała, że zasługuje w życiu na coś więcej. W jej własnym mniemaniu przydomki Brzoskwiniowa Buzia i Śpiąca Królewna ze szkoły Thyregod nadal dobrze ją określały. Kiedy się rozbierała, wciąż potrafiła pozytywnie zdziwić się wyglądem swojego ciała. Tyle że nie wystarczało jej tkwić w tym przeświadczeniu w samotności. W ogóle nie wystarczało.

Dzieląca ich odległość zanadto się zwiększyła. On już jej nie dostrzegał.

Kiedy wróci do domu, powie mu, że nie wolno mu już jej więcej zostawiać i że muszą istnieć jakieś inne możliwości pracy. Będzie chciała go poznać, dowiedzieć się, co robi, i nalegać, by co dzień budził się u jej boku.

Tak właśnie powie.

W dawnych czasach na końcu ulicy Toftebakken znajdowało się małe wysypisko śmieci, należące do szpitala dla umysłowo chorych. Teraz zbutwiałych materaców wiórowych i zardzewiałych ram łóżek już nie było, a ich miejsce zajęły oaza o imponującym widoku na fiord i najbardziej pożądane, luksusowe mieszkania w całym mieście.

Uwielbiała tu stać, błądząc wzrokiem po porcie dla żaglówek, zaroślach i różnorodności błękitnego fiordu.

W takim miejscu i stanie łatwo być bezbronną wobec zrządzeń losu. Może właśnie dlatego powiedziała: tak, kiedy młody mężczyzna zsiadł z roweru i zaproponował filiżankę kawy. Mieszkał w tej samej dzielnicy co ona i wielokrotnie kłaniali się sobie w supermarkecie Føtex. A teraz byli tu.

Spojrzała na zegarek. Ma odebrać syna dopiero za dwie godziny, czyli czasu jest pod dostatkiem. To chyba nic złego wypić jedną kawę.

Jednak gorzko się myliła.

*

Wieczorem bujała się w swoim fotelu jak stara kobieta. Przyciskała ręce do brzucha, by uspokoić napięcie mięśni. To, co zrobiła, było całkowicie niepojęte. Naprawdę była aż tak niepoważna? Zupełnie jakby ten przystojny mężczyzna ją zahipnotyzował. Po dziesięciu minutach wyłączyła komórkę i zaczęła o sobie opowiadać. A on słuchał.

– Mia, jakie piękne imię – powiedział.

Już od tak dawna nie słyszała swojego imienia, że zabrzmiało zupełnie obco. Jej mąż nigdy go nie używał. Przenigdy.

Ten facet był taki bezpośredni. Pytał o nią i odpowiadał wprost, kiedy ona wypytywała o niego. Był żołnierzem, miał na imię Kenneth, miał dobre oczy i bez poczucia, że robi coś niewłaściwego, położył dłoń na jej dłoni w obecności dwudziestu innych gości. Przyciągnął jej rękę do siebie przez kawiarniany stolik i trzymał.

A ona nie zrobiła nic, by mu w tym przeszkodzić.

Później popędziła do żłobka, wciąż czując jego obecność.

Teraz ani godziny, ani mrok nie mogły doprowadzić jej oddechu do naturalnego tempa. Musiała ciągle zagryzać wargi. Wyłączona komórka leżała na ławie, wpatrując się w nią oskarżycielsko. Osiadła na wyspie bez widoku. Nie było kogo spytać o radę. U nikogo nie mogłaby szukać przebaczenia.

Jak żyć dalej?

Kiedy nadszedł poranek, wciąż siedziała w ubraniu, oszołomiona. Wczoraj, kiedy rozmawiała z Kennethem, mąż wydzwaniał na jej komórkę, właśnie to zauważyła. Trzy nieodebrane połączenia na wyświetlaczu będą wymagały wytłumaczenia. Zadzwoni do niej i zapyta, dlaczego ich nie odebrała, a kiedy opowie mu zmyśloną historię, będzie się bała, że on ją zdemaskuje, bez względu na wiarygodność opowieści. Był mądrzejszy, starszy i bardziej doświadczony życiowo niż ona. Wyczuje jej oszustwo i ta myśl sprawiła, że drżała na całym ciele.

Zwykle dzwonił za trzy ósma, tuż przed jej wyjściem z Beniaminem. Wsiadali na rower i odjeżdżali. Dziś zrobi to inaczej i wyjedzie kilka minut wcześniej. Niech ma szansę, ale nie będzie jej stresować. Inaczej będzie źle.

Zdążyła podnieść i przytulić syna, gdy zdradziecki telefon zaczął kręcić się na stole wokół własnej osi. Małe, zawsze dostępne wieko do świata zewnętrznego.

– Cześć, kochanie! – powiedziała, kontrolując się, a tętno napierało na jej błony bębenkowe.

– Parę razy próbowałem się do ciebie dodzwonić. Czemu nie oddzwoniłaś?

– Właśnie miałam to zrobić – wyrwało się jej. Och, już ją ma.

– No, ale wiem przecież, że właśnie wychodzisz z Beniaminem. Jest za minutę ósma. Znam cię.

Wstrzymała oddech i ostrożnie postawiła synka na podłodze.

– Jest dziś lekko chory. Wiesz, w żłobku nie chcą, by przyprowadzać dzieci z ropnym katarem. Zdaje się, że ma lekką gorączkę. – Wzięła oddech bardzo powoli, choć całe ciało wołało o tlen.

– Aha.

Nie podobała jej się pauza, która potem nastąpiła. Oczekiwał, że ona coś powie? Czy o czymś zapomniała? Próbowała się skupić na czymkolwiek. Czymś za podwójnymi szybami. Na kołyszącej się furtce przeciwległego ogrodu. Na nagich gałęziach. Ludziach idących do pracy.

– Wczoraj dzwoniłem parokrotnie. Słyszałaś, co mówię? – spytał.

– Tak, tak, przepraszam, skarbie, ale komórka mi padła. Chyba niedługo będziemy musieli wymienić baterię.

– Przecież naładowałem ją we wtorek.

– Tak, właśnie, tym razem szybko poszło. W ciągu dwóch dni zupełnie się rozładowała, to bardzo dziwne.

– Już ją naładowałaś? Dałaś sobie radę?

– Tak – pozwoliła sobie na beztroski śmiech. To trudne. – Przecież to proste jak drut. Tyle razy widziałam, jak ty ją podłączałeś.

– Nie wiedziałem, że wiesz, gdzie leży ładowarka.

– Ależ wiem – zaczęły jej drżeć ręce. Wiedział, że coś jest nie tak. Za sekundę spyta, skąd wzięła tę przeklętą ładowarkę, a przecież ona nie miała o tym pojęcia.

„Myśl! Myśl szybko" – popędzała się w duchu.

– Ja... – zawiesiła głos. – O nie, Beniamin. Nie wolno!

Szturchnęła malca nogą, aby wydał z siebie głos, po czym zgromiła go wzrokiem i szturchnęła ponownie.

Kiedy padło pytanie:

– No więc gdzie znalazłaś ładowarkę? – dziecko w końcu zaczęło płakać.

– Porozmawiamy później – powiedziała zatroskana. – Beniamin się uderzył.

Zatrzasnęła klapkę telefonu, kucnęła i zdjęła z synka kombinezon, całując go w policzek i szepcząc uspokajająco.

– Już, Beniamin, już. Przepraszam, przepraszam, przepraszam. Mama cię przypadkiem szturchnęła. Masz ochotę na ciasteczko?

Dziecko pociągnęło nosem, przebaczyło i pokiwało ciężko główką, patrząc ze smutkiem. Podała mu książeczkę z obrazkami, powoli ogarniając rozmiar katastrofy: ich dom miał trzysta metrów powierzchni, a ładowarka do telefonu mogła leżeć we wszystkich wnękach wielkości pięści.

Godzinę później nie było na parterze szuflady, mebla ani półki, których by nie sprawdziła.

Wtedy przemknęło jej przez myśl: a co, jeśli mają tylko jedną ładowarkę? A on wziął ją ze sobą? Czy ma telefon tej samej marki co ona? Nawet tego nie wiedziała.

Karmiła małego, marszcząc brwi i dochodząc do wniosku, że tak właśnie jest. Wziął ładowarkę ze sobą.

Pokręciła głową, wycierając usta dziecka do czysta za pomocą łyżeczki.

Nie, kiedy kupuje się komórkę, zawsze dostaje się ładowarkę. Oczywiście. Dlatego na pewno gdzieś leży pudełko od jej telefonu z instrukcją obsługi i nieużywaną ładowarką. Musi gdzieś leżeć, tyle że nie na parterze.

Spojrzała na schody prowadzące na piętro.

W domu znajdowały się miejsca, w których niemal nigdy nie bywała. Bynajmniej nie dlatego, że jej zabronił; po prostu tak już było. On za to nie wchodził do pokoju, w którym szyła. Każde z nich miało swoje sprawy, oazy i godziny niezależności. Po prostu on miał ich więcej niż ona.

Wzięła dziecko na ręce, weszła po schodach i stanęła przed drzwiami do jego gabinetu. Gdyby znalazła pudełko z ładowarką w którejś z jego szuflad czy szaf, jak ma wytłumaczyć, że do nich zajrzała?

Pchnięciem otworzyła drzwi.

W przeciwieństwie do jej pokoju, położonego dokładnie naprzeciwko, ten był pozbawiony energii. Pozbawiony tej nieokreślonej dynamiki kolorów i kreatywnych myśli, którym oddawała się ona sama. Tu były tylko beżowe i szare powierzchnie, nic poza tym.

Otworzyła na oścież wszystkie zabudowane szafy i zajrzała do środka, nie znajdując właściwie nic. Gdyby to były jej szafy, wysypałyby się z nich zalane łzami pamiętniki i bibeloty, zbierane z przyjaciółkami przez setki radosnych dni.

Tutaj na półkach znajdowało się tylko kilka stosów książek związanych z pracą. O broni palnej, pracy policji i tym podobne. Był też stos o sektach religijnych. O świadkach Jehowy, Dzieciach Bożych, mormonach i masie innych, o których nigdy wcześniej nie słyszała.

„Dziwne" – pomyślała przez sekundę, nim stanęła na palcach, by zajrzeć na najwyższe półki.

Znów właściwie nic.

Wzięła więc dziecko na rękę, a drugą otworzyła po kolei szuflady biurka. Nie licząc szarej osełki, identycznej jak ta, której używał jej ojciec do ostrzenia noża do ryb, nic nie przyciągnęło jej wzroku. Tylko papier, pieczątki i kilka nowiutkich pudełek z dyskietkami tego typu, którego nikt już nie używał.

Zamknęła drzwi w zupełnym odrętwieniu. W tej chwili nie znała ani siebie, ani swojego męża. To było przerażające i surrealistyczne. Zupełnie różne od tego, co dotąd przeżyła.

Poczuła, że główka dziecka opada jej na ramię, i wyczuła na szyi spokojny oddech.

– Och, kochanie. Zasnąłeś? – szepnęła chwilę później, kładąc go do łóżeczka ze szczebelkami. Teraz musi uważać, żeby nie stracić kontroli. Wszystko musi się toczyć po staremu.

Wzięła telefon i zadzwoniła do żłobka.

– Beniamin jest tak zakatarzony, że nie miałam serca go do was przywozić. W sumie tylko tyle chciałam przekazać – przepraszam, że dzwonię tak późno – powiedziała mechanicznie, zapominając podziękować, gdy padły życzenia szybkiego powrotu do zdrowia.

Obróciła się w stronę korytarza i utkwiła wzrok w wąskich drzwiach między gabinetem męża a ich sypialnią. Pomagała mu tam wnosić mnóstwo jego pudeł używanych przy przeprowadzkach. Życiowa różnica między nią a nim polegała właśnie na balaście. Ona wniosła kilka lekkich mebli z Ikei ze swojego pokoju w akademiku, on zaś – wszystko, co zdążył zebrać w ciągu tych dwudziestu lat, które ich dzieliło. Dlatego w pokojach znajdowały się meble z różnych epok, dlatego też pomieszczenie za drzwiami było wypełnione kartonowymi pudłami, o których zawartości nie miała pojęcia.

Straciła odwagę, gdy tylko otworzyła drzwi i zajrzała do pokoju. Był szeroki na blisko półtora metra, ale wystarczająco duży, by pomieścić cztery pudła na szerokość i cztery na wysokość. Stały poustawiane aż do okien dachowych, tak żeby było je dokładnie widać. Wszystkiego ponad pięćdziesiąt.

„Głównie sprawy moich rodziców i ich rodziców" – powiedział. Pewnie już czas, by je wyrzucić. Nie miał rodzeństwa, z którym mógłby to omówić.

Spojrzała na mur z kartonowych pudeł i zawczasu się poddała. Chowanie tutaj opakowania po telefonie nie miało sensu. W tym pomieszczeniu królowała przeszłość.

„Chociaż..." – pomyślała, kiedy jej wzrok utkwił w stercie płaszczy o ogromnych kołnierzach, ciśniętych na najdalsze pudła. Czy pośrodku nie ma wybrzuszenia? Czy pod nimi może się coś kryć?

Pochyliła się nad pudłami, ale nie mogła dosięgnąć. Podciągnęła się więc na górę z kartonu, zgięła kolana i podpełzła kawałek bliżej. Podniosła płaszcze i stwierdziła z rozczarowaniem, że nic pod nimi nie ma. I wtedy wgniotła kolanem wieko kartonowego pudła.

„Cholera" – pomyślała. Teraz on zobaczy, że tu była.

Wycofała się trochę, podniosła wieko i skonstatowała, że nic się nie zniszczyło.

Właśnie wtedy odkryła w pudle wycinki z gazet. Wcale nie były takie stare, żeby mieli je chować rodzice jej męża. Trochę dziwne, że mąż zebrał te wycinki, ale może stanowiły odzwierciedlenie jego pracy albo zainteresowań, które odeszły już w zapomnienie.

– Bogu dzięki – wymamrotała. Po jakie licho interesować się artykułami o świadkach Jehowy?

Przekartkowała wycinki. Materiał nie był tak jednorodny, jak by się mogło wydawać. Pośród artykułów o różnych sektach były tam też wycinki o kursach akcji i analizach giełdowych, śladach DNA, a nawet mające piętnaście lat wycinki o domach letniskowych i kwaterach wypoczynkowych na sprzedaż w Hornsherred. Raczej nic, co by mu jeszcze było potrzebne. Może któregoś dnia go zapyta, czy nie należałoby opróżnić tego pokoju. Mogliby tu zrobić osobną garderobę. Kto by takiej nie chciał?

Ześlizgnęła się z pudeł, czując, jak ogarnia ją uczucie ulgi. Chodził jej po głowie nowy pomysł.

Dla pewności jeszcze raz przesunęła wzrokiem po kartonowym pejzażu i stwierdziła, że wgłębienie w środkowym pudle nie rzuca się w oczy jakoś szczególnie. Nie, nie zauważy go.

Następnie zamknęła drzwi.

Pomysł był taki, że kupi nową ładowarkę. Tu i teraz. Weźmie pieniądze zaoszczędzone na wydatkach domowych, on nic o nich nie wie. Pojedzie rowerem do sklepu z telefonami komórkowymi na ulicy Algade i kupi ją. Kiedy już wróci do domu, porysuje ją piaskiem z piaskownicy Beniamina, żeby wyglądała na starą i podniszczoną, włoży ją do koszyka w korytarzu, gdzie leżą czapka i rękawiczki Beniamina, a potem pokaże ją mężowi, gdy ten następnym razem o nią zapyta.

Oczywiście będzie się dziwił, skąd się tam wzięła, ona oczywiście też będzie zdziwiona, że on się dziwi. Wtedy zasugeruje, że skoro to nie ich ładowarka, to może ktoś ją u nich zapomniał.

I będzie sobie przypominać, kiedy mieli w domu gości. Przecież parę razy mieli, choć już dawno temu. Spotkanie towarzystwa właścicieli gruntów. Pielęgniarka środowiskowa. Tak, hipotetycznie każdy mógł ją tam zostawić, choć to przecież dziwne, bo kto bierze na spotkanie ładowarkę do telefonu?

Powinna zdążyć podjechać rowerem i kupić ładowarkę podczas popołudniowej drzemki Beniamina. Uśmiechnęła się cicho na myśl o zdumionej minie swojego męża, kiedy będzie chciał zobaczyć ładowarkę, a ona od razu wyciągnie ją z kosza na rękawiczki. Parę razy powtórzyła sobie to zdanie, by nadać mu odpowiednią wagę i emfazę:

– A to nie nasza? Dziwne. Pewnie ktoś ją u nas zostawił. Może ktoś, kto był na chrzcinach?

Tak, wyjaśnienie jest oczywiste. Tak proste i dziwaczne, że nie do zbicia.

8

Jeśli Carl kiedykolwiek miał wątpliwości, czy Rose jest słowna, to w każdym razie teraz zostały rozwiane. Ledwie pozwolił sobie na wyrażenie nikłego sprzeciwu wobec niemającego końca projektu Rose dotyczącego odszyfrowywania listu z butelki, a ona wybałuszyła oczy i obwieściła, że w takim razie ma się gonić, a poza tym niech sam się pieprzy ze skorupami z tej pierdolonej butelki.

Nie zdążył zaprotestować, nim zarzuciła sobie na ramię swoją sflaczałą torbę i poszła. Nawet Assad był zszokowany i przez chwilę stał jak skamieniały z zębami wbitymi w ćwiartkę grejpfruta.

Stali tak przez jakiś czas w zupełnej ciszy.

– Ciekawe, czy tak przyśle swoją siostrę – rozległo się w zwolnionym tempie, podczas gdy kawałek grejpfruta pacnął Assadowi na rękę.

– Gdzie twój dywan modlitewny? – warknął Carl. – Jak wymodlisz, żeby do tego nie doszło, to byczy z ciebie koleś.

– Byczy... ?

– Naprawdę fajny facet, Assad.

Carl przywołał go gestem do gigantycznego listu.

– Zdejmijmy ten list z drzwi, skoro i tak jej nie ma.

– Razem?

Carl kiwnął głową z uznaniem.

– Masz rację, Assad. Zdejmij go sam i powieś na ścianie obok tych swoich dzieł ze sznurami. Tylko zachowaj parę metrów odległości, okej?

Siedział przez jakiś czas, przyglądając się z pewnym nabożeństwem oryginalnemu listowi z butelki. Choć zdążył on już przejść przez wiele par rąk i nie wszyscy uważali, że materiał ma charakter dowodowy, nie wahał się, czy włożyć bawełniane rękawiczki.

Ten papier był taki kruchy. A kiedy przebywało się z nim na osobności, jak on teraz, wyczuwało się coś szczególnego. Marcus nazywał to „nosem", stary Bak instynktem, a jego niedoszła ekszona – intuicją, z naciskiem na „u". Jednak bez względu na to, jak to nazywać, ta mała notatka sprawiała, że człowieka przechodziły ciarki. Biła z niej autentyczność. Sporządzona w pośpiechu, prawdopodobnie na kiepskim podłożu. Pisana krwią za pomocą nieznanego narzędzia. Czy mogło to być pióro zamoczone we krwi? Nie. Kreski były zbyt niekontrolowane. Miejscami wyglądało to tak, jakby nacisk był zbyt mocny, miejscami nie. Wyjął lupę, próbując rozeznać się w zagłębieniach i nierównościach, ale dokument był zbyt sfatygowany. Miejsca, gdzie kiedyś były zagłębienia, mogły zostać rozpulchnione przez wilgoć – i na odwrót.

Wyobraził sobie zatopioną w myślach twarz Rose i odłożył list. Kiedy jutro wróci, powie jej, że może się jeszcze z tym pobawić przez tydzień. Później muszą ruszać dalej.

Zastanawiał się, czy nie poprosić Assada o zaparzenie kolejnego ulepku, ale z gderaniny dobiegającej z korytarza wywnioskował, że Assad jeszcze nie pogodził się z koniecznością ciągłego wędrowania po drabinie w górę i w dół i jej wiecznego przestawiania. Może Carl powinien mu powiedzieć, że identyczna drabina stoi w szafie przy Stowarzyszeniu Pogrzebowym, ale mówiąc wprost – nie chciało mu się. Facet i tak za godzinę skończy.

Carl spojrzał na teczkę starej sprawy pożarów w Rødovre w 1995. Dopiero co odnowiony, kryty dachówką dach białej, luksusowej hacjendy na Damhusdalen nagle rozpadł się na dwie części, a płomienie strawiły najwyższe piętro w ciągu paru sekund. Po ugaszeniu pożaru odnaleziono ciało. Właściciel nieruchomości nie znał tego człowieka, ale kilkoro sąsiadów było w stanie potwierdzić, że przez całą noc przez okna dachowe widać było światło. Jako że ciała nie udało się zidentyfikować, stwierdzono, że był to jakiś nędzarz, który nieostrożnie obchodził się z kuchenką gazową. Dopiero kiedy dostawca gazu, firma HNG, poinformował, że główny kurek gazu został w tym domu zakręcony, sprawa musiała przejść do Wydziału Zabójstw Policji w Rødovre i gniła w ich archiwach aż do dnia, w którym utworzono Departament Q. Tutaj jej losy byłyby równie niezauważalne, gdyby Assad nie zwrócił uwagi, że ciało ma bruzdę na paliczku małego palca lewej ręki.

Carl chwycił swój telefon, wybrał numer szefa Wydziału Zabójstw i nieszczęśliwym zrządzeniem losu trafił na wywołujący melancholię głos pani Sørensen.

– Krótka piłka, Sørensen – powiedział. – Ile spraw...?

– Czy to Książę Ciemności? Przełączam cię do kogoś, kto na twój widok nie zgrzyta zębami.

Któregoś dnia podaruje jej bardzo jadowite zwierzę.

– Tak, mój miły – zawibrował głos Lis.

Bogu dzięki. Czyli pani Sørensen nie jest jednak tak zupełnie bez serca.

– Czy możesz mi powiedzieć, w ilu ostatnich sprawach pożarów znana jest tożsamość ofiar? Właściwie to ile jest tych spraw?

– Chodzi ci o ostatnie sprawy? Są trzy. Znamy nazwisko tylko jednej ofiary, a i to nie jest pewne.

– Nie jest pewne?

– Tak, mamy imię z medalionu, który miał na sobie, ale nie wiemy, kim jest ten człowiek. Może się nie zgadzać.

– Hmm. Powtórz, proszę, gdzie były te pożary?

– Nie czytałeś akt sprawy?

– Tak mniej więcej – westchnął ciężko. – Znaleźliśmy sprawę z Rødovre z tysiąc dziewięćset dziewięćdziesiątego piątego. A wy macie...?

– Jedną z zeszłej środy, z ulicy Stockholmsgade, jedną z kolejnego dnia w Emdrup i tę ostatnią z dzielnicy Nordvest.

– Stockholmsgade – brzmi elegancko. Które pogorzelisko jest w najlepszym stanie, wiesz może?

– Sądzę, że to na Nordvest. Ulica Dortheavej.

– Czy doszukano się związków między pożarami? Właściciele? Remonty? Sąsiedzi, którzy widzieli nocą światło? Związki z terrorystami?

– Nic o tym nie wiem. Ale pracuje nad tym spora grupa ludzi, popytaj.

– Dzięki, Lis, ale to w końcu nie jest moja sprawa.

Podziękował niskim głosem w nadziei, że wywrze to jakieś wrażenie, i odłożył teczkę na stół.

„Najwyraźniej mają wszystko pod kontrolą" – pomyślał, przysłuchując się głosom dobiegającym z korytarza. Pewnie przylazł ten skretyniały amator paragrafów z Inspekcji Pracy, by jeszcze poutyskiwać na środki bezpieczeństwa.

– Tak, on tam tak siedzi – wychrypiał Assad zdradziecko.

Utkwił wzrok w musze, która miotała się po pokoju. Jakby dobrze wycelował, mógłby ją pacnąć facetowi na gębie.

Ustawił się tuż przy drzwiach ze sprawą z Rødovre wzniesioną do ciosu.

Wtedy pojawiła się twarz, której nie rozpoznał.

– Dzień dobry – mężczyzna wyciągnął dłoń. – Nazywam się Yding. Podkomisarz policji. Policja z Vestegnen. Albertslund, wie pan.

Carl kiwnął głową.

– Yding? To imię czy nazwisko?

Facet zareagował uśmiechem. Może sam nie wiedział.

– Przychodzę w związku z pożarami z ostatnich dni. To ja pomagałem Antonsenowi w śledztwie w tysiąc dziewięćset dziewięćdziesiątym piątym. Marcus Jacobsen chciałby usłyszeć ustne sprawozdanie. Mam rozmawiać z panem, żeby mnie pan przedstawił swojemu asystentowi.

Carl odetchnął z ulgą.

– Właśnie pan z nim rozmawiał. To ten na drabinie.

Yding zmrużył oczy.

– Ten tam?

– Tak, a co, niedobry? Z wykształcenia jest prokuratorem okręgowym w Nowym Jorku, a dokształcił się przez Scotland Yard jako specjalista analizy obrazów i analityk DNA.

Yding połknął haczyk i z szacunkiem kiwnął głową.

– Assad, pozwól tu – zawołał Carl, wywijając za muchą teczką sprawy.

Przedstawił sobie Ydinga i Assada.

– Skończyłeś wieszać? – spytał.

Powieki Assada robiły zatrważająco ciężkie wrażenie. To mówiło samo za siebie.

– Marcus Jacobsen mówi, że jest tu oryginalna teczka sprawy z Rødovre – powiedział Yding, podając rękę. – Podobno wie pan gdzie.

Assad podniósł palec wskazujący w stronę dłoni Carla, który w tym samym czasie uniósł teczkę do góry.

– Jest tam – powiedział. – To wszystko? – Stanowczo był dziś nie w sosie. Ale też ta sprawa z Rose to niezłe gówno.

– Szef Wydziału Zabójstw właśnie zapytał mnie o jakiś szczegół, którego już nie pamiętam. Czy mogę rzucić okiem na te kartki?

– Ależ proszę – powiedział Carl. – Jesteśmy trochę zajęci, więc pana przeprosimy.

Pociągnął Assada przez korytarz i usadowił się przy jego biurku pod ładną reprodukcją z ruinami o piaskowej barwie. Napis na niej brzmiał „Rasafa", cokolwiek to jest.

– Masz coś w czajniku, Assad? – zapytał, wskazując samowar.

– Możesz dostać ostatnią kropelkę, Carl, a sam sobie zrobię świeżej – uśmiechnął się. Wielkie dzięki – mówiły jego oczy.

– Kiedy koleś sobie pójdzie, ty i ja się dokądś wybierzemy, Assad.

– Dokąd?

– Na Nordvest zobaczyć dom, który prawie doszczętnie spłonął.

– No tak, Carl, ale to nie jest nasza sprawa. Inni będą tak źli.

– Tak, tak, może z początku, ale im przejdzie.

Assad nie wyglądał na przekonanego. Nagle wyraz jego twarzy się zmienił.

– Znalazłem kolejną literę na ścianie – powiedział. – I zacząłem mieć bardzo złe podejrzenia.

– Coś takiego! I...?

– Nic już nie powiem, bo się tylko śmiejesz.

Zabrzmiało jak radosna nowina dnia.

– Dziękuję – powiedział Yding w drzwiach ze wzrokiem utkwionym w filiżance z tańczącymi słoniami, z której pił Carl. – Wezmę to na górę do Jacobsena, w porządku? – pokazał kilka stron akt.

Obaj pokiwali głowami.

– A tak przy okazji, pozdrowienia od znajomego. Dopiero co go spotkałem w stołówce na górze. Laursen z Technicznego.

– Tomas Laursen?

– Tak.

Carl zmarszczył brwi.

– Ale on przecież wygrał dziesięć milionów w Lotto i złożył wymówienie. Zawsze mówił, że rzyga już tymi wszystkimi trupami. Co on tu robi? Znów włożył kombinezon ochronny?

– Niestety nie, choć Wydziałowi Technicznemu wyszłoby to na dobre. Włożył tylko fartuch. Pracuje w stołówce.

– Jasna cholera! – Carl pomyślał sobie o potężnie zbudowanym graczu w rugby. Jeśli na fartuchu nie ma napisu w stylu „Zbieracz potu tatusia", musi to wyglądać komicznie. – Co się stało? Przecież inwestował we wszystkie możliwe firmy.

Yding kiwnął głową.

– Właśnie. I nic już nie zostało. Szkoda człowieka.

Carl pokręcił głową. Piękna nagroda za próbę rozsądnego postępowania. Nawet dobrze, że człowiek nie ma grosza przy duszy.

– Od jak dawna tu jest?

– Mówi, że od miesiąca. Nigdy nie chodzi pan do stołówki?

– Chyba pan zwariował. Do kuchni polowej prowadzi jakieś milion schodów. Pewnie pan zauważył, że winda zepsuta.

Nie sposób wymienić firm i instytucji, które w ciągu lat przewinęły się przez sześćsetmetrową ulicę Dortheavej. Obecnie znajdowały się tu centra kryzysowe, studia nagrań, szkoły nauki jazdy, domy kultury, towarzystwa etniczne i wiele innych. Dawna dzielnica fabryczna, której nie można było się pozbyć, chyba że coś się sfajczyło, tak jak „Hurtownia K. Frandsena".

Na podwórzu prace związane z uprzątaniem były w zasadzie zakończone, w przeciwieństwie do pracy detektywów. Wielu kolegów nie raczyło się z nim przywitać; niech i tak będzie. Carl potraktował to jako objaw zazdrości, w czym z pewnością był odosobniony. Ale też było mu zupełnie wszystko jedno.

Stanął pośrodku podwórza przed wejściem do „Hurtowni K. Frandsena" i przesunął wzrokiem po zniszczeniach. O zachowanie konstrukcji nie było co zabiegać, za to galwanizowany siatkowy płot był nowy. Ostry kontrast.

– Widziałem takie domy w Syrii, Carl. Jak piec naftowy się za bardzo nagrzał, to bum! – Assad zamachał w powietrzu rękami, by zilustrować wybuch.

Carl spojrzał na piętro. Wyglądało to tak, jakby dach się uniósł i z powrotem osiadł na miejscu. Szerokie ślady sadzy, przypominające palce, sięgały od okapu aż do połowy dachu z płyt eternitowych. Okna dachowe wysadziło w cholerę.

– Tak, to był wyjątkowo silny wybuch – powiedział, zastanawiając się, jak ludzie dobrowolnie mogli przebywać w tak zapomnianym, pozbawionym uroku miejscu. Może to jest właśnie słowo klucz. Może nie było to dobrowolne.

– Carl Mørck, Departament Q – powiedział do przechodzącego obok młodszego detektywa. – Mogę się trochę rozejrzeć? Czy technicy już skończyli?

Facet wzruszył ramionami.

– Tu się robota skończy dopiero, kiedy zburzą to gówno – powiedział. – Ale niech pan uważa. Poukładaliśmy na ziemi płyty, żeby nie powpadać, ale gwarancji nie ma.

– „Hurtownia K. Frandsena"? Co tak importowali? – spytał go Assad.

– Wszystko potrzebne do drukarni. W stu procentach legalny biznes – powiedział funkcjonariusz. – Nie wiedzieli, że ktoś przebywa na ich strychu, wszyscy zatrudnieni w firmie byli zszokowani. Wielkie szczęście, że całe to badziewie się nie sfajczyło.

Carl kiwnął głową. Wszystkie tego typu przedsiębiorstwa powinny być usytuowane sześćset metrów od jednostki straży pożarnej, tak jak w tym wypadku.

To fuks, że lokalnej straży pożarnej udało się przetrwać żałosny przetarg unijny.

Zgodnie z przewidywaniami pierwsze piętro doszczętnie spłonęło. Płyty pilśniowe wisiały w strzępach ze skośnych ścian, ścianki działowe wyglądały jak poszarpane iglice, zupełnie jak żelazne konstrukcje w Ground Zero. Wysmarowany sadzą krajobraz zniszczenia.

– Gdzie znajdowało się ciało? – spytał Carl starszego mężczyznę, który oznajmił, że jest przedstawicielem towarzystwa ubezpieczeniowego do spraw pożarów.

Ubezpieczyciel wskazał plamę na podłodze, świadczącą dobitnie, gdzie było ciało.

– Eksplozja była silna, to były dwa wybuchy w bardzo krótkich odstępach czasu – powiedział. – Pierwszy wywołał pożar, a drugi pozbawił pomieszczenie powietrza i ugasił ogień.

– Czyli to nie było zwykłe zaprószenie, gdzie to tlenek węgla zabija ofiarę? – spytał Carl.

– Nie.

– Czy ten człowiek został powalony przez pierwszy wybuch, a potem spokojnie spłonął, jak pan myśli?

– Nie wiem. Szczątków jest tak niewiele, że trudno to ustalić. W ciele w takim stanie jak to raczej nie znajdziemy pozostałości układu oddechowego, dlatego nie możemy nic powiedzieć na temat stężenia sadzy w płucach i drogach oddechowych. – Pokręcił głową. – Trudno uwierzyć, że ciało mogło w tak krótkim czasie ulec takiemu zniszczeniu w pożarze. Ostatnio mówiłem to też pana kolegom w Emdrup.

– Że?

– Uważam, że pożar został tak zaaranżowany, żeby ukryć fakt, że ofiara tak naprawdę zginęła w zupełnie innym pożarze.

– Chodzi panu o to, że ciało zostało przyniesione. A co oni na to?

– Zdaje mi się, że całkowicie się ze mną zgadzali.

– Czyli chodzi o morderstwo? Człowiek zostaje zamordowany, spalony i przeniesiony w miejsce innego pożaru.

– Tak, z tym że nie wiemy, czy ofiara została zamordowana przy tej pierwszej próbie. Ale owszem, według mnie to bardzo prawdopodobne, że została przeniesiona. Nie widzę możliwości, by w tak krótkotrwałym, choć wyjątkowo gwałtownym pożarze ciało mogło spalić się do samego szkieletu.

– Był pan tak we wszystkich trzech miejscach pożaru? – spytał Assad.

– Mogłem być, bo pracuję dla kilku towarzystw ubezpieczeniowych, ale na Stockholmsgade był mój kolega.

– Czy do tamtych pożarów doszło w lokalach tego samego typu? – spytał Carl.

– Nie, choć wszystkie były puste. Dlatego teoria, że ofiarami byli bezdomni, wydaje się w naturalny sposób oczywista.

– Myśli pan, że wszystkie pożary były jednakowe? Że ci wszyscy zmarli zostali ułożeni w pustym pomieszczeniu i jeszcze raz spaleni? – zapytał Assad.

Ubezpieczyciel spojrzał na tego niezwykłego detektywa spokojnym wzrokiem.

– Owszem, myślę, że tak właśnie można zakładać.

Carl uniósł głowę i spojrzał na czarne belki stropowe.

– Jeszcze dwa pytania i zostawiamy pana w spokoju.

– Niech pan strzela.

– Dlaczego dwie eksplozje? Dlaczego po prostu nie spalić wszystkiego jak najszybciej? Ma pan jakiś pomysł?

– Nie widzę innej odpowiedzi niż ta, że podpalacz chciał, by szkody były kontrolowane.

– Dziękuję! Drugie pytanie brzmi, czy możemy do pana dzwonić w razie dalszych pytań?

Uśmiechnął się, wyławiając wizytówkę.

– Oczywiście. Nazywam się Torben Christensen.

Carl poszperał w poszukiwaniu swojej wizytówki, wiedząc doskonale, że nie istnieje. Kolejne zadanie dla Rose, kiedy już wróci.

– Nie rozumiem. – Assad stał obok, rysując kreski w sadzy na ścianie. Najwyraźniej należał do tego typu osób, który miniaturową kropelkę farby na palcu potrafi rozsmarować po wszystkich częściach garderoby i całym otoczeniu. W każdym razie miał obecnie na ubraniu i głowie wystarczającą ilość sadzy, by pokryć nią średniej wielkości stół. – Nie rozumiem, co ma znaczyć to, co mówicie. Przecież to wszystko musi się tak jakoś łączyć. Wszystko – z tą obrączką na palcu czy palcu, którego już nie ma, i tymi zmarłymi i pożarami, i w ogóle. – Obrócił się raptownie w stronę ubezpieczyciela. – Ile pieniędzy firma od was dostanie za takie coś? Przecież to stary, gówienkowaty dom.

Ubezpieczyciel zmarszczył brwi. Myśl o oszustwie ubezpieczeniowym została niniejszym przekazana dalej, choć niekoniecznie się z nią zgadzał.

– Choć budynek nie jest w dobrym stanie, firmie przysługuje prawo do odszkodowania. Mowa o ubezpieczeniu przeciwpożarowym, a nie takim na wypadek zagrzybienia czy zbutwienia.

– To ile tak?

– Taak, na moje oko jakieś siedemset, osiemset tysięcy koron.

Assad gwizdnął.

– Będzie można zbudować coś nowego nad tym zniszczonym parterem?

– To zależy tylko i wyłącznie od ubezpieczonej firmy.

– Będą mogli to wszystko tak wyburzyć, jeśli zechcą.

– Jeśli zechcą, tak.

Carl spojrzał na Assada. Tak, wpadł na jakiś trop.

Kiedy szli do samochodu, Carl miał wrażenie, że na kolejnym zakręcie prześcigną swego przeciwnika, tyle że przeciwnikiem są tym razem nie bandyci, ale Wydział Zabójstw.

Cóż to by był za triumf, gdyby można było ich uprzedzić.

Carl skinął z wyższością kolegom, którzy wciąż stali na podwórzu. Nie miał ochoty z nimi rozmawiać.

Jak chcą się czegoś dowiedzieć, niech sami się do tego dogrzebią.

Assad zahamował na chwilę przy wozie służbowym, by przetrawić graffiti napaćkane zielonymi, białymi, czarnymi i czerwonymi literami na czystym, gładkim murze.

„Izrael wynoha ze Strefy Gazy. Palestyna dla Palestyńczyków" – brzmiał napis.

– Nie umieją poprawnie pisać – powiedział, gramoląc się do samochodu.

„A ty umiesz?" – pomyślał Carl. Jasna cholera.

Carl odpalił samochód i spojrzał na swojego asystenta, który siedział ze wzrokiem utkwionym w desce rozdzielczej. Był zupełnie nieobecny.

– Hej, Assad, gdzie teraz jesteś?

Jego wzrok nawet się nie poruszył.

– Przecież jestem tak tutaj, Carl – powiedział.

W drodze powrotnej do Komendy Głównej nie padło już ani jedno słowo.

9

Okna niewielkiego domu zgromadzeń wyglądały jak rozżarzone metalowe płytki. Czyli te durnie już zaczęły.

Zdjął płaszcz w przedsionku, ukłonił się tak zwanym kobietom nieczystym – mającym miesiączkę – które stały na zewnątrz, przysłuchując się pieśni pochwalnej, po czym wślizgnął się do środka przez podwójne drzwi.

Msza doszła do etapu, na którym nastrój był wyjątkowo podniosły. Bywał tu już parokrotnie i rytuał był zawsze taki sam. W tej chwili ksiądz, ubrany w szyty domowym sposobem ornat, stał przy ołtarzu, przygotowując „pokrzepienie życia", jak nazywano komunię. Za chwilę wszyscy, zarówno dzieci, jak i dorośli, wstaną na jego wezwanie i zbliżą się do siebie drobnymi kroczkami, zwieszając głowy w swoich nieskalanych białych tunikach.

Komunia w czwartkowy wieczór stanowiła najważniejszy punkt tygodnia. Wtedy sama Matka Boska pod postacią kapłana podawała wiernym kielich i częstowała chlebem. Za chwilę wszyscy zebrani w Sali Matki pogrążą się w tańcu radości i kaskadach słów sławiących Matkę Bożą, która przy pomocy Ducha Świętego dała życie Jezusowi Chrystusowi. Będą mówić językami, modlić się za wszystkie nienarodzone dzieci, obejmować się, naśladując zmysłowość, z którą Matka Boża oddała się Panu, i robić mnóstwo innych rzeczy w tym stylu.

Czysty nonsens, podobnie jak wiele innych wydarzeń, które się tu rozgrywały.

Dyskretnie przeszedł na tyły sali i stanął przy ścianie. Uśmiechano się do niego nabożnie. Wszyscy są tu mile widziani, mówiły uśmiechy.

A kiedy za chwilę tłum da się ponieść ekstazie, będą dziękować, że do nich przyszedł w swym dążeniu do Matki Bożej.

W międzyczasie obserwował wybraną przez siebie rodzinę. Ojciec, matka i pięcioro dzieci. W tych kręgach gromadka dzieci rzadko bywała mniejsza.

Szpakowaty ojciec stał do połowy schowany za dwoma dużymi chłopakami, a przed nimi trzy dziewczynki, kołysząc rytmicznie na boki rozpuszczonymi, szeleszczącymi włosami. Na samym przedzie zgromadzenia, wśród pozostałych dorosłych kobiet, stała ich matka z rozchylonymi wargami i zamkniętymi oczami, trzymając ręce luźno na piersiach. Wszystkie kobiety tak stały. Odcięte od otaczającego świata, pogrążone w zbiorowej świadomości, drżące w obecności Matki Bożej.

Większość młodych kobiet była w ciąży. Jedna z nich, tuż po porodzie, miała na piersiach niewyraźne plamy od sączącego się mleka.

A mężczyźni przyglądali się tym płodnym kobietom z pełnym zachwytu oddaniem. Bo wyłączając czas miesiączki, kobiece ciało stanowiło najwyższą świętość dla wyznawców Kościoła Matki Bożej.

W tym czczącym płodność zgromadzeniu wszyscy dorośli mężczyźni stali z rękami splecionymi na wysokości krocza, a najmłodsi chłopcy śmiali się, próbując ich naśladować, nie mając zielonego pojęcia, o co w tym naprawdę chodzi. Po prostu śpiewali i robili to, co rodzice. Trzydzieścioro pięcioro ludzi stanowiło jedność. Było to poczucie wspólnoty, tak dokładnie opisane w Dekrecie Matki.

Wspólnota w wierze w Matkę Bożą, na której opiera się całe życie. Nasłuchał się o tym do obrzydzenia.

Każda sekta miała swoją niepodważalną, niepojętą prawdę.

Obserwował średnią córkę rodziny, Magdalenę, podczas gdy ksiądz rzucał chleb stojącym najbliżej i mówił językami.

Była zatopiona w myślach. Czy myślała o przesłaniu płynącym z komunii? O tym, co znajdowało się w skrytce na trawniku ogrodu? O dniu, w którym wyświęcą ją na służebnicę Matki Bożej, zdejmą z niej ubranie i wysmarują świeżą krwią baranka? W którym wybiorą dla niej męża i będą wychwalać jej łono, by wydało owoce? Niełatwo było odgadnąć. Co się w ogóle dzieje w głowie takiej dwunastolatki? Tylko ona to wie. Może się bała, ale też miała czego.

Tam, skąd pochodził, to chłopcy musieli przechodzić rytuały. To oni mieli oddać wspólnocie swoje pragnienia i marzenia, oni mieli się poświęcać. Pamiętał to bardzo dobrze. Aż za dobrze.

Ale tutaj chodziło o dziewczynki.

Próbował pochwycić wzrok Magdaleny. Czy nie myślała jednak o skrytce w ogrodzie? Czy to nienazwane coś pobudzało ją silniej niż wiara? Prawdopodobnie trudniej ją złamać niż stojącego obok brata. I dlatego nie jest jeszcze powiedziane, które z tej dwójki wybierze.

Kogo z nich zabije.

Odczekał godzinę, nim włamał się do domu. Rodzina pojechała na nabożeństwo, a marcowe słońce prawie skryło się za horyzont. Otwarcie skobla w oknie na parterze i wślizgnięcie się do pokoju któregoś z dzieci zajęło mu zaledwie dwie minuty.

Zorientował się od razu, że pokoik, do którego się wdarł, należał do najmłodszej dziewczynki. Bynajmniej nie dlatego, że był różowy czy że sofa ozdobiona była poduszkami w serduszka. Nie, nie było tu lalek Barbie, ołówków z pluszowymi misiami na końcach, a pod łóżkiem butów zapinanych paskami na kostce. W tym pokoju nie było absolutnie niczego, co u normalnej duńskiej dziesięciolatki charakteryzowałoby jej świat i ją samą. Nie, wiadomo było, że to pokój najmłodszej dziewczynki, bo na ścianie wisiało wciąż ubranko do chrztu – taki był zwyczaj w Kościele Matki Bożej. Ubranko do chrztu było szatką Matki Bożej, a tę szatkę chroniło się i przekazywało następnej osobie urodzonej w rodzinie. Do tego czasu ostatnie urodzone dziecko miało strzec szatki ze wszystkich sił. Otrzepywać ją ostrożnie co sobotę przed udaniem się na spoczynek. Prasować jej kołnierz i koronki z nadejściem Wielkanocy.

Osoba urodzona w rodzinie jako ostatnia była obdarzona pomyślnością, bo strzegła świętej szaty najdłużej. Obdarzona pomyślnością, a przez to wyjątkowo szczęśliwa, jak twierdzili.

Wszedł do gabinetu mężczyzny i szybko znalazł to, czego szukał. Papiery, które potwierdzały zamożność rodziny, i roczne zeznania, dzięki którym ustalano pozycję poszczególnych osób w Kościele Matki Bożej. Wreszcie znalazł listę telefonów, za sprawą której zyskał nowy obraz rozmieszczenia członków sekty pod względem geograficznym, zarówno w skali kraju, jak i innych miejsc na ziemi.

Od czasu jego ostatniego ataku na tę sektę w samej Środkowej Jutlandii stadko powiększyło się o blisko stu nowych członków.

Nie była to miła myśl.

*

Kiedy już przeanalizował wszystkie pokoje, wyślizgnął się przez okno i przymknął je. Utkwił wzrok w kącie ogrodu. Magdalena upatrzyła sobie niezgorsze miejsce do zabawy – niemal niezauważalne z domu i pozostałej części ogrodu.

Odchylił głowę i zarejestrował, że pokrywa chmur nabiera czarnego koloru. Niedługo się ściemni, więc musi się pospieszyć.

Wiedział, gdzie szukać, w przeciwnym razie nie byłby w stanie znaleźć skrytki Magdaleny, której umiejscowienie zdradzał jedynie patyk zatknięty na brzegu murawy. Uśmiechnął się na ten widok, wyciągnął ostrożnie patyk i uniósł warstwę murawy o wielkości dłoni.

Wnęka pod spodem była wyścielona żółtą foliową torebką, na której leżał kawałek złożonego, kolorowego papieru.

Uśmiechnął się, rozłożywszy go.

Następnie schował go do kieszeni.

W domu zgromadzeń długo obserwował tę długowłosą dziewczynkę i jej brata Samuela o przekornym uśmiechu. Tu byli bezpieczni w towarzystwie pozostałych osób ze zgromadzenia. Tych, którzy będą żyć dalej w nieświadomości, i tych, którzy wkrótce będą musieli żyć ze świadomością nie do zniesienia.

Przerażająca świadomość tego, co im wyrządzi.

Po odśpiewaniu pieśni grupa otoczyła go, głaszcząc jego głowę i tułów. W ten sposób okazywali zachwyt nad jego poszukiwaniem Matki Bożej. Tak odpłacali mu za zaufanie, a wszyscy byli poruszeni i uszczęśliwieni, mogąc pokazać mu drogę do wiecznej prawdy. Potem ludzie cofnęli się o krok i wyciągnęli ręce ku niebu. Za chwilę zaczną się wzajemnie gładzić otwartymi dłońmi. Głaskanie będzie trwało tak długo, aż jedno z nich padnie na ziemię i pozwoli Matce zawładnąć swym drżącym ciałem. Wiedział, na kogo padnie. Ekstaza biła już ze źrenic tej kobiety. Młoda żonka, której największym osiągnięciem było troje tłustych, podskakujących obok niej dzieci.

Kiedy to się stało, krzyknął tak jak inni aż pod sam sufit. Jedyna różnica polegała na tym, że zachował w swym wnętrzu to, czego inni ze wszystkich sił próbowali się pozbyć. Diabła w duszy.

*

Kiedy członkowie zgromadzenia żegnali się ze sobą na schodach, niezauważalnie zbliżył się o krok i podłożył nogę Samuelowi, a chłopak stoczył się z najwyższego stopnia aż na sam dół.

Chrupnięcie w kolanie Samuela, kiedy uderzył o ziemię, zabrzmiało zbawiennie. Jak chrupnięcie w szyi podczas wieszania.

Wszystko było, jak być powinno.

Odtąd to on rządzi. Wszystko już przesądzone.

10

Kiedy wracał do domu w Rønneholtparken jednego z tych wieczorów, gdy betonowe bloki pulsowały od migotania telewizorów, a w każdej kuchni rysowały się sylwetki gospodyń domowych, czuł się jak pozbawiony słuchu muzyk w orkiestrze symfonicznej bez nut.

Ciągle nie rozumiał, dlaczego tak się stało. Dlaczego czuł się aż tak wykluczony.

Skoro księgowy o obwodzie pasa liczącym 154 centymetry i maniak komputerowy z rękami jak zapałki potrafili założyć rodzinę, dlaczego, u licha, on nie umiał sobie z tym poradzić?

Pomachał ostrożnie do sąsiadki Sysser, kręcącej się w lodowatym świetle swojej kuchni. Dzięki Bogu trafiła do swoich pieleszy po tym poronionym poniedziałkowym poranku. W przeciwnym razie nie wiedziałby, co robić.

Spojrzał ze znużeniem na tabliczkę na drzwiach z nazwiskami jego i Viggi, sukcesywnie zakrywanymi poprawkami. Nie żeby się czuł samotny z Mortenem Hollandem, Jesperem i Hardym pod jednym dachem. W każdym razie właśnie dochodziły do niego jakieś hałasy zza żywopłotu. Można powiedzieć, że to też rodzaj życia rodzinnego.

Tyle że nie ten rodzaj, o którym marzył.

Zwykle już w korytarzu potrafił wyniuchać, co tego dnia znajdowało się w jadłospisie, jednak woń, która wdarła się do jego nozdrzy tym razem, nie była zapachem kulinarnych fantazji Mortena. Przynajmniej taką miał nadzieję.

– Halo! – krzyknął w stronę salonu, w którym zwykle spędzali czas Morten i Hardy. Ani żywej duszy. Za to na tarasie aż wrzało. Pośrodku, pod grzejnikiem tarasowym, dostrzegł łóżko Hardy'ego z kroplówkami i całym sprzętem, a wokół stała gromadka sąsiadów w kurtkach puchowych, konsumując grillowane kiełbaski i popijając piwo z butelek. Wnioskując z głupawego wyrazu ich twarzy, impreza trwała już prawdopodobnie od paru godzin.

Usiłując zlokalizować wewnątrz źródło gryzącego zapachu, Carl dotarł do garnka na kuchennym stole, którego zawartość przypominała w najwyższym stopniu stare, zwęglone jedzenie z puszki. Wysoce nieprzyjemne. Również zważywszy na dalsze losy garnka.

– Co się dzieje? – spytał Carl na tarasie ze wzrokiem utkwionym w Hardym, który leżał uśmiechnięty pod czterema warstwami kołder.

– Wiesz, że Hardy ma na ramieniu taki mały punkt, w którym ma czucie? – spytał Morten.

– Tak, sam przecież mówił.

Morten wyglądał jak chłopak, który pierwszy raz w życiu trzyma gazetkę z gołymi babami i właśnie ma ją otworzyć.

– A wiesz, że ma nieznaczne odruchy w środkowym i wskazującym palcu jednej ręki?

Carl pokręcił głową, patrząc na Hardy'ego.

– Co to ma być? Zgadywanka neurologiczna? W takim razie dajemy sobie spokój przy dolnych częściach ciała, okej?

Morten odsłonił w uśmiechu zabarwione od czerwonego wina zęby.

– A dwie godziny temu Hardy poruszał nadgarstkiem, Carl. Naprawdę. Właśnie dlatego zapomniałem całkiem o obiedzie. – Rozłożył radośnie ręce, ukazując dokładnie swoją korpulentną sylwetkę. Wyglądało, jakby się szykował, by rzucić się Carlowi w objęcia. Niech no tylko spróbuje.

– Mogę zobaczyć, Hardy? – spytał Carl oschle.

Morten odchylił kołdrę, odsłaniając kredowobiałą skórę Hardy'ego.

– Dawaj, staruszku, pokaż mi – powiedział Carl, podczas gdy Hardy zamknął oczy i zagryzł mocno zęby, napinając mięśnie szczęki. Jakby wszystkie impulsy w ciele zostały wysłane połączeniami nerwowymi do otoczonego szczególną uwagą nadgarstka. Mięśnie twarzy Hardy'ego zaczęły drżeć, dopóki nie wypuścił powietrza i nie poddał się.

– Oooo – powiedzieli otaczający go ludzie, dopingując go na wszelkie możliwe sposoby. Ale nadgarstek się nie poruszył.

Carl mrugnął pocieszająco do Hardy'ego i zaciągnął Mortena pod żywopłot.

– Będziesz się musiał z tego wytłumaczyć, Morten. Czemu ma służyć ta szopka? Jesteś za niego, kurwa, odpowiedzialny, to twoja praca. Więc lepiej daj spokój z robieniem biedakowi nadziei i przestań z nim robić popisy cyrkowe. Teraz idę na górę i przebieram się w dres, a ty grzecznie wypraszasz ludzi do domu i wprowadzasz Hardy'ego z powrotem, okej? Wtedy o tym porozmawiamy.

Nie miał nawet ochoty wysłuchiwać mętnych wyjaśnień. Niech Morten uskutecznia je pod adresem reszty widowni.

– Powtórz to – powiedział Carl pół godziny później.

Hardy spojrzał spokojnie na swojego dawnego kolegę. Stanowił ciekawy widok, leżąc tam długi jak tyczka.

– To prawda, Carl. Morten tego nie widział, choć stał tuż obok. Mój nadgarstek się poruszył. Poza tym odczuwam lekki ból w okolicach ramienia.

– Więc dlaczego nie potrafisz zrobić tego jeszcze raz?

– Nie wiem dokładnie, co zrobiłem, ale to było kontrolowane. Nie żaden tam skurcz.

Carl położył dłoń na czole sparaliżowanego kolegi.

– O ile wiem, to graniczy z cudem, ale okej, wierzę ci. Po prostu nie wiem, co z tym zrobić.

– A ja wiem – powiedział Morten. – Hardy wciąż ma ten punkt na ramieniu, w którym jest czucie. Ten, co go boli. Uważam, że powinniśmy go stymulować.

Carl pokręcił głową.

– Hardy, jesteś pewien, że to dobry pomysł? To brzmi jak czysta szarlataneria.

– Tak, i co z tego? – spytał Morten. – Przecież i tak tu jestem, czym to może grozić?

– Tym, że spalisz wszystkie nasze garnki.

Carl wyjrzał na korytarz. Znów o jedną kurtkę za mało na haczyku.

– Jesper nie powinien z nami zjeść?

– Jest w Brønshøj u Viggi.

Dziwnie to brzmiało. Czego on szukał w tym zimnym jak diabli domku na działce? Do tego nie cierpiał nowego chłopaka Viggi. Nie dlatego, że gość nosił wielkie okulary i pisał wiersze. Raczej dlatego, że głośno je czytał, domagając się uwagi.

– Dlaczego Jesper tam jest? Chyba nie zaczął znów wagarować, do jasnej cholery?

Carl pokręcił głową. Zostało tylko parę miesięcy do matury. Przy tym wariackim systemie ocen i beznadziejnej reformie liceów będzie po prostu musiał przysiąść i poudawać, że się uczy. W przeciwnym razie...

Hardy przerwał jego tok myślenia.

– Spokojnie, Carl. Codziennie po szkole Jesper i ja uczymy się razem. Przepytuję go z materiału, nim pójdzie do Viggi. Jest całkiem niezły.

Całkiem niezły? Zabrzmiało naprawdę surrealistycznie.

– W takim razie dlaczego jest u matki?

– Dzwoniła po niego – odparł Hardy. – Jest jej bardzo przykro, Carl. Ma dość swojego życia i chciałaby wrócić do domu.

– Do domu? Tutaj?

Hardy kiwnął głową. Carl był bliski załamania z powodu doznanego szoku.

Morten musiał dwukrotnie przynosić whisky.

Noc była bezsenna, a poranek bezbarwny.

Kiedy Carl w końcu zasiadł w gabinecie, był znacznie bardziej zmęczony niż poprzedniego wieczora przed pójściem do łóżka.

– Rose się odezwała? – zapytał, gdy Assad stawiał przed nim talerzyk z jakimiś nieokreślonymi grudkami. Widać trzeba go było rozczmuchać.

– Dzwoniłem do niej wczoraj wieczorem, ale jej nie było. Tak powiedziała jej siostra.

– Okej. – Carl odgonił swoją starą, dobrą i zawsze obecną muchę, usiłując odczepić od talerzyka jedną z pokrytych syropem kluch, która okazała się wyjątkowo oporna. – Przyjdzie dziś? Jej siostra coś o tym wspominała?

– Tak, przyjdzie siostra Yrsa, nie Rose. Ona wyjechała.

– Co ty mówisz!? Dokąd Rose pojechała? I do tego siostra! Przyjdzie tutaj? Mówisz serio? – Uwolnił się od kluskowatej pułapki na muchy. Kosztowało to trochę skóry.

– Yrsa powiedziała tak, że Rose czasami wyjeżdża na dzień lub dwa, ale to nic nie znaczy. Yrsa powiedziała, że Rose wróci, zawsze wraca. W międzyczasie przyjdzie Yrsa i tak wykona jej pracę. Powiedziała, że nie mogą sobie pozwolić na utratę pensji Rose.

Carl potrząsnął głową. Aha! Czyli to bez znaczenia, że etatowy pracownik ulatnia się, kiedy mu się podoba, niech to szlag trafi. Rose chyba jest szalona. Już on jej to dobitnie przekaże, kiedy tylko wróci.

– I do tego ta Yrsa! Już ja dopilnuję, żeby nie udało jej się przejść przez budkę wartowniczą.

– Oj, aha. Ale ja już to załatwiłem z wartownią i Larsem Bjørnem, Carl. Jest okej, Larsowi Bjørnowi jest wszystko jedno, byle pensja była nadal wypłacana Rose. Yrsa jest na zastępstwie, dopóki Rose jest chora. Bjørn się cieszy, że tak sobie kogoś załatwiliśmy.

– Załatwiłeś z Bjørnem? Chora, powiadasz?

– Tak, tak to nazwiemy, prawda?

Toż to istna rewolta.

Carl wziął telefon i wybrał numer Larsa Bjørna.

– Haloo! – rozległ się głos Lis.

Ki diabeł?

– Cześć, Lis. Czy nie wybrałem numeru Bjørna?

– Tak, pilnuję jego telefonu. Komendantka, Jacobsen i Bjørn mają zebranie na temat sytuacji kadrowej.

– Nie mogłabyś mnie przełączyć? Potrzebuję dosłownie pięciu sekund, żeby z nim pogadać.

– Pewnie chodzi o siostrę Rose, co?

Mięśnie jego twarzy się napięły.

– Chyba nie masz z tym nic wspólnego?

– Carl, kto jak nie ja czuwa nad listą zastępstw?

Nie miał o tym pojęcia.

– Mówisz, że Bjørn zatwierdził zastępstwo za Rose, nie pytając o to mnie?

– Hej, Carl, wyluzuj – pstryknęła palcami po drugiej stronie, jakby chcąc go zbudzić. – Brakuje nam ludzi. W tej chwili Bjørn wszystko zatwierdza. Szkoda, że nie widzisz, kto wykonuje robotę w pozostałych departamentach.

Jej śmiech nie sprawił bynajmniej, że sytuacja stała się mniej frustrująca.

Firma „Hurtownia K. Frandsena" była spółką akcyjną o kapitale własnym wynoszącym zaledwie 250 tysięcy koron, ale o szacowanej wartości 16 milionów. Już sam skład papieru w ostatnich latach rozliczeniowych, liczonych od września do września, został wyceniony na 8 milionów, więc na pierwszy rzut oka nie powinno tam być trudności finansowych. Problem w tym, że klientami K. Frandsena były tygodniki i gazetki darmowe, a z nimi kryzys ekonomiczny nie obszedł się najlepiej. Na ile Carl był w stanie się doliczyć, K. Frandsen mógł oberwać po portfelu w sposób nagły i dotkliwy.

Naprawdę ciekawie zrobiło się dopiero wtedy, gdy wizerunki firm będących właścicielami spalonych w pożarze lokali w Emdrup i na Stockholmsgade okazały się podobne. Przedsiębiorstwo z Emdrup, „JPP Beslag SA", miało obrót 25 milionów rocznie i obsługiwało przede wszystkim rynek budowlany i większe składy drewna. Wydawałoby się, że w ostatnich latach to kwitnący biznes, ale nie obecnie. Podobnie jak firma w dzielnicy Østerbro, „Public Consult", utrzymująca się ze sporządzania projektów przetargowych dla dużych pracowni architektonicznych, która z pewnością też odczuła zderzenie z brzydkim betonowym murem zwanym słabą koniunkturą.

Poza trudną sytuacją finansową między trzema niefortunnymi firmami nie było podobieństw. Ani wspólnych właścicieli, ani klientów.

Carl zabębnił w stół. A jak było z pożarem w Rødovre w 1995? Czy to też była firma, która nagle znalazła się w tarapatach? Teraz przydałaby się Rose, niech to diabli.

– Puk, puk – rozległ się w drzwiach przenikliwy szept.

„To ta Yrsa" – pomyślał Carl, spoglądając na zegarek. Było piętnaście po dziewiątej. Najwyższy, kurde, czas.

– A o której to się przychodzi? – zapytał, nie odwracając się. Nauczył się tego. Szef odwrócony plecami rządzi. Nie można sobie z nim lecieć w kulki.

– Byliśmy umówieni? – rozległ się nosowy, męski głos.

Carl okręcił się na fotelu o ćwierć obrotu za daleko.

To był Laursen. Stary, dobry Tomas Laursen, technik policyjny i gracz w rugby, który wygrał fortunę i ją stracił, a obecnie pracował w stołówce na najwyższym piętrze.

– Tomas, co ty, do diabła, robisz na dole?

– Twój sympatyczny asystent pytał, czy nie mam ochoty wpaść się przywitać.

W tym momencie szelmowska twarz Assada pojawiła się w drzwiach. Co ten Assad kombinował? Naprawdę poniosło go na górę aż do stołówki? Czy te jego pikantne delikatesy i domowe postrachy żołądka już mu nie wystarczały?

– Po prostu chciałem banana – oznajmił Assad, machając żółtym półksiężycem. Lecieć na samą górę po banana?

Carl kiwnął głową. Assad jednak jest rodzajem małpy. Już on to wiedział.

On i Laursen podali sobie dłonie i każdy mocno uścisnął. Ten sam bolesny żart co niegdyś.

– Zabawnie się składa, Laursen. Dopiero co o tobie słyszałem od Ydinga z Albertslund. O ile dobrze rozumiem, nie wróciłeś na komendę dobrowolnie.

Pokręcił w obie strony głową.

– Taak, sam się o to prosiłem. Bank mnie naciągnął na kredyt pod inwestycje. Można było, bo miałem kapitał. A teraz nie mam nic.

– Sami sobie powinni to wszystko spłacać – powiedział Carl. Słyszał, jak ktoś mówił tak w dzienniku.

Laursen kiwnął głową. Bez wątpienia się z nim zgadzał, a teraz znów się tu znalazł. Zatrudniony jako ostatni w stołówce. Kanapki i zmywanie. Jeden z najdokładniejszych techników policyjnych w Danii, co za strata.

– Ale i tak się cieszę – powiedział. – Spotykam masę dawnych znajomych z roboty w terenie i wcale nie muszę się z nimi zabierać. – Uśmiechnął się krzywo jak za dawnych lat. – Miałem dość pracy, Carl, szczególnie gdy przez całą noc musiałem grzebać się w pokawałkowanych zwłokach na jakimś wygwizdowie. Przez pięć lat nie było dnia, w którym nie chciałbym czmychnąć. Czyli pieniądze mnie wyratowały, choć na powrót je straciłem. Tak też można na to spojrzeć. Zawsze to jakiś plus.

Carl kiwnął głową.

– Jeszcze nie znasz Assada, ale jestem pewien, że nie przyciągnął cię tu wyłącznie na pogaduszki o jadłospisie stołówki i na herbatkę miętową z dawnym kolegą.

– Już mi opowiedział o liście w butelce. Myślę, że jestem jako tako na bieżąco. Mogę go zobaczyć?

Coś podobnego!

Usiadł, a Carl ostrożnie wyciągnął list z teczki. W międzyczasie Assad wszedł tanecznym krokiem, niosąc mosiężną tacę z trzema maleńkimi filiżankami.

Zapach miętowej herbaty rozniósł się wśród zebranych.

– Na pewno polubi pan tę herbatę – powiedział Assad, nalewając. – Jest świetna na wszystko, na to też – chwycił się lekko za krocze, serwując im nieprzytomne spojrzenie. Nieporozumienie wykluczone.

Laursen zapalił kolejną lampę z wysięgnikiem i zbliżył światło do dokumentu.

– Wiecie, kto to zabezpieczał?

– Tak, jakieś laboratorium z Edynburga w Szkocji – odparł Assad. Wyciągnął dokument z analizą, zanim Carl zaczął się zastanawiać, gdzie go położył.

– Tak oto analiza – Assad położył ją przed Laursenem.

– Okej – powiedział Laursen po paru minutach. – Widzę, że badanie nadzorował Gilliam Douglas.

– Znasz go?

Laursen spojrzał na Carla z miną, jaką zrobiłaby pięciolatka zapytana, czy wie, kim jest Britney Spears. Nie było to spojrzenie pełne poważania, ale wzbudziło zainteresowanie. Ciekawe, kim, u diabła, może być ten Gilliam Douglas, poza tym, że facet urodził się po niewłaściwej stronie granicy z Anglią?

– Nie ma tu za wiele do roboty – powiedział Laursen, odstawiając dwoma masywnymi palcami filiżankę z miętową herbatą. – Nasi szkoccy koledzy zrobili wszystko co w ich mocy, by zabezpieczyć papier i wywołać tekst za pomocą różnego rodzaju naświetlań i chemii. Znaleziono minimalne ślady farby drukarskiej, ale wygląda na to, że nie ustalono pochodzenia samego papieru. Zostawili nam w zasadzie większość badań fizycznych. Czy papier był w laboratorium kryminalistycznym w Vanløse?

– Nie, ale nie miałem pojęcia, że analizy techniczne nie zostały jeszcze zakończone – odpowiedział Carl niechętnie. Jego błąd.

– To jest tutaj napisane – Laursen wskazał dolną linijkę raportu z analizy.

Dlaczego, do licha ciężkiego, tego nie widzieli? Cholera!

– Rose mi to tak mówiła, Carl. Ale ona uznała, że nie jest to nam tak potrzebne, skąd ten papier może pochodzić – powiedział Assad.

– Aha, i tu się grubo pomyliła. Pokażcie mi to – Laursen wstał i włożył palce do kieszeni spodni. Nie było to łatwe zadanie przy takich wyćwiczonych udźcach i opiętych dżinsach.

Carl widział już wielokrotnie taką lupę, po jaką sięgnął Laursen. Mały kwadrat, który można rozłożyć i umieścić na danym przedmiocie. Wyglądał jak dolna część małego mikroskopu. Standardowy sprzęt zbieraczy znaczków i innych popaprańców, a w wydaniu profesjonalnym z najlepszą soczewką Zeiss – również niezbędnik technika takiego jak Laursen.

Położył lupę na dokumencie i mruczał sam do siebie, w miarę jak przesuwał soczewką wzdłuż linijek. Bardzo systematycznie – z jednej strony w drugą, po jednej linijce.

– Widzi pan więcej liter przez to coś ze szkłem? – spytał Assad.

Laursen pokręcił głową bez słowa.

Kiedy dotarł do połowy listu, Carla dopadła ochota na ćmika.

– Muszę coś załatwić, okej? – oznajmił.

Nawet nie zareagowali.

Usadowił się na jednym ze stołów w korytarzu, patrząc na bezczynne, pootwierane maszyny. Skanery, kopiarki i takie tam. Musi zapamiętać, żeby następnym razem Rose dokończyła swoją robotę, a nie czmychała w samym środku.

Właśnie w tej niezręcznej chwili samokrytyki Carl usłyszał dobiegające ze schodów miarowe uderzenia przypominające odgłos piłki do koszykówki, toczącej się w kontrolowanym, zwolnionym tempie po stopniach, po czym rozległ się dźwięk taczki bez powietrza w oponie. Zbliżająca się do niego osoba wyglądała jak babcia niosąca łupy z bezcłowego statku ze Szwecji. Buty na wysokich słupkach, plisowana spódnica w kratkę i niemal równie barwny kosz na zakupy, który za sobą wlokła, przypominały lata pięćdziesiąte bardziej niż one same. A na czubku tego zjawiska znajdował się klon głowy Rose z najpiękniejszą blond trwałą, jaką można sobie wyobrazić. Dokładnie jakby człowiek znalazł się w samym środku filmu z Doris Day, nie mając pojęcia, gdzie jest wyjście awaryjne.

Kiedy dzieją się takie rzeczy, a papieros nie ma filtra, człowiek może się poparzyć.

– Au, cholera jasna! – krzyknął, rzucając niedopałek na ziemię tuż przed barwną postacią.

– Yrsa Knudsen – powiedziała po prostu, wyciągając ku niemu sterczące palce o paznokciach pomalowanych na krwistoczerwono.

Nigdy w życiu nie przypuszczał, że bliźnięta mogą być do siebie takie podobne, a zarazem padać od siebie tak daleko po dwóch przeciwnych stronach tej samej jabłoni.

Sądził, że obejmie przywództwo już w pierwszej sekundzie, a jednak usłyszał, jak odpowiada na pytanie, gdzie jest jej gabinet: że znajdzie go na końcu, po drugiej stronie tych papierów, które powiewają na ścianie. Zapomniał, co miał powiedzieć. Kim jest, jak brzmi jego tytuł, po czym miał nastąpić szereg upomnień – że poczynania obu sióstr są niezgodne z regulaminem i należy jak najszybciej położyć im kres.

– Rozumiem, że zostanę wezwana na szybki briefing, kiedy już się urządzę. Powiedzmy, za godzinę? – brzmiały jej słowa na odchodnym.

– Co to było? – spytał Assad, gdy Carl wrócił do gabinetu.

Carl spojrzał na niego z wściekłością.

– Co to było? Prawdę mówiąc, to był problem, i to twój! Dokładnie za godzinę wtajemniczasz siostrę Rose w nasze sprawy. Kapujesz?

– Czy ta, co tu przeszła, to była ta Yrsa?

Zamknął oczy jako potwierdzenie.

– Kapujesz? Masz jej zrobić briefing, Assad.

Następnie zwrócił się do Laursena, który już kończył przeglądanie dokumentu.

– Znalazłeś coś, Laursen?

Technik, który stał się garkotłukiem, kiwnął głową, wskazując coś zupełnie niewidocznego, leżącego na małym kawałku plastiku.

Carl pochylił się nad nim. Owszem, leżała tam drzazga o wielkości końcówki włosa, a obok coś okrągłego, małego, a do tego niemal zupełnie przezroczystego.

– To tutaj to drzazga – wskazał Laursen. – Przypuszczam, że pochodzi z czubka narzędzia, którym pisał autor listu, bo była wciśnięta w papier zgodnie z kierunkiem pisania. To drugie to rybia łuska.

Wyprostował się ze swojej niewygodnej pozycji i zaczął wykonywać koliste ruchy barkami.

– Na pewno ruszymy dalej, Carl. Ale musimy to wysłać do Vanløse, dobra? Założę się, że dość szybko ustalą rodzaj drewna, ale żeby dojść do gatunku ryby na podstawie łuski, trzeba będzie ekspertów od morza.

– Bardzo ciekawie tego wszystkiego tak posłuchać – powiedział Assad. – Mamy tu kompetentnego kolegę, Carl.

„Kompetentnego?" Tak powiedział?

Carl podrapał się po policzku.

– Co jeszcze możesz o tym powiedzieć, Laursen? Jest coś jeszcze?

– Nie jestem w stanie powiedzieć, czy autor listu był praworęczny czy leworęczny, co w gruncie rzeczy jest dość niezwykłe przy tak porowatym papierze. Prawie zawsze widać nachylenie w określonym kierunku. Dlatego można wywnioskować, że list pisano w trudnych warunkach. Być może na złym podłożu albo ze związanymi rękami. Może po prostu ta osoba nie miała wprawy w pisaniu. No i mogę się założyć, że papieru używano do pakowania ryb. O ile dobrze widzę, jest tu osad ze śluzu, najprawdopodobniej rybiego. Wiemy obecnie, że butelka była szczelna, więc ślady ryb nie powstały podczas pobytu w wodzie. Jeśli chodzi o te cienie na papierze, to nie mam pewności. Może to nic takiego, papier był pewnie trochę zawilgocony, ale bardziej prawdopodobna wersja jest taka, że odbarwienia powstały, kiedy list przebywał w butelce.

– Ciekawe! A co sądzisz o samym liście? Warto iść jego tropem czy to jakiś dowcip?

– Dowcip! – Laursen cofnął górną wargę, odsłaniając dwa krzywawe siekacze. Nie oznaczało to, że miał zamiar się uśmiechnąć. Raczej, że należy go posłuchać. – Widzę na tym papierze zagłębienia, które świadczą o rozchwianym piśmie. Czubek drzazgi, którą tu widzisz, wyżłobił wąską i głęboką rysę, nim się ułamał. W niektórych miejscach pismo jest tak ostre, jak rowki na płycie winylowej. – Pokręcił głową. – Nie, Carl, nie sądzę, żeby to był dowcip. Wygląda na to, że list został napisany drżącą ręką. Może ze względu na warunki, ale być może dlatego, że ta osoba była śmiertelnie przerażona. Na pierwszy rzut oka powiedziałbym, że to poważna sprawa. Ale oczywiście nigdy nie wiadomo.

Tu wtrącił się Assad.

– Jak pan tak patrzy z bliska na litery i rysy, widzi pan więcej liter?

– Tak, kilka, ale tylko do miejsca, gdzie czubek narzędzia do pisania został ułamany.

Assad podał mu kopię ogromnego listu ze ściany.

– Mógłby pan dopisać te, których według pana brakuje? – zapytał.

Laursen kiwnął głową i ponownie położył lupę na oryginale listu. Oglądał pierwszych parę linijek przez kilka kolejnych minut, po czym powiedział:

– Tak mi to mniej więcej wygląda, ale nie dam głowy.

Potem dopisał liczby i litery tak, że w pierwszych linijkach listu było obecnie napisane:

POMOCY
.ni. .6 lótego 1996 ..st....my ópr...dzeni
...rano ... z .szystanku przy .aut.opv... w
Bal...u. – Mężcz.... .. 18. wz...tu .ru..i. włos.

Stali przez chwilę, przyglądając się rezultatowi, dopóki Carl nie przerwał ciszy.

– Tysiąc dziewięćset dziewięćdziesiąty szósty! Czyli butelka przeleżała w wodzie sześć lat, nim ją wyłowiono.

Laursen kiwnął głową.

– Tak. Jestem dość pewien roku, choć dziewiątki są napisane w odbiciu lustrzanym.

– To pewnie dlatego twoi szkoccy koledzy nie potrafili ich odczytać.

Laursen wzruszył ramionami. Pewnie tak było.

Assad stał obok, marszcząc brwi.

– O co chodzi, Assad? – spytał.

– Jest tak, jak myślałem. Jakieś okropne gówno – powiedział, pokazując trzy słowa.

Carl przyjrzał się listowi dokładniej.

– Jeśli nie zdobędziemy większej liczby liter w ostatniej części listu, to będzie bardzo, bardzo trudno – ciągnął Assad.

Carl zorientował się, o co mu chodzi. Spośród wszystkich ludzi to właśnie on pierwszy dostrzegł problem. Człowiek, który mieszka w kraju od zaledwie kilku lat. To było wręcz niesamowite.

Powinno być napisane „lutego", „uprowadzeni", „przystanku".

Czyli ten, kto napisał list w butelce, nie znał się na ortografii.

11

Z gabinetu Rose nie dochodziły prawie żadne dźwięki, a to bardzo dobrze wróżyło. Jeśli Yrsa nadal będzie się tak zachowywać, w ciągu trzech dni zostanie wyrzucona do domu, a Rose będzie musiała wrócić.

Przecież Yrsa mówiła, że te pieniądze są im potrzebne.

Jako że w archiwach nie było informacji na temat porwania w lutym 1996 roku, Carl wyciągnął teczkę sprawy o pożarach i zadzwonił do komisarza Antonsena do Rødovre. Już lepiej pogadać ze starym wygą z terenu niż z takim gryzipiórkiem jak Yding. Nie mieściło mu się w głowie, jak, u diabła, ten dureń mógł nie napisać niczego o kondycji finansowej spalonej spółki z Rødovre w starym raporcie policyjnym. Według Carla było to zaniedbanie obowiązków służbowych. Na dodatek dostawca gazu przecież oświadczył, że zamknął dopływ gazu, co więc sprawiło, że dziadostwo eksplodowało z taką siłą? Dopóki tego typu pytania pozostawały bez odpowiedzi, w grę wchodziło śledztwo w sprawie podpalenia z zamiarem zabójstwa i wszystko należało brać, kurwa, pod uwagę.

– Oho – powiedział Antonsen, gdy przełączono do niego Carla. – Mamy zaszczyt rozmawiać z Carlem Mørckiem ze specjalizacją odkurzanie starych spraw – zachichotał. – Czyżbyś wyjaśnił sprawę morderstwa człowieka z Grauballe?

– Tak, i Eryka Klippinga – odparował Carl. – A niedługo spodziewamy się wyjaśnić jedną z waszych starych spraw, jak sądzę.

Antonsen się zaśmiał.

– Wiem doskonale, do czego pijesz, wczoraj gadałem z Marcusem Jacobsenem – odparł. – Podejrzewam, że chcesz się dowiedzieć czegoś o tutejszym pożarze z tysiąc dziewięćset dziewięćdziesiątego piątego. Nie czytałeś raportu?

Carl powstrzymał się przed wypowiedzeniem paru przekleństw,

które stary wyjadacz Antonsen z pewnością potrafił odwzajemnić w co najmniej równie kwiecisty sposób.

– Owszem, czytałem. Raport wygląda licho. Sporządzał go ktoś z twoich ludzi?

– Bzdura, Carl. Yding wykonał kawał dobrej roboty. Czego ci w nim brakuje?

– Informacji o firmie, którą dotknął pożar, a o której ten tak zwany kawał dobrej roboty zupełnie nie informuje.

– Tak, tak myślałem, że chodzi o coś w tym stylu. Ale gdzieś coś mamy. Parę lat później przeprowadzono tam audyt, który zakończył się zgłoszeniem na policję. Co prawda nic tam takiego nie wyszło, ale dowiedzieliśmy się o tej firmie czegoś więcej. Mogę ci to przefaksować czy mam się pofatygować na kolanach, by złożyć papiery u podnóża tronu?

Carl się roześmiał. Nieczęsto spotyka się kogoś, kto potrafi odwzajemnić bluzgi Carla z tak rozbrajającą celnością.

– Nie, wybiorę się do ciebie, Anton. Tylko nastaw kawę.

– O nie – zakończył. Nie żadne tam „do zobaczenia".

Carl posiedział chwilę, wpatrując się w ekran z niekończącymi się zajawkami kanału TV2 News na temat bezsensownego zastrzelenia Mustafy Hsownaya, kolejnej zupełnie niewinnej ofiary wojny gangów. Wyglądało na to, że policja udzieliła pozwolenia na przemarsz orszaku pogrzebowego ulicami Kopenhagi. Na pewno skończy się to tak, że jeden z drugim nieprzyjemnie się zdziwią.

Nagle w drzwiach rozległo się chrząknięcie.

– Dostanę niedługo jakieś zadania?

Carl doznał szoku. Tu na dole ludzie się zwykle tak cicho nie przemieszczali. Więc jeśli to dziwadło Yrsa potrafi wymykać się bezszelestnie w jednej chwili i hałasować jak stado pędzących antylop w drugiej, to Carl zszarga sobie nerwy.

Odgoniła coś w powietrzu.

– Fu, mucha plujka, nie cierpię ich. Są takie obrzydliwe.

Carl podążył oczami za owadem. Ciekawe, gdzie ta mucha siedziała od ostatniego razu? Wziął z biurka teczkę sprawy. Trzeba ją, do jasnej cholery, pacnąć.

– Już się urządziłam. Chcesz zobaczyć? – spytała Yrsa głosem zaskakująco podobnym do głosu Rose.

Czy chce zobaczyć, jak się urządziła? Co go to obchodzi?

Zostawił muchę w spokoju i obrócił się do Yrsy.

– Mówisz, że chcesz czymś zająć ręce. Cóż, właściwie po to tu jesteś. Możesz zadzwonić do rejestru spółek i dopytać się o rachunki z ostatnich pięciu lat firm „Hurtownia K. Frandsena", „Public Consult" i „JPP Beslag SA" oraz sprawdzić ich debety w rachunkach bieżących i pożyczki krótkoterminowe. Okej? – Napisał nazwy trzech firm na kartce.

Spojrzała na niego, jakby nieprzyzwoicie się zachował.

– Wolałabym nie, jeśli mam być szczera – powiedziała.

Nie wróżyło to dobrze.

– A to dlaczego?

– Bo nieporównywalnie łatwiej znaleźć to w Internecie, no i po co wisieć na słuchawce na dwadzieścia minut przed końcem roboty.

Carl usiłował zignorować fakt, że jego ego z nagła skryło się między plisami jej spódniczki. Może powinien dać jej szansę.

– Carl, popatrz – powiedział w drzwiach Assad, przesuwając się nieco, by Yrsa mogła przejść.

– Siedziałem długo i tak na to patrzyłem – ciągnął, wręczając Carlowi kopię listu z butelki. – Co powiesz? Zacząłem od tego, że uwierzyłem, że w trzeciej linijce jest napisane „Ballerup", a potem sprawdziłem w rejestrze i przejrzałem wszystkie ulice Ballerup. I dowiedziałem się, że jedyne słowo, jakie pasuje tuż przed „w", to ulica, co się nazywa Lautrupvang. Facet co prawda napisał Lautrop przez „o", ale przecież on nie umiał literować.

Na chwilę jego wzrok spoczął na śmigającej pod sufitem musze, po czym przeniósł się na Carla.

– Co tak powiesz, Carl? Myślisz, że może tak być? – Wskazał odpowiednie miejsce na kopii. Było tam teraz napisane:

POMOCY
Dnia .6 lótego 1996 zostaliśmy óprowadzeni
zabrano nas z pszystanku przy Lautropvang w
Ballerup – Mężczyzna ma 18. wzrostu .ru..i. włos.

Carl kiwnął głową. Jasne, wyglądało całkiem prawdopodobnie. W takim razie trzeba już tylko szybko zanurkować w archiwach.

– Kiwasz głową. Wierzysz w to. Aj, jak dobrze, Carl – wybuchnął Assad, przechylił się przez stół i pocałował go w czubek głowy.

Carl cofnął się, patrząc wilkiem. Syropowe ciasteczka i przesłodzona kawa – zgoda. Ale wybuchy uczuciowości w proporcjach bliskowschodnich – co to to nie.

– Czyli teraz tak wiemy, że chodzi o szesnastego albo dwudziestego szóstego lutego tysiąc dziewięćset dziewięćdziesiątego szóstego – kontynuował Assad w skupieniu. – Wiemy też gdzie i wiemy dodatkowo, że porywacz jest mężczyzną, który ma ponad sto osiemdziesiąt centymetrów wzrostu. Brakuje nam tylko ostatnich słów w tej linijce, czyli czegoś o jego włosach.

– Tak, Assad. I jeszcze bagatelka, czyli sześćdziesiąt pięć procent reszty listu – powiedział Carl.

Jednak w gruncie rzeczy interpretacja brzmiała całkiem prawdopodobnie.

Carl chwycił papier, wstał i wyszedł na korytarz, by zerknąć na dużą kopię listu. Mylił się, wyobrażając sobie, że Yrsa w tej chwili przegląda rachunki poszkodowanych w pożarze firm. Przeciwnie, stała pośrodku korytarza, zupełnie nie zważając na otaczający ją świat, i chłonęła przesłanie listu z butelki.

– Hej, Yrsa, my się tym zajmiemy – powiedział Carl, ale Yrsa się nie ruszyła.

Dobrze wiedząc, że zachowanie sióstr może być zaraźliwe, wzruszył ramionami i zostawił ją w spokoju. W pewnym momencie zdrętwieje jej kark od stania w takiej pozycji.

Carl i Assad ustawili się obok niej. Gdy przyjrzało się uważnie propozycji tekstu Assada i porównało ją z tym, co wisiało na ścianie w wersji bez tak wielu liter, człowiekowi nasuwały się zamazane, a jednak możliwe litery, których wcześniej nie sposób było dostrzec.

Tak, właściwie to wszystkie propozycje Assada wydawały się dorzeczne.

– Owszem, może tak być. Nie jest to takie znów głupie – orzekł, po czym kazał Assadowi dowiedzieć się, czy aby na pewno w 1996 na Lautrupvang w Ballerup nie zgłoszono przestępstwa, które w jakiś sposób zahacza o porwanie.

Powinien się z tym uwinąć do powrotu Carla z Rødovre.

***

Antonsen zaprosił go do swego małego gabinetu, przesiąkniętego na wskroś niepoprawnym politycznie smrodem fajki i cygaretek. Nikt go nigdy nie widział palącego, ale palił. Plotki głosiły, że zostawał w pracy, dopóki personel biurowy nie poszedł do domu, żeby zaciągnąć się parę razy w spokoju. Minęło wiele lat, odkąd jego żona ogłosiła, jakoby już nie palił. Ale to było na tyle, na ile wiedziała.

– Oto dane przedsiębiorstwa z Damhusdalen – powiedział Antonsen, wręczając mu plastikową koszulkę. – Jak widzisz na pierwszej stronie, mowa o firmie zajmującej się importem i eksportem, której partnerzy działali w dawnej Jugosławii. Na pewno nie było im łatwo się przestawić, gdy wybuchła wojna na Bałkanach i wszystko się sypnęło.

Dziś „Amundsen & Mujagić SA" to nieźle prosperująca spółka, ale kiedy wszystko się spaliło, znaleźli się pod względem finansowym w punkcie zerowym. Wtedy nie mieliśmy powodów, by podejrzewać firmę, i póki co wydaje mi się, że nadal nie mamy. Ale jeśli masz coś innego do powiedzenia w tej sprawie, to bardzo proszę.

– Amundsen & Mujagić. Mujagić to jugosłowiańskie nazwisko, prawda? – spytał Carl.

– Jugosłowiańskie, chorwackie, serbskie – jeden pies. Zdaje mi się, że dziś w firmie nie ma już ani Amundsena, ani Mujagicia, ale sam to sobie możesz sprawdzić, jak ci się chce.

– Bez przesady – Carl zakołysał się na krześle i spojrzał na dawnego kolegę.

Antonsen był równym policjantem. Był parę lat starszy od Carla i zawsze znajdował się kilka szczebelków wyżej, ale mieli za sobą wspaniałe, zawodowe wypady, które świadczyły o tym, że są ulepieni z tej samej gliny.

Nikt, ale to nikt nie miał prawa zadzierać wobec nich nosa. Nie należeli też do ludzi, których częstuje się pierdołami, poklepywaniem po plecach i kuluarowymi bzdurami. Jeśli w służbach był ktoś, kto nie nadawał się do działalności dyplomatycznej, fotelowego politykowania i obławiania się z publicznych pieniędzy, to właśnie oni. Dlatego Antonsen nie został komendantem policji, o Carlu nie wspominając. Było tak, jak miało być.

Tylko jedna rzecz między nimi gnębiła teraz Carla, a mianowicie ten gówniany pożar. Bo teraz, tak jak i wtedy, to Antonsen był szefem tego kramu.

– Tak sobie myślę – ciągnął Carl – że klucz do wyjaśnienia pożarów w Kopenhadze z ostatnich dni tkwi w pożarze w Rødovre. Wtedy znaleziono ciało z wyraźnymi śladami w kości małego palca, które wskazują na to, że ofiara przez wiele lat nosiła obrączkę. Dokładnie ta sama osobliwość co w przypadku ciał z ostatnich pożarów. No więc pytam cię: czy możesz mi powiedzieć z ręką na sercu, że ta sprawa została wtedy rzetelnie potraktowana? Pytam cię wprost, ty odpowiadasz i nie robimy z tego afery, muszę to po prostu wiedzieć. Miałeś coś wspólnego z tą firmą? Czy coś łączy albo łączyło cię z „Amundsen & Mujagić SA", skoro wtedy tak pokierowałeś ludźmi i sprawą?

– Oskarżasz mnie o coś niezgodnego z prawem, Carl? – Jego twarz się skurczyła, jowialność stopniała.

– Nie. Tyle że nie bardzo rozumiem, dlaczego wtedy nie ustaliliście na sto procent przyczyny pożaru i tożsamości zmarłego.

– I oskarżasz mnie o utrudnianie mojej własnej pracy?

Carl spojrzał mu prosto w oczy.

– Owszem, chyba tak. Jeśli tak było, miałbym się na czym oprzeć w dalszej pracy.

Antonsen podał Carlowi białego tuborga, którego ten trzymał w dłoni aż do końca rozmowy. Sam Antonsen wziął ze swojego solidny łyk.

Stary lis otarł usta i wydął wargi.

– Mówiąc wprost, Carl, ta sprawa nas nie zaniepokoiła. Pożar poddasza, bezdomny – i tyle. Jeśli mam być szczery, to trochę wymknęła mi się z rąk, owszem. Ale nie tak, jak myślisz.

– No to jak?

– W tym samym czasie Lola rżnęła się z kimś z komisariatu, a ja przepiłem kryzys.

– Lola?

– Tak, do kurwy nędzy. Ale słuchaj, Carl. Moja żona i ja jakoś to przetrwaliśmy. Teraz wszystko jest jak należy. Ale fakt, mogłem się bardziej przyłożyć do tej sprawy, mogę to przed tobą wyznać.

– Okej, dobrze, Anton. Kupuję to i kończymy sprawę.

Wstał i spojrzał na fajkę Antonsena, leżącą niczym żaglowiec uwięziony na pustyni. Wkrótce znów wyruszy w rejs. Pal licho, że w godzinach pracy.

– A, jeszcze coś – powiedział Antonsen, kiedy Carl był już w drzwiach. – Jedna rzecz. Pewnie pamiętasz, jak ci mówiłem przy tym morderstwie w wieżowcu w Rødovre, że jeśli w Komendzie Głównej nie przyjmiecie dobrze inspektora Samira Ghaziego, to już ja dopilnuję, żebyście oberwali po pewnej części ciała. A teraz dochodzą mnie słuchy, że Samir znów ubiega się o pracę u nas. – Wziął fajkę i lekko ją potarł. – Wiesz może, dlaczego to robi? Nic mi nie mówi, ale o ile się orientuję, Jacobsen był z niego bardzo zadowolony.

– Samir? Nie, nic nie wiem. W ogóle słabo go znam.

– Aha. No to ci powiem, że w Departamencie A też tego nie rozumieją, ale słyszałem, że to może mieć coś wspólnego z kimś od ciebie. Wiesz coś o tym?

Carl się zastanowił. Dlaczego to miałoby mieć coś wspólnego z Assadem? Przecież już od pierwszego dnia trzymał się od faceta z daleka.

Teraz to Carl wydął wargi. Właściwie to dlaczego Assad tak się zachowywał?

– Nie wiem, ale popytam. Może Samir chce po prostu wrócić do najlepszego szefa pod słońcem, nie sądzisz? – Mrugnął do Antonsena. – I przekaż Loli moc pozdrowień ode mnie.

Zastał Yrsę w dokładnie tym samym miejscu, w którym ją zostawił: na samym środku piwnicznego korytarza przed wykonaną przez Rose gigantyczną kopią listu z butelki. Stała tam z zamyślonym spojrzeniem i jedną nogą podkuloną pod sukienką jak flaming, prawie w transie. Jeśli nie liczyć ubrań, znów wyglądała jak Rose. Aż przechodziły ciarki.

– Gotowa z rachunkami z rejestru spółek? – zapytał.

Spojrzała na niego nieobecnym wzrokiem, stukając się w czoło ołówkiem. Ciekawe, czy go w ogóle dostrzegła.

Nabrał więc powietrza na pełną objętość płuc i zadał jej pytanie po raz drugi, prosto w twarz. Kobieta drgnęła, ale była to w zasadzie jedyna reakcja.

Kiedy już miał się obrócić z niedowierzaniem, łamiąc sobie głowę, co, u licha ciężkiego, ma począć z tymi najdziwniejszymi z sióstr, odpowiedziała cicho, wyraźnie wymawiając każde słowo.

– Jestem dobra w scrabble, krzyżówkach, rebusach, testach na IQ i w sudoku, jestem dobra w pisaniu wierszy i piosenek okolicznościowych na konfirmacje, srebrne gody, urodziny i rocznice. Ale to mi nie idzie – zwróciła się do Carla. – Czy będzie okej, jeśli zostawisz mnie jeszcze chwilę w spokoju, żebym mogła w ciszy zastanowić się nad tym okropnym listem?

Okej? Stała tam przez cały ten czas potrzebny na dojazd do Rødovre i z powrotem, a nawet dłużej, a on miałby ją zostawić w spokoju? Szczerze mówiąc, niech pakuje manatki do tej małej, brzydkiej torby o wyglądzie wiadra z łajnem i turla się ze swoimi gałganami w szkocką kratę, dudami i całą resztą z powrotem do Vanløse czy skąd tam, u diabła, pochodzi.

– Droga Yrso – powściągnął się. – Albo w ciągu dwudziestu siedmiu minut przyniesiesz mi te żałosne rachunki, z zaznaczeniem, gdzie mam szukać, albo natychmiast zwrócę się do pani Lis z drugiego piętra o wypisanie twojego czeku z wypłatą za mniej więcej cztery godziny całkowicie bezproduktywnej pracy. W związku z tym nie masz co liczyć na prywatny pakiet ubezpieczeń, rozumiemy się?

– Ja pierdzielę! Przepraszam, że klnę, ale to było mnóstwo słów – uśmiechnęła się szeroko. – A tak na marginesie, mówiłam ci, jak dobrze ci w tej koszuli? Brad Pitt też ma taką.

Carl spojrzał na swoje kraciaste cudo z supermarketu. Nagle poczuł się w piwnicy dziwnie bezdomny.

Wycofał się do tak zwanego gabinetu Assada i zastał go z nogami opartymi o najwyższą szufladę i telefonem przyklejonym do czarnoniebieskawej szczeciny. Przed nim leżało dziesięć długopisów, których oczywiście brakowało w rewirze Carla, a pod nimi papiery z nazwiskami, liczbami i fryzami z arabskich znaczków. Mówił powoli, wyraźnie i zaskakująco poprawnie. Jego ciało emanowało autorytetem i spokojem, a maleńka filiżanka z aromatyczną kawą po turecku spoczywała bezpiecznie w jego dłoni. Gdyby człowiek nie wiedział, jak jest, można by go wziąć za organizatora wycieczek z Ankary, który właśnie zabukował jumbo jeta dla trzydziestu pięciu szejków naftowych.

Odwrócił się do Carla i obdarzył go uśmieszkiem.

Najwyraźniej ten też pragnie świętego spokoju.

To jakaś epidemia.

Może w związku z tym należałoby uciąć sobie profilaktyczną drzemkę w fotelu biurowym. W międzyczasie można by przecież odtworzyć po wewnętrznej stronie powiek film o pożarach w Rødovre i mieć nadzieję, że sprawa się wyjaśni po otwarciu oczu.

Ledwie zdążył się usadowić i unieść nogi, gdy jego atrakcyjny i przedłużający życie plan został zakłócony przez głos Laursena.

– Carl, zostało wam coś z tej butelki? – usłyszał.

Carl zamrugał powiekami.

– A, butelka! – Utkwił wzrok w poplamionym tłuszczem fartuchu Laursena i ściągnął nogi. – Owszem, jeśli określisz jako „coś" trzy tysiące pięćset kawałeczków wielkości fiutka komara, to mam je tu w woreczku.

Wyciągnął przezroczystą reklamówkę i uniósł przed nosem Laursena.

– Co powiesz, jest to coś? – spytał.

Laursen kiwnął głową i wskazał pojedynczy kawałek szkła, nieco większy niż pozostałe, na samym dnie worka.

– Właśnie rozmawiałem z Gilliamem Douglasem, technikiem ze Szkocji. Poradził mi, by odszukać największy kawałek z dna butelki i poddać analizie DNA krew, która tam się osadziła. To właśnie ten kawałek. Widać krew.

Carl już miał prosić go o lupę, ale jednak ją dostrzegł. Krwi było niewiele, poza tym wyglądała na zupełnie wyblakłą.

– A oni tego nie badali?

– Nie, on mówi, że robili zeskrobiny wyłącznie samego listu. Mówi też, że lepiej się na nic nie nastawiać.

– Bo?

– Bo materiału do pobrania próbek jest mało, a poza tym prawdopodobnie minęło zbyt dużo czasu. No i warunki w butelce i pobyt w wodzie morskiej mogły być wyjątkowo niekorzystne dla materiału genetycznego w środku. Gorąco, chłód, do tego może jeszcze odrobina wody morskiej. Zmienne oświetlenie. Wszystko przemawia za tym, że DNA już tam nie ma.

– To DNA się zmienia, kiedy ulega zniszczeniu?

– Nie, nie zmienia się. Po prostu ulega zniszczeniu. Wziąwszy pod uwagę wszystkie te niesprzyjające czynniki, pewnie właśnie tak się stało.

Carl obejrzał plamkę na kawałku szkła.

– A co, jeśli znajdą nadające się do użycia DNA? Co nam z tego? Nie będziemy mogli zidentyfikować zwłok, bo przecież ich nie ma. Nie będziemy też porównywać materiału genetycznego z krewnymi, bo kim oni są? Przecież nawet nie wiemy, kim jest autor listu, więc w czym to ma pomóc?

– Może będzie można ustalić kolor skóry, oczu i włosów. Czy to nie jakaś pomoc?

Carl kiwnął głową. Oczywiście, trzeba spróbować. Wiedział, że ludzie z Pracowni Genetyki Sądowej w Instytucie Medycyny Sądowej są fantastyczni. Sam miał okazję wysłuchać wykładu zastępcy kierownika pracowni. Jeśli ktoś ma określić, czy ofiara była utykającym, sepleniącym rudym Grenlandczykiem, to właśnie oni.

– Bierz to i do dzieła – powiedział Carl, po czym poklepał Laursena po ramieniu. – Wkrótce wpadnę do ciebie na górę na carpaccio.

Laursen się uśmiechnął.

– Tylko nie zapomnij wziąć go ze sobą.

12

Miała na imię Lisa, ale sama siebie nazwała Rachelą. Przez siedem lat wiodła życie u boku mężczyzny, z którym nie mogła zajść w ciążę. Bezpłodne tygodnie i miesiące w lepiankach najpierw w Zimbabwe, a potem w Liberii. Pełne klasy z szerokimi uśmiechami o barwie kości słoniowej na brązowych dziecięcych twarzach, ale też setki ciągnących się w nieskończoność godzin spędzonych na pertraktacjach z lokalnymi reprezentantami NDPL, a na koniec z partyzantami Charlesa Taylora. Modlitwy o pokój i pomoc. Nie był to czas, do którego świeżo upieczona nauczycielka z Niezbędnego Seminarium* mogła ot tak się przygotować. Za dużo pułapek i złych intencji, ale Afryka potrafiła być i taka.

Kiedy została zgwałcona przez przypadkową grupę przechodzących obok żołnierzy NPFL, jej chłopak nie interweniował. Zmusił ją do wzięcia sprawy w swoje ręce.

Dlatego nastąpił koniec.

Tego samego wieczora klęczała na poobijanych kolanach na werandzie i zaciskała zakrwawione ręce, czując po raz pierwszy w swoim bezbożnym życiu, że zbliża się Królestwo Boże.

– Przebacz mi i nie dopuść, żeby to miało konsekwencje – modliła się pod czarnym jak smoła, nocnym niebem. – Nie dopuść, żeby to miało konsekwencje, i pozwól mi znaleźć nowe życie. Życie w spokoju z dobrym mężem i mnóstwem dzieci. Błagam Cię o to, dobry Boże.

Następnego ranka, kiedy pakowała walizkę, z jej podbrzusza zaczęła lecieć krew. Wiedziała, że Bóg jej wysłuchał, a jej grzechy zostały odpuszczone.

Z pomocą przyszło jej świeżo założone małe zgromadzenie z są-

---

* Niezbędne Seminarium (Det Nødvendige Seminarium) to anglojęzyczna szkoła wyższa, która od 1972 roku kształci nauczycieli.

siedniego Wybrzeża Kości Słoniowej, z miasta Danane. Nagle stanęli na drodze A701 z łagodnymi uśmiechami na twarzach i zaproponowali jej schronienie po tygodniach tułania się między uchodźcami wzdłuż drogi prowadzącej do Baobli i dalej ku granicy. Ludzie, którzy widywali wielką niedolę i wiedzieli, że potrzeba czasu na zagojenie się ran. W tej chwili otworzyły się przed nią nowe możliwości. Bóg jej wysłuchał, Bóg pokazał jej drogę, którą ma obrać w życiu.

Rok później była już z powrotem w Danii. Oczyszczona z Szatana i wszystkich jego postępków i gotowa, by znaleźć męża, który uczyni ją brzemienną.

Miał na imię Jens, ale odtąd nazywał się Jozue. Jej ciało okazało się niezmiernie kuszące dla człowieka mieszkającego samotnie w parku maszyn, który przejął po rodzicach. Jens zaś odnalazł ścieżki Boże w rozkoszach między jej nogami.

Wkrótce wspólnota na obrzeżach Viborga wzbogaciła się o dwoje nowych apostołów, a dziesięć miesięcy później urodziła swego pierworodnego.

Odtąd Matka Boża dała jej nowe życie i okazywała jej łaskę, czego rezultatem byli osiemnastoletni Józef, szesnastoletni Samuel, czternastoletnia Miriam, dwunastoletnia Magdalena i dziesięcioletnia Sara. Dokładnie dwadzieścia trzy miesiące między każdym z nich.

Tak, Matka Boża rzeczywiście strzegła swoich wyznawców.

Wielokrotnie widywała nowo przybyłego mężczyznę w Kościele Matki Bożej, a on patrzył ciepło na nią i na dzieci, kiedy oddawali się śpiewaniu hymnów pochwalnych. Z jego ust słyszeli tylko słowa pełne dobroci. Sprawiał wrażenie szczerego, przyjaznego i bogatego pod względem duchowym. Dość przystojny mężczyzna, który na pewno przyciągnie do wspólnoty nową, piękną kobietę.

Byli zgodni, że dobrze to wróżyło. Jozue określił go jako mężnego.

Gdy tego wieczora zjawił się w ich kościele po raz czwarty, była pewna, że przyszedł, by zostać na dobre. Zaproponowali mu pokój u siebie w gospodarstwie, ale odmówił, wyjaśniając, że ma już inne miejsce, a poza tym jest zajęty szukaniem domu, w którym mógłby zamieszkać. Ale zostanie w okolicy przez parę dni i bardzo chętnie złoży im wizytę, gdy będzie w pobliżu.

Czyli jego zamiarem było znalezienie domu; stało się to, rzecz jasna, tematem rozmów we wspólnocie, szczególnie między kobietami. Miał silne ręce i porządną furgonetkę, mógł być bardzo pomocny dla swoich pobratymców. Prawdopodobnie był człowiekiem sukcesu, do tego dobrze ubranym i szarmanckim. Rokował na pastora albo misjonarza.

Muszą być dla niego wyjątkowo przyjaźni.

Minęła zaledwie doba, a on już stał u ich drzwi, pukając. Niestety pora była niefortunna, bo Rachela była nie w sosie, pulsowało jej w skroniach i czuła oznaki zbliżającej się miesiączki. W tej chwili pragnęła tylko, by dzieci siedziały w swoich pokojach, a Jozue zajął się sobą.

Ale Jozue otworzył drzwi wejściowe i posadził mężczyznę przy dębowym stole kuchennym.

– Pomyśl, druga taka szansa może się nie trafić – wyszeptał i poprosił ją żarliwie, by wstała z kanapy. – Tylko na kwadrans, Rachelo. Później będziesz mogła znowu się położyć.

Z myślą o wspólnocie i o tym, jak pożądana jest w niej świeża krew, wstała z ręką na podbrzuszu i poszła do kuchni święcie przekonana, że Matka Boża starannie wybrała tę chwilę, by poddać ją próbie. Ma wiedzieć, że bóle to tylko muśnięcie Bożej ręki. Że mdłości to jedynie palące pustynne piaski. Była apostołką i żadna cielesna przeszkoda nie stanie jej na drodze.

Właśnie o to chodziło.

Dlatego wyszła mu naprzeciw z uśmiechem na pobladłej twarzy i poprosiła, by usiadł i przyjął dary Boże.

Był w Levring i Elsborgu, by obejrzeć gospodarstwa – powiedział znad brzegu filiżanki z kawą, a pojutrze albo w poniedziałek pojedzie do Ravnstrup i Resen, gdzie też znajduje się parę sensownych budynków.

– Dobry Jezu! – wybuchnął Jozue, patrząc na nią przepraszająco, bo nie cierpiała, gdy brał imię syna Matki Bożej nadaremno.

– W Resen? – ciągnął. – Może przy drodze prowadzącej do sadów w Sjørup? Dom Theodora Bondesena, tak? Już ja się postaram, żeby kupił go pan za uczciwą cenę. Stoi pusty od co najmniej ośmiu miesięcy. Albo i dłużej.

Po twarzy mężczyzny przemknął osobliwy skurcz. Jozue go oczywiście nie zauważył, ale ona owszem. Skurcz, który nie powinien się pojawić.

– W kierunku Sjørup? – spytał mężczyzna, podczas gdy jego spojrzenie błądziło po pomieszczeniu, szukając punktu zaczepienia. – Sam nie wiem. Ale na pewno panu powiem w poniedziałek, kiedy już zobaczę dom. – Teraz się uśmiechnął. – Gdzie państwa dzieci? Odrabiają lekcje?

Kiwnęła głową. Nie sprawiał wrażenia rozmownego. Czyżby źle go oceniła?

– Gdzie pan teraz mieszka? – nie ustępowała. – W Viborgu?

– Tak, mój dawny kolega mieszka w śródmieściu. Pracowaliśmy razem kilka lat temu. Teraz jest na rencie inwalidzkiej.

– Ach tak. Wypalił się, tak jak wielu innych? – spytała, nie spuszczając z niego wzroku.

Popatrzył na nią ciepło. Trochę to zajmowało, ale może po prostu był powściągliwy. Nie musi to w żadnym razie stanowić wady.

– Czy się wypalił? Nie, rzekłbym – szkoda, że to nie to. Nie, mój przyjaciel Charles stracił rękę w wypadku samochodowym.

Pokazał brzegiem dłoni, na jakiej wysokości, sprawiając, że źle się poczuła. Złe wspomnienia. Obadał jej spojrzenie i spuścił wzrok.

– Tak, to był paskudny wypadek, ale jakoś sobie radzi.

Nagle uniósł głowę.

– Byłbym zapomniał! Pojutrze są zawody karate w Vinderup. Chciałem zapytać Samuela, czy nie zechciałby ze mną pojechać i popatrzeć. Ale może za wcześnie na to jego chore kolano. Jak on się miewa? Złamał coś, spadając ze schodów?

Uśmiechnęła się, spoglądając na męża. To właśnie za tego rodzaju empatią i troską opowiadał się ich Kościół.

„Ujmij dłoń bliźniego i czule ją głaskaj" – jak zwykł mawiać ich pastor.

– Nie – odparł jej mąż. – Kolano jest co prawda grube jak udo, ale za parę tygodni dojdzie do siebie. Vinderup, mówi pan? To tam są jakieś zawody, które można by obejrzeć? – Jej mąż gładził się po brodzie. Czyli będzie chciał za chwilę zgłębić temat. – Możemy oczywiście zapytać Samuela. Co ty na to, Rachelo?

Kiwnęła głową. Pewnie, jeśli zdążą wrócić przed czasem spoczynku, to doskonale. Może wszystkie dzieci mogłyby się zabrać, jeśli będą miały ochotę?

Wyraz jego twarzy zrobił się nagle przepraszający.

– O tak, bardzo bym chciał, ale w furgonetce na przednim siedzeniu mogą siedzieć tylko trzy osoby, a nie wolno przewozić pasażerów z tyłu. Ale dwoje mogłoby pojechać, a pozostali mogliby skorzystać następnym razem. A co z Magdaleną, czy to nie coś dla niej? Sprawia wrażenie dziarskiej dziewczynki. No i czy nie jest przywiązana do Samuela?

Uśmiechnęła się, jej mąż też. To było miłe spostrzeżenie, a pytanie zadane w sympatyczny sposób. Wyczuwało się teraz między nimi szczególny kontakt. Jakby wiedział, jak bliskie jej sercu było zawsze tych dwoje dzieci. Samuel i Magdalena. Dwójka spośród pięciorga jej dzieci, która była do niej najbardziej podobna.

– To co, Jozue, umowa stoi?

– Owszem – Jozue się uśmiechnął. Nietrudno go było zadowolić, byle tylko nie było z niczym zachodu.

Poklepała gościa po leżącej na stole ręce. Była zaskakująco chłodna.

– Jestem pewna, że Samuel i Magdalena bardzo chętnie pojadą – powiedziała. – O której mają być gotowi?

Ściągnął usta, obliczając czas podróży.

– Zawody są o 11:00, więc może wpadnę o 10:00?

Po jego wyjściu w domu zapanował Boży spokój. Wypił ich kawę, po czym zebrał filiżanki ze stołu i wypłukał, jakby to była najbardziej naturalna rzecz na świecie. Uśmiechnął się do nich i podziękował za gościnność. Na koniec powiedział „do zobaczenia".

Wciąż odczuwała bóle w podbrzuszu, ale mdłości ustały.

Jaka cudowna jest miłość bliźniego. To chyba najpiękniejszy dar Boga dla ludzkości.

13

– Nie poszło tak całkiem dobrze, Carl – oznajmił Assad.

Carl nie miał pojęcia, o czym on mówi. Dwuminutowa wiadomość na kanale DR Update o ekologicznych pakietach ratunkowych za biliony, a on pogrążył się w krainie marzeń.

– Co nie poszło dobrze, Assad? – usłyszał dobiegający z daleka własny głos.

– Szukałem wszędzie i mogę z pewnością powiedzieć, że nie zgłoszono tam wtedy żadnej próby porwania. Nie w przypadku czegoś takiego jak Lautrupvang w Ballerup.

Carl potarł oczy. Ma rację, dobrze to nie jest. Jeśliby potraktować poważnie przekaz listu z butelki, rzecz jasna.

Assad stał przed nim ze swoim sfatygowanym nożem do obierania kartofli, wetkniętym w plastikowe wiaderko z arabskimi znaczkami, wypełnione nieokreśloną substancją. Uśmiechnął się wyczekująco, odkroił kawałek i włożył sobie do ust. Nad jego głową bzyczała czujnie stara, dobra mucha.

Carl uniósł wzrok.

„Może należałoby zastanowić się nad zużyciem odrobiny energii, by ją przydybać" – pomyślał.

Leniwie obrócił głowę w poszukiwaniu odpowiedniego narzędzia mordu i znalazł je na stole tuż pod nosem. Obdrapana buteleczka z korektorem, wykonana z tego rodzaju twardego plastiku, który gwarantował, że zderzenia z nim na pewno nie przeżyje żadna mucha.

„Trzeba tylko dobrze wycelować" – przemknęło mu przez myśl, nim cisnął buteleczką, stwierdzając, że wieczko nie było dobrze dokręcone.

Plaśnięcie o ścianę sprawiło, że zdezorientowany Assad utkwił wzrok w białej masie spływającej z wolna na podłogę.

Natomiast muchy nie było.

– Bardzo dziwne – wymamrotał Assad, przeżuwając. – Wcześniej nosiłem się w głowie z taką myślą, że Lautrupvang to takie miejsce, gdzie mieszkają ludzie, ale to coś związanego z biurami i przemysłem.

– No i? – spytał Carl, zachodząc w głowę, czym, u licha, zalatuje beżowa masa z plastikowego wiaderka. Wanilią?

– Tak, biura i przemysł, sam wiesz – ciągnął Assad. – Co on tam robił ten, który twierdzi, że został porwany?

– Może tam pracował? – podsunął Carl.

W tym momencie twarz Assada zdeformowała się w wyrazie, który można by określić jako uprzejmy sceptycyzm.

– Och, Carl. Nawet jeśli nie znał ortografii, potrafiłby wtedy napisać dobrze nazwę ulicy.

– Może to nie był jego język ojczysty, Assad. Znasz ten typ? – Carl obrócił się do peceta i wstukał nazwę ulicy.

– Spójrz, Assad. Jest tam wiele miejsc pracy, a obok uczelni, które mogą zatrudniać ludzi zagranicznego pochodzenia, czy też w tym wypadku młodzież. – Wskazał jeden z adresów. – Na przykład Lautrupgårdskolen. Szkoła dla dzieci z trudnościami społecznymi i emocjonalnymi. Czyli to jednak mógł być dowcip. Sam zobaczysz, że po odszyfrowaniu reszty listu może się okazać, że chodziło tylko o szykanowanie jakiegoś nauczyciela czy coś w tym stylu.

– Odszyfrowanie tu, szykanowanie tam, używasz wielu dziwnych słów, Carl. A co, jeśli to ktoś, kto pracował tam w jakiejś firmie? Jest ich dużo.

– Tak. Ale czy nie wydaje ci się, że w takim razie firma zgłosiłaby zaginięcie pracownika na policję? Rozumiem, co mówisz, ale musimy pamiętać, że nigdy nie przyjęto żadnego zgłoszenia, które miałoby cokolwiek wspólnego z treścią listu w butelce. Są jeszcze w Danii inne Lautrupvangi?

Assad pokręcił głową.

– Mówisz, że tak nie wierzysz, że to było prawdziwe porwanie?

– Tak, w zasadzie tak.

– Uważam, że się mylisz, Carl.

– Aha. Posłuchaj, Assad. Nawet jeśli jest mowa o porwaniu, kto w ogóle mówi, że za porwanego nie zapłacono w swoim czasie okupu?

Przecież mogło tak być, co? A później wszystko poszło w zapomnienie. W takim wypadku nie możemy ruszyć dalej ze śledztwem, prawda? Może tylko garstka wtajemniczonych wiedziała, że coś takiego zaszło.

Assad patrzył na niego przez chwilę.

– Tak, Carl. To jedna z takich rzeczy, co ich nie wiemy i nigdy się nie dowiemy, jeśli mówisz, że nie powinniśmy ciągnąć tej sprawy.

Wyślizgnął się z gabinetu bez słowa, zostawiając na biurku Carla wiaderko z klajstrem i nóż. Co go ugryzło? Chodzi o te problemy z literowaniem i bycie imigrantem? Przecież zwykle potrafił znieść znacznie więcej. Czy może tak się zapalił do tej sprawy, że nie potrafi się skoncentrować na niczym innym?

Carl przechylił głowę, wsłuchując się w ton głosu Assada i Yrsy na korytarzu. Nic, tylko utyskiwanie i kwękanie.

Wtedy przyszło mu na myśl pytanie Antonsena i podniósł się.

– Mogę wam na chwilę przeszkodzić, gołąbeczki? – Zbliżył się do dwójki stojącej przed gigantycznym listem. Yrsa stała tam od chwili, w której wręczyła mu rachunki dotyczące spółek. Tego dnia było tego jakieś cztery-pięć godzin i nie postawiła nawet kropki w notatniku, który rzuciła na podłogę.

– Gołąbeczki! Odwiruj sobie we łbie myśli, nim się odezwiesz – powiedziała Yrsa, obracając się z powrotem w stronę gigantycznej kopii.

– Assad, posłuchaj! Komisarz policji z Rødovre otrzymał wniosek od Samira Ghaziego. Samir chce wrócić do ich komendy. Wiesz coś o tym?

Spojrzał na Carla nierozumiejącym wzrokiem, ale widać było, że ma się na baczności.

– A dlaczego tak miałbym?

– Chyba unikałeś Samira, prawda? Może chodzi o to, że za sobą nie przepadaliście? Mam rację?

Czy wyglądał na nieco urażonego?

– Nie znam tego człowieka, nie za bardzo. Pewnie chciał tak po prostu wrócić do dawnej pracy – uśmiechnął się trochę zbyt szeroko. – Może nie grały mu reguły gry?

– Ach tak! Mam to powtórzyć Antonsenowi?

Assad wzruszył ramionami.

– Mam parę słów więcej – oznajmiła Yrsa.

Chwyciła drabinę i przesunęła ją we właściwe miejsce.

– Będę pisać ołówkiem, żebyśmy mogli to wymazać – powiedziała z przedostatniego stopnia. – No, tak to wygląda. To tylko propozycja. Szczególnie po słowie „ma" trochę zgaduję, ale w końcu czemu nie? Do tego autor listu ma poważne problemy z ortografią, ale moim zdaniem to nawet pomocne.

Assad i Carl spojrzeli po sobie. Nie mówili jej o tym?

– Na przykład jestem w stu procentach pewna, że w miejscu „grosił" powinno być słowo „groził".

Spojrzała ponownie na swoje dzieło.

– A tak, jestem też pewna, że w miejscu słowa „nibieskim" powinno być „niebieskim", tyle że „e" po prostu zniknęło. Ale sami popatrzcie:

POMOCY
Dnia .6 lótego 1996 zostaliśmy óprowadzeni
zabrano nas z pszystanku przy Lautropvang w
Ballerup – Mężczyzna ma 18. wzrostu krutkie włosy . . . .
. . . . – Ma bliznę na praw.. . . . . Je . . . . nibieską
furgonetką Tata i mama go znają – Fr.d.. i . . . na B – grosił nam .
. . . .i . . r. n . . . – on nas zamordóje – . . . . ągną. . . . . .w. . . . .t.
najp. . . . . tem . . . . brat. – Jehaliśmy prawie przez godzinę
. . . .az . . . . nad wodą. . . . b. .z. . wi. . . . . i Tu pachnie
bżydko – . . . . szy. . . . . .t . . .ry.g.. – .. .. lat
P... ....

– Co wy na to? – spytała, wciąż nie patrząc w ich stronę.

Carl przeczytał list parokrotnie. Musiał przyznać, że wyglądało to przekonująco. Nie żadne tam bluzgi na nauczyciela albo kogoś innego, kto zalazł za skórę autorowi listu.

Ale nawet jeśli wołanie o pomoc wydawało się autentyczne, nie ma przecież co do tego pewności. Musi to pokazać ekspertowi. Jeśli będzie w stanie potwierdzić autentyczność, to kilka zdań może budzić wyjątkowe zaniepokojenie.

„Tata i mama go znają" – brzmi napis. Czegoś podobnego się nie wymyśla. I wreszcie: „On nas zamorduje".

Bez żadnego tam „może".

– Nie wiemy, w którym miejscu na ciele porywacz ma tę bliznę, i to mnie wkurza, pardon za łacinę – dodała Yrsa z rękami przy złotych lokach. – Sporo jest części ciała na cztery litery – ciągnęła. – Szczególnie jak się nie umie literować. Noga, ręka, dłoń, kciuk pisany przez „ć". Nie sądzicie, że możemy przyjąć, że blizna znajduje się na którejś z kończyn? Mnie w każdym razie trudno wymyślić, co na cztery litery może znajdować się na głowie czy na ciele.

– Nie, no – powiedział Carl po krótkim namyśle. – Brew, ucho, oczy, ząb pisany przez „mb". Ale masz rację, oprócz tego nie ma za bardzo czteroliterowych słów odnoszących się do części głowy czy kończyn. Choć raczej nie chodzi o nogi. Myślę, że blizna musi być widoczna.

– Co jest widoczne w lutym w tym lodówkowym kraju? – spytał Assad.

– Mógł być rozebrany – powiedziała Yrsa z ożywieniem. – Może zachowywał się lubieżnie. Może właśnie dlatego dokonywał porwań.

Carl kiwnął głową. Niestety istniała taka możliwość.

– Jak jest tak zimno, widać tylko głowę – stwierdził Assad, gapiąc się na uszy Carla. – Widać ucho, jeśli włosy nie są za długie, tam może być blizna. Ale co tak z oczami? Można w ogóle mieć bliznę na oku? – Assad najwyraźniej próbował to sobie wyobrazić. – Nie, nie bliznę – skonstatował. – Nie na oku, nie da rady.

– Zostawmy to, moi drodzy. Myślę, że będziemy mieć lepsze wyobrażenie o wyglądzie sprawcy, jeśli ludziom z Pracowni Genetyki Sądowej uda się przeanalizować zdatne do użytku DNA z butelki. Musimy poczekać, bo to trochę potrwa. Macie jakieś propozycje, jak pchnąć sprawę do przodu tu i teraz?

Yrsa zwróciła się w ich stronę.

– Tak, czas coś zjeść! – powiedziała. – Macie ochotę na grzanki? Mam ze sobą toster.

Kiedy skrzynia biegów zgrzyta, potrzeba świeżego oleju, a w tej chwili Departament Q miał ogromne problemy z wrzuceniem na wyższy bieg.

„Czas na zmianę oleju" – pomyślał Carl i zawołał Yrsę i Assada.

– Pogrzebiemy trochę w tym rozgardiaszu i spróbujemy spojrzeć na wszystko z innej perspektywy. Zgadzacie się?

Kiwnęli głowami. Assad być może z lekkim wahaniem, ale też padło trudne słowo.

– Dobra. W takim razie zabierz się do rachunków tych spółek, Assad. A ty, Yrso, masz za zadanie obdzwonić instytucje w pobliżu Lautrupvang.

Carl kiwnął sam do siebie. Jasna sprawa, że taki dziarski, dziewczęcy głos jak jej skłoni tych biurowych pieszczoszków do ponadprogramowego zerknięcia w archiwa.

– Nakłoń ludzi z administracji, żeby popytali starszych pracowników, czy któryś z nich nie zna jakichś uczniów czy pracowników, którzy zniknęli nagle i bez ostrzeżenia – powiedział. – I, Yrso, rzuć im parę haseł, żeby wiedzieli, co poza tym działo się w lutym tysiąc dziewięćset dziewięćdziesiątego szóstego roku. Przypomnij im, że dzielnica dopiero co została rozbudowana.

W tym momencie Assad miał już prawdopodobnie dosyć, bo poszedł do siebie. Ten podział ról bez wątpienia mu nie leżał. Rzecz w tym, że to Carl decydował, więc musi się w tym odnaleźć. Poza tym sprawa pożarów miała większą wagę. Nie bez znaczenia był też fakt, że można nią było bardziej rozdrażnić kolegów z Departamentu A.

Dlatego Assad musiał powściągnąć gniew i zakasać rękawy. W międzyczasie pisanina z butelki musiała posuwać się w tempie właściwym truchtaniu Yrsy.

Carl poczekał, aż Yrsa wyjdzie, po czym odszukał numer do Kliniki Urazów Rdzenia Kręgowego w Hornbæk.

– Chciałbym rozmawiać z ordynatorem i z nikim innym – powiedział, wiedząc, że nie może się niczego domagać.

Minęło pięć minut, nim w słuchawce rozległ się w końcu głos zastępcy ordynatora.

Nie sprawiał wrażenia szczególnie ucieszonego.

– Tak, wiem dobrze, kim pan jest – powiedział ze zmęczeniem. – Podejrzewam, że chodzi o Hardy'ego Henningsena.

Carl w paru słowach zapoznał go z sytuacją.

– Rozumiem – zaskrzeczał lekarz. Dlaczego, do kurwy nędzy, po przeskoczeniu paru szczebli kariery głosy wszystkich lekarzy robią się takie nosowe?

– Chciałby się pan dowiedzieć, czy w przypadku Hardy'ego możliwa jest regeneracja połączeń nerwowych? - ciągnął. - W przypadku Hardy'ego Henningsena problem polega na tym, że nie znajduje się już pod naszą całodzienną kontrolą i dlatego nie możemy we właściwy sposób przeprowadzić badań. Przypominam, że wziął go pan do siebie z własnej woli, nie bez ostrzeżeń z naszej strony.

- Owszem, ale jeśli Hardy by u was został, nie pożyłby długo. Teraz odzyskał przynajmniej cień chęci do życia, czy to nic niewarte?

Po drugiej stronie zapadło milczenie.

- Czy ktoś od państwa nie mógłby przyjechać i się nim zająć? - kontynuował Carl. - Może byłby to pretekst do ponownej oceny. I dla niego, i dla was.

- Mówi pan, że ma czucie w nadgarstku? - spytał w końcu łapiduch. - Już wcześniej obserwowaliśmy u niego skurcze w palcach, może z tym mu się pomyliło. Może chodzić o odruchy.

- Mówi pan, że rdzeń kręgowy uszkodzony do tego stopnia jak u niego już nigdy nie będzie funkcjonował lepiej niż obecnie?

- Panie Mørck, nie rozważamy tutaj, czy on kiedyś będzie mógł chodzić, bo nie będzie. Hardy Henningsen będzie na zawsze przykuty do łóżka i sparaliżowany od szyi w dół, i tyle. Inna sprawa, czy będzie w stanie odczuwać cokolwiek w jakichś partiach ręki, o której mowa. Nie sądzę, byśmy mogli spodziewać się czegoś więcej poza tymi nieznacznymi skurczami, a pewnie nawet i tego nie.

- Nie będzie mógł ruszać ręką?

- Trudno mi to sobie wyobrazić.

- Czyli nie przyjedziecie do mnie, żeby się nim zająć?

- Tego nie powiedziałem - przewertował jakieś papiery po drugiej stronie słuchawki. Pewnie kalendarz. - Kiedy to by miało być?

- Im szybciej, tym lepiej.

- Zobaczę, co da się zrobić.

Kiedy chwilę później Carl zajrzał do Assada, jego miejsce było puste.

Na stole leżała kartka, na której było napisane „Oto liczby", podpisana formalnie „Pzdr, Assad".

Naprawdę był aż tak zły?

- Yrsa! - krzyknął na korytarz. - Wiesz, gdzie jest Assad?

Bez odpowiedzi.

„Nie przyszedł Mahomet do góry, to góra przyjdzie do Mahometa" - pomyślał, maszerując do jej gabinetu.

Zahamował raptownie, wtykając głowę do środka. Zupełnie jakby tuż przed jego nosem uderzył piorun.

Spartański, czarno-biały i nowoczesny teren Rose przemienił się w coś, w czym nie potrafiłaby dorównać Yrsie nawet dziesięciolatka o zwichrowanym guście wprost z Barbielandu. Wszędzie bardzo dużo różu i masa ozdóbek.

Przełknął z trudnością i zwrócił spojrzenie na Yrsę.

– Widziałaś Assada? – spytał.

– Tak, wyszedł przed półgodziną. Będzie jutro.

– Dlaczego wyszedł?

Wzruszyła ramionami.

– Jestem na półmetku z raportem o aferze z Lautrupvang, chcesz zerknąć?

Kiwnął głową.

– Znalazłaś coś?

Błysnęła czerwonymi ustami rodem z Hollywoodu.

– Nic a nic. Czy ktoś ci już mówił, że masz uśmiech jak Gwyneth Paltrow? – spytała.

– Czy Gwyneth Paltrow to nie kobieta?

Pokiwała głową.

Wtedy poszedł z powrotem do gabinetu i zadzwonił pod numer domowy Rose. Jeszcze parę dni z Yrsą, a będzie źle. Jeśli Departament Q ma zachować swój wątpliwy standard, niech lepiej Rose w te pędy wraca za biurko.

Tym razem usłyszał automatyczną sekretarkę.

„Automatyczna sekretarka Rose i Yrsy informuje, że obie panie przebywają na audiencji u królowej. Kiedy uroczystości dobiegną końca, na pewno oddzwonimy. Proszę łaskawie zostawić wiadomość, jeśli nie ma innej możliwości" – i sygnał.

Bogowie raczą wiedzieć, która z nich to mówiła.

Opadł z powrotem na fotel, szukając papierosa. Ktoś mu mówił, że w tej chwili na poczcie są do objęcia niezłe posady.

Iście rajska pokusa.

*

Sytuacja nie uległa znacznej poprawie, gdy półtorej godziny później po wejściu do swego salonu skonstatował, że nad łóżkiem Hardy'ego pochyla się lekarz, a obok niego stoi Vigga.

Przywitał się grzecznie z lekarzem, a wtedy Vigga nieco się cofnęła.

– Vigga, co ty tu robisz? Najpierw dzwoń, jeśli chcesz mnie zastać. Wiesz, że nienawidzę takich spontanicznych zagrań.

– Carl, kochany – pogładziła go po policzku z drapiącym odgłosem. Doprawdy mocno niepokojące.

– Myślę o tobie codziennie, dlatego zdecydowałam, że wprowadzę się z powrotem do domu – powiedziała dość przekonująco.

Carl poczuł, że wytrzeszcza oczy. Ta mieniąca się wszystkimi kolorami tęczy niedoszła rozwódka mówiła poważnie.

– Nie możesz, Vigga. W ogóle nie jestem tym zainteresowany.

Vigga kilkakrotnie zamrugała.

– No tak, ale ja chcę. A połowa domu wciąż należy do mnie, mój drogi. Pamiętaj o tym!

Wtedy eksplodował w wybuchu wściekłości, aż lekarz się skulił, a Vigga zareagowała łzami. Gdy w końcu odholowała ją taksówka, zdjął nakrętkę z największego pisaka, jaki mógł znaleźć, i przekreślił grubą, czarną kreską miejsce na tabliczce z nazwiskiem, gdzie było napisane „Vigga Rasmussen". Najwyższy, kurde, czas.

Pal licho koszty.

Konsekwencje były nieuchronne – Carl przesiedział w łóżku większość nocy, prowadząc w nieskończoność jednostronne rozmowy z adwokatami od rozwodów, których palce sięgały głęboko do jego portfela.

To będzie dla niego ruina.

Marna pociecha, że był tu lekarz z Kliniki Urazów Rdzenia. Że rzeczywiście był w stanie odnotować pewną, jakkolwiek słabą, aktywność w ramieniu Hardy'ego.

Że lekarz był w pozytywny sposób zdezorientowany.

Następnego ranka o wpół do szóstej stał przy śluzie wartowniczej Komendy Głównej. Więcej godzin w łóżku na nic by się nie zdało.

– To dopiero niespodzianka, że przychodzisz o tej porze, Carl – powiedział dyżurny w budce wartowniczej. – Twój mały pomocnik na pewno też będzie tego zdania. Tylko uważaj, żeby nie zafundować mu szoku w tej piwnicy.

Carl myślał, że się przesłyszał.

– O co ci chodzi? Assad tu jest? Teraz?

– Tak. Ostatnio codziennie przychodzi o tej porze. Zwykle tuż przed szóstą, ale dziś o piątej. Nie wiedziałeś?

Nie miał o tym zielonego pojęcia.

Nie ulegało wątpliwości, że Assad odprawił już swoje modły na korytarzu, bo dywan modlitewny jeszcze tam leżał. Carl widział go po raz pierwszy, bo zwykle odbywało się to w siedzibie Assada. Traktował to jako swoją prywatną sprawę.

Carl słyszał wyraźnie konwersację Assada w gabinecie – jakby rozmawiał przez telefon z kimś, kto niedosłyszy. Rozmowa przebiegała po arabsku i wnioskując z tonu, nie należała do przyjacielskich, choć w tym języku czasami trudno było się zorientować.

Podszedł do drzwi i zobaczył parę z gotującego się czajnika, kłębiącą się wokół ramion Assada. Przed nim leżały notatki po arabsku, a na ekranie migał ziarnisty obraz z kamery internetowej przedstawiający starszego mężczyznę w gigantycznych słuchawkach. W tej chwili Carl dostrzegł, że Assad też ma na sobie zestaw słuchawkowy. Czyli rozmawiał z mężczyzną przez Skype'a. Pewnie ktoś z rodziny z Syrii.

– Dzień dobry, Assad – powiedział Carl, ani trochę nie spodziewając się gwałtownej reakcji Assada. Może lekkie drgnięcie, w końcu Carl po raz pierwszy przyszedł tak wcześnie, ale ten głęboki nerwowy wstrząs, który przeniknął ciało jego kumpla, był całkowicie niespodziewany. Aż wierzgnął wszystkimi kończynami.

Starszy mężczyzna, z którym rozmawiał, wyraźnie się spłoszył i przysunął bliżej ekranu. Pewnie zobaczył u siebie zarys sylwetki Carla za plecami Assada.

Mężczyzna powiedział pospiesznie kilka słów, po czym przerwał połączenie. Assad, przycupnąwszy na krześle, usiłował się pozbierać.

„Co ty tu robisz?" – jego oczy pałały, zupełnie jakby przyłapano go z obiema rękami w kasetce z pieniędzmi, a nie zaledwie na puszce z ciastkami.

– Sorry, Assad. Nie chciałem cię przestraszyć. Dobrze się czujesz? – położył dłoń na koszuli Assada. Była wilgotna i lodowata od potu.

Assad kliknął myszką na ikonę Skype'a i obraz na ekranie się zmienił. Może nie chciał, żeby Carl zobaczył, z kim się łączył.

Carl przepraszająco uniósł ręce.

– Nie będę ci przeszkadzał, Assad. Nie przerywaj sobie. Możesz do mnie zajrzeć później.

Assad nie wypowiedział jeszcze ani słowa. Bardzo, bardzo niezwykłe.

Kiedy Carl klapnął na fotel w gabinecie, był już zmęczony. Zaledwie przed paroma tygodniami piwnica pod Komendą Główną była jego azylem. Dwoje sensownych pracowników i atmosfera, która w pomyślne dni ocierała się o określenie „przyjemna". Obecnie Rose zastąpił ktoś równie dziwny, tyle że w nowy sposób, a i Assad nie był sobą. Na tej podstawie trudno było zdystansować się od pozostałych zgryzot tego świata. Takich jak troska, co się stanie, jeśli Vigga zażąda rozwodu i połowy jego ziemskich dóbr.

Jasna cholera.

Carl spojrzał na ogłoszenie dotyczące pracy, które przypiął na tablicy korkowej parę miesięcy temu. „Komendant Główny Policji" – brzmiał napis. Myślał sobie wtedy, że to coś dla niego. Czy może być coś lepszego niż posada z pracownikami, którzy się kłaniają i salutują? Krzyże rycerskie, tanie podróże i wysokość wynagrodzenia, która zamknęłaby dziób nawet Vigdze. Siedemset dwa tysiące dwieście siedemdziesiąt koron plus dodatki. Już samo wypowiedzenie tej liczby zajmuje przecież prawie cały dzień pracy.

„Że też nie zdążyłem złożyć podania" – pomyślał. Nagle stanął przed nim Assad.

– Carl, czy musimy rozmawiać o tym, co było przed chwilą?

Rozmawiać o czym? Że gadał przez Skype'a? Że Assad był na komendzie tak wcześnie? Że się przestraszył?

Bardzo dziwne pytanie.

Carl pokręcił głową i spojrzał na zegarek. Jeszcze godzina do normalnego dnia pracy.

– Assad, to, co robisz tak wczesnym rankiem, to twoja sprawa.

Dobrze rozumiem, że człowiek ma ochotę pogadać z ludźmi, których często nie widuje.

Wyglądał, jakby mu ulżyło. Też osobliwe.

– Patrzyłem na rachunki „Amundsen & Mujagić SA" w Rødovre, K. Frandsena na Dortheavej i „JPP Beslag", i „Public Consult".

– Okej. Znalazłeś coś, o czym chciałbyś mi opowiedzieć?

Podrapał się po złotym placku z tyłu głowy, okolonym morzem porannych czarnych loków.

– Przez większą część czasu wyglądają jak solidne firmy.

– Tak, i?

– Tyle że nie w miesiącach przed pożarami.

– Skąd taki wniosek?

– Pożyczają pieniądze. Czyli ich zamówienia tak spadają.

– Czyli najpierw spadają zamówienia, potem brakuje im pieniędzy, a na końcu pożyczają?

Assad kiwnął głową.

– Właśnie tak.

– A co potem?

– To jest widoczne tylko w Rødovre. Pozostałe pożary są takie nowe.

– No więc co się tam zdarzyło?

– Najpierw przydarza się pożar, potem dostają ubezpieczenie, a na końcu pożyczka znika.

Carl sięgnął po paczkę papierosów i zapalił fajkę. Klasyka, to tutaj. Szwindel ubezpieczeniowy. Ale skąd zwłoki z wgłębieniem na małym palcu?

– O jakiej pożyczce mowa?

– Krótkie pożyczki. Na rok. W przypadku firmy, która spaliła się w zeszłą sobotę, „Public Consult" na Stockholmsgade, tylko na sześć miesięcy.

– I nadchodził termin spłaty pożyczki, a oni nie mieli pieniędzy?

– Tak jak to widzę, to nie.

Carl wypuścił dym, aż Assad się cofnął, machając rękami. Carl to zignorował. To jego terytorium i jego fajka. W końcu co wolno wojewodzie...

– Kto pożyczał im pieniądze? – zapytał.

Assad wzruszył ramionami.

– Różni. Kopenhascy bankierzy.

Carl kiwnął głową.

– W takim razie podaj mi nazwiska i powiedz, kto za tym stoi.

Assad zwiesił lekko głowę.

– No, no, tylko spokojnie. Kiedy otworzą urzędy, Assad. Zostało jeszcze parę godzin. Weź to na spokojnie.

Wcale go to nie uszczęśliwiło, wręcz odwrotnie.

Ogólnie rzecz biorąc, ta dwójka była wkurzająca. Paplanina i kiepsko skrywana niechęć, jakby on i Yrsa nawzajem się zarażali. Jakby to oni rozdzielali zadania. Jeśli to się będzie utrzymywać, niech sobie oboje wkładają zielone gumowe rękawice i szorują podłogę w piwnicy, aż będzie się można w niej przeglądać.

Assad uniósł głowę i pokiwał w milczeniu.

– Nie będę ci już przeszkadzał, Carl. Możesz sam zajrzeć, jak będziesz gotów.

– O co ci chodzi?

Zamrugał. Uśmieszek miał nieco skrzywiony – wyjątkowo dezorientująca transformacja.

– Masz tak przecież pełne ręce roboty – powiedział i znów zamrugał.

– Spróbujmy jeszcze raz. O czym ty, do jasnej cholery, pleciesz, Assad?

– Oczywiście o Monie. Nie próbuj mi tak wmówić, że nie wiesz, że wróciła.

14

Zgodnie ze słowami Assada, Mona Ibsen wróciła. Promieniejąc słońcem tropików i zbyt wielu wrażeń, które w uroczy, acz niepozostawiający żadnych wątpliwości sposób objawiły się w postaci delikatnych zmarszczek wokół jej oczu.

Tego poranka Carl siedział długo w piwnicy, ćwicząc słowa, którymi na wstępie mógłby sparować jej ewentualne uniki. Sprawić, by omiotła go łagodnym, czułym, spragnionym spojrzeniem, o ile by się tu pofatygowała.

Stało się inaczej. Jedyną manifestacją kobiecości w piwnicy był tego ranka rumor, którego narobił wózek na zakupy Yrsy i ona sama, gdy – zapewne z dobrego serca – pięć minut po przyjściu stanęła w piwnicznym korytarzu i piskliwym głosem zawołała: „Tosty z Netto, chłopaki!".

Wtedy naprawdę odczuwało się dystans dzielący człowieka od szczęśliwego świata zewnętrznego, który cieszył się swobodą na wyższych piętrach.

Dopiero po paru godzinach dotarło do niego, że jeśli ma spróbować szczęścia, musi wstać i poszukać go sam.

Zasięgnąwszy języka, znalazł Monę w budynku sądu Dommervagten, pogrążoną w cichej rozmowie z referentką sądową. Miała na sobie skórzaną kamizelkę i lekko sprane lewisy i w najmniejszym stopniu nie przypominała kobiety, która większość życiowych wyzwań ma już za sobą.

– Dzień dobry, Carl – powiedziała i na tym poprzestała. Profesjonalne spojrzenie, przeszywające jak siedmiocalowe gwoździe, mówiło, że w tej chwili nie łączy ich żadna sprawa. Dlatego tylko się uśmiechnął i nie wydusił z siebie ani słowa.

Resztę dnia mógł spędzić na jałowym biegu, pozwalając frustracjom galopować po zgliszczach jego życia uczuciowego, ale Yrsa miała inne plany.

– Może mamy trop w Ballerup – powiedziała, patrząc na niego ze źle skrywaną ekscytacją i resztkami grzanek między przednimi zębami. – Ostatnio jestem aniołem szczęścia. Dokładnie tak, jak napisali w moim horoskopie.

Carl spojrzał na nią z nadzieją. W takim razie niech anielskie skrzydła uniosą ją odpowiednio wysoko w stratosferę, by on w świętym spokoju mógł dumać nad swym smętnym losem.

– Zdobycie tych informacji to skomplikowana sprawa – ciągnęła. – Najpierw rozmowa z dyrektorem Lautrupgårdskolen, ale on tam jest dopiero od dwa tysiące czwartego. Potem gadałam z nauczycielką, która pracuje tam od powstania szkoły, ale też nic nie wiedziała. No to porozmawiałam z woźnym, który nic nie wiedział, a potem...

– Yrsa! Jeśli to doprowadziło do czegoś więcej, to proszę, pomiń te wstępne manewry. Jestem zajęty – powiedział, masując zdrętwiałą rękę.

– Aha. Ale później zadzwoniłam do Wyższej Szkoły Inżynierskiej i na coś tam trafiłam.

Ożywił się, podobnie jak ręka.

– Fantastycznie! – wykrzyknął. – W jaki sposób?

– Bardzo prosty. W gabinecie siedziała wykładowczyni, Laura Mann, która tego ranka wróciła z urlopu zdrowotnego. Powiedziała, że pracuje w szkole od samego początku, czyli od tysiąc dziewięćset dziewięćdziesiątego piątego i, o ile dobrze pamięta, może chodzić tylko o jedną sprawę.

Carl wyprostował się w fotelu.

– Tak, o jaką?

Spojrzała na niego, przechylając głowę.

– Proszę! W końcu wzrost zainteresowania, co, koleżko? – Klepnęła go po owłosionej ręce. – Chciałbyś się dowiedzieć?

Co tu się, do kurwy nędzy, wyprawia? Przez wszystkie te lata człowiek miał co najmniej sto trudnych spraw, a teraz bawi się tu w zgaduj-zgadulę z dziewczyną na zastępstwie, ubraną w jasnozielone rajtuzy.

– Jaką sprawę sobie przypomniała? – powtórzył Carl, skinąwszy Assadowi, który wetknął głowę do środka. Był blady.

– Przecież wczoraj Assad dzwonił do sekretariatu i pytał o to samo. Rozmawiano o tym dziś rano przy porannej kawie i ta kobieta o tym usłyszała – ciągnęła.

Assad przysłuchiwał się z zainteresowaniem, wyglądając na powrót zupełnie normalnie.

– Ta sprawa szybko jej się przypomniała – oświadczyła Yrsa. – Wtedy mieli jakiegoś elitarnego studenta. Chłopak z jakimś tam syndromem. Był dość młody, ale genialny z fizyki i matematyki.

– Syndromem? – Assad wyglądał na zdezorientowanego.

– Tak, człowiek ma niesamowite uzdolnienia w jednym kierunku i prawie żadnych w innym. Nie autyzm, ale coś w tym stylu. Jak to się nazywało? – zmarszczyła brwi. – A tak, już wiem, co on miał – zespół Aspergera.

Carl się uśmiechnął. Dałby głowę, że potrafiłaby się w to wczuć.

– No i co z tym chłopakiem? – zapytał.

– Już w pierwszym semestrze zbierał same najwyższe oceny, po czym się wycofał.

– W jaki sposób?

– Na dzień przed feriami zimowymi przyszedł z młodszym bratem, żeby go oprowadzić, i od tej pory już go w szkole nie widzieli.

I Assad, i Carl zacisnęli oczy. To zaraz nastąpi.

– Jak on się nazywał? – spytał Carl.

– Miał na imię Poul.

Carl poczuł wewnętrzny chłód.

– Yes! – wykrzyknął Assad i zaczął wywijać rękami i nogami jak pajac na sznurku.

– Nauczycielka mówiła, że zapamiętała go tak dobrze, bo Poul Holt był najpewniejszym kandydatem do Nagrody Nobla, jaki kiedykolwiek miał kontakt z ich szkołą. Poza tym nigdy wcześniej ani potem nie zetknęła się w Wyższej Szkole Inżynierskiej z uczniami z tą szczególną odmianą zespołu Aspergera. On był wyjątkowy.

– Dlatego go zapamiętała? – spytał Carl.

– Tak, dlatego. I dlatego, że był w pierwszym naborze, który w ogóle studiował w tej szkole.

*

Pół godziny później Carl zadał to samo pytanie w Wyższej Szkole Inżynierskiej i otrzymał taką samą odpowiedź.

– Takie rzeczy się zapamiętuje – uśmiech Laury Mann miał barwę żółtawej kości słoniowej. – Pan pewnie też pamięta swoje pierwsze aresztowanie?

Carl kiwnął głową. Niewysoki podchmielony alkoholik, który położył się pośrodku ulicy Englandsvej. Carl wciąż pamiętał szybującą w powietrzu flegmę, która przykleiła mu się do odznaki policyjnej, kiedy próbował przesunąć tego idiotę w bezpieczne miejsce. Tak, to prawda – pierwszego aresztowania nie zapomina się ot tak. Z flegmą czy bez.

Spojrzał na siedzącą naprzeciw niego kobietę. Czasami można było ją zobaczyć w telewizji, kiedy potrzebowano opinii eksperta w dziedzinie alternatywnych źródeł energii. Na jej wizytówce widniało: „dr Laura Mann" i mnóstwo tytułów. Carl był zadowolony, że nie miał swojej.

– Cierpiał na jakiś rodzaj autyzmu, prawda?

– Tak, zapewne, ale w lekkim stopniu. Ludzie z zespołem Aspergera nierzadko bywają bardzo uzdolnieni. Większość nazwałaby ich pewnie maniakami. Typ Billa Gatesa. Einsteina. Ale Poul miał też talent praktyczny. Ogólnie rzecz biorąc, był pod wieloma względami wyjątkowy.

Assad się uśmiechnął. On też zarejestrował jej okulary w rogowej oprawie i węzeł na karku. Tak, na pewno była właściwą nauczycielką dla Poula Holta. Maniak maniaka zwącha, jak to mówią.

– Poul przyprowadził tutaj swojego młodszego brata w tym dniu, szesnastego lutego tysiąc dziewięćset dziewięćdziesiątego szóstego, jak pani mówi, i więcej go nie widziano. Skąd pani wie, że to był właśnie ten dzień? – spytał Carl.

– Przez pierwsze lata prowadziliśmy listę obecności. Sprawdziliśmy po prostu, kiedy przestał przychodzić. Po feriach już się nie pojawił. Chcą panowie zobaczyć listy obecności? Są w gabinecie obok.

Carl spojrzał na Assada. Też nie sprawiał wrażenia szczególnie zainteresowanego.

– Nie, dziękuję, wierzymy pani słowom. Ale później kontaktowali się pewnie państwo z rodziną, prawda?

– Tak, ale byli bardzo nieprzystępni. Szczególnie gdy zaproponowaliśmy, że przyjdziemy do nich do domu, by to wszystko omówić z Poulem.

– A więc rozmawiała z nim pani przez telefon?

– Nie. Ostatni raz rozmawiałam z Poulem Holtem tutaj, jakiś tydzień przed feriami zimowymi. Gdy później dzwoniłam do jego miejsca zamieszkania, jego ojciec powiedział, że Poul nie chce podejść do telefonu. No i nic więcej nie dało się z tym zrobić. Chłopak właśnie skończył osiemnaście lat, więc mógł sam decydować, czego chce w życiu.

– Osiemnaście? Nie był starszy?

– Nie, był bardzo młody. Został studentem jako siedemnastolatek, więc też wcześniej zrezygnował.

– Mają państwo jakieś dane na jego temat?

Uśmiechnęła się. Oczywiście, czekały już przygotowane.

Carl czytał głośno, a Assad wisiał mu nad ramieniem.

– Poul Holt, urodzony trzynastego listopada tysiąc dziewięćset siedemdziesiątego siódmego. Profil matematyczno-fizyczny w Liceum w Birkerød. Średnia dziewięć osiem.

Po czym następował adres. To nie było daleko stąd, najwyżej trzy kwadranse jazdy.

– To stosunkowo skromna średnia jak na geniusza, prawda? – spytał Carl.

– Owszem, ale tak to wychodzi, kiedy dostaje się same trzynastki z przedmiotów ścisłych i same siódemki z wszystkich humanistycznych* – odparła.

– Mówi pani, że był taki zły z duńskiego? – spytał Assad.

Uśmiechnęła się.

– W każdym razie z języka pisanego. Jego raporty były pełne uchybień językowych. Ale tak przecież często bywa. Nawet mówiąc, wyrażał się nieco prymitywnie, jeśli temat dotyczył czegoś, co go nie zajmowało.

– Czy mogę dostać tę kopię? – spytał Carl.

Laura Mann kiwnęła głową. Gdyby nie jej pożółkłe od fajek palce i tłusta cera, toby ją uściskał.

*

* W duńskich szkołach obowiązuje trzynastostopniowy system oceniania, w którym 13 jest najwyższym stopniem.

– Fantastycznie, Carl – orzekł Assad, gdy zbliżali się do domu. – Dostaliśmy zadanie i rozwiązaliśmy je tak w tydzień. Wiemy, kim jest autor listu. Tak po prostu! A teraz stoimy przed domem jego rodziny – wyrżnął w deskę rozdzielczą, by podkreślić ten sukces.

– Tak – pokiwał głową Carl. – Miejmy nadzieję, że to był tylko żart.

– Jeśli tak, to nakrzyczymy na tego Poula.

– A jeśli nie, Assad?

Assad kiwnął głową. Wtedy czeka ich nowe zadanie.

Zaparkowali przy furtce do ogrodu i z miejsca skonstatowali, że nazwisko na tabliczce nie brzmi „Holt".

Gdy zadzwonili do drzwi i po jakimś czasie otworzył im niewysoki mężczyzna na wózku inwalidzkim, zapewniając, że od 1996 w domu nie mieszkał nikt inny, Carl doznał osobliwego uczucia, które sprawiło, że opadły mu kąciki ust, a on się rozeźlił.

– Czy może kupił pan dom od rodziny Holtów? – zapytał.

– Nie, kupiłem dom od świadków Jehowy. Pan domu był jakimś tam kapłanem. W tym dużym salonie była sala zgromadzeń. Chce pan wejść do środka i popatrzeć?

Carl pokręcił głową.

– Czyli nigdy nie spotkał pan rodziny, która tu mieszkała?

– Nie – odpowiedział.

Potem Carl i Assad podziękowali i poszli.

– Czy ty też doznałeś nagłego wrażenia, że tu naprawdę nie chodzi o dowcip, Assad? – zapytał.

– No wiesz, Carl. Tylko dlatego, że ktoś się wyprowadza... – zatrzymał się na ogrodowej ścieżce. – Okej, wiem, o czym myślisz, Carl.

– Prawda? Czy chłopak z osobowością Poula wymyśliłby coś podobnego? I czy paru chłopaków, którzy należą do świadków Jehowy, mogłoby w ogóle wykręcić taki numer? Co powiesz?

– Nie wiem. Wiem tylko, że mogą tak kłamać. Tyle że nie względem siebie.

– A znasz jakiegoś świadka Jehowy?

– Nie, ale tak jest z bardzo religijnymi ludźmi. Członkowie wspólnoty ochraniają się nawzajem przed światem zewnętrznym, jak tylko mogą. Również za pomocą kłamstw.

– Zgoda. Ale z tym porwaniem to przecież niepotrzebne kłamstwo. To nie było w porządku. Myślę, że tak by uznali wszyscy świadkowie Jehowy.

Assad kiwnął głową. W tym się zgadzali.

I co teraz?

Yrsa, niczym horda mrówek krążących w tę i z powrotem na ścieżce, miotała się między gabinetem swoim i Carla. Obecnie porwanie było jej sprawą i chciała wiedzieć wszystko, najlepiej w najdrobniejszych szczegółach. Jak wyglądali nauczyciele Poula? Co powiedziała o Poulu Laura Mann? W jakim domu mieszkali? Co jeszcze wiadomo o rodzinie, oprócz tego, że należeli do świadków Jehowy?

– Spokojnie, Assad sprawdza w ewidencji ludności. Na pewno się do nich dokopiemy.

– Możesz wyjść ze mną na korytarz, Carl? – zapytała, ciągnąc go za sobą do gigantycznej kopii na ścianie. Dodała do niej nazwisko Poula i parę krótkich słów.

POMOCY
Dnia .6 lótego 1996 zostaliśmy óprowadzeni
zabrano nas z pszystanku przy Lautropvang w
Ballerup – Mężczyzna ma 18. wzrostu krutkie włosy . . . .
. . . . – Ma bliznę na prawym . . . . Je . . . . nibieską
furgonetką Tata i mama go znają – Fr.d.. i . . . na B – grosił nam .
. . . .i . . r. n . . . – on nas zamordóje – . . . . ągną. na . . .w. . . . .t.
najp. . . . . tem . . . . brat. – Jehaliśmy prawie przez godzinę
a . . .az . . . . nad wodą. . . . b. .z. . wi. . . . . i Tu pachnie
bżydko – . . . . szy. . . . . .t . . .ry.g.. – .. .. lat
Poul Holt

– Czyli został porwany razem z bratem – podsumowała Yrsa. – Nazywa się Poul Holt i pisze, że jadą prawie przez godzinę, i chyba pisze też, że są nad wodą. – Położyła dłonie na wąskich biodrach. Zaraz wyjawi swój punkt widzenia.

– Jeśli ten chłopak cierpiał na zespół Aspergera czy coś takiego, to nie wydaje mi się, by mógł wymyślić, że są nad wodą. – Zwróciła się do nich. – Co?

– To mógł wymyślić jego młodszy brat. Ściśle mówiąc, nic przecież o tym nie wiemy.

– Nie. Ale, Carl, zupełnie poważnie. Laursen znalazł rybią łuskę na liście z butelki. Jeśli autorem listu jest młodszy brat, czy to również on przyczepił tę łuskę, żeby uwiarygodnić historię? I rybi śluz?

– To mógł być bystry chłopak, tak jak jego brat. Tyle że pod innym względem.

Wtedy tupnęła nogą, aż na końcu piwnicznej rotundy rozległo się echo.

– Do jasnej cholery, słuchaj uważnie, Carl. Rusz szare komórki. Gdzie ich porwano? – Otrzepała go po ramieniu, jakby chcąc złagodzić szorstki ton.

Carl skonstatował, że przy tej okazji strąciła trochę łupieżu.

– W Ballerup – odparł.

– Popatrz, zostali porwani w Ballerup, a jednak jadą prawie godzinę, nim dojadą do wody. Gdyby pojechali do Hundested, to przecież, kurczę, nie jechaliby tam z Ballerup godzinę. Ile czasu zajmuje dojazd z Ballerup do Jellinge? Według mnie najwyżej pół godziny.

– Mogli przecież pojechać na przykład do Stevns, okej? – Warknął w duchu. Nikt nie lubi, by mieszać z błotem jego zdolności intelektualne, Carla włączając.

– Tak! – Tupnęła ponownie. Jeśli w dojściach do węzłów sanitarnych pod podłogą były szczury, to już po nich.

– Ale jeśli list w butelce to najzwyklejsza bujda – ciągnęła – to po co tyle zachodu? Czemu nie napisać po prostu, że jechali przez pół godziny i przyjechali nad wodę? Tak by napisał chłopak, chcąc wymyślić dobrą historię. Dlatego święcie wierzę, że to nie ściema. Potraktuj ten list poważnie, Carl.

Wziął głęboki wdech. Nie miał ochoty wtajemniczać jej w swoje poglądy na temat powagi sprawy. Rose może tak, ale nie Yrsę.

– Dobrze, dobrze – uciszył ją Carl. – Zobaczymy, co będzie, jak odnajdziemy rodzinę.

– Co się tu dzieje? – głowa Assada wychyliła się z gabinetu o gabarytach Pigmeja. Widać było, że chce wybadać, jakie panują nastroje. Kłócą się czy jak?

– Mam adres, Carl – powiedział, wręczając mu kartkę. – Cztery razy się przeprowadzali od tysiąc dziewięćset dziewięćdziesiątego szóstego. Cztery razy w ciągu czternastu lat, a teraz mieszkają w Szwecji.

„Fuck" – pomyślał Carl. Szwecja, kraj największych na świecie komarów i najgorszego jedzenia.

– Rany boskie – powiedział. – Pewnie się wyprowadzili na samą północ, gdzie nawet renifery błądzą. Pewnie miejsce w stylu Luleå albo Kabnekaise czy coś podobnego?

– Hallabro. Nazywa się Hallabro i leży w regionie Blekinge. Jakieś 250 kilometrów stąd.

Dwieście pięćdziesiąt kilometrów. Niestety całkiem wykonalne. Czyli już po weekendzie.

Spróbował się wycofać.

– Okej. Ale może ich nie być w domu, kiedy przyjedziemy. A jeśli się przedtem zadzwoni, to też ich nie będzie. A kiedy w końcu już będą w domu, to na pewno będą mówić po szwedzku, a kto, do jasnej cholery, jest w stanie to zrozumieć, jeśli pochodzi z Jutlandii?

Assad zmrużył oczy. Pewnie o jedno, dwa zdania za dużo, jak na jego gust.

– Dzwoniłem do nich. Byli w domu.

– Naprawdę? Aha, no to w każdym razie jutro ich w domu nie będzie.

– Będą, bo nie powiedziałem, kim tak jestem. Po prostu od razu odłożyłem z hukiem słuchawkę.

Jeśli chodzi o wyczucie w kwestii efektów dźwiękowych, tych dwoje tworzyło zgrany duet.

Carl powlókł się do gabinetu i zadzwonił do domu. Krótka instrukcja dla Mortena, co ma zrobić, jeśli pod jego nieobecność pojawi się Vigga. Kto wie, co może jej strzelić do głowy?

Następnie udzielił Assadowi wskazówek na temat dalszego śledztwa w sprawach pożarów i dopilnowania Yrsy w jej dalszej pracy.

– Na początek daj jej pokaźną listę sekt religijnych. A potem idź na górę do Laursena i poproś go, by zadzwonił do Instytutu Medycyny Sądowej i przyspieszył sprawę tych próbek DNA, dobrze?

Potem włożył do torby pistolet służbowy. Ze Szwedami nigdy nic nie wiadomo.

W każdym razie kiedy pochodzą z Danii.

15

Kolejnej nocy postarał się, żeby jego gospodyni i tymczasowa kochanka nie miała orgazmu. Parę sekund nim odchyliła głowę i wzięła głęboki wdech aż po sam brzuch, wycofał swe zręczne palce z jej podbrzusza i zostawił ją napiętą jak struna i z rozbieganymi oczami.

Szybko wstał i zostawił Isabel Jønsson samą, wiedząc, jak w najlepszy sposób rozładować napięcie w ciele. Wyglądała na zdezorientowaną i o to chodziło.

Nad jej niewielkim szeregowcem w Viborgu światło księżyca zmagało się z gęstymi, puchatymi chmurami. Przyglądał się im, stojąc nago na tarasie i wypuszczając nosem dym z papierosa.

Od tej chwili godziny będą upływały według dobrze znanego wzorca. Najpierw kłótnie. Następnie kochanka będzie się domagała wyjaśnień, dlaczego to koniec i dlaczego właśnie teraz. Będzie błagać i kłócić się, i znowu błagać, a on odpowie, po czym zostanie poproszony o spakowanie rzeczy i zniknie z jej życia.

Nazajutrz o dziesiątej rano odjedzie ze Wzgórz Dollerup z dziećmi siedzącymi obok na przednim siedzeniu, a kiedy będą się dziwić, że za wcześnie skręcił, ogłuszy je. Wiedział dokładnie, gdzie można to zrobić niepostrzeżenie, już to sprawdził. W gęstwinie drzew, która da schronienie autu i jego przedsięwzięciu na te parę minut potrzebnych mu do zneutralizowania dzieci i ułożenia ich ciał w części bagażowej.

Cztery i pół godziny potem, włączając lunch u jego siostry na Fionii, dotrze do domku na łodzie w okolicach lasu Nordskoven w Jægerspris na Zelandii. Taki był plan. Zaledwie dwadzieścia kroków przez krzaki do niskiego pomieszczenia z łańcuchami. Dwadzieścia kroków z dwiema kulącymi się postaciami przed sobą.

Już wcześniej słyszał na tym odcinku żarliwe prośby o darowanie życia. Niedługo znów je usłyszy.

Dopiero potem można rozpocząć negocjacje z rodzicami.

Wypuścił dym z płuc i zgasił papierosa na niewielkim trawniku. Koniec końców czekały go pracowita noc i dzień.

Brzydkie podejrzenie, że w domu dzieje się coś, co może przewrócić jego życie do góry nogami, musi zaczekać. Jeśli żona go zdradzała, tym gorzej dla niej.

Usłyszał skrzypnięcie drzwi werandy, obrócił się i zobaczył zdezorientowaną twarz Isabel. Szlafrok ledwie zakrywał jej drżące, nagie ciało. Za parę sekund powie jej, że to koniec, bo jest za stara, choć tak nie było. Jej ciało było podniecające i pikantne, a jej urok wzmagał poczucie nienasycenia. Z wielu względów szkoda, że ten związek miał się zakończyć, ale zdarzało mu się już tak myśleć wielokrotnie.

– Stoisz bez ubrania na tym zimnie, zwariowałeś? Przecież jest lodowato – przechyliła głowę, nie patrząc na niego. – Powiedz mi, co się właściwie dzieje?

Stanął przed nią i chwycił za poły szlafroka.

– Jesteś dla mnie za stara – powiedział zimno, zaciskając poły wokół jej nagiej szyi.

Przez chwilę stała w osłupieniu. Gotowa uderzyć albo wykrzyczeć mu w twarz swój gniew i frustrację. Przekleństwa cisnęły jej się na usta, ale wiedział, że się nie odezwie. Grzeczne, rozwiedzione kobiety na państwowych posadach nie robią scen, gdy na ich tarasie stoi przed nimi nagi mężczyzna.

Co by ludzie pomyśleli. Oboje byli tego świadomi.

Kiedy obudził się następnego ranka, zdążyła już pozbierać sterty jego ubrań i wrzucić je do torby. Nie zanosiło się na poranną kawę – jedynie na zestaw celnych pytań świadczących, że jeszcze nie poległa.

– Zaglądałeś do mojego komputera – powiedziała z opanowaniem, choć jej twarz była złowieszczo blada. – Wyszukiwałeś informacje na temat mojego brata. Zostawiłeś w moich danych ponad pięćdziesiąt śladów, wielkich jak słoń. Nie mogłeś sobie jednocześnie zadać trudu, by sprawdzić, czym się na co dzień zajmuję w gminie? Czy nie zachowałeś się głupio i lekkomyślnie, nie sprawdzając tego?

W międzyczasie pomyślał, że będzie musiał skorzystać z jej prysznica bez względu na to, co mówi. Że rodzina ze Stanghede nie powierzy dzieci nieogolonemu człowiekowi, śmierdzącemu intymnymi wydzielinami.

Dopiero gdy wypowiedziała kolejne zdania, poczuł się w obowiązku zmobilizować wszystkie zmysły.

– Jestem ekspertką do spraw danych w gminie Viborg, i to danych przez duże D. To ja jestem odpowiedzialna za ich bezpieczeństwo i za rozwiązania komputerowe. Dlatego oczywiście wiem, co robiłeś. Odczytanie plików logowania w moim własnym laptopie to dla mnie prosta sprawa, co ty sobie, do cholery, wyobrażałeś?

Spojrzała mu prosto w oczy, zupełnie spokojna. Pierwszy kryzys minął, a atuty, które posiadała, wynosiły ją ponad użalanie się nad sobą, płacz i histerię.

– Znalazłeś moje hasła pod podkładką do pisania – powiedziała. – Ale stało się tak tylko dlatego, że położyłam je tam z rozmysłem. Obserwowałam cię przez ostatnie dni, by sprawdzić, co ci przyjdzie do głowy. To zawsze dziwne, gdy mężczyzna tak mało opowiada o sobie. Bardzo dziwne. Sam rozumiesz, zwykle mężczyźni nad życie uwielbiają paplać o sobie samych, ale może o tym nie wiedziałeś! – Obdarzyła go uśmieszkiem, widząc jego czujność. – Dlaczegóż to ten człowiek nie wypluwa z siebie faktów na swój temat? Szczerze mówiąc, zaciekawiło mnie to.

Opuścił brwi.

– I teraz myślisz, że wszystko o mnie wiesz, bo milczałem na temat moich prywatnych spraw, a ciekawiły mnie twoje?

– Że ciekawiły – owszem, rozumiem, że chciałeś zobaczyć mój profil randkowy, ale dlaczego chciałeś się czegoś dowiedzieć o moim bracie?

– Myślałem, że to twój były. Może chciałem się dowiedzieć, co poszło nie tak.

Nie dała się nabrać. Jego motywy były jej obojętne. Dopuścił się kardynalnych błędów, o to szło.

– Jednak chwali ci się, że mimo wszystko nie opróżniłeś mojego konta bankowego – powiedziała po chwili.

Spróbował się uśmiechnąć pobłażliwie z powodu jej bezceremonialności. Zamysł był taki, że ten wyraz twarzy miał stanowić dla niego punkt wyjścia do udania się pod prysznic, tak się jednak nie stało.

– Jesteśmy siebie warci – ciągnęła. – Bo ja też grzebałam w twoich rzeczach. I cóż takiego znalazłam w kieszeniach i w torbie? Nic. Ani prawa jazdy, ani karty ubezpieczeniowej, karty kredytowej, portfela, kluczyków do auta. Ale wiesz co, mój drogi? Tak jak kobiety zawsze kładą hasła dostępu w najgłupszych i najbardziej widocznych miejscach, tak mężczyźni zwykle umieszczają kluczyki do auta nad przednim kołem, jeśli nie chcą brać ich ze sobą. Jaką piękną kuleczkę do bowlingu nosisz na breloczku! Grasz w kręgle? Nic o tym nie mówiłeś. Jest na niej numer jeden, taki jesteś dobry?

W tej chwili zaczął się lekko pocić. Już dawno nie czuł, żeby kontrola wymykała mu się z rąk, a nie było nic gorszego.

– No, no, tylko spokojnie. Odłożyłam kluczyki na miejsce, twoje prawo jazdy też. I dowód rejestracyjny furgonetki i twoje karty kredytowe. Wszystko, spokojnie. Leżą tam, gdzie je znalazłam w samochodzie, dobrze ukryte pod gumowymi matami.

Spojrzał na jej szyję. Nie była chuda, trzeba by więc mocno chwycić. Zajęłoby to parę minut, ale tych miał pod dostatkiem.

– To prawda, że jestem bardzo skrytą osobą – powiedział, postępując krok bliżej i kładąc ostrożnie dłoń na jej ramieniu. – Posłuchaj, Isabel. Jestem w tobie naprawdę bardzo zakochany, ale przecież nie mogłem być wobec ciebie szczery, prawda? Rozumiesz, jestem żonaty, mam dzieci, a sytuacja wymknęła mi się spod kontroli. Dlatego to się musi teraz skończyć, nie rozumiesz?

Podniosła dumnie głowę. Zraniona, ale nie pokonana. Już wcześniej miała do czynienia z żonatymi mężczyznami, którzy kłamali, był tego pewien na sto procent. Równie pewien jak tego, że musi się teraz postarać, by tym samym być ostatnim mężczyzną w jej życiu, który ją oszukał.

Strąciła z siebie jego rękę.

– Nie wiem, dlaczego nigdy nie wyjawiłeś mi swojego prawdziwego imienia, nie wiem też, dlaczego wszystkie inne rzeczy, które mi mówiłeś, były kłamstwem. Próbujesz mi wmówić, że było tak dlatego, że jesteś żonaty, ale wiesz co? W to też nie wierzę.

Odsunęła się, jakby czytając w jego myślach. Jakby była gotowa, by chwycić za wcześniej przygotowaną broń.

Kiedy człowiek doznaje wrażenia, jakby znajdował się na jednej krze z toczącym pianę z pyska niedźwiedziem polarnym, należy rozważyć dostępne możliwości. W tej chwili dostrzegał cztery.

Wskoczyć do wody i płynąć.

Przeskoczyć na inną krę.

Przeczekać sytuację, by sprawdzić, czy niedźwiedź jest głodny czy syty.

I wreszcie zabić niedźwiedzia.

Wszystkie możliwości miały swoje oczywiste zalety i wady. W tej chwili nie wątpił, że jedynym wykonalnym rozwiązaniem było to czwarte. Kobieta naprzeciwko niego była zraniona i gotowa się bronić, nie przebierając w środkach. Prawdopodobnie dlatego, że na serio ją w sobie rozkochał. Powinien był się wcześniej zorientować. Miał przecież doświadczenie, że w takich sytuacjach kobiety z łatwością stają się irracjonalne, a to ma często fatalne konsekwencje.

W obecnej chwili nie potrafił ocenić szkód, jakie mogła mu wyrządzić, dlatego musiał się jej pozbyć. Zabrać zwłoki do furgonetki. Usunąć ją z drogi, tak jak przedtem innych. Zniszczyć jej twardy dysk, odkurzyć dom z wszelkich śladów swojej bytności.

Spojrzał w jej piękne zielone oczy, dociekając, ile potrwa, nim stracą blask.

– Pisałam do mojego brata w mejlu, że cię poznałam – powiedziała. – Otrzymał numer twojej tablicy rejestracyjnej, prawa jazdy, twoje nazwisko, numer ewidencyjny i adres z dowodu rejestracyjnego. Oczywiście nie zajmuje się na co dzień takimi drobiazgami, ale jest ciekawski z natury. Jeśli więc się okaże, że mnie w ten czy inny sposób okradłeś, już on cię znajdzie. Okej?

Przez chwilę stał jak sparaliżowany. Rzecz jasna nie woził ze sobą papierów czy plastikowych kart, mogących ujawnić jego prawdziwą tożsamość. Paraliż spowodowany był tym, że aż do tej chwili nigdy nie doświadczył, by ktoś go z czymkolwiek powiązał, a już na pewno nie z policją w postaci aktorów drugoplanowych. Przez moment próbował pojąć, jak mógł się znaleźć w takiej sytuacji. Co pominął, gdzie popełnił błąd? Czy odpowiedź rzeczywiście była taka prosta, że nie zapytał jej, czym zajmowała się w gminie? Pewnie tak.

A teraz był w potrzasku.

– Przepraszam, Isabel – powiedział cicho. – Wiem, że posunąłem się za daleko. Przepraszam. Ale to dlatego, że szaleję za tobą. Nie myśl o tym, co powiedziałem wczoraj wieczorem. Po prostu nie wiedziałem, co mam zrobić. Miałem powiedzieć, że jestem żonaty i mam dzieci, czy wcisnąć ci kłamstwo? Straciłbym swoje życie rodzinne, gdybym stracił dla ciebie głowę, a byłem tego bliski. A jednak odczuwałem pokusę. Tak dużą, że musiałem się o tobie wszystkiego dowiedzieć. Po prostu nie potrafiłem się powstrzymać, nie rozumiesz tego?

Patrzyła na niego pogardliwie, a on zastanawiał się, jak ma się zachować na tej krze. Niedźwiedź polarny najwidoczniej nie chciał go powalić bez powodu. Gdyby odjechał i już nigdy nie pokazał się w tych okolicach, czy chciałaby obarczać brata zdobywaniem o nim informacji? Dlaczego miałaby to robić? Natomiast gdyby ją zabił czy uprowadził, byłby to punkt wyjścia do wszczęcia śledztwa. Nawet najbardziej skrupulatne sprzątanie nie mogłoby usunąć każdego jego włosa łonowego, resztek nasienia, odcisku palca. Stworzyliby jakiś profil, choć nie mieli go w rejestrach. Mógłby spalić dom, ale straż pożarna mogłaby zdążyć przyjechać, ktoś mógłby go zobaczyć, jak odjeżdża. To było zbyt niepewne. Teraz policjant o nazwisku Karsten Jønsson ma numery z tablicy rejestracyjnej jego furgonetki. Do tego ma też opis jego samochodu. Może nawet podała swojemu bratu gliniarzowi szczegóły dotyczące jego osoby.

Spojrzał przed siebie niewidzącym wzrokiem, a ona obserwowała każdy jego ruch. Chociaż był ekspertem w zmienianiu skóry i choć zawsze występował w jakimś przebraniu, jej mejle mogły zawierać dokładne opisy jego wzrostu i postury, koloru oczu, a może nawet bardziej intymnych części ciała. Krótko mówiąc, nie wiadomo, co mu naopowiadała w tym mejlu, i właśnie przez to wszystko może trafić szlag.

Spotkał jej harde spojrzenie i uderzyło go, że ona nie jest żadnym niedźwiedziem. Była bazyliszkiem. Wąż, kogut i smok w jednym. A kiedy człowiek spojrzy w oczy bazyliszka, zamienia się w kamień. Ba, wystarczyło wejść mu w drogę, a umierało się pod wpływem wężowego jadu. Nikt tak dobrze jak bazyliszek nie potrafi pianiem obwieszczać swojej wersji prawdy. Nikt. Wiedział, że tego potwora może uśmiercić jedynie lustrzane odbicie.

Dlatego powiedział:

– Bez względu na to, co powiesz, będę o tobie myślał, Isabel. Jesteś taka piękna i fantastyczna, że żałuję, że nie spotkałem cię wcześniej. Teraz jest za późno. Jest mi przykro i przepraszam. Nie miałem zamiaru cię zranić. Jesteś wspaniałą osobą. Wybacz.

Po czym pogłaskał ją czule po policzku. Najwyraźniej zadziałało. W każdym razie przez chwilę jej usta zadrżały.

– Idź już sobie. Nie chcę cię więcej widzieć – tak brzmiały jej słowa, ale nie była szczera.

Całe lata temu nie mogłaby odżałować, że to koniec. Przecież w jej wieku człowieka nie czekało już wiele przeżyć takich jak to.

To był moment, w którym przeskoczył z jednej kry na drugą. Ani bazyliszek, ani niedźwiedź polarny nie ruszą za nim.

Pozwoliła mu odejść, a nie było nawet siódmej.

16

Zadzwonił do swojej żony jak zwykle koło ósmej. Nadal nie próbował zadawać drażliwych pytań, lecz opowiadał o przeżyciach, których nie miał, i swoich uczuciach do niej, których w obecnej chwili nie żywił. Wyjeżdżając z Viborga, zatrzymał się przy supermarkecie Løvbjerg i dokonał pobieżnej toalety górnej części ciała w łazience dla klientów, nim wyruszył w stronę Hald Ege dalej ku Stanghede, gdzie czekali na niego Samuel i Magdalena.

Teraz nic go nie powstrzyma. Pogoda była w porządku. Dotrze na miejsce tuż przed zmrokiem.

Rodzina powitała go zapachem świeżych bułeczek i wielkimi oczekiwaniami. Samuel rano trenował mimo chorego kolana, a Magdalena stała z błyszczącymi oczami i włosami układającymi się w duże fale, powstałe od gorliwego szczotkowania.

Byli bardzo, ale to bardzo gotowi.

– Nie sądzicie, że powinniśmy najpierw zahaczyć o szpital, by sprawdzić kolano Samuela? Na pewno zdążymy – połknął ostatni kawałek bułeczki, patrząc na zegarek. Było za piętnaście dziesiąta. Wiedział, że odmówią.

Apostołowie Kościoła Matki Bożej nie korzystali ze szpitala bez potrzeby.

– Nie, dziękujemy, to tylko skręcenie – Rachela podała mu filiżankę kawy i wskazała mleko stojące na stole. Może się sam obsłużyć.

– A gdzie się odbywają te zawody karate? – spytał Jozue. – Może zechcemy do was dołączyć w ciągu dnia, jeśli starczy czasu.

– Co za bzdura, Jozue – poklepała go Rachela. – Wiesz doskonale, kiedy masz czas, a kiedy go nie masz.

Prawdopodobnie nigdy, o ile był w stanie stwierdzić.

– W Vinderup Hallen – udzielił mimo wszystko odpowiedzi

panu domu. – Organizuje je klub Bu-jutsu-kan. Może jest coś na ten temat w Internecie.

Niczego nie było, ale też w ich domu nie było zapewne Internetu. Kolejny bezbożny wynalazek, którego wyrzekł się Kościół Matki Bożej.

Chwycił się za głowę.

– No tak, przepraszam, głupota z mojej strony. Oczywiście nie macie Internetu. Przepraszam. To rzeczywiście istne diabelstwo. – Usiłował przybrać skruszony wygląd, stwierdzając, że kawa jest bezkofeinowa. W tym domu nie ma miejsca na niepoprawność polityczną. – W każdym razie w Vinderup Hallen – zakończył.

Pomachali rękami. Cała rodzina stojąca jak pod sznurek przed domem w gromadzie, która odtąd już nigdy nie zazna spokoju i harmonii minionych dni. Uśmiechnięci ludzie, którzy wkrótce boleśnie się przekonają, że nie da się kontrolować zła panującego na świecie za pomocą cotygodniowych modlitw i wyrzeczenia się dóbr, które niosą nowe czasy.

I nie współczuł im. Sami wybrali ścieżkę, którą chcą podążać, a ta skrzyżowała się z jego drogą.

Spojrzał na dwoje siedzących obok dzieci i odmachał rodzinie.

– Siedzicie wygodnie? – spytał, gdy mijali pasma jałowych zimą pól z czarno-brązowym ścierniskiem po kukurydzy. Włożył rękę do kieszeni w drzwiach auta. Tak, jego broń była gotowa, tak jak powinna. Niewiele osób odgadłoby faktyczne zastosowanie tego gadżetu. Miał dokładnie taki kształt, jak rączka od aktówki.

Uśmiechnął się do nich, gdy pokiwali głowami. Siedzieli wygodnie, myśli mieli rozbiegane. Nie przywykli do wielkich odstępstw od swojej spokojnej, restrykcyjnej codzienności. Czekało największe wydarzenie tego roku.

Nie, to nie powinno nastręczać większych trudności.

– Piękna przejażdżka przez Finderup – powiedział, częstując ich miniaturowym batonem. To zakazane, owszem, ale też może stworzyć między nimi pewną wspólnotę. A poczucie wspólnoty dawało bezpieczeństwo, które z kolei zapewniało spokój niezbędny do pracy.

– No tak – powiedział, widząc ich wahanie. – Mam też ze sobą owoce. Wolicie mandarynkę?

– Ja bym chciała czekoladę – Magdalena odsłoniła rząd zębów w uśmiechu, któremu nie sposób było się oprzeć. To faktycznie ta sama dziewczynka, która chowała tajemnicę pod kępką trawy w ogrodzie.

Następnie wychwalał wrzosowiska i mówił, jak bardzo się cieszy z przeprowadzki na stałe w te okolice. A gdy dotarli do skrzyżowania w Finderup, nastroje były już zupełnie po jego myśli – rozluźnione, pełne zaufania i kumpelskie. Właśnie wtedy skręcił.

– Hej, chyba za wcześnie pan skręcił – powiedział Samuel, przysuwając się do szyby. – Ulica Holsterbrovejen to następny zakręt.

– Tak, wiem. Ale kiedy wczoraj jeździłem oglądać domy, znalazłem ten skrót do drogi głównej numer 16.

Skręcił ponownie paręset metrów za kamieniem upamiętniającym króla Erika Klippinga.

„Hesselborgvej" – brzmiał napis.

– Pojedziemy tą drogą. Trochę wyboista, ale to pewny skrót – ciągnął.

– Serio? – Samuel przeczytał tabliczkę, gdy przejeżdżali obok. – „Zakaz wszelkiego ruchu pojazdów wojskowych na bocznych drogach" – brzmiał napis.

– Właściwie to myślałem, że to ślepa ulica – powiedział chłopak i usiadł głębiej na siedzeniu.

– Nie, przejedziemy tylko obok tego żółtego gospodarstwa po lewej, potem po prawej miniemy taki rozklekotany dom, a za nim znów skręcimy w lewo. Pewnie nie znasz tej drogi.

Kiwnął głową sam do siebie, gdy przejechali kolejnych kilkaset metrów, a żwir między śladami zostawionymi przez koła stał się drobniejszy. Teraz pojawił się zalesiony, pagórkowaty teren ścierniska. Czyli punkt docelowy jest za kolejnym zakrętem.

– Nie, niech pan spojrzy – powiedział chłopak, pokazując przed siebie. – Chyba nie damy rady tędy przejechać.

Tu się mylił, ale nie było powodów, żeby to drążyć.

Dlatego powiedział:

– A niech to jasny gwint, Samuelu. Masz rację. Czyli będę musiał tu zawrócić. Przepraszam was. Ale byłem przekonany...

Wykonał zwrot tuż przy krawędzi drogi, po czym wycofał samochód między drzewa.

Kiedy samochód się zatrzymał, szybko wyciągnął paralizator Stun Gun z bocznej kieszeni na drzwiach, odbezpieczył go, przyłożył do szyi Magdaleny i włączył. Diabelskie urządzenie, które przeszywało ofiarę siłą 1,2 miliona woltów i na chwilę ją paraliżowało. Krzyk bólu, a szczególnie wstrząs, jaki ją przeszedł, sprawiły, że Samuel się skulił. Był zupełnie nieprzygotowany, tak jak siostra. Wyraz oczu chłopaka zdradzał lęk, ale też gotowość do walki. W ciągu tej krótkiej chwili, od kiedy siostra osunęła się na niego, aż do momentu, w którym pojął, że przyciskany do niego przyrząd jest śmiertelnie groźny, w chłopcu uruchomiły się wszystkie mechanizmy sterujące wydzielaniem adrenaliny.

Dlatego nie zarejestrował w porę, gdy chłopak odsunął siostrę, szarpnął za klamkę, otworzył drzwi i wytoczył się z samochodu. I dlatego dawka wstrząsu elektrycznego nie została zadana z wystarczającą mocą.

Poraził dziewczynkę jeszcze raz i wyskoczył za chłopakiem, który zdążył już przepełznąć kawałek leśną drogą o barwie listowia, wlokąc pod sobą chore kolano. Jeszcze parę sekund i przyjdzie pora i na niego.

Dotarłszy do świerków, chłopak raptownie się obrócił.

– Czego chcesz? – krzyknął, błagając bogów o pomoc, zupełnie jakby rosnące rzędem strzeliste drzewa miały się przemienić w armię aniołów gotowych go obronić. Kulejąc, odszedł na bok i chwycił gałąź świerkową z paskudnie ostrymi, połamanymi końcami.

„Cholera" – przebiegło mu przez głowę. Powinien był jednak najpierw wziąć się za chłopaka. Dlaczego, do kurwy nędzy, nie posłuchał instynktu?

– Nie podchodź! – ryknął chłopiec, wymachując gałęzią. Na pewno uderzy. Będzie walczył za pomocą wszelkich chwytów, których się nauczył.

Wtedy uświadomił sobie, że powinien był zamówić w Internecie paralizator Taser C2. Można nim porazić ofiary prądem z odległości wielu metrów. Bywa, że nie ma ani sekundy do stracenia, właśnie teraz miał takie poczucie. Do gospodarstw było stąd zaledwie kilkaset metrów. Chociaż miejsce zostało starannie wybrane, mógł tu zabłądzić jakiś rolnik czy drwal. Za parę sekund młodsza siostra chłopaka ocknie się na tyle, by też uciec.

– Samuelu, nic ci to nie da – powiedział, rzucając się na gorączkowo wymachującego chłopaka. Poczuł, jak gałąź wbija mu się w bark w tym samym momencie, w którym przyłożył stun guna do ramienia chłopca. Krzyki, jakie obaj wydali, rozległy się równocześnie.

Jednak walka była nierówna i przy kolejnym porażeniu chłopiec upadł.

Obejrzał bark, w który trafił go Samuel.

„Kurwa" – pomyślał, gdy krew rozprzestrzeniała się na ramieniu jego wiatrówki, tworząc kształt rozgałęzionego poroża.

– Tak, następnym razem muszę sobie sprawić tasera – wymamrotał, wciągając chłopaka do bagażowej części furgonetki i przykładając do jego ust szmatę z chloroformem. Nie minęła chwila, a chłopiec utkwił puste spojrzenie przed sobą i całkiem stracił przytomność.

Chwilę później to samo stało się z jego siostrą.

Wtedy zawiązał im opaski na oczach, okleił ręce, stopy i usta taśmą klejącą, jak to zwykle robił, i ułożył ich w pozycji bocznej ustalonej pośrodku grubego koca, leżącego na ziemi.

Zmienił koszulę i włożył inną kurtkę, po czym stał przez parę minut i obserwował dzieci, by się upewnić, że nie dostaną mdłości, nie zwymiotują i nie uduszą się własnymi wymiocinami.

Gdy już się upewnił co do ich stanu, odjechał.

Jego siostra i szwagier osiedlili się w małej chatce na obrzeżach miasteczka Århus. Białej i położonej tuż przy szosie, zaledwie parę kilometrów od kościoła, w którym jego ojciec pełnił ostatnią posługę.

Zdecydowanie ostatnie miejsce na ziemi, w którym on sam by się osiedlił.

– Skąd przyjeżdżasz tym razem? – zapytał szwagier bez zainteresowania, pokazując parę znoszonych kapci, które zawsze leżały w korytarzu i w których wszyscy goście musieli dreptać po tym domu. Tak jakby te ich podłogi w ogóle były coś warte.

Poszedł, kierując się dźwiękiem, i zastał siostrę nucącą w salonie. Siedziała w kącie, owinięta pledem nadgryzionym zarówno przez czas, jak i przez mole.

Eva zawsze rozpoznawała jego kroki, ale się nie odezwała. Od ostatniego razu mocno przybrała na wadze. Co najmniej dwadzieścia kilo. Ciało rozlewało się na wszystkie strony tak, że obraz siostry tańczącej zapamiętale w ogrodzie pastora wkrótce do reszty się rozpłynie.

Nie przywitali się, nigdy tego nie robili. Ale też uprzejmość nie była klejnotem rodowym dziedziczonym w ich domu.

– Przyjechałem z krótką wizytą – powiedział, kucając przed nią. – Jak się masz?

– Willy dobrze się mną opiekuje – odparła. – Za chwilę jemy lunch. Może zjesz z nami?

– Tak, dziękuję, może trochę. A potem się zbieram.

Kiwnęła głową. Tak naprawdę było jej wszystko jedno. Odkąd w jej oczach zgasło światło, potrzeba słuchania o bliźnich i otaczającym świecie osłabła. Może tak musiało być. Może wyblakłe obrazy z przeszłości zaczęły nagle zbyt mocno ją absorbować.

– Mam dla was pieniądze – wyciągnął z kieszeni kopertę i wcisnął jej do ręki. – Trzydzieści tysięcy. Powinniście sobie poradzić do naszego następnego spotkania.

– Dziękuję. Kiedy to będzie?

– Za parę miesięcy.

Kiwnęła głową i wstała. Chciał podać jej rękę, ale się cofnęła.

Kuchenną ceratę, której dni świetności minęły w ubiegłych dziesięcioleciach, zdobiły aluminiowe półmiski z tanim pasztetem i kawałki bliżej nieokreślonego smażonego mięsa. Willy znał ludzi z okolicy, którzy strzelali do większej ilości zwierzyny, niż byli w stanie zjeść, więc kalorii im nie brakowało.

Jego szwagier dyszał astmatycznie, gdy schyliwszy głowę na piersi, odmówił „Ojcze nasz". Zarówno on, jak i siostra zacisnęli mocno powieki, ale wszystkie zmysły skierowane były ku szczytowi stołu, gdzie siedział.

– Nie odnalazłeś jeszcze Boga? – spytała potem siostra, zwracając ku niemu białawe, martwe spojrzenie.

– Nie – odparł. – Ojciec wybił mi to z głowy.

W tym momencie szwagier powoli uniósł głowę i spojrzał na niego z nienawiścią. Kiedyś był z niego przystojny facet. Swawolny i pochłonięty ambicją, by żeglować, zawojować wszystkie zakątki świata i kobiety, delikatne jak puch. Gdy znalazł Evę, olśniła go bezbronnością i pięknymi słówkami. Wprawdzie zawsze znał Chrystusa, ale nie jako najlepszego przyjaciela.

Dopiero Eva go tego nauczyła.

– Nie mów źle o teściu – powiedział szwagier. – To był święty człowiek.

Spojrzał na siostrę. Jej twarz była zupełnie bez wyrazu. Gdyby miała w tej kwestii jakieś uwagi, teraz był na nie czas, ale nie padły. Jasne, że nie.

– Wierzysz, jak rozumiem, że nasz ojciec znajduje się w raju?

Jego szwagier zmrużył oczy. To mówiło samo za siebie. Niech sobie nie pozwala, bez względu na to, czy jest bratem Evy, czy nie.

Pokręcił głową i odwzajemnił spojrzenie szwagra.

„Beznadziejny ciemniak" – pomyślał. Jeśli wizerunek raju z bezdusznym, ograniczonym, trzecioligowym pastorzyną miał dla niego takie znaczenie, z rozkoszą pomógłby mu się tam prędko dostać.

– Nie patrz tak na mnie, szwagrze – powiedział. – Dałem tobie i Evie trzydzieści tysięcy koron. Przez wzgląd na tę sumę wymagam, byś się opanował przez te pół godziny, które tu jestem.

Spojrzał na krucyfiks wiszący na ścianie nad zaciętą twarzą szwagra. Był cięższy, niż się wydawało.

Odczuł to na własnym ciele.

Kierując się w stronę mostu na Wielkim Bełcie, poczuł drgnienia dochodzące z bagażowej części furgonetki, więc zatrzymał się na chwilę przed bramką opłat, by otworzyć drzwi i potraktować kolejną dawką chloroformu dwa szarpiące się ciała.

Dopiero gdy z tyłu zapanował spokój, ruszył dalej, tym razem z otwartymi bocznymi szybami i irytującym przeświadczeniem, że ostatnia dawka była niekontrolowana.

Gdy dotarł do domku na łodzie na północy Zelandii, było jeszcze zbyt jasno, by wprowadzać tam dzieci. Daleko na morzu żaglówki, pierwsze w tym roku, a ostatnie tego dnia, wracały do przystani w Lynæs i Kignæs. Jeden ciekawski amator lornetek i wszystko stracone. Problem w tym, że w bagażowej części auta było zbyt cicho i to zaczęło go niepokoić. Jeśli dzieci poumierały od chloroformu, paromiesięczne przygotowania pójdą na marne.

„No zachodź już, do kurwy nędzy" – pomyślał, nie odrywając wzroku od upartego olbrzyma na niebie, który zaklinował się na horyzoncie o krwistoczerwonej barwie, w otoczeniu rozpłomienionych chmur.

Następnie wyciągnął komórkę. Rodzina w Dollerup powinna już zacząć się dziwić, że jeszcze nie wrócił z dziećmi. Obiecał im, że wróci przed porą spoczynku, i nie dotrzymał słowa. Wyobraził ich sobie w tej chwili, jak czekają zebrani wokół stołu z tymi swoimi świeczkami, tunikami i założonymi rękami. Matka zaraz powie przy stole, że ostatni raz mu zaufali.

I co do tego miała bolesną rację.

Zadzwonił. Nie przedstawił się. Powiedział po prostu, że żąda miliona koron. W starych banknotach włożonych do małego worka, który wyrzucą z pociągu. Podał im szczegóły dotyczące odjazdu pociągu, miejsca i godziny przesiadki, odcinka, na którym mają wypatrywać światła stroboskopowego i po której stronie. Będzie je trzymał w ręce, rozbłyśnie intensywnie jak flesz. Mają się nie ociągać, to ich jedyna szansa. Wkrótce po wyrzuceniu worka znów zobaczą dzieci.

Lepiej niech nie próbują go oszukać. Mają weekend i poniedziałek na zdobycie pieniędzy. W poniedziałkowy wieczór mają wsiąść do pociągu.

Jeśli pieniędzy będzie za mało, dzieci zginą. Jeśli skontaktują się z policją, dzieci zginą. Jeśli wykręcą jakiś numer, przekazując pieniądze, dzieci zginą.

– Pamiętajcie – powiedział. – Pieniądze zarobicie, ale dzieci stracicie na zawsze. – W tym momencie dawał zawsze rodzicom chwilę na zaczerpnięcie powietrza. Na uporanie się z szokiem. – Pamiętajcie też, że nie jesteście w stanie bezustannie chronić pozostałych dzieci. Jeśli zacznę coś podejrzewać, będziecie musieli żyć w niepewności. To jedyna rzecz, której możecie być pewni, oprócz tego, że nigdy nie namierzycie tej komórki.

Po czym się rozłączył. Takie to było proste. Za dziesięć sekund komórka zniknie w wodach zatoki. Zawsze potrafił daleko rzucać.

Dzieci były trupio blade, ale żyły. Przykuł je łańcuchami w sporej odległości od siebie wewnątrz nisko sklepionego domku na łodzie, zdjął im opaski z oczu i upewnił się, że nie zwymiotowały tego, co dał im do picia.

Po standardowym rytuale z błaganiem, płaczem i strachem zjedli trochę, a on miał czyste sumienie, gdy zakleił im usta i ponownie odjechał.

Był właścicielem tego miejsca od piętnastu lat i nikt oprócz niego samego nigdy nie zbliżał się do domku na łodzie. Gospodarstwo, do którego należał domek, było osłonięte drzewami, a teren wokół domku był zawsze zarośnięty. Jedynym miejscem, z którego można było czasami dojrzeć domek, była woda, a i tu istniały pewne przeszkody. Kto chciałby się zapuszczać w śmierdzącą zupę wodorostów porastających rybacką sieć, którą rozpiął między palami na dnie wtedy, gdy – jeden jedyny raz – któraś z jego ofiar wrzuciła coś do wody?

Nie, dzieci mogą sobie lamentować ile dusza zapragnie.

Nikt ich nie usłyszy.

Ponownie spojrzał na zegarek. Dziś nie będzie dzwonił do żony, jak zwykł to czynić, obierając kurs na Roskilde. Po co ją uprzedzać, kiedy może się go spodziewać w domu?

Teraz pojedzie do gospodarstwa przy Ferslev, wstawi furgonetkę z powrotem do stodoły, a dalej popruje swoim mercedesem. Za niecałą godzinę będzie w domu. Czas pokaże, na czym ją przyłapie.

Pokonując ostatnie kilometry przed domem, osiągnął wewnętrzny spokój. Co właściwie było powodem podejrzeń wobec żony? Czy to nie jakaś ułomność z jego strony? Czy takie bezpodstawne podejrzenia i brzydkie myśli nie wynikały po prostu z tych wszystkich kłamstw, które sam wymyślał i którymi żył? Czy to wszystko nie było zwyczajnie konsekwencją jego własnego sekretnego życia?

„Nie, no naprawdę, przecież dobrze nam razem" – brzmiała jego ostatnia myśl, nim stwierdził, że przy wjeździe stoi męski rower, oparty o wierzbę płaczącą.

Nim stwierdził, że rower nie należy do niego.

17

Kiedyś ich poranne rozmowy przez telefon napełniały ją energią. Już sam dźwięk jego głosu wystarczał, by stawić czoła dniowi pozbawionemu kontaktu z ludźmi. Sama myśl o jego objęciach potrafiła ją przez wszystko przeprowadzić.

Ale już się tak nie czuła. Czar prysnął.

„Jutro zadzwonię do mamy i się z nią pogodzę" – powiedziała sobie. Dzień się skończył, nadszedł dzień jutrzejszy, a ona tego nie zrobiła.

Bo co ma powiedzieć? Że jej przykro, że się od siebie odsunęły? Że może popełniła błąd? Że poznała innego mężczyznę, który sprawił, że to zrozumiała? Że karmił ją takimi słowami, że była głucha na wszystko inne? Oczywiście nie mogła tego powiedzieć matce, ale taka była prawda.

Nieskończona pustka, w której bez przerwy pozostawiał ją mąż, została wypełniona.

Kenneth był u niej więcej niż raz. Kiedy Beniamin został odprowadzony do żłobka, już czekał. Mimo kapryśnego marca zawsze w koszulce z krótkim rękawkiem i opiętych letnich spodniach. Ośmiomiesięczne stacjonowanie w Iraku, a potem dziesięć miesięcy w Afganistanie go zahartowały. Mówił, że przejmujące chłodem zimy, zarówno w środku, jak i na zewnątrz, studziły u duńskich żołnierzy ciągoty do wygodnictwa.

Nie sposób się było temu oprzeć, po prostu. I to było straszne.

Słyszała, jak jej mąż dopytuje się o Beniamina i interesuje faktem, że jego przeziębienie tak szybko przeszło. Słyszała też przez komórkę jego słowa, że ją kocha i cieszy się na powrót do domu. Że może nawet przyjedzie wcześniej, niż planował. A ona nie wierzyła nawet w połowę tego, co mówił – to na tym polegała różnica. Różnica między tym, jak kiedyś jego słowa ją olśniewały, a tym, jak teraz ją po prostu raziły.

Bała się jego gniewu i władzy. Jeśli ją wyrzuci, nie będzie miała nic, już on się o to postara. Nawet jeśli coś jej zostanie, to tyle co nic. Może nawet stracić Beniamina.

Potrafił się przecież tak dobrze i przebiegle posługiwać słowami. Kto jej uwierzy, gdy powie, że Beniaminowi będzie lepiej z mamą? Czy to nie ona zamierzała odejść? Czy to nie jej mąż się poświęcał i był zmuszony cały czas przebywać poza domem, żeby zapewnić im środki na utrzymanie? Już ich słyszała. Ludzi z gminy, powiatu. Wszystkich tych arbitrów dobrego smaku, którzy skupiliby się tylko na jego dojrzałości i jej uchybieniach.

Po prostu to wiedziała.

„Później zadzwonię do mamy" – pomyślała. „Przełknę wstyd i opowiem jej o wszystkim. To moja matka. Na pewno mi pomoże".

Mijały godziny, a myśli nie dawały jej spokoju. Dlaczego tak się czuła? Dlatego, że w ciągu paru dni zbliżyła się do obcego mężczyzny bardziej, niż kiedykolwiek zbliżyła się do tego, który był jej mężem? Bo tak przecież było. Wiedziała o swoim mężu tylko tyle, ile wynikało z paru powtarzalnych godzin, które spędzali razem w domu. Co poza tym wiedziała? Jego praca, przeszłość, zbiór pudeł na piętrze – to wszystko stanowiło zupełnie zamknięty świat.

Ale stracić uczucia to jedno, a usprawiedliwić ten fakt – to co innego. Bo czy jej mąż nie był w porządku? Czy to nie chwilowe zaślepienie zaburzało jej ogląd?

Właśnie takie myśli ją nachodziły. I właśnie dlatego znów poszła na piętro i utkwiła wzrok w drzwiach prowadzących do tych wszystkich pudeł. Czy nadszedł czas poszukiwania prawdy? Czy teraz powinna przekroczyć granicę? Czy stąd nie ma już odwrotu?

Owszem.

Wyciągała pudła jedno po drugim i ustawiała je w odwrotnej kolejności w korytarzu. Kiedy będzie układała je z powrotem, muszą stać dokładnie tak jak przedtem, przykryte płaszczami. Tylko w ten sposób mogła ogarnąć całe przedsięwzięcie.

Taką miała nadzieję.

Pierwszych dziesięć pudeł, które stały w ostatnim rzędzie pod oknami dachowymi, potwierdzało słowa jej męża. Tylko stare rodzinne przedmioty, których zapewne on sam nie zgromadził. Były to typowe pamiątki rodzinne, zupełnie jak te, które pozostawili rodzinie jej dziadkowie: porcelana, rozmaite papiery i gadżety, wełniane koce, obrusy z koronką, serwis na dwanaście osób, wszelkiego rodzaju gilotynki do cygar, zegary kominkowe i bibeloty.

Obraz życia rodzinnego, który obecnie znajdował się już po tamtej stronie i był na najlepszej drodze do zapomnienia. Tak właśnie jej to opisywał.

Kolejnych dziesięć pudeł uzupełniło ten obraz o szczegóły, spowijając go zarazem mgłą dezorientacji. Były tu złocone ramki na zdjęcia. Klasery z wycinkami w dużych rozmiarach. Albumy wyklejone zdarzeniami i pamiątkami. Wszystko z jego dzieciństwa, wszystko silnie podszyte kłamstwami i przemilczeniami, które gdy spojrzeć wstecz, zawsze stanowią milczących towarzyszy na ścieżkach dzieciństwa.

Bo, zupełnie przeciwnie niż sam zawsze utrzymywał, jej mąż wcale nie był jedynakiem. Właściwie mogłaby stwierdzić bez żadnych wątpliwości, że miał siostrę.

Na jednej z fotografii jej mąż stał w marynarskim ubranku, z założonymi rękami, i spoglądał smutnymi oczami w aparat. Miał nie więcej niż siedem lat. Miękka skóra i gęste włosy z przedziałkiem na boku. Tuż przy nim stała mała dziewczynka. Długie warkocze i niewinny uśmiech. Może pierwszy raz była fotografowana.

Ładny portrecik dwojga skrajnie różniących się od siebie dzieci.

Obróciła zdjęcie i spojrzała na trzy litery. EVA – głosił napis. Było tam napisane jeszcze coś, ale zostało przekreślone długopisem.

Przewertowała fotografie, obracając każdą po kolei. Znów te skreślenia.

Żadnych imion ani miejsc.

Wszystko zostało przekreślone.

„Po co skreślać imiona?" – pomyślała. „Przecież w ten sposób pamięć o ludziach znika na zawsze".

Jakże często siedziała we własnym domu i oglądała stare, czarno-białe fotki bezimiennych osób.

– To twoja prababka, miała na imię Dagmar – potrafiła wtedy powiedzieć matka, ale to nie było nigdzie napisane. A kiedy jej matka umrze, co będzie z imionami? Kto komu dał życie i kiedy?

Ale ta dziewczynka miała imię. Eva.

Na pewno siostra jej męża. Te same oczy i usta. Na dwóch zdjęciach, na których byli sami, patrzyła na brata z podziwem. To było wzruszające.

Eva wyglądała jak zupełnie zwyczajna dziewczynka. Jasnowłosa i czyściutka, obdarzająca świat spojrzeniem, które jeśli nie liczyć ostatniego zdjęcia, za każdym razem wyrażało raczej troskę niż odwagę.

Kiedy brat, siostra i rodzice znajdowali się razem, stali tak blisko siebie, jakby osłaniali się przed resztą świata. Nigdy się nie obejmowali, po prostu stali bardzo blisko. Na tych niewielu zdjęciach, na których znajdowali się wszyscy czworo, zawsze byli ustawieni w ten sam sposób. Dzieci na przedzie, z luźno zwieszonymi rękami, matka z tyłu, trzymając ręce na ramionach dziewczynki, ręce ojca zaś spoczywały na ramionach syna.

Wyglądało to tak, jakby te dwie pary rąk przygniatały dzieci do ziemi.

Próbowała zrozumieć tego chłopca o oczach starych jak świat, chłopca, który został jej mężem. Trudno było. Odczuwała wyraźniej niż kiedykolwiek, że jej i jego życie dzieliło jednak wiele lat.

Spakowała pudła ze zdjęciami i otworzyła klasery z wycinkami w nagłym przeświadczeniu, że byłoby lepiej, gdyby ona i jej mąż nigdy się nie spotkali. Że tak naprawdę pojawiła się na świecie, żeby dzielić los z mężczyzną takim jak ten, który mieszka pięć przecznic od niej. Nie z tym, którego widziała na zdjęciach.

Nigdy nie mówił, że jego ojciec był pastorem, ale wynikało to z wielu zdjęć.

Człowiek bez cienia uśmiechu, z oczami wyrażającymi pewność siebie i władzę.

Matka jej męża nie miała takich oczu. Jej oczy niczego nie wyrażały.

Na podstawie klaserów z wycinkami można się było domyślić dlaczego. Ojciec rządził wszystkim. Były tu kościelne czasopisma, w których grzmiał na bezbożność, nauczał o nierówności i wygrażał tym, którzy wiedli niewłaściwy żywot. Pamflety, by trzymać Słowo Boże w ręce i wypuszczać je tylko po to, by cisnąć je w twarz niedowiarkom. Dzięki tym pismom widać było wyraźnie, że dorastanie jej męża diametralnie różniło się od jej własnego.

Za bardzo się różniło.

Te pożółkłe paszkwile wionęły odrażającą atmosferą gloryfikowania ojczyzny, mrocznych poglądów, nietolerancji, skrajnego konserwatyzmu i szowinizmu. Oczywiście to ojciec jej męża był taki, nie on sam. Ale jednak wyczuwała – teraz, a zastanowiwszy się, również na co dzień – jak przekleństwa przeszłości wytworzyły w nim mrok, który znikał zupełnie tylko wtedy, gdy się z nią kochał.

Nie powinno tak być.

Ogólnie rzecz biorąc, coś było nie tak z tym dzieciństwem. Za każdym razem, gdy pojawiało się jakieś imię czy miejsce, było przekreślone długopisem. Zawsze tym samym.

Kiedy zejdzie do biblioteki, spróbuje poszukać w Google dziadka Beniamina. Ale najpierw musi się dowiedzieć, kim był. Któryś z tych wszystkich wycinków musi ją przecież doprowadzić do jego imienia. A gdy coś tam znajdzie, odszukanie śladów tego szczególnego, nieprawego człowieka musi przecież nadal być możliwe. Nawet w tych skłonnych do zapominania czasach.

Może porozmawia o tym z mężem. Może w czymś by to pomogło.

Następnie pootwierała masę pudełek po butach, ułożonych w stos w jednym z kartonów. Na samym dole leżały różne przedmioty wzbudzające jej umiarkowane zainteresowanie, takie jak zapalniczka Ronson, którą wypróbowała i która, o dziwo, działała bez zarzutu, jakieś spinki do mankietów, nóż do papieru i artykuły biurowe, przypisane do określonych etapów życia.

Pozostałe pudła obnażały zupełnie inne etapy. Wycinki, broszury i pamflety polityczne. Każde pudełko ukazywało nowe fragmenty egzystencji jej męża. Po złożeniu tworzyły one obraz zhańbionego, zranionego człowieka, który ewoluował, by stać się lustrzanym odbiciem ojca, ale też jego przeciwieństwem. Chłopiec, który mimowolnie udał się w przeciwnym kierunku, niż przewidywały nauki pobierane w dzieciństwie. Nastoletni chłopak, który zamienił reakcję na akcję. Mężczyzna na barykadach, wspierający wszystko, co totalitarne, a niezwiązane z religią. Taki, co poszukiwał wrzawy na ulicy Vesterbrogade, gdy zbierali się tam squatterzy, i wymienił marynarskie ubranko na płaszcz z owczej wełny, marynarkę w stylu militarnym i arafatkę. I co zasłania arafatką twarz, gdy nadchodzi na to pora.

Był kameleonem, który wiedział, kiedy i jakie przybrać barwy. Dopiero teraz to pojęła.

Stała przez chwilę, zastanawiając się, czy nie odłożyć pudeł i zapomnieć o wszystkim, co widziała. W tych kartonach znajdowały się przecież rzeczy, o których on sam najwidoczniej wolał nie pamiętać. Czy nie chciał w jakiś sposób zamknąć drzwi za swoim wcześniejszym życiem? Owszem. W przeciwnym wypadku opowiedziałby jej o wszystkim i nie zrobiłby tych przekreśleń.

Ale jak ma się teraz powstrzymać?

Gdyby nie zagłębiła się w jego życiu, nigdy nie mogłaby go do końca zrozumieć. Nigdy by się nie dowiedziała, kim w rzeczywistości jest ojciec jej dziecka.

I obróciła się ku reszcie jego życia, która opakowana stała w korytarzu, w nienagannym porządku. Pojemniki do archiwizowania w pudełkach po butach, pudełka po butach w kartonach do przeprowadzek. Wszystko z chronologicznymi etykietami.

Spodziewała się, że nadejdą lata, w których on napyta sobie kłopotów na barykadach, ale coś sprawiło, że zmienił kurs. Jakby na jakiś czas się uspokoił.

Każdy okres miał plastikową koszulkę opatrzoną numerem roku i miesiąca. Wyglądało na to, że przez rok zajmował się studiami prawniczymi. Przez rok filozofią. Parę lat wędrówki z plecakiem po krajach Ameryki Środkowej, gdzie, wnioskując z innych broszur, utrzymywał się z drobnych prac w hotelach, winnicach i rzeźniach.

Najwyraźniej dopiero po powrocie do domu zaczął na serio stawać się osobą, którą sądziła, że zna. Znów te starannie poukładane koszulki. Broszurki z wojska. Nagryzmolone notatki o szkole oficerskiej, żandarmerii wojskowej i komandosach. To by było tyle, jeśli chodzi o notatki osobiste i kolekcję drobnych relikwii.

Nigdzie żadnych imion czy szczegółowych informacji o miejscach i relacjach osobistych. Tylko zarysowane z grubsza kontury minionych lat.

Ostatnią rzeczą, jaka mówiła coś o kierunku, w którym zmierzał, był mały zbiór broszur w różnych językach. O studiach z zakresu żeglugi w Belgii. Folder werbujący do Legii Cudzoziemskiej z ładnymi zdjęciami z południowej Francji. Różnorakie formularze na studia ekonomiczne.

Nie mówiły, jaką obrał drogę, lecz jedynie jakie myśli go nachodziły w danym momencie życia.

Wszystko to sprawiało dość chaotyczne wrażenie.

I kiedy odkładała na miejsce tę masę kartonów, pojawił się lęk. Wiedziała, że zaangażował się w tajną pracę, tak w każdym razie mówił. Do tej pory niewypowiedziana prawda była taka, że działa w słusznym celu. Działalność wywiadowcza, tajna robota policyjna czy coś w tym stylu. Tyle że skąd właściwie ta pewność co do działania w dobrej sprawie? Czy miała na to jakiś dowód?

Wiedziała jedynie, że nigdy nie miał normalnego życia. Stał na zewnątrz. Jego życie toczyło się na uboczu.

A teraz, przetrząsnąwszy pierwszych trzydzieści lat jego życia, wciąż nic nie wiedziała.

Na koniec poszły pudła ustawione w najwyższym rzędzie. Do niektórych zaglądała już przedtem, ale nie do wszystkich. A teraz, gdy otwierała je systematycznie i przeglądała jedno po drugim, pojawiło się w niej budzące strach pytanie, dlaczego te pudła w ogóle były takie dostępne.

Pytanie budziło strach właśnie dlatego, że znała odpowiedź.

Kartony stały tam tylko i wyłącznie dlatego, że było nie do pomyślenia, by do nich zajrzała – po prostu. Bo cóż może lepiej podkreślić, jaką on miał nad nią władzę? Że automatycznie zaakceptowała, że to jego terytorium, które zostało obłożone tabu.

Taką władzę ma tylko osoba, która chce ją egzekwować.

Otwierała więc kartony z wielkim niepokojem i w napięciu. Z zaciśniętymi wargami, wciągając gorące powietrze głęboko przez nozdrza.

Pudła wypełniały teczki. Segregatory formatu A4 we wszystkich kolorach, choć ich zawartość była czarna jak smoła.

Pierwsze teczki zawierały informacje o okresie, w którym najwyraźniej próbował odkupić czasy niegodziwości. Znów te broszury. Broszury o różnych ruchach religijnych, starannie poukładane w plastikowych koszulkach. Ulotki opowiadające o wieczności i wiecznym świetle Bożym oraz o tym, jak z niezachwianą pewnością można je osiągnąć. Prospekty nowo powstałych zgromadzeń religijnych i sekt, które jak jeden mąż twierdziły, że tylko one odpowiadają na ludzkie potrzeby. Nazwy takie jak Sathya Sai Baba, scjentologia, Kościół Matki Bożej, Świadkowie Jehowy, Społeczeństwo Wiecznych i Dzieci Boże mieszały się z Kościołem Zjednoczeniowym, Czwartą Drogą, Misją Boskiej Światłości i mnóstwem innych, o których też niewiele więcej wiedziała. I bez względu na orientację każda z tych religii okrzykiwała się jedyną prawdziwą drogą do zbawienia, harmonii i miłości bliźniego. Jedyną prawdziwą drogą – to pewne jak amen w pacierzu.

Pokręciła głową. Czego on szukał? On, który przemocą i siłą odrzucił mroczną edukację z dzieciństwa i chrześcijańskie dogmaty. O ile wiedziała, żadna z tych różnorodnych ofert nie znalazła uznania w oczach jej męża.

Nie, „Bóg" i „religia" nie należały do słów, które trafiły do ich willi z czerwonej cegły, stojącej w potężnym cieniu katedry w Roskilde.

Gdy już odebrała Beniamina ze żłobka i trochę się z nim pobawiła, posadziła go przed telewizorem. Byle były jakieś kolory i obraz się ruszał, a już był zadowolony.

Następnie poszła na piętro, zastanawiając się jednak, czy nie przestać. Odłożyć ostatnie pudła na miejsce bez zaglądania do środka i zostawić w spokoju zmaltretowane życie męża.

Po dwudziestu minutach była zadowolona, że nie uległa temu impulsowi. Właściwie to zastanawiała się poważnie, czy nie spakować wszystkich swoich rzeczy, nie wyciągnąć z puszki pieniędzy na wydatki domowe i nie poszukać pierwszego lepszego pociągu. Aż tak nieswojo się czuła.

Spodziewała się, rzecz jasna, że w kartonach znajdzie rzeczy dotyczące czasu i miejsca, których była częścią, ale nie tego, że nagle ona sama pojawi się jako element jego planów.

Mówił, że zakochał się w niej na zabój już podczas ich pierwszej rozmowy – i ona też tak czuła. Teraz już wiedziała, że było to tylko urojenie.

Bo jak ich pierwsze spotkanie mogło być przypadkowe, skoro miał wycinki z zawodów jeździeckich w Bernstorffsparken, kiedy po raz pierwszy stanęła na podium? Przecież to parę miesięcy przed ich spotkaniem. Skąd miał te wycinki? Gdyby natknął się na nie później, chybaby jej pokazał, prawda? Poza tym przechowywał programy konkursów, w których uczestniczyła na długo przedtem. Miał też jej fotki z miejsc, w których w żadnym razie z nim nie była. Czyli w czasie poprzedzającym ich tak zwane pierwsze spotkanie metodycznie ją obserwował.

Czekał tylko na właściwy moment, by uderzyć. Została wybrana i to jej nie pochlebiało, zwłaszcza biorąc pod uwagę dalszy rozwój wypadków.

Przyprawiło ją to o zimny dreszcz.

Zimny dreszcz przeszedł ją również, gdy otworzyła drewnianą skrzynkę do archiwizowania, znajdującą się w tym samym kartonie. Na pierwszy rzut oka nie było tam nic specjalnego. Zwykła skrzynka z listą nazwisk i adresów, które nic jej nie mówiły. Dopiero przyjrzawszy się papierom dokładniej, poczuła dyskomfort.

Dlaczego te informacje były takie ważne dla jej męża? Nie pojmowała tego.

Do każdego nazwiska z listy dołączona była kartka, na której skrupulatnie zanotowano szereg wiadomości o danej osobie i jej rodzinie. Na początku jakiego była wyznania. Następnie jaki miała status we wspólnocie, a potem od jak dawna była jej członkiem. W bardziej osobistych informacjach szczególnie dużo miejsca poświęcono dzieciom należącym do rodziny. Ich imionom, wiekowi i, co najbardziej niepokojące, również ich cechom charakteru. Było na przykład napisane tak:

„Willers Schou, piętnaście lat. Nie jest pupilkiem mamusi, ale ojciec jest do niego bardzo przywiązany. Niesforny chłopak, który nie jest stałym uczestnikiem spotkań zgromadzenia. Przez większą część zimy przeziębiony, dwukrotnie chorował i musiał leżeć w łóżku".

Do czego jej mężowi były potrzebne takie informacje? I co go obchodziły dochody tych rodzin? Był szpiegiem służb społecznych czy co? Wyselekcjonowano go do infiltracji sekt w Danii, by wykrywać kazirodztwo, przemoc i inne obrzydliwości, czy jak?

Właśnie to „czy jak?" nie dawało jej spokoju.

Ewidentnie pracował na terenie całego kraju, więc nie mógł być zatrudniony przez gminę. O ile wiedziała, zapewne wcale nie pracował dla służb, bo kto przechowuje tego typu osobiste informacje w kartonach we własnym domu?

Kim w takim razie był? Prywatnym detektywem? Wynajął go jakiś bogacz, by nękał różne środowiska religijne w Danii?

Być może.

Uczepiła się w myślach tego „być może" aż do chwili, gdy dotarła do kartki papieru, gdzie na samym dole, pod informacjami o rodzinie, było napisane: „1,2 miliona. Żadnych nieprawidłowości".

Siedziała tak długo z kartką na kolanach. Tak jak w wypadku pozostałych notatek, chodziło o wielodzietną rodzinę powiązaną z sektą religijną. Ogólnie rzecz biorąc, nie różniła się od innych oprócz tej ostatniej linijki i jeszcze jednego szczegółu: imię jednego z dzieci oznaczono haczykiem. Szesnastoletni chłopak, o którym było napisane jedynie to, że kochają go ponad wszystko na świecie.

Dlaczego obok jego imienia postawiono ptaszek? Bo był kochany?

Przygryzła wargę i poczuła, że brak jej perspektyw i pomysłów. Wiedziała tylko, że wszystko w niej nawołuje do ucieczki. Ale czy to na pewno właściwe rozwiązanie?

Może tego wszystkiego można by użyć przeciwko niemu. Może w ten sposób zachowa Beniamina. Tyle że jeszcze nie wiedziała jak.

Odłożyła na miejsce ostatnie dwa kartony – te bez znaczenia, z jego rzeczami, dla których nie potrafili znaleźć zastosowania w swoim wspólnym domu.

Wreszcie ostrożnie położyła płaszcze na samym wierzchu. Jedynym śladem jej niedyskrecji było wgłębienie w kartonowym wieku, które powstało, gdy szukała ładowarki do komórki, czyli tyle co nic.

„W porządku" – pomyślała.

Wtedy odezwał się dzwonek do drzwi.

Kenneth stał w półmroku z błyszczącymi oczami. Zgodnie z umową postąpił tak jak poprzednimi razy. Stał tam z wymiętą gazetą codzienną, gotów spytać, czy to w tym domu jej brakuje. Dodać wyjaśnienie, że leżała na środku ulicy i że ci listonosze robią się coraz bardziej denerwujący. Wszystko to na wypadek, gdyby po otwarciu drzwi dała mu do zrozumienia wyrazem twarzy, że zbliża się niebezpieczeństwo, albo gdyby wbrew oczekiwaniom to jej mąż podszedł do drzwi.

Tym razem trudno było ocenić, jaki wyraz twarzy powinna przybrać.

– Wejdź, ale tylko na chwilę – powiedziała po prostu.

Wyjrzała na willową uliczkę. Od jakiegoś czasu było już stosunkowo ciemno. Wszędzie panował spokój.

– Co się dzieje? Jest w drodze do domu? – spytał Kenneth.

– Nie, nie sądzę, zadzwoniłby.

– A więc co? Źle się czujesz?

– Nie – przygryzła wargi. Co jej przyjdzie z wciągania go w to wszystko? Czy nie lepiej na razie odwlec sprawę, by nie był wmieszany w to, co nieuchronnie nadejdzie? Kto będzie w stanie udowodnić łączącą ich relację, jeśli na jakiś czas kontakt zostanie zerwany?

Kiwnęła głową sama do siebie.

– Nie, Kenneth, nie jestem teraz sobą.

Zamilkł i spojrzał na nią. Pod jasnymi brwiami kryły się czujne oczy, wyćwiczone w wyczuwaniu niebezpieczeństwa. Natychmiast zarejestrowały, że coś tu jest nie tak. Zaobserwowały, że może to mieć konsekwencje dla uczuć, których już nie chciał dłużej trzymać na wodzy. Obudził się instynkt obronny.

– Mia, powiedz, proszę, o co chodzi?

Odciągnęła go od drzwi i wciągnęła do salonu, gdzie Beniamin siedział przed telewizorem tak spokojnie, jak tylko potrafią małe dzieci. To właśnie tu, wokół tego małego stworzonka, trzeba skoncentrować siły.

Chciała się do niego zwrócić i powiedzieć, żeby się nie denerwował, bo ona musi na pewien czas zniknąć.

Właśnie w tej sekundzie w ogrodzie przed domem przesunęło się światło reflektorów mercedesa jej męża.

– Musisz iść, Kenneth. Tylnymi drzwiami. Już!

– Czy możemy...?

– JUŻ, Kenneth!

– Okej, ale mój rower stoi przy wjeździe. Co z nim?

W tym momencie zaczęła się silnie pocić pod pachami. Powinna teraz z nim uciekać? Po prostu wyjść głównymi drzwiami z Beniaminem na ręku. Nie, nie ośmieli się. Po prostu się nie ośmieli.

– Wcisnę mu jakieś wyjaśnienie, idź już. Przez kuchnię, żeby Beniamin cię nie widział!

Tylne drzwi zaledwie trzasnęły na milisekundę, nim rozległ się zgrzyt klucza i drzwi wejściowe się otworzyły.

Siedziała wtedy na podłodze przed telewizorem z rozstawionymi nogami, obejmując synka w bezpiecznym uścisku.

– No, Beniamin – powiedziała. – Tata idzie. Szykuje się niezła zabawa, prawda?

18

W taki mglisty marcowy piątek trudno powiedzieć coś dobrego o drodze głównej E22, prowadzącej przez Skanię. Gdyby usunąć domy i drogowskazy, człowiek mógłby równie dobrze znajdować się na drodze z Ringsted do Slagelse. Teren dość płaski, wyeksploatowany i zupełnie bez wyrazu.

A jednak co najmniej pięćdziesięciu jego kolegom z komendy zapalały się w oczach światełka, gdy na wargach pojawiało się „Sz" jak „Szwecja". Według nich zaspokojenie niemal wszystkich potrzeb stawało się możliwe, gdy tylko nad krajobrazem łopotała niebiesko-żółta flaga. Carl wyjrzał przez szyby samochodu i pokręcił głową. Musiał być po prostu pozbawiony jakiegoś zmysłu. Tego szczególnego genu, dzięki któremu popada się w zachwyt, gdy tylko na palecie zagoszczą słowa „lingon", „potatismos" i „korv"*.

Dopiero gdy dotarł do Blekinge, pejzaż się ożywił. Niektórzy powiadali, że bogom zadrżały ręce ze zmęczenia, gdy rozdzielali kamienie na ziemi i w końcu dotarli do Blekinge. Krajobraz był zdecydowanie przyjemniejszy dla oka, ale jednak. Dużo drzew, dużo kamieni, mało atrakcji i bonusów. Wciąż Szwecja.

„Nie za wiele tu leżaków i campari" – pomyślał, gdy dotarł do Hallabro, objechał powszechnie znane połączenie kiosku, stacji benzynowej i samochodowej lakierni i pojechał dalej ulicą Gamla Kongevägen.

Dom, górujący nad miasteczkiem, pięknie wyglądał w zapadającym zmroku. Ułożone w rzędzie kamienie odgradzały teren, a trzy rozświetlone okna świadczyły, że telefon Assada bynajmniej nie zaalarmował rodziny Holtów.

---

* „Lingon", „potatismos" i „korv" to nazwy tradycyjnych szwedzkich potraw. „Lingon" to polska „brusznica", „potatismos" – purée ziemniaczane, a „korv" to kiełbaska na ciepło.

Zastukawszy do drzwi za pomocą odrapanej kołatki, czekał, ale nie usłyszał w domu żadnej krzątaniny.

„Jasna cholera" - pomyślał. „Przecież jest piątek". Ciekawe, czy jehowici obchodzą szabas? Skoro żydzi w piątki obchodzą szabas, to pewnie tak jest napisane w Biblii, a świadkowie Jehowy traktują ją zupełnie dosłownie.

Zastukał jeszcze raz. Może mu nie otwierają, bo im nie wolno. Czy w szabas wszelki ruch jest zakazany? A jeśli tak, co on ma robić? Otworzyć drzwi kopniakiem? Kiepski pomysł w miejscu, gdzie każdy trzyma pod materacem myśliwską strzelbę.

Stał przez chwilę, rozglądając się. Miasteczko powoli i spokojnie pogrążało się w szarówce, w której każdy czuł się najlepiej z nogami położonymi na stole, nie myśląc o minionym dniu.

„Gdzie, u licha, można znaleźć miejsce do spania w tej zapadłej dziurze?" - pomyślał w chwili, gdy za szybką w drzwiach zapaliło się światło w korytarzu.

Chłopak w wieku czternastu-piętnastu lat wetknął w szparę w drzwiach poważną, bladą twarz i spojrzał na niego bez słowa.

- Cześć - powiedział Carl. - Czy są w domu tata albo mama?

Wtedy chłopiec cichutko zamknął drzwi i przekręcił klucz. Twarz miał spokojną. Najwyraźniej wiedział, co ma robić, a to nie obejmowało widocznie wpuszczania do środka nieproszonych gości.

Upłynęło parę minut, podczas których Carl gapił się w drzwi. Czasami pomagało, trzeba tylko być wystarczająco upartym.

Kilkoro tubylców przespacerowało obok pod przydrożnymi latarniami, przygważdżając go wzrokiem pytającym: Kim jesteś? Wierne psy tropiące miasteczka, zawsze się tacy znajdą.

Wreszcie za szybką pojawiła się twarz mężczyzny, czyli metoda z odczekiwaniem zadziałała również tym razem.

Pozbawiona wyrazu twarz spojrzała na Carla badawczo, jakby mężczyzna czekał na konkretną osobę.

- Słucham - powiedział po szwedzku, czekając, by Carl przejął inicjatywę.

Carl wydobył swoją odznakę.

- Carl Mørck, Departament Q, Kopenhaga - powiedział. - Pan Martin Holt?

Spojrzał na odznakę z wyraźną niechęcią i skinął głową.

– Mogę wejść?

– O co chodzi? – odparł ściszonym głosem, posługując się bezbłędną duńszczyzną.

– Czy możemy o tym porozmawiać w środku?

– Nie sądzę – cofnął się, przymierzając się do zamknięcia drzwi, gdy Carl chwycił za klamkę.

– Panie Holt, czy mogę zamienić parę słów z pana synem Poulem?

Zawahał się przez chwilę.

– Nie – odparł. – Nie ma go, to niemożliwe.

– Gdzie go zastanę, jeśli wolno spytać?

– Nie wiem – spojrzał na Carla zdecydowanie. Trochę zbyt zdecydowanie jak na taką wypowiedź.

– Nie ma pan adresu swego syna Poula?

– Nie. A teraz chciałbym mieć spokój. Mamy godzinę biblijną.

Carl wyciągnął swoją kartkę.

– Mam tutaj listę z ewidencji ludności. Są na niej osoby, które były zameldowane pod państwa adresem domowym w Græsted w dniu szesnastego lutego tysiąc dziewięćset dziewięćdziesiątego szóstego, kiedy Poul przestał się pojawiać w Wyższej Szkole Inżynierskiej. Jak pan tu widzi, chodzi o pana i pańską żonę Lailę oraz państwa dzieci – Poula, Mikkeline, Tryggvego, Ellen i Henrika. – Spojrzał na kartkę. – Na podstawie numerów ewidencyjnych wnioskuję, że w dniu dzisiejszym dzieci mają odpowiednio trzydzieści jeden, dwadzieścia sześć, dwadzieścia cztery, szesnaście i piętnaście lat, zgadza się?

Martin Holt kiwnął głową, odpędzając chłopca, który zaglądał mu przez ramię. Tego samego chłopca co przedtem. Pewnie tego o imieniu Henrik. Carl odprowadził chłopca wzrokiem. Miał w oczach ten bezwolny wyraz, którego nabawiają się ludzie, gdy wolno im decydować wyłącznie o porze wypróżnienia.

Carl podniósł wzrok na mężczyznę, który prawdopodobnie trzymał rodzinę na bardzo krótkiej wodzy.

– Wiemy, że Tryggve i Poul byli razem w Wyższej Szkole Inżynierskiej w dniu, gdy Poul pokazał się tam po raz ostatni – powiedział. – Więc skoro Poul nie mieszka w domu, może mógłbym porozmawiać z Tryggvem? Tylko chwilkę?

– Nie, z nim już nie rozmawiamy – powiedział to zupełnie chłodno i beznamiętnie, ale lampa przy drzwiach wejściowych obnażała jego poszarzałą skórę, charakterystyczną dla ludzi wykonujących wyczerpującą pracę. Za dużo roboty, zbyt wiele decyzji i za mało pozytywnych przeżyć. Miał szarą skórę i matowe oczy. Te oczy były ostatnią rzeczą, jaką Carl zobaczył, nim mężczyzna zatrzasnął drzwi.

Po sekundzie zgasły światła nad drzwiami i w przedsionku, ale Carl wiedział, że mężczyzna wciąż tam stoi i czeka, aż on sobie pójdzie.

Wtedy Carl wykonał parę ostrożnych kroków w miejscu, tak żeby brzmiało to, jakby schodził po schodach.

W tej samej chwili usłyszał wyraźnie, że mężczyzna za drzwiami zaczyna się modlić.

– Nałóż na nasze języki wędzidło, Panie, abyśmy nie wypowiadali występnego słowa, które jest nieprawdziwe, prawdziwego słowa, które nie jest całą prawdą, całej prawdy, która jest niemiłosierna. W imię Pana Jezusa Chrystusa – modlił się po szwedzku.

Zostawił za sobą nawet ojczysty język.

Powiedział „Nałóż na nasze języki wędzidło, Panie" i „z nim już nie rozmawiamy". Co to, u licha, ma znaczyć? W ogóle nie wolno mówić o Tryggvem? O Poulu też? Czy obu chłopaków wyklęto w związku z tamtym wydarzeniem? Czy okazali się niegodni Królestwa Bożego? Tak po prostu?

Bo w takim wypadku funkcjonariuszowi na służbie nic do tego.

„I co teraz?" – pomyślał. Ma dzwonić na policję w Karlshamn i prosić ich o pomoc? A jeśli tak, to czym, do diaska, ma to uargumentować? Przecież rodzina nie zrobiła niczego niedozwolonego. O ile mu wiadomo.

Pokręcił głową, zszedł bezszelestnie po schodach, wsiadł do samochodu, wrzucił wsteczny bieg i podjechał kawałek, by zaparkować auto w możliwie ustronnym miejscu.

Wtedy odkręcił nakrętkę swojego termosu i skonstatował, że zawartość jest lodowata.

„Pięknie" – pomyślał, wcale tak nie uważając. Już od co najmniej dziesięciu lat nie miał takiej nocnej fuchy, a i wtedy nie była ona dobrowolna. Wilgotne marcowe noce w samochodzie bez porządnego podgłówka i z lodowatą kawą w plastikowej nakrętce – nie całkiem do tego dążył, gdy dostał pracę w Komendzie Głównej. A teraz tu siedzi. Z zupełną pustką we łbie, jeśli nie liczyć tego cholernego, zdroworozsądkowego instynktu, który mówił, jak odczytywać ludzkie reakcje i do czego mogą one prowadzić.

Mężczyzna z domu na wzgórzu nie zareagował w sposób naturalny – to jasne jak słońce. Martin Holt był zbyt nieprzystępny, zbyt poszarzały na twarzy i nieczuły, mówiąc o swoich dwóch dorosłych synach, a jednocześnie wykazywał zbyt mało zainteresowania tym, co też policjant z Kopenhagi porabia w skalistym kraju. To nie to, o co ludzie pytają, lecz to, o co nie pytają, ujawnia, że coś jest nie tak. A tym razem tak właśnie było.

Uniósł wzrok na dom górujący nad zakrętem i umieścił kubek z kawą między udami. Teraz zamknie ostrożnie powieki. Turbodrzemka to życiodajny eliksir.

„Tylko dwie minutki" – pomyślał i obudził się dwadzieścia minut później, stwierdzając, że kubek pełen kawy zaczyna mu na dobre odmrażać genitalia.

– Kurwa! – warknął, strzepując kawę ze spodni. Sekundę później powtórzył to przekleństwo, gdy przednie światła samochodu wymknęły się z domu na drogę i dalej w kierunku Ronneby.

Pozwolił, by kawa wsiąkła w fotel, i wcisnął gaz do dechy. Było cholernie ciemno. Gdy tylko wyjechali z Hallabro, w usianym kamieniami pejzażu Blekinge zostały już tylko gwiazdy i auto przed nim.

Jechali tak jakieś dziesięć–piętnaście kilometrów, aż światła samochodu omiotły dom w krzykliwie żółtym kolorze, położony na wzgórzu tak blisko szosy, że wystarczyłby umiarkowany podmuch wiatru, by szpetny budynek spowodował zator drogowy.

Samochód skręcił przed dom i stał na podjeździe przez dziesięć minut, nim Carl zostawił peugeota na poboczu i powoli podczołgał się w stronę domu.

Dopiero teraz dostrzegł, że samochód był pełen nieruchomych i mrocznych postaci. Razem cztery osoby różnego wzrostu.

Odczekał parę minut, rozglądając się. Jeśli nie brać pod uwagę jaśniejącego w mroku koloru, dom nie przedstawiał się zbyt wesoło. Śmieci, złom i zużyte narzędzia. Wyglądał jak siedziba nieboszczyka, która przez wiele lat pozostawiona była własnemu losowi.

„Daleka droga od eleganckiego rodzinnego domu w najlepszej willowej dzielnicy Græsted do tego pustkowia" – pomyślał, podążając wzrokiem za snopami światła samochodu pędzącego od strony Ronneby, które przesunęły się po drodze, omiatając ścianę szczytową domu i auto zaparkowane na podwórzu. Przez sekundę jasność ukazała zapłakaną twarz matki, młodą kobietę i dwoje siedzących z tyłu nastolatków. Wszyscy w aucie sprawiali wrażenie mocno poruszonych sytuacją. Milczący, ale o nerwowym i wystraszonym wyrazie twarzy.

Carl zakradł się pod ścianę szczytową domu i przyłożył ucho do zbutwiałej ścianki z desek. Teraz też dostrzegł, że dziadostwo trzyma się kupy wyłącznie dzięki farbie.

W środku wrzało. Ewidentnie dwóch mężczyzn dyskutowało zawzięcie, a sytuacji z pewnością nie można było scharakteryzować jako pełnej zgodności. Okrzyki i ton głosu były ostre i bezwzględne.

Kiedy skończyli, Carl ledwie zdążył dostrzec mężczyznę, który trzasnąwszy mocno drzwiami, niemal rzucił się na siedzenie kierowcy w czekającym samochodzie.

Gdy auto rodziny Holtów wycofało się na drogę z piskiem opon i popędziło na południe, Carl dokonał wyboru.

Ten brzydki jak noc żółty dom jakby do niego szeptał.

A on słuchał, nadstawiając uszu.

Na tabliczce z nazwiskiem było napisane „Lillemor Bengtsson", ale kobieta, która otworzyła drzwi, nie była żadną mamuśką*. Dwadzieścia parę lat, jasne włosy, lekko krzywe przednie zęby i bardzo ujmująca, jak to się kiedyś mawiało.

Wreszcie coś w tej Szwecji.

– Zakładam, że państwo się mnie spodziewają – pokazał jej odznakę. – Zastałem Poula Holta?

Pokręciła głową, ale się uśmiechnęła. Nawet jeśli sprzeczki tuż wcześniej były poważne, ona trzymała się od nich w bezpiecznej odległości.

– W takim razie Tryggvego?

---

* Lillemor to imię, które przetłumaczyć można jako „mamusia" czy „mamuśka". Funkcjonuje zarówno w Szwecji, jak i w Danii, jednak w Danii występuje zdecydowanie rzadziej.

– Proszę wejść! – odparła krótko, pokazując na najbliższe drzwi.
– On tu jest, Tryggve! – krzyknęła do salonu. – Idę się położyć, okej?
Uśmiechnęła się do Carla, jakby byli starymi przyjaciółmi, i zostawiła go ze swoim facetem sam na sam.

Był wysoki i chudy jak szczapa, ale czego on się właściwie spodziewał? Carl wyciągnął rękę. Odwzajemniono mu mocnym uściśnięciem dłoni.

– Tryggve Holt – powiedział. – Tak, mój ojciec tu był i mnie ostrzegł.

Carl kiwnął głową.

– Sądziłem, że ze sobą nie rozmawiacie.

– Tak. Jestem wyklęty. Nie rozmawiałem z nimi od czterech lat, ale często ich widywałem, jak zatrzymywali się na dworze przy drodze.

Miał spokojne oczy. Ani trochę niewzruszone sytuacją czy poprzedzającą ją kłótnią, więc Carl przeszedł prosto do rzeczy.

– Znaleźliśmy list w butelce – powiedział i natychmiast odnotował poruszenie na pewnej siebie twarzy faceta. – To znaczy wyłowiono go w zasadzie wiele lat temu w Szkocji, ale trafił do nas do Komendy Głównej w Kopenhadze dopiero jakieś osiem-dziesięć dni temu.

Teraz zmiana stała się widoczna. Była uderzająca i wywołana przez słowa „list w butelce". Tak jakby dokładnie te słowa starannie krył w swoim wnętrzu. Może długo czekał, by ktoś je wypowiedział. Może stanowiły kod do wszystkich kryjących się w nim zagadek. Tak to wyglądało.

Przygryzł wargę.

– Mówi pan, że znaleźliście list w butelce?

– Tak. Oto on! – podał młodemu mężczyźnie kopię listu.

W ciągu dwóch sekund Tryggve skurczył się o pół metra, obracając się wokół własnej osi i strącając na ziemię wszystko w zasięgu ręki. Gdyby nie refleks Carla, przewróciłby się.

– Co się stało? – spytała jego dziewczyna. Stała w drzwiach z rozpuszczonymi włosami, ubrana w T-shirt, który ledwie zasłaniał nagie uda. Już gotowa, by kłaść się spać.

Carl pokazał na list.

Podniosła go. Rzuciła na niego okiem, po czym podała swojemu chłopakowi.

Potem przez dłuższą chwilę nikt nic nie mówił.

Gdy facet w końcu oprzytomniał, spojrzał na papier, jakby stanowił tajemną broń, która może go dosięgnąć i wykończyć. Jakby jedynym antidotum było przeczytać go ponownie, słowo po słowie.

Kiedy skierował twarz w stronę Carla, nie był tą samą osobą co przedtem. Spokój i pewność siebie zostały wyssane przez treść listu z butelki. Na jego szyi tętnił puls, był czerwony na twarzy, drżały mu usta. Nie ulegało wątpliwości, że list w butelce wywołał wyjątkowo traumatyczne przeżycie.

– Mój Boże – powiedział cicho, zamknął oczy i zakrył dłonią usta.

Dziewczyna wzięła go za rękę.

– Już, Tryggve. To przecież musiało wyjść na jaw. Już koniec, wszystko będzie dobrze!

Otarł oczy i zwrócił się do Carla.

– Nigdy nie widziałem tego listu. Widziałem tylko, jak powstawał.

Wyciągnął list i jeszcze raz go przeczytał, a jego drżące palce przez cały czas błądziły przy mokrych kącikach oczu.

– Mój brat był najmądrzejszy i najlepszy na świecie – powiedział drżącymi ustami. – Miał jedynie drobne trudności z wysławianiem się. – Następnie położył list na stole, skrzyżował ramiona na piersi i zgiął się w przód.

– Naprawdę tak było.

Carl chciał położyć mu dłoń na ramieniu, ale Tryggve potrząsnął głową.

– Możemy porozmawiać o tym jutro? – zapytał. – Teraz nie potrafię. Może pan spać na sofie. Poproszę Lillemor, żeby panu pościeliła, dobrze?

Carl spojrzał na sofę. Była nieco za krótka, ale wyjątkowo nabita.

Carla obudził pisk opon na śliskiej jezdni. Wyprostował się ze skulonej pozycji i odwrócił do okien. Pora była nieokreślona, ale wciąż było dość ciemno. Naprzeciw niego, trzymając się za ręce, siedziało na dwóch wytartych fotelach z Ikei dwoje młodych ludzi i kiwało do niego głowami. Termos stał już na stole, a list z butelki leżał obok.

– Jak pan wie, napisał go mój starszy brat Poul – powiedział Tryggve, gdy Carl wykazał pewne oznaki życia po kilku pierwszych łykach.

– Pisał go związanymi na plecach rękami – przy tych słowach Tryggve uciekł wzrokiem.

Ręce związane na plecach! Czyli Laursen był bliski prawdy.

– Nie rozumiem, jak mogło mu się to udać – ciągnął Tryggve. – Ale Poul był bardzo dokładny. Dobrze też rysował.

Facet uśmiechnął się ze smutkiem.

– Nie ma pan pojęcia, jak wiele dla mnie znaczy pańska wizyta. Że mogę siedzieć z tym listem w ręku. Z listem Poula.

Carl spojrzał na list. Tryggve Holt dopisał do kopii kilka liter. Był właściwą osobą do tego zadania.

Carl wziął solidny łyk kawy. Gdyby nie jego stosunkowo dobre wychowanie, chwyciłby się za krtań, wydając z siebie gardłowe dźwięki.

Ta kawa była po prostu diabelsko mocna. Kruczoczarna kofeinowa trucizna.

– Gdzie jest teraz Poul? – zapytał, zaciskając z całej siły wargi i pośladki. – I dlaczego napisaliście ten list? Bardzo chcielibyśmy się tego dowiedzieć, żeby ruszyć dalej z innymi sprawami.

– Gdzie jest Poul? – spojrzał na Carla smutnymi oczami. – Gdyby mnie pan o to zapytał przed laty, odpowiedziałbym, że w raju razem ze stu czterdziestoma czterema tysiącami wybranych. Teraz powiem po prostu, że Poul nie żyje. List był ostatnią rzeczą, jaką napisał. Jego ostatni znak życia.

Przełknął z trudnością i zatrzymał się na chwilę.

– Poul został zabity niespełna dwie minuty po wrzuceniu butelki do wody – powiedział tak cicho, że niemal niesłyszalnie.

Carl wyprostował się na sofie. Czułby się bardziej komfortowo, przyjmując tę wiadomość w ubraniu.

– Twierdzi pan, że został zamordowany?

Tryggve kiwnął głową.

Carl zmarszczył brwi.

– Porywacz zamordował Poula, a pana oszczędził?

Lillemor wyciągnęła szczupłe palce w stronę Tryggvego, ocierając łzy z jego policzka. Ponownie kiwnął głową.

– Tak, ten bydlak mnie oszczędził. Od tego dnia przeklinałem go za to tysiące razy.

19

Gdyby miał wymienić jakąś swoją cechę, byłaby to umiejętność wyłapywania fałszywych spojrzeń.

Gdy jego rodzina zbierała się przy płaskich talerzach ustawionych na ceracie i odmawiała z obłudnymi minami „Ojcze nasz", zawsze wiedział, kiedy ojciec bił matkę. Nie było widocznych śladów, nigdy nie bił prosto w twarz – był na to za cwany. Musieli przecież brać pod uwagę zgromadzenie. A jego matka też grała w tę grę, siedząc jak zawsze z tą swoją nieprzenikniona świętoszkowatą gębą, i pilnowała, by dzieci przestrzegały dobrych manier i zjadały odmierzoną ilość ziemniaków i mięsa. Ale za mrugającymi spokojnie oczami kryły się lęk, nienawiść i wewnętrzna niemoc.

Widział to.

Czasami widział też, jak udawane, niewinne spojrzenie pojawia się w oczach ojca, ale zdarzało się to rzadziej. W zasadzie wyraz jego twarzy był niemal zawsze taki sam. Musiałyby się dziać w życiu znacznie istotniejsze rzeczy niż codzienne kary cielesne, by lodowate, przeszywające źrenice tego człowieka się rozszerzyły.

Już wtedy tak miał ze spojrzeniami i zostało mu do teraz.

W chwili gdy przekroczył próg, odkrył obcość w oczach swojej żony. Uśmiechnęła się, a jakże, ale uśmiech zadrżał, a spojrzenie zatrzymało się w próżni tuż przed jego twarzą.

Gdyby nie przyciągnęła do siebie dziecka, siedząc na podłodze, pomyślałby może, że jest zmęczona albo boli ją głowa, ale siedząc tak z dzieckiem w objęciach, sprawiała wrażenie nieobecnej.

To się po prostu nie trzymało kupy.

– Cześć – powiedział, wdychając mieszaninę domowych zapachów. W tej znajomej woni krył się aromatyczny niuans, sprawiający wrażenie nieznanego. Nikły zapaszek problemów i przekroczonych granic.

– Zrobisz mi filiżankę herbaty? – spytał, gładząc ją po policzku. Był ciepły, jakby miała gorączkę.

– A jak ty się miewasz, stary? – porwał syna w objęcia i spojrzał mu prosto w oczy. Były przejrzyste, zadowolone i zmęczone. Uśmiech pojawił się bez zwłoki.

– Wygląda już na zdrowego – powiedział.

– Tak. Ale był mocno zakatarzony aż do wczoraj i nagle dziś rano poczuł się dobrze. Sam wiesz, jak to jest – uśmiechnęła się lekko. Ten uśmiech też sprawiał wrażenie obcego.

Jakby postarzała się o wiele lat przez te parę dni jego nieobecności.

Dotrzymał obietnicy. Kochał się z nią z równą intensywnością co przed tygodniem. Ale zajęło to dłużej niż zwykle. Więcej czasu, by mogła się oddać i oddzielić ciało od umysłu.

Później przyciągnął ją do siebie i pozwolił jej odpocząć na swojej piersi. Innym razem wplotłaby palce we włosy na jego klatce piersiowej i gładziłaby go po karku szczupłymi, zmysłowymi palcami, ale teraz tego nie zrobiła. Po prostu skoncentrowała się na sprowadzeniu oddechu do normalnego tempa i na tym, by zachować milczenie.

Dlatego spytał wprost:

– Przy wjeździe stoi męski rower. Wiesz, skąd się wziął?

Udała, że śpi, ale nie spała.

Dlatego jej odpowiedź nie miałaby żadnego znaczenia.

Przez parę godzin leżał z rękami pod głową i patrzył, jak świta marcowy dzień, a leniwe światło pełznie po suficie, mozolnie powiększając przestrzeń pokoju, płaszczyzna za płaszczyzną.

W jego głowie zapanował spokój. Mieli problem, ale on go raz na zawsze rozwiąże.

Gdy ona się obudzi, obedrze ją z zakłamania – warstwa po warstwie.

Przesłuchanie zaczęło się na dobre, dopiero gdy włożyła synka do kojca. Dokładnie tak jak przewidywała.

Przez cztery lata żyli razem, nie nadwerężając wzajemnego zaufania, a teraz nadszedł na to czas.

– Rower jest przypięty, więc nie jest kradziony – powiedział i spojrzał na nią aż nazbyt neutralnie. – Ktoś go tam postawił z rozmysłem, nie sądzisz?

Wydęła dolną wargę i wzruszyła ramionami. Skąd ma to wiedzieć? – sygnalizowała, ale mężczyzna odwrócił wzrok.

Poczuła, jak zdradzieckie krople powoli zbierają jej się pod pachami. Za chwilę wilgoć uwidoczni się na jej czole.

– Moglibyśmy oczywiście dojść do tego, kto jest właścicielem roweru, gdybyśmy chcieli – powiedział, ponownie na nią spoglądając. Tym razem ze schyloną głową.

– Myślisz? – usiłowała udawać zdziwioną, a nie zaskoczoną. Następnie podniosła dłoń do czoła, udając, że coś jej przeszkadza. Owszem, było już wilgotne.

Wpatrywał się w nią intensywnie. Kuchnia nagle zaczęła wydawać się za ciasna.

– W jaki sposób możemy się tego dowiedzieć? – kontynuowała.

– Możemy popytać sąsiadów, czy widzieli, jak ktoś go tam stawiał.

Wzięła głęboki oddech. Miała pewność, że tego nie zrobi.

– Tak – powiedziała. – Może i byśmy mogli. Ale nie wydaje ci się, że sam kiedyś zniknie? Możemy po prostu go odstawić.

Odchylił się do tyłu, bardziej odprężony, w przeciwieństwie do niej. Jeszcze raz otarła czoło.

– Pocisz się – powiedział. – Coś nie tak?

Ściągnęła wargi i powoli wypuściła powietrze.

„Zachowaj spokój" – ostrzegła sama siebie.

– Chyba mam lekką gorączkę. Pewnie Beniamin mnie zaraził.

Skinął głową i przechylił ją na bok.

– A tak przy okazji, gdzie znalazłaś ładowarkę?

Wzięła kolejną bułkę i ją przekroiła.

– W korytarzu, w koszyku z czapkami – poczuła, że znajduje się na pewniejszym gruncie. Trzeba było tylko na nim pozostać.

– W koszyku?

– Nie wiedziałam, co mam z nią zrobić, jak już naładowałam komórkę, więc włożyłam ją z powrotem.

Wstał bez słowa. Za chwilę usiądzie i zapyta, skąd, u diabła, wzięła się tam ładowarka. A ona odpowie, tak jak to sobie przygotowała, że pewnie leży tam od dawna.

W tym momencie zdała sobie sprawę ze swojego błędu.

Rower stojący na zewnątrz na podjeździe psuł tę historię. On połączy te dwie rzeczy, taki już jest.

Spojrzała w stronę salonu, gdzie Beniamin szarpał szczebelki kojca, zupełnie jakby był zwierzęciem usiłującym się wydostać.

Również to ich łączyło.

Ładowarka wydawała się malutka w dłoni jej męża. Jakby mógł ją zgnieść jednym ruchem.

– Skąd się wzięła? – spytał.

– Sądziłam, że jest twoja – odparła.

Nie odpowiedział. Czyli zabrał ładowarkę ze sobą w podróż.

– Daj już spokój – powiedział. – Przecież widzę, że kłamiesz.

Próbowała udać oburzoną, co nie sprawiło jej trudności.

– Nie, no bez przesady. Dlaczego tak mówisz? Jeśli nie jest twoja, to pewnie ktoś jej tu zapomniał. Pewnie tam leży od chrzcin.

Ale znalazła się w potrzasku.

– Od chrzcin?! To było półtora roku temu. Chrzciny, powiadasz! – uznał to najwyraźniej za śmiechu warte, ale się nie śmiał. – Było tu dziesięciu-dwunastu gości. Głównie stare baby. Nikt z nich nie zostawał na noc i niewielu miało komórki, jestem tego na sto procent pewny. A nawet gdyby, po co mieliby ciągnąć ładowarkę na chrzciny? To nie ma żadnego sensu.

Chciała zaprotestować, ale powstrzymał ją ruchem ręki.

– Nie, kłamiesz – pokazał przez okno na rower. – To jego ładowarka? Kiedy tu był ostatnio?

Reakcja gruczołów potowych pod pachami pojawiła się błyskawicznie.

Chwycił ją mocno za ramię, jego dłoń była lepka. Wcześniej miała wątpliwości, widząc zawartość pudeł na górze, jednak sprawę przesądził ten uścisk ramienia, pewny i zdecydowany jak imadło.

„Zaraz mnie uderzy" – pomyślała, ale tego nie zrobił. Przeciwnie, obrócił się, kiedy nie odpowiadała, trzasnął za sobą drzwiami do przedsionka i nic więcej się nie wydarzyło.

Wstała, by sprawdzić, czy jego cień nie przemknie się na zewnątrz po ścieżce ogrodowej. Gdy tylko się upewni, że wyszedł, weźmie Beniamina i czmychnie. Przez ogród, do żywopłotu, znajdzie dziurę zrobioną przez dzieci poprzednich właścicieli i przez nią przepełznie. Dotrą do Kennetha w ciągu pięciu minut. Jej mąż nigdy się nie zorientuje, gdzie się podziali.

A potem się zobaczy.

Ale cień na ścieżce się nie pojawił, rozległ się natomiast silny łoskot na górze.

„O Boże" – pomyślała. „Co on robi?"

Spojrzała na swoje podskakujące, roześmiane dziecko. Uda jej się przenieść je do żywopłotu tak, żeby mąż ich nie usłyszał? Czy okna na górze są nadal otwarte? Czy on stoi przy jednym z nich i podgląda, żeby mieć na nich oko?

Przygryzła górną wargę i spojrzała na sufit. Co on tam robi?

Następnie wzięła torebkę i wsypała do środka zawartość puszki z pieniędzmi na wydatki domowe. Nie ośmieliła się wyjść na korytarz po kombinezon Beniamina i swoją kurtkę, ale jakoś to będzie, byle tylko Kenneth był w domu.

– Chodź, skarbie – powiedziała, biorąc malca na ręce. Przy otwartych drzwiach do ogrodu dotrze do żywopłotu w góra dziesięć sekund. Pytanie tylko, czy otwór wciąż tam jest. Widziała go w zeszłym roku.

Wtedy w każdym razie był całkiem spory.

20

Gdy on i jego siostra Eva byli dziećmi, żyli w zupełnie innym świecie. Kiedy ojciec zamykał za sobą drzwi do gabinetu, umysły wypełniał spokój. Mogli wtedy zaszyć się w swoich pokojach, pozwalając Bogu zająć się własnymi sprawami.

Ale również w innych momentach, gdy uczestniczyli w przymusowych godzinach biblijnych albo gdy podczas mszy świętej stali w gąszczu wyciągniętych ku niebu rąk i pośród radosnych okrzyków dorosłych, pogrążonych w ekstazie ludzi, zwracali spojrzenia do wewnątrz i zanurzali się we własnej rzeczywistości.

Każde z nich miało swoje sposoby. Eva przyglądała się ukradkiem butom i sukienkom kobiet i upiększała się. Z wdziękiem wygładzała czubkami palców fałdy plisowanej spódniczki, póki nie były ostre i lśniące. W głębi duszy była księżniczką, wolną od surowych oczu i szorstkich słów tego świata. Albo wróżką o lekkich, jasnych skrzydłach, którą nawet najmniejszy podmuch wiatru zdoła unieść ponad szarą, pełną nakazów domową rzeczywistość.

Nuciła sobie w duchu, kiedy była nieobecna. Nuciła z zachwytem w oczach, drepcząc w miejscu, a rodzice trwali w przekonaniu, że przebywa bezpiecznie w Bożych rękach, a te zwinne ruchy są z jej strony szczególną formą adoracji.

Ale on wiedział swoje. Eva marzyła o butach, sukienkach i świecie zbudowanym z pełnych uwielbienia luster i czułych słów. Był jej bratem i po prostu wiedział takie rzeczy.

On sam marzył o świecie składającym się z ludzi, którzy potrafią się śmiać.

W miejscu, gdzie przebywali, nikt się nie śmiał. Zmarszczki powstałe od uśmiechu widywał tylko w mieście i uważał je za brzydkie. Nie, jego życie było pozbawione śmiechu i radości. Nie słyszał śmiechu ojca, odkąd skończył pięć lat, kiedy to ojciec opowiedział mu o pastorze Duńskiego Kościoła Narodowego, którego za pomocą klątw i złorzeczeń wypłoszył ze swojego kościoła. Dlatego jego dziecięcej duszy całe lata zajęło zrozumienie, że śmiech może być czymś innym niż uciechą z krzywdy bliźniego.

Kiedy wreszcie się w tym połapał, pozostał głuchy na napomnienia i uszczypliwości swego ojca i nauczył się pilnować.

Zaczął mieć tajemnice, które mogły sprawić mu przyjemność, ale też zrobić krzywdę. Pod jego łóżkiem, głęboko pod wypchanym gronostajem, znajdowały się jego skarby. Czasopismo „Dom i Rodzina" ze zwariowanymi rysunkami i historiami. Katalogi domu towarowego „Daells Varehus" z prawie całkiem rozebranymi kobietami, które wpatrywały się w niego z uśmiechem. Miał też gazety z tak szalonymi imionami, że już one same były w stanie go rozśmieszyć. Stare, wysłużone kolorowe pisma, zatłuszczone i z oślimi uszami. Magazyny humorystyczne „En Halv Humørtime", Daffy, Scooby Doo. Gazety, które ekscytowały i pobudzały, nie żądając niczego w zamian. Znajdywał je w śmietnikach sąsiadów, wykradając się przez okno po zmroku, a robił to często.

Leżał w nocy pod kołdrą i bezgłośnie chichotał.

W tym okresie życia pilnował, by wszystkie drzwi w domu były uchylone na tyle, by wiedzieć, gdzie przebywają poszczególni członkowie rodziny. Wtedy nauczył się wypatrywać, czy droga jest wolna, by móc bez ryzyka znosić do domu swoje trofea.

Wtedy nauczył się nasłuchiwać jak nietoperz na łowach.

Od chwili gdy zostawił żonę w salonie i zobaczył, jak się wymyka przez drzwi do ogrodu z synkiem w objęciach, minęły najwyżej dwie minuty. Mniej więcej tyle, ile się spodziewał.

Nie była głupia. Była oczywiście młoda, naiwna i łatwa do rozszyfrowania, ale nie głupia. Dlatego wiedziała, że nabrał podejrzeń, i dlatego też się bała. Odczytał to wyraźnie z jej twarzy, usłyszał to w tonie jej głosu.

A teraz chciała uciec.

Gdy tylko ona poczuje, że się od niego uwolniła, zareaguje. Wiedział, że to kwestia czasu. Dlatego stał teraz przy oknie na piętrze, waląc nogą w deski podłogowe. Przestał dopiero, gdy była już przy żywopłocie.

Owszem, łatwo było nabrać pewności i trawiło go to, choć już dawno przywykł do ludzkich oszustw. Tak to już jest, że człowiek się po prostu przyzwyczaja.

Spojrzał w dół na kobietę i dziecko. Życie mu się wymykało. Za chwilę przecisną się przez otwór.

Żywopłot mocno zarósł, więc odczekał moment, nim paroma susami zbiegł po schodach i wyszedł do ogrodu.

Młoda piękna kobieta w czerwonej sukience i z dzieckiem na ręku była charakterystyczna i rzucała się w oczy, więc śledzenie jej nie stanowiło problemu, chociaż przeszła już kawałek willową ulicą, nim on przecisnął się przez żywopłot.

Przy głównej ulicy skręciła i przeszła przez jedną przecznicę, po czym wślizgnęła się z powrotem w porośnięty ligustrem spokój willowej dzielnicy.

Tego się zupełnie nie spodziewał.

„Głupia kobieto" - pomyślał. „Przyprawiasz mi rogi w moim rewirze?"

Tego lata gdy skończył jedenaście lat, zgromadzenie jego ojca rozbiło wynajęty namiot na miejskim placu, gdzie handlowano bydłem.

– Skoro te czerwone gnojki mogą to robić - powiedział - to my z wolnych kościołów też możemy.

Harowali przez cały poranek, żeby zdążyć. Praca była ciężka, ale inne dzieci też musiały w niej uczestniczyć. Gdy uwinęli się z układaniem podłogi w namiocie, jego ojciec poklepał po głowach wszystkie inne dzieci.

Jego własne dzieci nie zostały poklepane, za to kazano im rozłożyć składane krzesła.

A było ich sporo.

Potem rynek został otwarty. Nad wejściem do namiotu jaśniały cztery żółte aureole, a na środkowym maszcie powiewała gwiazda przewodnia. „Weź Jezusa w objęcia i trzymaj Go" - brzmiał napis na boku namiotu.

Zjawili się wszyscy ze zgromadzenia i chwalili przedsięwzięcie –

i tyle. Pomimo wszystkich kolorowych broszur, z którymi on i Eva biegali, rozdając je komu popadnie, nie pojawiła się ani jedna osoba z zewnątrz.

Wściekłość i frustracja ojca odbiły się na matce, gdy nikt nie widział.

– Zmykajcie, dzieci – syknął. – Raz a dobrze.

Stracili się z oczu na skraju dziecięcej wystawy zwierząt, tuż obok straganów sklepikarzy. Eva popadła w zachwyt nad króliczkami, ale on poszedł dalej. To był jedyny sposób, żeby pomóc ich matce.

„Weźcie moje broszury" – błagały jego oczy, ale ludzie przechodzili obok. Gdyby tylko je wzięli, może dziś wieczór, po powrocie do domu, nie zostałaby pobita. Może też nie przepłakałaby całej nocy.

I stał, wypatrując przyjaznej twarzy, którą można by podejrzewać o to, że zechce dzielić swą pobożność z innymi. Nasłuchiwał głosu, który miałby w sobie głoszoną przez Jezusa łagodność.

Właśnie tam usłyszał śmiejące się dzieci. Nie tak, jak wtedy, gdy przechodził koło szkolnego boiska czy kiedy ośmielił się podejrzeć program telewizyjny dla dzieci przed sklepem RTV. Nie, śmiały się, jakby miały im popękać struny głosowe, a wszyscy musieli skierować na nie wzrok. Nigdy się w ten sposób nie śmiał w domu pod kołdrą i to go zwabiło.

Wewnętrzny głos mógł sobie szeptać o gniewie i pokucie, ile tylko chciał. Nie mógł przejść obok.

To była mała grupka, zebrana przed straganem. Dorośli i dzieci pospołu. Na transparencie z białego płótna było napisane krzywymi, czerwonymi literami: „INTERESUJONCE FILMY WIDEO, TYLKO DZIŚ ZA PUŁ CENY". Na stole z desek stał telewizor, mniejszy niż te, które widywał przedtem.

Dzieci śmiały się z filmu wideo, którego czarno-białe obrazy migały na ekranie. A on szybko do nich dołączył. Śmiał się tak, że aż bolało go głęboko w brzuchu i w tej części duszy, która dopiero w tej chwili ujrzała świat w pełnej okazałości.

– Chaplin jest po prostu nie do podrobienia – powiedział któryś z dorosłych.

A wszyscy śmiali się z mężczyzny kręcącego piruety i boksującego na ekranie. Śmiali się z niego, gdy wywijał laską i unosił swój czarny melonik. Śmiali się, gdy z czarną obwódką wokół oczu wykrzywiał twarz do wszystkich tych grubych pań i panów. On też się z tego śmiał, aż dopadły go skurcze w brzuchu i wszystko, co wspaniałe, niekontrolowane i nieoczekiwane, i nikt go z tego powodu nie zdzielił po karku ani nie zwracał na niego uwagi.

To przeżycie miało w niedorzeczny sposób odmienić los jego i wielu innych.

Jego żona nie oglądała się za siebie. Ogólnie rzecz biorąc, w ogóle nie za dużo widziała. Pozwalała po prostu nogom nieść siebie i dziecko przez willową dzielnicę, tak jakby trasą i prędkością zawiadywały niewidzialne siły.

A kiedy człowiek w ten sposób unosi się ponad rzeczywistość, wystarczy drobiazg, by stała się katastrofa.

Jak obluzowana śruba w skrzydle samolotu, jak kropla wody powodująca spięcie przekaźników w respiratorze.

Dostrzegł wyraźnie gołębia sadowiącego się na drzewie tuż nad jego żoną i synem gdy zamierzali przejść przez ulicę. Odnotował również ptasią kupę dryfującą w dół i rozbryzgującą się na płycie chodnika jak widmowe palce. Zobaczył, jak jego syn na nią pokazuje, a żona spogląda w dół. W chwili gdy wkroczyli na jezdnię, zza zakrętu wyjechał samochód, zmierzając w ich stronę z zabójczą precyzją.

Mógł w tym momencie krzyknąć. Zawołać i gwizdnąć ostrzegawczo, ale nie zrobił nic. To nie była odpowiednia chwila. Nie starczyło mu na to uczuć.

Hamulce auta zapiszczały, cień za szybą samochodu szarpnął kierownicą i świat się zatrzymał.

Zobaczył, jak jego dziecko i żona, drżąc ze strachu, odwracają głowy w zwolnionym tempie. A ciężki pojazd zarzuca w bok, wypalając na jezdni ślady opon niczym węgiel na papierze rysunkowym. Po czym auto wraca do równowagi, jego tylna część odzyskuje przyczepność i jest już po wszystkim.

Jego żona stała jak skamieniała przy studzience kanalizacyjnej, gdy samochód pomknął dalej, a on sam zamarł ze spuszczonymi rękami jakieś pół metra od żywopłotu. Uczucie tkliwości walczyło z osobliwą formą upojenia, które miał okazję odczuć tylko wtedy, gdy po raz pierwszy zabił. Nie chciał doznawać tego uczucia.

Pozwolił, by skompresowane powietrze uszło mu z płuc, a jego ciało ogarnęło gorąco. Stał tam nieco za długo, bo Beniamin go dostrzegł, gdy obrócił głowę, chcąc ukryć twarz przy szyi mamy. Był wyraźnie wystraszony - zawsze był, gdy reakcje jego mamy były gwałtowne. Jednak zmarszczone brwi i drżące wargi się rozluźniły, gdy dostrzegł tatę, po czym unosząc ręce, zaśmiał się.

Wtedy się odwróciła i ujrzała go, a jej twarz zastygła w szoku, którego doznała przed sekundą.

Pięć minut później siedziała przed nim w salonie, odwracając twarz.

– Wrócisz ze mną dobrowolnie do domu – powiedział. – Jeśli tego nie zrobisz, już nigdy nie zobaczysz naszego syna.

Teraz jej oczy były pełne nienawiści i niechęci.

Jeśli będzie chciał się dowiedzieć, dokąd się wybierała, będzie musiał wydobyć to z niej siłą.

Dla niego i jego siostry to były rzadkie, cudowne chwile.

Gdy się dobrze ustawił w sypialni, po wykonaniu dziesięciu kroczków już był przy lustrze. Stopy na boki, głowa kołysząca się z boku na bok i wirująca w powietrzu laska. Dziesięć kroków, podczas których był kimś innym – tam, w lustrzanym świecie. Nie chłopcem, który nie miał żadnych towarzyszy zabaw. Nie synem człowieka, przed którym dygało i gięło się w pas całe miasteczko. Nie wybraną w stadzie owcą, która ma nieść Słowo Boże i celować nim w ludzi jak piorunem. Był po prostu małym wagabundą, który wszystkich rozśmieszał, z sobą samym na czele.

– Nazywam się Chaplin, Charlie Chaplin – mówił, wyginając usta pod wyimaginowanym wąsem, a Eva prawie sturlała się ze śmiechu z łóżka rodziców. Reagowała tak już parę razy przedtem, gdy robił swoje numery, ale ten raz okazał się ostatni.

Od tamtej pory nigdy się nie śmiali.

Sekundę później poczuł klepnięcie na ramieniu. Wystarczył jeden palec, by wstrzymał oddech i zaschło mu w gardle. Gdy się obrócił, ojciec celował mu już w brzuch. Otwarte szeroko oczy pod krzaczastymi brwiami. Ani temu ciosowi, ani kolejnym nie towarzyszył żaden dźwięk.

Gdy zaczęło go piec w jelitach, a kwas żołądkowy palił go w gardle, cofnął się o krok i wyzywająco spojrzał ojcu w oczy.

– Proszę, więc teraz nazywasz się Chaplin – powiedział szeptem jego ojciec, świdrując go spojrzeniem, które przybierał w Wielki Piątek, gdy rozwodził się nad ciężką drogą Jezusa Chrystusa na Golgotę. Na jego gorliwych barkach spoczywały smutki i cierpienia całego świata – człowiek nie miał co do tego wątpliwości, nawet jeśli był tylko dzieckiem.

Wtedy uderzył znowu. Tym razem wykonując pełny zamach ręką, inaczej by nie sięgnął. Nikt go przecież nie zmusi, by zrobił krok w stronę krnąbrnego dziecka.

– Jak ci to diabelstwo trafiło do głowy?

Spojrzał w dół na stopy ojca. Od tej pory będzie odpowiadał tylko na te pytania, które mu pasują. Ojciec może go bić, ile wlezie, i tak nie odpowie.

– A więc nie odpowiadasz. Muszę cię zatem ukarać.

Zaciągnął go za ucho do swojego pokoju i pchnął na łóżko.

– Zostaniesz tu, dopóki po ciebie nie przyjdziemy, zrozumiano?

Na to też nie odpowiedział, a ojciec stał przez chwilę ze zdumieniem w oczach i z rozchylonymi wargami, tak jakby krnąbrność tego dziecka wieszczyła godzinę sądu i nadejście unicestwiającego potopu. Po chwili się opanował.

– Zbierz wszystkie swoje rzeczy i wystaw je na korytarz – powiedział.

Początkowo nie zrozumiał, o co ojcu chodzi, ale zaraz to pojął.

– Nie ubrania, buty i pościel. Wszystko inne.

Zabrał dziecko z zasięgu wzroku żony i kazał jej siedzieć samej w pasiastym, bladym świetle, rzucanym na jej twarz przez żaluzje.

Wiedział, że bez dziecka nigdzie się nie ruszy.

– Śpi – powiedział, schodząc ponownie z piętra. – Powiedz mi, co się dzieje.

– Co się dzieje? – obróciła powoli głowę. – Czy to nie ja powinnam zadać to pytanie? – spytała z pociemniałymi oczami. – Jaką masz pracę? Gdzie zarabiasz tyle pieniędzy? Zajmujesz się czymś nielegalnym? Szantażujesz ludzi?

– Czy szantażuję ludzi? Skąd ten pomysł?

Odwróciła twarz.

– Nieważne. Po prostu pozwól odejść mnie i Beniaminowi. Nie chcę już tu być.

Zmarszczył brwi. Zadawała pytania. Stawiała żądania. Czy coś w tym wszystkim przeoczył?

– Zadałem pytanie: skąd ten pomysł?

Wzruszyła ramionami.

– A jak na to nie wpaść? Ciągle cię nie ma. Milczysz. Chowasz w swoim pokoju kartony, tak jakby były jakąś świętością. Kłamiesz na temat swojej rodziny. No i...

To nie on jej przerwał. Zamilkła sama z siebie. Spojrzała na podłogę, nie mogąc cofnąć tych wszystkich słów, które nigdy nie powinny były paść z jej ust. Porażona własną lekkomyślnością.

– Zaglądałaś do moich kartonów? – spytał cicho, ale pod skórą świadomość paliła go jak ogień.

Wiedziała o nim rzeczy, których wiedzieć nie powinna.

Jeśli się jej nie pozbędzie, będzie zgubiony.

Ojciec dopilnował, żeby wszystkie rzeczy z jego pokoju zostały wyniesione i ułożone w stos. Stare zabawki, książki zoologa Ingvalda Lieberkinda z obrazkami zwierząt, drobiazgi, które nazbierał. Gałąź, dobra do drapania się po plecach, słoik ze szczypcami krabów, skamieniały jeżowiec i belemnit. Wszystko na zewnątrz i w stos. A gdy skończył, ojciec odsunął łóżko od ściany i przewrócił je na bok. Tam, pod spłaszczonym gronostajem, znajdowały się jego tajemnice. Tygodniki, komiksy i wszystkie beztroskie chwile.

Ojciec obejrzał je pobieżnie, po czym ułożył czasopisma w stos i zaczął liczyć. Przy każdej gazecie zwilżał czubki palców i liczył dalej. Każda gazeta to głos, a każdy głos to uderzenie.

– Dwadzieścia cztery gazety. Nie pytam, skąd je masz, Chaplin, nie interesuje mnie to. Teraz się odwrócisz, a ja uderzę cię dwadzieścia cztery razy. Odtąd nigdy więcej nie chcę widzieć w domu takich świństw, rozumiesz?

Nie odpowiedział. Spojrzał jedynie na stos i pożegnał się z każdym pismem po kolei.

– Nie odpowiadasz? W takim razie podwajam liczbę uderzeń. To cię nauczy na przyszłość, że masz odpowiadać.

Ale nie nauczyło. Pomimo długich pręg na plecach i silnych wybroczyn na karku nie pisnął ani słowa i pozwolił, by ojciec z powrotem zapiął na sobie pas. Nawet nie jęknął.

Jednak najtrudniej było powstrzymać się od płaczu dziesięć minut później, kiedy na podwórzu polecono mu podłożyć ogień pod wszystkie swoje skarby.

To było najtrudniejsze.

***

Pochylona, wpatrywała się w kartony. Jej mąż mówił do niej nieprzerwanym strumieniem słów, wlokąc ją na górę po schodach, ale nie chciała nic powiedzieć. Absolutnie nic.

– Musimy sobie teraz wyjaśnić dwie sprawy – powiedział. – Daj mi swoją komórkę.

Wyjęła ją z kieszeni, wiedząc dobrze, że telefon nie udzieli na nic odpowiedzi. Kenneth nauczył ją kasować listę połączeń.

Wciskał klawisze, spoglądając na wyświetlacz, ale nic nie znalazł i to ją ucieszyło. Ucieszyło ją, że poniósł porażkę. Co teraz pocznie ze swoimi podejrzeniami?

– Pewnie nauczyłaś się redagować listę połączeń. Było tak?

Nie odpowiedziała. Wyciągnęła mu po prostu komórkę z ręki i włożyła ją sobie z powrotem do tylnej kieszeni spodni.

Wtedy wskazał małe pomieszczenie z kartonami.

– Schludnie wygląda, nieźle to zrobiłaś.

Odetchnęła. Tutaj też nie miał na nic dowodów. W końcu będzie musiał ją wypuścić.

– Ale niewystarczająco dobrze, rozumiesz.

Zamrugała parokrotnie, próbując ogarnąć całość pomieszczenia. Czyżby płaszcze nie leżały na miejscu? Albo może wgłębienie w kartonie się nie wygładziło?

– Popatrz na te linie – schylił się i wskazał mały pasek na frontach dwóch kartonów. Niewielka linia na brzegu jednego kartonu i druga na kolejnym. Prawie na tej samej wysokości, ale niezupełnie.

– Kiedy się zdejmuje tego typu kartony i kładzie ponownie jeden na drugim, wtedy układają się na sobie w nowy sposób, rozumiesz – wskazał kolejne dwie linie, które też nie leżały na tej samej wysokości. – To bardzo proste – wyciągnęłaś kartony i ułożyłaś je z powrotem. A teraz mi powiesz, co w nich znalazłaś, kapujesz?

Pokręciła głową.

– Chyba zwariowałeś. To przecież tylko kartony, dlaczego miałabym się nimi interesować? Stoją tu, odkąd się wprowadziliśmy. Po prostu się pozapadały każdy po swojemu.

„Dobrze poszło" – pomyślała. „Niezłe wyjaśnienie".

Ale on pokręcił głową. Dla niego nie było wystarczająco dobre.

– Okej, w takim razie to sprawdzimy – powiedział, przyciskając ją do ściany. „Stój tutaj, bo będzie z tobą źle" – mówiły jego zimne oczy.

Rozejrzała się po korytarzu, podczas gdy on zaczął wyciągać środkowe kartony. W wąskim pomieszczeniu nie było za bardzo czym się posłużyć. Stołek przy drzwiach do sypialni, wazon na parapecie okna mansardowego, maszyna do polerowania pod ścianą skosową.

„Gdybym uderzyła go stołkiem prosto w kark, to..."

Przełknęła kluskę w gardle i zacisnęła pięści. Jak mocno ma uderzyć?

W tym czasie jej mąż wycofał się przez drzwi i z hukiem postawił karton u jej stóp.

– No, teraz go sobie obejrzymy. Za chwilę dowiemy się raz na zawsze, czy do nich zaglądałaś, okej?

Wpatrywała się w karton, gdy otwierał wieko. To było pudło, które stało na samym dole, mniej więcej pośrodku. Dwie kartonowe płaszczyzny grobowca kryjącego jego najgłębsze tajemnice. Wycinek z nią w Bernstorffsparken. Drewniana skrzynka do archiwizowania z mnóstwem adresów i informacji o rodzinach i ich dzieciach. Wiedział dokładnie, gdzie się znajdowała.

Zamknęła oczy, próbując oddychać spokojnie. Jeśli Bóg istnieje, powinien jej teraz pomóc.

– Nie wiem, dlaczego wyciągasz te stare papiery. Co to ma ze mną wspólnego?

Przyklęknął na jednym kolanie, wyciągnął pierwszą stertę wycinków i odłożył ją na bok. Nie chciał ryzykować, że zobaczy wycinek z samą sobą, gdyby jednak uznał ją za niewinną.

Przejrzała go.

Następnie ostrożnie wyciągnął skrzynkę do archiwizowania. Nawet nie musiał jej otwierać. Opuścił głowę i powiedział cicho:

– Dlaczego nie mogłaś zostawić moich rzeczy w spokoju?

Co dostrzegł? Co przeoczyła?

Spojrzała na jego plecy, potem na stołek i znów na plecy.

Co oznaczają te papiery w drewnianej skrzynce? Dlaczego zacisnął jedną rękę tak, że zbielały mu kłykcie?

Chwyciła się za gardło, czując, że tętnica pulsuje jak oszalała.

Odwrócił się do niej, mrużąc oczy. To było przerażające spojrzenie. Odraza tak skoncentrowana, że ledwie mogła zaczerpnąć powietrza.

Od stołka dzieliły ją nadal trzy metry.

– Nie zaglądałam do twoich rzeczy – powiedziała. – Dlaczego tak myślisz?

– Wcale tak nie myślę. Ja to wiem!

Postąpiła krok w stronę stołka. Nie zareagował na to.

– Patrz! – obrócił drewnianą skrzynkę przodem do niej. Nie było tam nic widać.

– Na co mam patrzeć? – spytała. – Nic tu nie ma.

Gdy topniejący śnieg powoli opada, wtedy można dostrzec, jak jego płatki odparowują, szybując ku ziemi. Jak to, co piękne i lekkie, zostaje z powrotem wchłonięte przez powietrze, w którym powstało, i magiczne chwile dobiegają końca.

Czuła się jak taki płatek, gdy zarzucił ręce wokół jej nóg i podciął je. Padając, zobaczyła, jak jej życie się rozsypuje, a wszystko, co znała, rozpada się w pył. Nie poczuła uderzenia głową o podłogę, czuła tylko, że on nie zwalnia uścisku.

– Nie, na skrzynce nic nie ma, a powinno być! – warknął.

Poczuła, jak ze skroni sączy jej się krew, ale nie bolało.

– Nie rozumiem, o co ci chodzi – usłyszała własne słowa.

– Na wieku była nić – pochylił się nad nią nisko, nie puszczając. – A teraz jej nie ma.

– Puść mnie. Pozwól mi się podnieść. Na pewno spadła sama z siebie. Kiedy w ogóle ostatnio zaglądałeś do tych pudeł? Cztery lata temu? Ile się może wydarzyć w ciągu czterech lat? – zebrała w płucach całe powietrze i krzyknęła najgłośniej, jak potrafiła. – PUSZCZAJ MNIE!

Ale jej nie puścił.

Widziała, jak odległość od stołka się zwiększa, gdy wlókł ją do pomieszczenia z kartonami. Widziała ciągnącą się po podłodze smugę krwi. Słyszała jego przekleństwa i parskanie, gdy położył jej nogę na plecach, przytrzymując ją przy ziemi.

Chciała ponownie krzyknąć, ale nie mogła, nie mając powietrza.

Wtedy uniósł stopę, chwycił ją mocno i brutalnie pod ramiona i wciągnął ją do pomieszczenia. Leżała tam, krwawiąca i przerażona, w śluzie utworzonej z kartonów.

Może i zdążyłaby zareagować, ale nie mogła przewidzieć tego, co się wydarzyło.

Zarejestrowała tylko, że jego nogi wykonują dwa szybkie kroki w bok i że wysoko nad nią zostaje uniesiony karton.

Wtedy upuścił go z impetem na jej klatkę piersiową.

Na chwilę uszło z niej całe powietrze, ale instynktownie przekręciła się nieco w bok, podciągając jedną nogę pod drugą. Potem spadł na nią drugi karton, przyciskając jej przedramię do żeber i unieruchamiając ciało. Na koniec jeszcze jeden karton na sam wierzch.

Trzy kartony, które ważyły wiele, ale to wiele za dużo.

Widziała kątem oka fragment drzwi i korytarza przy swoich stopach, ale i to zniknęło, gdy zasłonił widok, kładąc jej na nogach jedną stertę, po czym zakończył dzieło, układając na podłodze ostatni stos, sięgający aż do wysokości drzwi.

Robiąc to, nic nie mówił. Również kiedy zatrzasnąwszy drzwi, zamknął ją na dobre.

Nie zdążyła nawet zawołać o pomoc. Ale też kto miałby jej pomóc?

„Zostawi mnie tak?" – pomyślała, zaczynając oddychać brzuchem zamiast klatką piersiową. Teraz, gdy zostały już tylko szczeliny światła ze znajdujących się nad nią okien dachowych, widziała jedynie brązowe płaszczyzny kartonu.

Kiedy w końcu zapadł mrok, w tylnej kieszeni jej spodni rozdzwoniła się komórka. Dzwoniła bardzo długo, aż wreszcie i to ustało.

21

Przez pierwsze dwadzieścia kilometrów do Karlshamn Carl wypalił cztery cecile, żeby przezwyciężyć drgawki, o które przyprawiła go jeżąca włosy na głowie poranna kawa Tryggvego Holta.

Gdyby tylko zakończyli przesłuchanie wczorajszego wieczora, od razu pojechałby do domu i teraz leżałby sobie wygodnie w łóżku z gazetą na brzuchu i przenikliwym aromatem ryżowych placuszków Mortena w nozdrzach.

Posmakował własnego brzydkiego oddechu.

Sobotni poranek. Za trzy godziny będzie w domu. Do tego czasu musiał wziąć tyłek w troki.

Ledwie zdążył nastawić Radio Blekinge, rozdzwoniła się komórka, przerywając w samym środku walca wykonywanego na ludowych skrzypcach norweskich.

– No, jak tam? Gdzie jesteś, Kalle? – zapytał głos na drugim końcu.

Carl ponownie spojrzał na zegarek. Była dopiero dziewiąta, źle to wróżyło. Kiedy ostatnio jego przybrany syn był tak wcześnie na nogach w sobotę rano?

– Co się stało, Jesper?

Chłopak był rozeźlony.

– Nie chcę już dłużej być u Viggi. Wprowadzam się z powrotem do domu, okej?

Carl ściszył polkę.

– Do domu?! Hej, Jesper, posłuchaj no. Vigga dopiero co postawiła mi ultimatum. Ona też chce wracać do domu, a jeśli mi to nie odpowiada, to domaga się sprzedaży domu, żeby móc sobie zgarnąć połowę. Gdzie, do cholery, będziesz mieszkał?

– Chyba nie może?

Carl się uśmiechnął. Zadziwiające, jak ten chłopak słabo zna własną matkę.

– Co się dzieje, Jesper? Masz dosyć dziurawego dachu w altance? A może musiałeś wczoraj sam pozmywać naczynia?

Uśmiechnął się do siebie. Uszczypliwości pomagają na skurcze w brzuchu.

– Do liceum w Allerød jest megadaleko. W jedną stronę jedzie się godzinę, totalny paździerz. No i Vigga przez cały czas stęka. Nie chce mi się już tego wysłuchiwać.

– Stęka? W jaki sposób? – sam się złapał na tym pytaniu. Że też można tak głupio zapytać! – Nie, nieważne, Jesper. Ja też nie chcę o tym słuchać.

– Daj se siana, Kalle, nie tak! Stęka, gdy n i e m a w domu żadnego faceta, a ostatnio właśnie nie ma. Jest po prostu chujowo!

Ostatnio nie ma żadnego faceta? Co, do diaska, stało się z poetą w okularach w rogowej oprawie? Znalazł sobie muzę o grubszym portfelu? Taką, co raz na jakiś czas potrafi przestać nawijać?

Carl rozejrzał się po ociekającym wodą krajobrazie. GPS powiedział, że ma jechać przez Rödby i Bräkne-Hoby, droga była kręta i śliska. Do diabła, że też w tym kraju musi być tyle drzew!

– Dlatego ona chce wrócić do Rønneholtparken – ciągnął chłopak. – Tam ma przynajmniej ciebie.

Carl pokręcił głową. Cholernie fajny komplement.

– Dobra, Jesper. Vigga pod żadnym pozorem nie może wprowadzić się z powrotem do domu. Posłuchaj: daję tysiaka, jeśli uda ci się ją od tego odwieść.

– Aha. A jak to ma się odbyć?

– Jak? Znajdź jej faceta, chłopcze, nie potrafisz sam pomyśleć? Dwa tysiące, jeśli uda ci się w ten weekend. Wtedy będziesz mógł wprowadzić się z powrotem, inaczej zapomnij.

Jeden strzał, dwa trafienia, Carl był z siebie zadowolony. Chłopaka na drugim końcu zupełnie zatkało.

– I jeszcze jedna rzecz. Jeśli wrócisz, nie będę wysłuchiwać gderania, że mieszka u nas Hardy. Jak ci się nie podoba, możesz sobie dalej mieszkać w domku na prerii.

– Że co?

– Kapujesz? Dostaniesz dwa tysiące, jeśli załatwisz to w ten weekend.

Na chwilę zapadło milczenie. Myśl musiała przedrzeć się przez nastoletni filtr zwyczajnej niechęci i lenistwa, zmieszanych z niezgorszą porcją ociężałości na porannym kacu.

– Dwa tysiące, powiadasz – rozległo się. – Okej. Porozwieszam ogłoszenia.

– No, no – Carl był pełen powątpiewania co do tej metody. Wyobrażał sobie prędzej, że Jesper zaprosi zgraję nieudolnych artystów malarzy do altanki na działce. Żeby mogli na własne oczy się przekonać, jakie bajeczne i do tego darmowe atelier przypadnie im przy zakupie nieco sfatygowanej hipiski.

– Powiedz, co takiego napiszesz w tych ogłoszeniach?

– No przecież nie wiem, Kalle – zastanawiał się przez moment. To na pewno będzie coś wyjątkowego. – Może coś w tym stylu: cześć, moja seksowna mama szuka seksownego faceta. Smutasom i gołodupcom dziękujemy – zaśmiał się sam.

– Aha. Może jednak przemyśl to jeszcze raz.

– Kurde! – Jesper znów się zaśmiał ze skacowaną chrypką. – Człowieku! Równie dobrze możesz od razu iść do banku! – i przerwał połączenie.

Lekko skołowany Carl spojrzał znad deski rozdzielczej na krajobraz składający się z pomalowanych na czerwono domów i pasących się w strugach deszczu krów.

Nowoczesna technologia potrafi bezbłędnie poprzestawiać elementy życiowej układanki.

Hardy posłał Carlowi smutny, anemiczny uśmiech, gdy ten wkroczył do salonu.

– Gdzie byłeś? – zapytał cicho, podczas gdy Morten ścierał mu z kącika ust purée ziemniaczane.

– Ach, na wyjeździe w Szwecji. Pojechałem do Blekinge i dziś tam nocowałem. Właściwie to dzisiejszego ranka stałem przed całkiem sporym posterunkiem policji w Karlshamn i pukałem do zamkniętych drzwi. Oni się robią gorsi od nas. *Too bad*, jeśli w sobotę wydarzy się przestępstwo. – Pozwolił sobie na ironiczny rechot, ale i to Hardy'ego nie rozbawiło.

Zresztą słowa Carla nie do końca były zgodne z prawdą. Właściwie to na posterunku policji był domofon. „Wciśnij B i przedstaw swoją sprawę" - brzmiał napis na tabliczce obok. A on spróbował i nie zrozumiał absolutnie nic, gdy odezwał się dyżurny. Facet powtórzył po tak zwanemu angielsku z silnym szwedzkim akcentem i tego Carl już w ogóle nie zrozumiał.

Wtedy sobie poszedł.

Carl poklepał po ramieniu swojego korpulentnego lokatora.

- Dzięki, Morten. Na chwilę przejmuję karmienie, okej? Mógłbyś mi w tym czasie zrobić filiżankę kawy? Ale nie za mocnej, pliz.

Odprowadził wzrokiem przypominający bombę kuper Mortena do kuchennych rewirów. Czy przez ostatnie parę tygodni facet dzień i noc obżerał się serkiem śmietankowym? Wkrótce będzie wyglądać jak para opon do traktora.

Następnie odwrócił głowę do Hardy'ego.

- Smutno dziś wyglądasz. Coś nie tak?

- Morten mnie powoli wykańcza - wyszeptał Hardy, z trudem łapiąc oddech. - Karmi mnie na siłę przez cały dzień, tak jakby nie było nic innego do roboty. Tłuste jedzenie, po którym cały czas sram. Nie rozumiem, że mu się chce, przecież sam, kurwa, musi to gówno wycierać. Nie mógłbyś go poprosić, żeby zostawił mnie w spokoju? Choćby raz na jakiś czas? - Pokręcił głową, gdy Carl chciał mu wepchnąć do ust kolejną łyżkę.

- No i to jego trajkotanie od rana do wieczora. Oszaleję. Paris Hilton i prawo o sukcesji tronu, i wypłata emerytur, i tego typu pierdoły. Co mnie to obchodzi? Tematy po prostu przelatują w powietrzu grubym, banalnym i nieposortowanym strumieniem.

- Nie możesz sam mu tego powiedzieć?

Hardy zamknął oczy. Okej, najwyraźniej próbował. Mortena nie dało się tak po prostu zmienić o sto osiemdziesiąt stopni.

Carl pokiwał głową.

- Oczywiście, że mu powiem, Hardy. A co poza tym? - spytał bardzo ostrożnie. Było to jedno z tych pytań, które w oczywisty sposób sytuowało się pośrodku pola minowego.

- Mam bóle fantomowe.

Carl zobaczył, jak grdyka Hardy'ego zmaga się z odruchem połykania.

– Chcesz wody? – wziął butelkę z wodą z uchwytu na boku łóżka i ostrożnie włożył zakrzywioną słomkę do kącika ust Hardy'ego. Jeśli Hardy i Morten się poróżnią, kto się będzie tym zajmował przez cały dzień?

– Bóle fantomowe, powiadasz. Gdzie? – spytał Carl.

– Zdaje mi się, że pod kolanami. Trudno to określić. Ale boli, jakby ktoś mnie okładał drucianą szczotką.

– Chcesz zastrzyk?

Kiwnął głową. Morten może mu go za chwilę zrobić.

– A co z czuciem w palcu i na ramieniu? Możesz nadal poruszać nadgarstkiem?

Hardy wygiął w dół kąciki. Wystarczająca odpowiedź.

– À propos. Nie pracowałeś nad jakąś sprawą z policją w Karlshamn?

– Dlaczego? Co to ma wspólnego z bólami fantomowymi?

– Nic, to tylko skojarzenie. Potrzebny mi policyjny rysownik do sporządzenia portretu pamięciowego mordercy. Mam w Blekinge świadka, który może go opisać.

– I?

– No i potrzebuję rysownika tu i teraz, a ta gówniana szwedzka policja zrobiła się z czasem taka cwana jak my z tym zamykaniem lokalnych posterunków. Jak mówiłem, stoję dziś o siódmej rano przed żółtym gmachem na ulicy Erik Dahlsbergsvägen w Karlshamn i gapię się na tabliczkę. „W soboty i niedziele zamknięte. W dni powszednie od dziewiątej do piętnastej" – i tyle. W sobotę!

– Aha. A co ja mogę na to poradzić?

– Możesz poprosić swojego kolegę z Karlshamn, by wyświadczył przysługę Departamentowi Q w Kopenhadze.

– Kto, do cholery, twierdzi, że mój kolega nadal pracuje w Karlshamn? To było co najmniej sześć lat temu.

– To pewnie jest gdzie indziej. Już ja go odszukam w Internecie, podaj mi tylko nazwisko. Pewnie wciąż jest szwedzkim policjantem, to nie był taki prymusek? Poprosisz go tylko, żeby podniósł słuchawkę i zadzwonił do policyjnego rysownika. Przecież to nic trudnego. Nie zrobiłbyś tego dla naszego szwedzkiego kolegi, gdyby cię o to poprosił?

Ciężkie powieki Hardy'ego nie wróżyły nic dobrego.

– Wykonanie tego w weekend będzie drogie – powiedział. – O ile w okolicy twojego świadka w ogóle są jacyś rysownicy, którym się zechce.

Carl spojrzał na filiżankę kawy, którą Morten postawił mu na nocnym stoliku. Gdyby człowiek nie wiedział, mógłby pomyśleć, że wziął czajnik oleju i odparował go w coś jeszcze czarniejszego.

– Dobrze, że wróciłeś, Carl – powiedział Morten. – Czyli ja mogę wyjść.

– Wyjść? Dokąd się wybierasz?

– Na kondukt pogrzebowy Mustafy Hsownaya. Zaczyna się na stacji Nørrebro o czternastej.

Carl kiwnął głową. Mustafa Hsownay, kolejna niewinna ofiara walk o rynek haszu między środowiskiem rockersów a bandami imigrantów.

Morten uniósł rękę i przez krótką sekundę pomachał chorągiewką, prawdopodobnie iracką. Skąd, u licha, ją wytrzasnął?

– Kiedyś chodziłem do klasy z kimś, kto mieszkał na osiedlu Mjølnerparken, gdzie zastrzelono Mustafę.

Ktoś inny by się pewnie zawahał, mając tak wątłe argumenty przemawiające na rzecz solidarności.

Ale nie Morten.

Leżeli prawie obok siebie. Carl w wygodnym kąciku z nogami na ławie, a Hardy na szpitalnym łóżku, ze swym długim, sparaliżowanym ciałem przekręconym na bok. Odkąd Carl włączył telewizor, miał zamknięte oczy, a zgorzkniały rys wokół jego ust zdawał się z wolna wygładzać.

Byli jak stare małżeństwo, które odreagowuje dzień w nieodłącznym towarzystwie dziennika i uszminkowanych prowadzących, podsypiając w sobotni wieczór. Do doskonałości brakowało tylko, by trzymali się za ręce.

Carl z wysiłkiem uniósł powieki i stwierdził, że dziennik, w który się gapił, nagle okazał się ostatnim programem tego dnia.

Czyli nadszedł czas, by przygotować Hardy'ego na noc i położyć się do łóżka.

Wpatrywał się w ekran, na którym kondukt Mustafy Hsownaya cicho przemieszczał się ulicą Nørrebrogade w pełnym godności spokoju i porządku. Przed kamerami przesuwały się tysiące milczących twarzy, a na karawan rzucano z okien różowe tulipany. Wszelkiego rodzaju imigranci i równie wielu rodowitych Duńczyków, niektórzy trzymając się za ręce.

Kipiący kocioł, jakim była Kopenhaga, na chwilę został zdjęty z ognia. Wojna gangów nie była wojną wszystkich.

Carl skinął głową sam do siebie. Dobrze, że Morten tam był. Pewnie niewielu z Allerød się tam wybrało, z nim włącznie.

– Tam stoi Assad – rozległ się cichy głos Hardy'ego.

Carl spojrzał na niego. To on przez cały ten czas nie spał?

– Gdzie? – zerknął na ekran i w tej samej chwili dostrzegł okrągłą głowę Assada, wychylającą się zza osób stojących na chodniku.

W przeciwieństwie do innych, jego spojrzenie nie było skierowane na karawan, lecz na tył konduktu. Lekko kołysał głową na boki, jak drapieżnik wypatrujący w gąszczu swej zdobyczy. Był poważny. A potem obraz zniknął.

– Co u licha? – powiedział do siebie.

– Wyglądał jak jakiś tajniak – mruknął Hardy.

O trzeciej w nocy Carl obudził się w swoim łóżku z walącym sercem i ważącą dwieście kilo kołdrą. Nie czuł się za dobrze. Jakby szybko podniosła mu się gorączka. Jakby dopadła go horda wirusów i paraliżowała układ nerwowy współczulny.

Zaczął łapać oddech i chwycił się za klatkę piersiową.

„Dlaczego odczuwam panikę?" – pomyślał, tęskniąc za dłonią, którą mógłby chwycić.

Otworzył oczy w pogrążonym w mroku pokoju.

„Już tego próbowałem" – pomyślał, przypominając sobie stan załamania, a T-shirt zaczął kleić mu się do ciała od potu.

Wtedy chodziło o strzelaninę na Amager z udziałem jego, Ankera i Hardy'ego, która czekała jak tykająca bomba.

Czy wciąż może o to chodzić?

„Przejdź w myślach przez ten epizod, wtedy się zdystansujesz" – powiedziała Mona podczas terapii.

Zacisnął dłonie i przypomniał sobie, jak zadrżała podłoga, gdy Hardy został trafiony, a jego samego kula drasnęła w czoło. Uczucie przylegających do siebie ciał, kiedy Hardy podczas upadku zbił go z nóg, ochlapując krwią. Heroiczne wysiłki Ankera, by powstrzymać napastników, mimo że był ciężko ranny. I wreszcie ostatni, fatalny strzał, który na zawsze wypompował krew z serca Ankera na brudne deski podłogowe.

Myślał o tym wielokrotnie. Przypomniał sobie wstyd, że on sam nic nie zrobił, i zdziwienie Hardy'ego, dlaczego tak się stało.

Serce Carla nie przestawało łomotać.

– Do kurwy nędzy – warknął parę razy, zapalając światło i papierosa. Jutro zadzwoni do Mony i powie, że znów źle się dzieje. Zadzwoni i powie to najbardziej czarująco, jak potrafi, ze szczyptą bezradności. Może wtedy odpłaci się czymś więcej niż tylko konsultacją. Człowiek przecież zawsze ma nadzieję.

Uśmiechnął się na samą myśl, zaciągając się głęboko dymem. Zamknął oczy i ponownie poczuł, że serce zachowuje się niczym hydrauliczna wiertarka udarowa. Naprawdę się rozchorował czy co?

Podniósł się z trudnością i zwlókł się ze schodów. Nie ma zamiaru leżeć na górze sam z pieprzonym atakiem serca.

Właśnie tam odpłynął i się ocknął, gdy Morten go szarpał, z pozostałościami namalowanej na czole irackiej flagi.

Brwi lekarza dyżurnego mówiły, że Carl zmarnował jego czas. Diagnoza była krótka: przemęczenie.

Przemęczenie! Wyjątkowa zniewaga, po której nastąpiły stereotypowe uwagi lekarza o stresie oraz parę tabletek, dzięki którym Carl wykaraskał się z krainy snów dobrze po niedzielnej sumie.

Gdy się obudził w niedzielę o wpół do drugiej, głowa mu ciążyła od nieprzyjemnych wizji, ale serce biło normalnie.

– Masz zadzwonić do Jespera – powiedział Hardy ze swego posłania, gdy Carl w końcu przyczłapał na dół. – Dobrze się czujesz?

Carl wzruszył ramionami.

– Kotłują mi się po łbie rzeczy, nad którymi nie mam żadnej kontroli – odparł.

Hardy silił się na uśmiech, a Carl pożałował, że nie ugryzł się w język.

Właśnie to w obecności Hardy'ego było do dupy, że człowiek musi się zastanowić, nim otworzy usta.

– Myślałem wczoraj o tej sprawie z Assadem – rzekł Hardy. – Co ty właściwie o nim wiesz, Carl? Nie powinieneś spotkać się z jego rodziną? Chyba najwyższy czas, żebyś złożył mu wizytę.

– Dlaczego tak twierdzisz?

– Wykazanie zainteresowania kumplami jest chyba całkiem normalne.

Kumplami?! To teraz Assad jest nagle jego kumplem?

– Znam cię, Hardy – powiedział. – Coś ci chodzi po głowie. O czym myślisz?

Hardy wygiął usta w dół w czymś w rodzaju uśmiechu. Miło zostać właściwie zrozumianym.

– Chodzi mi tylko o to, że zobaczyłem go w tej telewizji zupełnie innymi oczami. Tak jakbym go nie znał. A TY znasz Assada, jak ci się wydaje?

– Zapytaj mnie lepiej, czy w ogóle kogoś znam. Kto, do cholery, tak naprawdę zna drugą osobę?

– Wiesz, gdzie mieszka?

– Zdaje się, że na Heimdalsgade.

– Zdaje się?

Gdzie on mieszka, jaką ma rodzinę? Jak w jakimś, kurwa, krzyżowym ogniu pytań. Niestety Hardy miał rację. Wciąż ani trochę nie wiedział o Assadzie.

– Mówisz, że mam zadzwonić do Jespera? – zmienił temat.

Hardy pokiwał lekko głową. Ewidentnie nie skończył jeszcze ze sprawą Assada, o cokolwiek w niej chodziło.

– Dzwoniłeś – powiedział do Jespera przez komórkę chwilę później.

– Szykuj hajs, Kalle.

Carl nagle dał się zdominować odruchowi mrugania. Chłopak mówił z cholerną pewnością.

– Carl! Mam na imię Carl, Jesper. Jeśli jeszcze raz powiesz do mnie Kalle, bądź przygotowany na to, że w decydujących momentach chwilowo stracę słuch!

– Okej, Kalle – uśmiechnął się w słuchawce tak, że niemal było to widać. – Sprawdźmy, czy teraz coś słyszysz. Znalazłem Vigdze faceta.

– No, no. Jest wart dwóch tysięcy czy Vigga wyleje go jutro razem z wodą do kąpieli, jak tego wierszokletę? Bo jeśli tak, to nici z twojej kaski.

– Ma czterdzieści lat, forda vectrę, sklep spożywczy i dziewiętnastoletnią córkę.

– Proszę, proszę. A skąd go wytrzasnąłeś?

– Powiesiłem ogłoszenie w jego sklepie. To było pierwsze ogłoszenie.

Okej! Czyli łatwo mu przyszły te pieniądze.

– A dlaczego sądzisz, że pan sklepikarz Pikantny Śledzik może zawojować Viggę? Jest podobny do Brada Pitta?

– Bredzisz, Kalle. Chyba żeby Brad Pitt przez tydzień przyciął komara na słońcu.

– Mówisz, że jest czarny?

– Nie czarny, ale zajebiście blisko.

Carl wstrzymał oddech, gdy reszta historii została przekazana z żelazną dokładnością. Facet jest wdowcem o nieśmiałych, brązowych oczach. Coś dla Viggi. Jesper zaciągnął go na działkę, facet pochwalił malowidła Viggi i z zachwytem wykrzyknął, że altanka to najprzytulniejszy domek, jaki widział w całym swoim życiu. I było po sprawie. W każdym razie w tym momencie jedli lunch w restauracji w centrum.

Carl pokręcił głową. Powinien się cieszyć jak diabli, a zamiast tego w brzuchu znów zrobiło mu się mdło.

Kiedy Jesper skończył, Carl w zwolnionym tempie zamknął klapkę komórki i uniósł wzrok na Mortena i Hardy'ego, którzy wpatrywali się w niego niczym para ulicznych kundli czekających na resztki.

– Trzymajcie kciuki, może zostaniemy wyratowani z podbramkowej sytuacji. Jesper skojarzył Viggę z facetem idealnym i wiele wskazuje na to, że możemy tu jeszcze trochę pomieszkać.

Morten otworzył usta z podekscytowania i ostrożnie zaklaskał.

– Boooże, no gadaj! – wybuchnął. – Kim jest jej książę na białym rumaku?

– Białym? – Carl silił się na uśmiech, ale wyszedł mu nieco za sztywno. – Według Jespera Gurkamal Singh Pannu jest najciemniejszym Hindusem na północ od równika.

Czyżby obaj nieznacznie sapnęli?

*

Całą dzielnicę Ydre Nørrebro zdominowały tego dnia biało-niebieskie barwy klubowe oraz głęboko zasępione miny. Carl nigdy wcześniej nie widział, by tak wielu kibiców klubu piłkarskiego FCK wyległo na chodniki, prezentując się jak siedem nieszczęść. Chorągiewki opuszczone do ziemi, puszki z browarem zdawały się zbyt ciężkie, by unieść je do ust, hymny piłkarskie cichły, tylko okazjonalnie ustępując sfrustrowanym porykiwaniom, unoszącym się nad miastem jak krzyk bólu stepowych antylop gnu, które właśnie zostały powalone przez stada lwów.

Ich piłkarscy bohaterowie przegrali 2:0 z Esbjergiem. Po czternastu zwycięstwach na własnym boisku doznali porażki z drużyną, która przez cały rok nie wygrała na wyjeździe ani jednego meczu.

Miasto było pokonane.

Zaparkował w połowie ulicy Heimdalsgade i rozejrzał się. Od czasów, kiedy patrolował te okolice, sklepy imigrantów zdążyły powyrastać jak kretowiska. Nawet w niedzielę tętniło tu życie.

Odszukał nazwisko Assada na tabliczce na drzwiach i wcisnął guzik. Już lepiej się rozczarować, niż dostać odpowiedź odmowną przez telefon. Jeśli Assada nie będzie w domu, pojedzie do Viggi, by potwierdzić, jakie prawa aktualnie obowiązują w jej umyśle.

Po dwudziestu sekundach nadal nie było odpowiedzi.

Cofnął się o krok i spojrzał w górę na balkony. Nie był to typowy, przypominający getto budynek, jakiego się spodziewał. Właściwie było tu zadziwiająco mało anten satelitarnych i żadnego suszącego się prania.

– Wchodzi pan? – spytał wesoły głos za jego plecami i drzwi otworzyła jasnowłosa dziewczyna w tym typie, który jednym spojrzeniem potrafi sprawić, by człowiek zapomniał języka w gębie.

– Dziękuję – wydukał, wślizgując się do betonowego budynku.

Odnalazł mieszkanie na drugim piętrze i stwierdził, że w przeciwieństwie do dwóch arabskich sąsiadów, u których na tabliczkach z nazwiskami panował tłok, nazwisko Assada było jedynym na drzwiach.

Carl parokrotnie wcisnął przycisk dzwonka, wiedząc już, że przyszedł na próżno. Następnie schylił się i rozwarł na oścież szparę na listy.

Wnętrze mieszkania wyglądało na puste. Nie licząc reklam i kopert z okienkiem, nie było tam niczego poza kilkoma wysłużonymi fotelami ze skóry gdzieś w dali.

– Co ty robisz, człowieku?

Carl wyprostował kark i spojrzał prosto na parę białych spodni dresowych z paskami biegnącymi wzdłuż nogawek.

Carl stanął naprzeciw kulturysty, którego ramiona wyglądały jak brązowe maczugi.

– Przyszedłem odwiedzić Assada. Wie pan, czy był dziś w domu?

– Szyita? Nie, nie był.

– A rodzina?

Facet przekrzywił głowę.

– Na pewno go pan zna? Czy to przypadkiem nie ty, gnojku, włamujesz się ludziom do mieszkań? Po coś się gapił przez szparę na listy?

Przyparł Carla z boku twardą jak skała klatką piersiową.

– Hej, Rambo, chwileczkę.

Przycisnął dłonią tworzące siatkę mięśnie brzuszne faceta, gmerając w kieszeni na piersi.

– Assad jest moim przyjacielem, pan zresztą też, jeśli tu i teraz odpowie pan na moje pytania.

Facet wlepił wzrok w odznakę policyjną, którą Carl trzymał mu przed samym nosem.

– Myślisz, że ktoś się zakumpluje z facetem, który ma taką kurewsko brzydką odznakę? – powiedział, wyginając wargi w dół.

Już miał się odwrócić, gdy Carl złapał go za rękaw.

– Może odpowiedziałby pan na moje pytania. Byłoby to...

– Możesz sobie swoimi głupimi pytaniami podetrzeć blade dupsko, pojebańcu.

Carl kiwnął głową. Za jakieś pół sekundy pokaże temu przerośniętemu amatorowi odżywek proteinowych, kto tu jest pojebańcem. Może i jest szeroki, ale nie aż tak, żeby nie można było chwycić go za kołnierz i zagrozić aresztowaniem za napaść na funkcjonariusza na służbie.

Wtedy z tyłu rozległ się głos.

– Hej, Bilal, co ty wyprawiasz? Nie widziałeś odznaki tego pana?

Carl odwrócił się i zobaczył jeszcze szerszego faceta, który też najwyraźniej pełnoetatowo zajmował się podnoszeniem ciężarów. Osobliwy wybór sportowych ubrań z wszystkich półek. Jeśli ten ogromny T-shirt został zakupiony w normalnym sklepie, to sklep ten musiał być pod każdym możliwym względem dobrze zaopatrzony.

– Proszę wybaczyć mojemu bratu, bierze za dużo sterydów – powiedział, wyciągając łapę rozmiaru średniej wielkości miasteczka. – Nie znamy Hafeza el-Assada. Właściwie widziałem go tylko dwa razy. Taki zabawny facet z okrągłą głową i oczami jak kulki, nie?

Carl kiwnął głową i chwycił ogromne łapsko.

– Szczerze mówiąc – ciągnął facet – nie sądzę, by tu mieszkał. A już na pewno nie z rodziną – uśmiechnął się. – Nie byłoby za fajnie w kawalerce, co nie?

Wybrawszy parokrotnie na próżno numer komórki Assada, Carl wysiadł z samochodu i wziął głęboki oddech, po czym ruszył ogrodową ścieżką do altanki Viggi.

– Cześć, mój aniołku – zaśpiewała mu na powitanie.

Z miniaturowych głośniczków w salonie płynęła muzyka, jakiej jeszcze nigdy nie słyszał. Czy to cytry, czy też jakieś biedne, maltretowane zwierzątka?

– Co się dzieje? – spytał, odczuwając nieprzepartą potrzebę, by unieść ręce do uszu i je zatkać.

– Prawda, że piękne? – wykonała parę tanecznych kroków, których żaden szanujący się Hindus nie nazwałby harmonijnymi. – Dostałam tę płytę od Gurkamala, a dostanę więcej.

– On tu jest? – głupie pytanie w dwupokojowym domku.

Vigga uśmiechnęła się szczodrze.

– Jest u siebie w sklepie. Jego córka musiała iść na curling, więc nie mogła się nim zajmować.

– Curling?! No, no? Cóż, bardziej typowego indyjskiego sportu ze świecą szukać.

Klepnęła go.

– Indie, powiadasz. A ja ci powiem, że Pendżab, bo to stamtąd pochodzi.

– Aha. Czyli jest Pakistańczykiem, nie Hindusem.

– Nie, jest Hindusem, ale nie zaprzątaj sobie tym głowy.

Carl usiadł ciężko w zbutwiałym fotelu.

– Vigga, to jest nie do wytrzymania. Jesper lata w tę i z powrotem, ty grozisz najpierw jednym, potem drugim. Nie wiem już, na czym stoję w sprawie domu, w którym mieszkam.

– Taak, tak to już bywa, kiedy nadal jest się mężem kobiety, do której należy połowa.

– Właśnie o to mi chodzi. Nie moglibyśmy zawrzeć jakiegoś sensownego porozumienia, abym mógł ci spłacić dom?

– Sensownego? – przeciągnęła słowo tak, że zabrzmiało nieprzyjemnie.

– Tak. Gdybyśmy tak ty i ja sporządzili list hipoteczny na, powiedzmy, dwieście tysięcy, wtedy mógłbym spłacać ci dwa tysiące koron miesięcznie. Nie byłoby fajnie?

Widać było, jak jej wewnętrzny kalkulator odejmuje i dodaje. Gdy chodziło o korony i øre, myliła się z łatwością, lecz w przypadku liczb z odpowiednią ilością zer była wręcz wybitna.

– Miły przyjacielu – powiedziała, po czym bitwa była już przegrana. – Takich rzeczy nie załatwia się przy podwieczorku. Może kiedyś i może w odpowiednio większej kwocie. Ale kto wie, co życie przyniesie? – Zaśmiała się zupełnie bez przyczyny i zamęt na powrót zagościł na swym starym, normalnym miejscu.

Chciał się zebrać w sobie i powiedzieć, że w takim razie muszą wynająć prawnika, by przyjrzał się temu wszystkiemu, ale jednak się nie ośmielił.

– Ale wiesz co, Carl. Przecież jesteśmy rodziną, powinniśmy się wspierać. Dobrze wiem, że tobie, Hardy'emu, Mortenowi i Jesperowi odpowiada mieszkanie w Rønneholtparken, więc szkoda by było to niszczyć. Rozumiem to.

Widać było po niej, że za sekundę wysunie propozycję przypominającą cios w żołądek.

– I dlatego zdecydowałam, że na razie zostawię w spokoju ciebie i pozostałych.

Łatwo jej mówić. A co będzie, jak ten cały Ogórkemal zmęczy się jej bezustanną paplaniną i robionymi na drutach skarpetami?

– Ale musisz mi w zamian wyświadczyć przysługę.

Taka wypowiedź z tych ust może oznaczać problemy nie do przezwyciężenia.

– Wydaje mi się... – zdążył powiedzieć, zanim mu przerwano.

– Moja mama chciałaby, żebyś ją odwiedzał. Tak często o tobie opowiada, Carl, wciąż jesteś jej wielkim pupilkiem. Dlatego postanowiłam, że będziesz do niej wpadał co tydzień. Możemy się tak umówić? Mógłbyś zacząć od jutra.

Carl ciężko przełknął ślinę. Była to jedna z tych rzeczy, od których mężczyźnie zupełnie zasychało w gardle. Matka Viggi! Ta stuprocentowa dziwaczka, której rozpracowanie faktu, że Carl i Vigga się pobrali, zajęło cztery lata. Osoba żyjąca w przekonaniu, że Bóg stworzył świat wyłącznie dla jej przyjemności.

– Tak, tak, wiem, co myślisz, Carl. Ale już nie jest taka niesforna, odkąd cierpi na demencję.

Carl wziął głęboki oddech.

– Nie wiem, czy dam radę raz na tydzień, Vigga. – Momentalnie dostrzegł, że jej mina zyskuje na wyrazistości. – Ale oczywiście spróbuję.

Wyciągnęła rękę. Dziwna sprawa, że zawsze musieli podawać sobie ręce w kwestiach, których on był zmuszony przestrzegać, a które dla niej stanowiły tymczasowe rozwiązanie.

Zaparkował auto na bocznej uliczce w okolicach trzęsawisk Utterslev Mose, czując się bardzo samotnie. W domu oczywiście tętniło życie, ale nie należało ono do niego. W pracy też uciekał w marzenia. Nie miał żadnego hobby, nie uprawiał też sportu. Nienawidził przesiadywania z obcymi, a nie był na tyle spragniony, by pocieszać się piciem po knajpach.

A teraz facet w turbanie się zaparł i położył jego przyszłą ekszonę na łopatki w krótszym czasie, niż zajmuje wypożyczenie pornosa.

Jego tak zwany kumpel nawet nie mieszkał pod podanym przez siebie adresem, więc z nim też nie może spędzać czasu.

Więc niech to licho, ale czuł się fatalnie.

Ściągniętymi wargami zasysał powoli tlen znad trzęsawiska, czując znów, jak na rękach tworzy mu się gęsia skórka, a on zalewa się potem. Czyżby kolejny raz miał się poczuć tak kurewsko źle? Dwa razy w niecałą dobę.

Czy był chory?

Podniósł komórkę z miejsca dla pasażera i długo wpatrywał się w numer, który wybrał. Napis brzmiał po prostu: Mona Ibsen. Czy to aż takie niebezpieczne?

Odsiedziawszy dwadzieścia minut z narastającym kołataniem serca, wcisnął przycisk, modląc się, by niedzielny wieczór nie był tabu dla terapeutki.

– Cześć, Mona – powiedział cicho, słysząc jej głos. – Mówi Carl Mørck. Ja... – Chciał powiedzieć, że źle się miewa. Że potrzebuje rozmowy. Ale nie zdążył.

– Carl Mørck! – przerwała. Zdecydowanie nie sprawiała wrażenia łaknącej kontaktu. – Czekam na twój telefon od powrotu do domu. Najwyższy czas.

Siedzenie na jej sofie w salonie intensywnie pachnącym kobietą przypomniało mu, jak swego czasu na szkolnej wycieczce do Tolne Bakker stał za drewnianymi barakami, a dziewczyna o długich kończynach trzymała mu rękę w spodniach. Diabelnie oszałamiające, a jednocześnie przekraczające bariery i podniecające.

A Mona nie była pierwszą lepszą piegowatą córką piekarza z ulicy Algade, co wynikało dobitnie z reakcji jego ciała. Za każdym razem, gdy słyszał jej kroki dobiegające z kuchni, odczuwał złowróżbne łomotanie w rejonie klatki piersiowej. Cholernie nieprzyjemne. Jeszcze tego brakowało, żeby teraz upadł.

Wymienili uprzejmości i wspomnieli o jego ostatnim ataku. Wypili po drinku Campari Soda, a potem, z lekko poprawionymi nastrojami, wypili jeszcze po kilka. Rozmawiali o jej wycieczce do Afryki i niewiele, cholera, brakowało, by się pocałowali.

Może to myśl o tym, co powinno się teraz wydarzyć, wywołała uczucie paniki.

Przyniosła małe trójkąciki, które nazywała nocnymi przekąskami, ale kto by o nich myślał, gdy byli sami, a jej koszulowa bluzka była tak diabelnie obcisła?

„Daj spokój, Carl" – pomyślał. „Jeśli potrafi to facet, który nazywa się Ogórkemal i zaplata brodę, potrafisz i ty".

22

Zamknął swoją żonę w więzieniu utworzonym z ciężkich kartonów, gdzie zostanie do samego końca. Za dużo wiedziała.

Przez parę godzin dochodziło go z góry drapanie w podłogę, a gdy wrócił do domu z Beniaminem, słyszał też stłumione jęki.

Dopiero teraz, gdy zapakował wszystkie rzeczy synka do samochodu, w pakamerze zaległa zupełna cisza.

Nastawił płytę CD z dziecięcymi piosenkami w sprzęcie w samochodzie i uśmiechnął się do synka w lusterku wstecznym. Po godzinnej jeździe zapanuje spokój. Taka przejażdżka przez Zelandię zawsze działała.

Jego siostra miała zaspany głos przez telefon, ale znacznie się ożywiła, gdy oznajmił, ile zamierza im dać za opiekę nad Beniaminem.

– Owszem, dobrze słyszałaś – powiedział. – Dostaniesz trzy tysiące koron tygodniowo. Będę wpadał raz na jakiś czas, żeby sprawdzić, czy dobrze się sprawujecie.

– Masz płacić z góry za cały miesiąc – rzekła.

– Okej! Niech będzie.

– No i masz nam płacić oprócz tego tyle co zwykle.

Skinął głową sam do siebie. To żądanie musiało się przecież pojawić.

– Nic się nie zmieni, spokojnie.

– Jak długo twoja żona zostanie w szpitalu?

– Nie wiem. Zobaczymy, co się będzie działo. Jest ciężko chora, więc to może potrwać dłuższy czas.

Nie padły żadne słowa współczucia czy ubolewania.

Eva już taka była.

***

– Idź do ojca – poleciła jego matka surowo. Jej włosy były w nieładzie, sukienka wyglądała, jakby została przekręcona wokół jej talii. Czyli ojciec znów mocno chwycił.

– Dlaczego? – zapytał. – Muszę skończyć czytać List do Koryntian na jutrzejsze spotkanie modlitewne, tata sam tak mówił.

W swej dziecięcej naiwności łudził się, że ona go uratuje. Wkroczy między nich, wyciągnie go z dławiącego uścisku ojca i choć ten jeden raz mu się upiecze. Przecież to z Chaplinem – to była jedynie zabawa, którą lubił. Nic, co komuś robiło krzywdę. Jezus też się bawił, będąc dzieckiem, przecież o tym wiedzieli.

– Masz tam natychmiast iść! – matka zacisnęła usta i chwyciła go za kark. Chwyt, który towarzyszył mu tak wiele razy w drodze do bicia i upokorzeń.

– Powiem, że patrzysz na sąsiada, jak zdejmuje na polu koszulę – powiedział.

Drgnęła. Oboje wiedzieli, że to nieprawda. Że nawet najmniejsze zerknięcie w stronę wolności i innego życia stanowiło prostą drogę do piekła. Słyszeli o tym w zgromadzeniu, przy modlitwach przy stole i w każdym słowie pochodzącym z czarnej księgi, która niezmiennie czekała w ojcowskiej kieszeni. Szatan czai się w wymianie spojrzeń – twierdziła. Szatan czyha w uśmiechu i w każdym dotyku. Tak było napisane w tej książce.

Nie, to nieprawda, że jego matka spoglądała na sąsiada, ale ręce ojca nigdy nie próżnowały, nie pozwalając, by wątpliwość kiedykolwiek wyszła komuś na dobre.

Wtedy matka wyrzekła słowa, które na zawsze ich rozdzieliły.

– Ty czarci pomiocie – powiedziała zimno. – Niech cię Szatan zabierze, skąd pochodzisz. Niech ogień czyśćcowy osmali ci skórę i skaże cię na wieczne męczarnie. – Kiwnęła głową. – Co, wyglądasz na przestraszonego, ale Szatan już cię porwał. Nie będziemy się więcej o ciebie troszczyć.

Otworzyła drzwi i wepchnęła go do pokoju śmierdzącego porto.

– Podejdź tu – powiedział jego ojciec, owijając pasek wokół nadgarstka.

Zasłony były zaciągnięte, więc do środka przesączało się niewiele światła.

Za biurkiem, niczym słup soli, stała Eva w swojej białej sukience. Najprawdopodobniej jej nie bił, bo rękawy nie były podwinięte, a jej płacz był umiarkowany.

– Czyli nadal bawisz się w Chaplina – powiedział ojciec krótko.

W okamgnieniu zorientował się, że Eva usiłuje nie patrzeć w jego stronę.

Będzie ciężko.

– Oto papiery Beniamina. Lepiej, byście je mieli, póki u was jest. Na wypadek choroby.

Podał szwagrowi zaświadczenia.

– Spodziewasz się, że zachoruje? – spytała jego siostra z niepokojem.

– Oczywiście, że nie. Beniamin to zdrowy chłopczyk.

Dostrzegł to już teraz w oczach szwagra. Chciał więcej pieniędzy.

– Chłopiec w wieku Beniamina dużo je – powiedział. – A same pieluchy wyniosą tysiąc koron miesięcznie – dodał. Jeśli ma co do tego wątpliwości, mogą oczywiście sprawdzić to w Google.

I szwagier zacierał ręce jak skąpy Scrooge z *Opowieści wigilijnej*. To będzie raz na zawsze pięć tysięcy koron ekstra – nuciły ręce.

Ale szwagier ich nie dostał. I tak popłynęłyby dalej do kaznodziei, któremu było wszystko jedno, jaka wspólnota płaciła i za co.

– Jeśli ty albo Eva będziecie stwarzać problemy, zawsze możemy zweryfikować naszą umowę, rozumiecie? – powiedział.

Jego szwagier zgodził się niechętnie, ale siostra była już daleko stąd. Niewprawne palce gruntownie badały miękką skórę chłopca.

– Jakiego koloru są teraz jego włosy? – spytała, a jej niewidzące spojrzenie wypełniał zachwyt.

– Takiego samego, jaki ja miałem jako chłopiec, o ile pamiętasz – powiedział, odnotowując, jak jej zmatowiałe oczy uciekają.

– I oszczędźcie Beniaminowi swoich cholernych modłów, rozumiecie? – zakończył, nim wypłacił pieniądze.

Widział, że kiwają głowami, ale nie podobało mu się ich milczenie.

Za dwadzieścia cztery godziny pieniądze zostaną wypłacone. Milion koron w używanych banknotach, nie miał żadnych wątpliwości.

Teraz pojedzie do domku na łodzie i sprawdzi, czy dzieci są w jakim takim stanie, a jutro, po wymianie, znów tam pojedzie i zabije dziewczynkę. Chłopcu poda chloroform i nocą z poniedziałku na wtorek wyrzuci go na polu w pobliżu Frederiks.

Poinstruuje Samuela, co ma powiedzieć ojcu i matce, żeby wiedzieli, czego się spodziewać. Że morderca jego siostry ma informatorów i będzie zawsze wiedzieć, gdzie ich rodzina się znajduje. Że mają wystarczająco dużo dzieci, by mógł to powtórzyć, więc niech nie czują się pewnie. Samuel ma im przekazać, że jeśli on nabierze najmniejszych podejrzeń, że się przed kimś wygadali, będzie ich to kosztowało kolejne dziecko. Ta groźba nie przewiduje żadnych ograniczeń czasowych. Poza tym niech wiedzą, że był przebrany. Człowiek, którego rzekomo znali, w ogóle nie istnieje i nigdy nie używa tego samego przebrania dwa razy.

Za każdym razem działało. Rodziny uciekały się do swojej wiary i zanurzały się w niej. Martwe dziecko opłakiwano, a żywych strzeżono. Ich kotwicą była historia o próbach, którym został poddany Hiob.

A w kręgach, w których się obracają, wyjaśnienie zniknięcia dziecka będzie związane z wyklęciem. Właśnie w tej sprawie łatwo będzie w nie uwierzyć, bo Magdalena jest wyjątkowa i aż nazbyt żywiołowa, a w tych kręgach to żadna zaleta. Jej rodzice powiedzą, że oddali ją na wychowanie do jakiejś rodziny. Wtedy wspólnota nie będzie się już tym zajmować, a on będzie miał pewność.

Uśmiechnął się do siebie.

Zatem o jedno mniej z tych, którzy wyżej stawiają Boga niż człowieka, będzie zatruwać świat.

Rozpad rodziny pastora nastąpił pewnego zimowego dnia, zaledwie na kilka miesięcy przed jego piętnastymi urodzinami. W poprzednich miesiącach z jego ciałem działy się dziwaczne i niewyjaśnione rzeczy. Prześladowały go grzeszne myśli, przed którymi przestrzegała wspólnota. Zobaczył przypadkową kobietę, schylającą się w opiętej spódniczce, i tego samego wieczora z tym obrazem na siatkówce przeżył w ciągu paru sekund swój pierwszy wytrysk.

Czuł, jak pod pachami rosną plamy potu, a głos błądzi we wszystkich kierunkach. Napięły się mięśnie karku, a na całym ciele zaczęły pojawiać się ciemne, sterczące włosy.

Nagle poczuł się jak kretowisko na płaskim polu.

Przy odrobinie wysiłku potrafił rozpoznać siebie samego w chłopakach ze wspólnoty, którzy przeszli taką samą transformację przed nim, ale nie miał pojęcia, o co w tym wszystkim chodzi. Nie był to w żadnym razie temat poruszany w domu, który jego ojciec określał jako dom „wybrańców Boga".

Od trzech lat ojciec i matka zwracali się do niego tylko wtedy, gdy nie było innego wyjścia. Nie widzieli, że zadaje sobie trud, nigdy nie dostrzegali, jak się stara podczas spotkań modlitewnych. Dla nich był jedynie zwierciadłem Szatana o nazwisku Chaplin, nikim więcej. Wszystko, co robił i wymyślał, było bez znaczenia.

Wspólnota zaś, nazywając go odmieńcem i opętanym, jednoczyła się w modlitwach, żeby nie wszystkie dzieci stały się takie jak on.

Została już tylko Eva. Jego młodsza siostra, która od czasu do czasu go zawodziła i pod naciskiem ojca wyznawała, jak obmawiał swoich rodziców i nie chciał być posłuszny im ani Słowu Bożemu.

Po tym ojciec postanowił, że jego kolejną misją w życiu jest go złamać. Wieczne, bezcelowe rozkazy. Codzienna dieta składająca się z pogardy i połajanek, a na deser bicie i terror psychiczny.

Z początku mógł jeszcze szukać pocieszenia u paru osób ze wspólnoty, ale również to się skończyło. W tych kręgach Boży gniew i klątwy brały górę nad ludzkim miłosierdziem, a bogobojny człowiek jest najbliżej siebie i Boga, trwając w cieniu.

Odwrócili się do niego plecami i opowiedzieli się po jednej stronie. W końcu mógł już tylko nadstawiać drugi policzek.

Dokładnie tak, jak nakazywała Biblia.

A pośrodku tego domu cieni, gdzie nie było miejsca na oddech, więź między nim a Evą powoli słabła. Ile to razy mówiła przepraszam, ile razy on był na to głuchy?

W końcu stracił również ją, a tamtego zimowego dnia sprawy przybrały zły obrót.

– Brzmisz jak kwicząca świnia przez ten swój głos – powiedział ojciec, zanim usiedli za stołem w kuchni. – I tak też wyglądasz. Jak świnia. No popatrz w lustro i zobacz, jaki jesteś brzydki i niezdarny. Poniuchaj tym swoim paskudnym ryjem, żebyś poczuł, jak śmierdzisz. Wyjdź i umyj się, ohydna kreaturo!

Dokładnie w taki sposób padały nikczemności i rozkazy. Przebiegle, po jednym, metodycznie. Drobiazgi, jak polecenie, by się umył, które powoli się zwielokrotniały, aż na koniec wszystko było jasne. Kiedy ojciec skończy tyradę, pewnie będzie się domagał wyszorowania wszystkich ścian w jego pokoju, by zwalczyć smród.

Dlaczego więc nie dać się sprowokować?

– Pewnie mam wyszorować moje ściany ługiem, nim skończysz swoje kretyńskie rozkazywanie, co? Sam je sobie szoruj, ty stary durniu! – krzyknął.

Wtedy jego ojciec zaczął się pocić, a matka – protestować. Kim jest, żeby tak się zwracać do ojca?

Matka próbowała go przyprzeć do muru, znał ją. Prosić, by zniknął z ich życia, aż w końcu, mając dość niedorzeczności, trzaśnie drzwiami i wyjdzie na pół nocy. Często stosowała tę taktykę w krytycznych sytuacjach i odnosiła sukces, ale nie teraz.

Poczuł, jak jego nowe ciało się napina, jak tętnica szyjna mocniej pulsuje, jak rozgrzewają się mięśnie. Jeśli ojciec zanadto się zbliży z tą swoją zaciśniętą pięścią, to sam poczuje, jak to jest.

– Ty piekielny potworze, zostaw mnie w spokoju! – ostrzegł. – Nienawidzę cię jak zarazy, żebyś tak pluł krwią, ty kurewski pomiocie. Trzymaj się ode mnie z daleka.

Widok świętoszkowatego człowieka, jakim był ich ojciec, który pogrąża się w chmurze słów, zesłanych ludzkości przez Szatana – tego już było za dużo dla Evy.

Ten liliowy fiołek, chowający się za fartuszkiem i wszystkimi dziennymi czynnościami, rzucił się na niego i zaczął go szarpać.

Niech już nie niszczy ich życia bardziej niż dotąd – krzyczała do brata, podczas gdy matka próbowała ich rozdzielić, a ojciec odskoczył w bok i wyciągnął parę butelek z szafki pod zlewem.

– Pójdziesz teraz na górę i umyjesz ługiem wszystkie swoje ściany, jak sam proponujesz, ty mały szatański Chaplinie – syknął z chorobliwym odcieniem na twarzy. – Jeśli tego nie zrobisz, już ja się postaram, żebyś nie mógł się przez wiele dni podnieść z łóżka, zrozumiałeś?

Wtedy ojciec splunął mu w twarz i wetknął w ręce jedną z butelek, po czym spojrzał pogardliwie na ślinę spływającą mu po policzku.

Odkręcił nakrętkę butelki, pozwalając, by żrący płyn sączył się na kuchenną podłogę.

– Na wszystkie grzechy piekielne, co robisz, chłopcze? – krzyknął ojciec, próbując mocnym chwytem wyszarpnąć mu butelkę, aż fala żrącego środka rozprysła się dokoła.

Ryk ojca był niski i przejmujący, ale był niczym w porównaniu z piskiem, który wydała z siebie Eva.

Drżała na całym ciele, ręce trzęsły się przed twarzą, jakby nie śmiała jej dotknąć. Właśnie w tych sekundach ług dostał się do jej źrenic, pozbawiając je widoku na świat.

Pomieszczenie wypełniło się płaczem matki, krzykiem Evy i jego własnym przerażeniem z powodu tego, co zrobił, a ojciec stał, wpatrując się w swoje dłonie, pokrywające się bąblami od środka żrącego, a jego twarz z czerwonej stała się sina.

Nagle wytrzeszczył oczy i chwytając się za pierś, złamał się wpół i zaczął gorączkowo chwytać powietrze ze zdumionym i pełnym niedowierzania grymasem wokół ust.

A kiedy wreszcie padł na ziemię, życie, jakie dotąd znali, dobiegło kresu.

– Panie Jezu Chryste, Wszechmocny Ojcze, oddaję się w Twoje ręce – wyrzęził ojciec na ostatnim wydechu i umarł. Z rękami skrzyżowanymi na piersi i z uśmiechem na ustach.

Stał przez chwilę, patrząc na ten uśmiech na zastygłej, śmiertelnej masce swego ojca, podczas gdy matka błagała o Bożą łaskę, a Eva krzyczała.

Żądza zemsty, która trzymała go przy życiu przez ostatnie lata, nagle straciła pożywkę. Jego ojciec umarł na zawał serca z uśmiechem i Bogiem na ustach.

Nie o tym marzył.

Zaledwie pięć godzin później rodzina się rozdzieliła. Eva i jego matka były w szpitalu w Odense, a on w poprawczaku dla chłopców. Ludzie ze zgromadzenia już się o to zatroszczyli. Była to nagroda za życie w cieniu Boga.

Teraz została mu tylko zemsta.

23

Wieczór był zachwycający. Cichy i ciemny.

Nad fiordem błyskało jeszcze parę latarni z żaglówek, a na paśmie łąk na południe od domu trawy szemrały czystym, wiosennym dźwiękiem. Wkrótce zostaną wygnane tam krowy i nadejdzie lato.

Tak właśnie potrafiło być w Vibegården.

Uwielbiał to miejsce. Gdy kiedyś będzie na to czas, odczyści te czerwone cegły, zburzy domek na łodzie i otworzy widok na wodę.

Miał tu fajny, mały wiejski domek, w którym chętnie by się zestarzał.

Otworzył drzwi budynku gospodarczego, włączył wiszącą na słupie latarkę na baterię, po czym wlał większość zawartości dziesięciolitrowej beczki do pojemnika generatora.

Zwykle miał poczucie dobrze wykonanej pracy, gdy dochodził w całym procesie do momentu, w którym pociągał za linkę uruchamiającą.

Zapalił światło elektryczne na suficie i wyłączył latarkę. Stał przed nim stary, ogromny zbiornik po ropie naftowej, pamiątka po dawnych czasach. Teraz znów go trzeba uruchomić.

Podciągnął się i uniósł metalowe wieko, które wyciął z góry pojemnika. Tak, wewnątrz było sucho, czyli ostatnim razem został opróżniony do cna. Wszystko jest tak, jak powinno.

Następnie ściągnął torbę leżącą na półce nad drzwiami. Jej zawartość kosztowała go ponad piętnaście tysięcy koron, ale była nieoceniona. Z takim „Gen HPT 54 Night Vision" noc stawała się dniem. Okulary bojowe do używania nocą, dokładnie takie, jak te stosowane na wojnie przez żołnierzy.

Naciągnął paski na głowę, nałożył noktowizor na oczy i włączył.

Następnie wyszedł na zewnątrz, przeszedł przez ścieżkę wyłożoną kamiennymi płytami i przez breję z żywych i martwych ślimaków, po czym włożył do jeziora gumowy wąż, wychodzący ze ściany budynku gospodarczego. W tych okularach potrafił bez problemu dostrzec domek na łodzie wśród krzaków i sitowia. Właściwie to widział wszystko na terenie gospodarstwa.

Szarozielone budynki i żaby odskakujące w popłochu, gdy nadchodził.

Gdy brodził ze szlauchem w wodzie, wokół panował spokój, nie licząc cichego chlupotu wody i szumu generatora.

Generator stanowił najsłabsze ogniwo całego procesu. Kiedyś chodził przez cały czas, ale po kilku latach oś zaczęła skrzypieć już po tygodniu, więc musiał dodatkowo zawieźć go do domu, by go uruchomić. Zastanawiał się właściwie, czyby go nie wymienić.

Natomiast pompa wodna była świetna. Wcześniej musiał wypełniać wodą zbiornik po ropie siłą rąk, ale przestało to być konieczne. Skinął z zadowoleniem i wsłuchał się w efektowne pluskanie szlauchu, któremu akompaniował dźwięk generatora. Wypełnienie zbiornika wodą z fiordu zajmowało teraz pół godziny, ale to była wystarczająca ilość czasu.

Właśnie wtedy usłyszał dźwięki dobiegające z domku na palach.

Odkąd sprawił sobie mercedesa, potrafił bez trudu zaskoczyć tych, którzy siedzieli przykuci łańcuchami. Był drogi, ale taka była cena komfortu i bezszelestnego silnika. Teraz mógł podkradać się pod sam domek na łodzie, wiedząc, że siedzące w nim osoby nie podejrzewają, jak blisko się znajduje.

Tym razem też tak było.

Samuel i Magdalena byli wyjątkowi. Samuel dlatego, że przypominał mu samego siebie z dawnych czasów. Zręczny, zbuntowany i wybuchowy. Magdalena stanowiła niemal przeciwieństwo. Gdy pierwszy raz obserwował ją przez otwór w domku, poruszyło go, jak bardzo przypominała mu o zakazanym zakochaniu i jego konsekwencjach. O wydarzeniach, które na dobre zmieniły jego życie. Tak, pamiętał tę dziewczynę aż nazbyt dobrze, spoglądając na Magdalenę. Te same oczy o opadających kącikach, ten sam wyraz udręczenia, ta sama cienka skóra, pod którą splatają się delikatne żyły.

Przedtem już dwa razy podkradł się pod domek i wyciągnął kawałek smoły zakrywający otwór.

Przyłożywszy do niego głowę, widział wszystko, co działo się w środku. Dzieci siedzące w odległości metra od siebie, Samuel w głębi, a Magdalena przy drzwiach.

Magdalena płakała dużo, ale cicho. Gdy jej szczupłe ramiona zaczęły drżeć w słabym świetle, jej brat szarpnął swoim skórzanym paskiem, by przykuć jej uwagę i by mogła odnaleźć pocieszenie w cieple jego spojrzenia.

Był jej starszym bratem i zrobiłby wszystko, by ją uwolnić z ciasnych więzów - tyle że nie mógł. Dlatego on też płakał, choć tego nie pokazywał. Siostra nie mogła tego zobaczyć. Na chwilę odwrócił głowę w bok, wziął się w garść, ponownie obrócił się ku niej i trochę pobłaznował, kiwając głową i wykonując nagłe ruchy tułowiem.

Zupełnie jak jego siostra i on sam, gdy naśladował Chaplina.

Usłyszał, jak Magdalena śmieje się zza taśmy. Śmieje się przez krótką chwilę, po której powróciły rzeczywistość i strach. Tego wieczora gdy wrócił, by ostatni raz zaspokoić ich pragnienie, już z pewnej odległości usłyszał, jak dziewczynka delikatnie nuci.

Przyłożył ucho do desek domku. Nawet mimo taśmy można było stwierdzić, że ma czysty i wysoki głos. A słowa znał. Towarzyszyły mu przez całe dzieciństwo i nienawidził każdziutkiego.

O Boże mój!
Być bliżej Ciebie chcę,
Nawet jeśli na krzyż
Powiedziesz mnie,
Zaśpiewam zawsze Ci:
Być bliżej Ciebie chcę,
Być bliżej Ciebie chcę!*

Wtedy wyjął ostrożnie grudkę smoły i przyłożył noktowizor do otworu.

Miała pochyloną głowę i opuszczone ramiona, wyglądała więc na mniejszą, niż była. Jej ciało kołysało się z boku na bok w rytm śpiewanego psalmu.

---

* Oryginalna, angielska wersja psalmu nosi tytuł *Nearer, my God, to Thee* i została napisana przez angielską poetkę Sarah Adams w 1841 roku.

Kiedy skończyła, krótkimi haustami zassała nosem tlen. Jak u małych, wystraszonych zwierzątek – można było niemal dostrzec, jak mocno musiało pracować serce, by ze wszystkim nadążyć. Z myślami, pragnieniem i głodem, strachem przed tym, co może nadejść. Zwrócił swe zielone spojrzenie ku Samuelowi, widząc natychmiast, że nie jest on przytroczony do ziemi tak jak siostra.

Wręcz przeciwnie – siedział, ocierając się bezustannie tułowiem o skośną ścianę. Tym razem nie dla wygłupów.

Nie, teraz również usłyszał, co to było. Tuż przedtem myślał po prostu, że to kolejny fałszywy dźwięk wydawany przez generator.

Widać było wyraźnie, co chłopak planuje. Jak piłuje skórzany pas o deski w skośnej ścianie. Jak żłobi, by pas się poddał.

Może znalazł małą nierówność na desce, o którą można przepiłować skórzany pas. Może jakiś sęk.

Teraz widział twarz chłopaka wyraźniej. Uśmiecha się? Czyżby był już tak blisko, by mieć ku temu powody?

Dziewczynka zakaszlała. Ostatnie pełne wilgoci noce były dla niej wyczerpujące.

„Ciało jest kruche" – pomyślał, gdy odchrząknęła zza taśmy i ponownie zaczęła nucić.

Doznał szoku. Ten psalm był u jego ojca nieodłącznym elementem każdego pogrzebu.

Bądź przy mnie, Panie, gdy szybko zapada zmrok
Gdy świat się w ciemności pogrąża, nie odstąp mnie na krok!
Gdy pomocnicy zawodzą, kiedy pociecha ustanie
O, pomocy bezsilnych – Bądź przy mnie, Panie!

Niedługo dobiegnie kresu mojego życia dzień
Ziemskie radości zbledną, świetność spowije cień.
Gdy wszystko się wniwecz obróci i wartość mieć przestanie
Tyś wśród zmienności niezmienny – Bądź przy mnie, Panie!*

Obrócił się ze wstrętem i poszedł w stronę budynku gospodarcze-

* Autorem tego napisanego w 1847 roku psalmu, którego angielski tytuł brzmi *Abide with me*, jest Henry Francis Lyte.

go. Zdjął z gwoździa dwa grube, półtorametrowe łańcuchy, a z szuflady ławy ciesielskiej wyciągnął dwie kłódki. Będąc tu ostatnim razem, zauważył, że skórzane paski wokół talii dzieci zaczynają wyglądać na nieco wytarte, ale przecież są już zużyte. Skoro Samuel tak intensywnie nad nimi pracuje, konieczne będzie dodatkowe wzmocnienie.

Dzieci spojrzały na niego zdezorientowane, gdy zapalił światło i wczołgał się do środka. Siedzący w kącie chłopiec szarpnął się ostatni raz w swoich okowach, ale na nic się to zdało. Wierzgał i wściekle protestował zza taśmy, gdy został obwiązany w pasie łańcuchem, który z kolei został przymocowany do łańcucha tkwiącego w ścianie. Jednak na rzeczywisty opór nie starczało mu sił. Parodniowy głód i niewygodna pozycja zrobiły swoje. Wyglądał żałośnie, leżąc tak z podkulonymi nogami.

Zupełnie tak, jak pozostałe ofiary.

Dziewczynka natychmiast przestała śpiewać. Jego obecność wyssała z niej całą energię. Może sądziła, że wysiłki brata na coś się zdadzą. Teraz wiedziała, że nic bardziej mylnego.

Wypełnił kubek wodą i zdarł jej taśmę z ust.

Parokrotnie zaczerpnęła powietrza, po czym rozprostowała szyję i otworzyła usta. Instynkt przetrwania jednak nie szwankował.

– Magdaleno, nie pij tak szybko – powiedział szeptem.

Podniosła ku niemu twarz i przez chwilę patrzyła mu w oczy. Zdezorientowana i przestraszona.

– Kiedy wrócimy do domu? – spytała drżącymi wargami. Żadnych gwałtownych napadów, tylko to proste pytanie i pragnienie, by zaczerpnąć wody.

– Jeszcze jakiś dzień-dwa – powiedział.

Łzy stanęły jej w oczach.

– Chcę do domu, do mamy i taty – zapłakała.

Uśmiechnął się do niej i podniósł kubek do jej ust.

Może wyczuła, co się w nim rozgrywa. W każdym razie przestała pić, przez chwilę przyglądała mu się błyszczącymi oczami, po czym zwróciła twarz do brata.

– Samuelu, on nas zabije – powiedziała drżącym głosem. – Ja to wiem.

Obrócił głowę, by spojrzeć prosto na jej brata.

– Twoja siostra jest zdezorientowana, Samuelu – powiedział cichym głosem. – Oczywiście, że was nie zabiję. Wszystko będzie dobrze. Wasi rodzice są zamożni, a ja nie jestem potworem.

Ponownie zwrócił się do Magdaleny siedzącej ze spuszczoną głową, tak jakby już znajdowała się u kresu życia.

– Tak dużo o tobie wiem, Magdaleno – przesunął grzbietem dłoni po jej włosach. – Wiem, że chciałabyś ściąć włosy. Że chciałabyś sama podejmować więcej decyzji.

Wsadził rękę do kieszeni na piersi.

– Chcę ci coś pokazać – powiedział, wyciągając kolorowy papier. – Poznajesz? – spytał.

Wyczuł jej drgnięcie, ale dobrze je zamaskowała.

– Nie – powiedziała tylko.

– Ależ tak, Magdaleno, poznajesz. Obserwowałem cię, gdy siedziałaś w rogu na tyłach ogrodu i spoglądałaś w otwór w ziemi. Robiłaś to często.

Odwróciła twarz. Jej niewinność została zbrukana. Wstydziła się.

– Pięć słynnych kobiet o krótkich włosach – powiedział i odczytał głośno: – „Sharon Stone, Natalie Portman, Halle Berry, Winona Ryder i Keira Knightley". Nie znam ich wszystkich, ale to, zdaje się, gwiazdy filmowe, prawda?

Ujął Magdalenę pod brodę i odwrócił jej twarz ku sobie.

– Dlaczego nie wolno na nie patrzeć? Bo wszystkie mają krótkie włosy? Bo takich włosów nie można mieć w Kościele Matki Bożej, czy to dlatego? – Pokiwał głową. – Tak, widzę, że dlatego. Ty też byś chciała mieć takie włosy, prawda? Kręcisz głową, ale i tak myślę, że byś chciała. Ale posłuchaj, Magdaleno. Czy powiedziałem rodzicom o twojej małej tajemnicy? Nie, nie powiedziałem. Więc chyba nie jestem aż taki najgorszy, prawda?

Odsunął się do tyłu, wyjął z kieszeni nóż i go rozłożył. Jak zawsze wyczyszczony i ostry.

– Za pomocą tego noża mogę jednym ruchem ściąć ci włosy.

Chwycił kosmyk i odciął go. Dziewczynka drgnęła, a jej brat zupełnie bezskutecznie szarpał się i wił, by przyjść jej z odsieczą.

– O, tak! – powiedział.

Sprawiała niemal wrażenie, jakby skaleczył jej ciało. Wyczuwało się, że krótkie włosy są autentycznym tabu dla dziewczynki, która całe swoje życie trwała w religijnym dogmacie o świętości włosów.

Rozpłakała się, gdy zaklejał jej usta. Spodnie i papier pod spodem zrobiły się mokre.

Zwrócił się do jej brata i powtórzył seans z taśmą klejącą, kubkiem i wodą.

– A ty, Samuelu, też masz swoje tajemnice. Przyglądasz się dziewczynom spoza zgromadzenia. Widziałem, jak to robisz w drodze do domu ze swoim starszym bratem. Wolno ci to robić, Samuelu? – spytał.

– Zatłukę cię, jak będę mógł, Bóg mi świadkiem – odparł przed zaklejeniem mu ust. Nic więcej nie można było zrobić.

Tak, to był właściwy wybór. Należało się pozbyć dziewczynki.

To ona, wbrew swoim marzeniom, była bardziej bogobojna. Na niej religia mocniej odcisnęła piętno. To ona może stać się kolejną Rachelą albo Evą.

Co więcej potrzeba wiedzieć?

Uspokoiwszy dzieci, że po nie przyjdzie i je uwolni, gdy ojciec zapłaci pieniądze, wrócił do budynku gospodarczego i stwierdziwszy, że beczka po ropie jest już prawie pełna, włożył grzałkę do zbiornika i włączył. Z jego doświadczenia wynikało, że ług działa znacznie szybciej, gdy temperatura wody wynosi ponad 20 stopni, a teraz jeszcze zdarzały się nocne przymrozki.

Zdjął pojemnik z ługiem z haczyka w kącie i stwierdził, że następnym razem będzie musiał przywieźć kolejną porcję. Potem, balansując z pojemnikiem na głowie, wlał całość do kadzi.

Po zabiciu dziewczynki i wrzuceniu zwłok do zbiornika ciało rozpuści się w ciągu paru tygodni.

Potem trzeba będzie tylko wejść ze szlauchem dwadzieścia metrów w głąb wód fiordu i opróżnić zawartość zbiornika po ropie.

Byle tylko dzień był nieco wietrzny, to szybko rozproszy nieczystości z dala od lądu.

Dwukrotne przepłukanie zbiornika – i znikną wszystkie ślady.

Kwestia chemii.

24

W gabinecie Carla stała niedobrana para. Yrsa z krwistoczerwonymi ustami i Assad z tak wojowniczym dwudniowym zarostem, że sam jego uścisk stanowiłby broń.

Assad był wyjątkowo niezadowolony. Właściwie to Carl nie przypominał sobie, by kiedykolwiek wcześniej emanował taką dezaprobatą.

– Mam nadzieję, że to, co tak mówi Yrsa, to nieprawda! Nie sprowadzimy do Kopenhagi tego Tryggvego, Carl? A co tak z raportem?

Carl zmrużył oczy. Obraz Mony otwierającej drzwi do sypialni ściśle przywarł mu do siatkówki i nie pozwalał zaznać spokoju. W zasadzie przez cały poranek nie potrafił myśleć o niczym innym. Tryggve i wszystkie szaleństwa świata muszą przejść w stan czuwania, dopóki on nie dojdzie do siebie.

– Yy, co? – Carl przeciągnął się w fotelu biurowym. Już dawno jego ciało nie było takie obolałe. – Tryggve? Nie, jest wciąż w Blekinge. Prosiłem, by przyjechał do Kopenhagi, nawet proponowałem, że go przywiozę, ale powiedział, że nie jest w stanie, a przecież nie mogłem go zmusić. Pamiętaj, Assad, że on jest w Szwecji. Jeśli nie będzie chciał przyjechać dobrowolnie, nie sprowadzimy go tutaj bez pomocy szwedzkiej policji, a to chyba za wczesny etap sprawy, prawda?

Spodziewał się choćby zdawkowego kiwnięcia głową ze strony Assada, ale się go nie doczekał.

– Napiszę Marcusowi raport, okej? Zobaczymy. Poza tym nie wiem, co mamy teraz robić. Mówimy o sprawie sprzed trzynastu lat, w której nigdy nie wszczęto dochodzenia. Musimy pozostawić Marcusowi Jacobsenowi decyzję, do kogo ona należy.

Assad zmarszczył brwi, a Yrsa poszła w jego ślady. Czyżby Departament A miał zebrać laury za ich pracę? Naprawdę tak uważał?

Assad spojrzał na zegarek.

– Możemy od razu pójść na górę i mieć to już tak za sobą. W poniedziałki Jacobsen przychodzi wcześnie.

– Dobrze, Assad – Carl się wyprostował. – Ale najpierw musimy porozmawiać.

Spojrzał na Yrsę, która kołysała biodrami w oczekiwaniu na to, co zostanie teraz ujawnione.

– Tylko Assad i ja, Yrso – wskazał swoje oczy. – W cztery oczy, rozumiesz.

– Och – zamrugała parokrotnie. – Męska rozmowa – powiedziała, zostawiając ich w oparach perfum.

Spojrzał na Assada z brwiami ściągniętymi aż do nasady nosa. Może sprawi to, że facet sam wymięknie. Ale Assad patrzył na niego tak, jakby za chwilę miał mu zaproponować lek na zgagę.

– Byłem u ciebie wczoraj, Assad. Na Heimdalsgade numer 62. Nie było cię.

Na policzku Assada pojawiła się bruzda, którą w cudowny sposób udało mu się przeobrazić w zmarszczkę od uśmiechu.

– Jaka szkoda. Trzeba było wcześniej zadzwonić.

– Próbowałem dzwonić, Assad, ale nie odbierałeś komórki.

– W każdym razie byłoby fajnie, Carl. Może tak innym razem.

– No tak, ale pewnie nie tam, co?

Assad kiwnął głową, próbując się nieco rozchmurzyć.

– Chodzi ci o to, żebyśmy się tak spotkali w mieście. Byłoby przyjemnie.

– Musisz wziąć ze sobą żonę, Assad. Bardzo chciałbym poznać ją i twoje córki.

W tym momencie jedno oko Assada nieco się zmrużyło. Tak jakby jego żona była ostatnią osobą na świecie, którą chciałby wyciągać w miejsce publiczne.

– Rozmawiałem z kimś na Heimdalsgade, Assad.

Teraz zmrużył również i drugie oko.

– Przecież tam nie mieszkasz, i to od dawna. A jeśli chodzi o twoją rodzinę, to nigdy ich tam nie było. Gdzie w takim razie mieszkasz?

Assad rozłożył ręce.

– To bardzo małe mieszkanie, Carl. Nie mogliśmy tam być.

– Czy nie należało więc zgłosić mi przeprowadzki, a potem pozbyć się małego mieszkania?

Zadumał się.

– Tak, masz rację, Carl. Tak zrobię.

– A gdzie teraz mieszkasz?

– Wynajęliśmy dom, to teraz tanie, Carl. Wielu ludzi ma teraz dwa domy naraz. Rynek nieruchomości, sam wiesz.

– Okej, brzmi fantastycznie. Ale gdzie, Assad? Muszę znać adres.

Schylił głowę.

– Wiesz, Carl, wynajmujemy dom na czarno, inaczej byłoby za drogo. Nie moglibyśmy tak zachować do korespondencji tego starego adresu?

– Gdzie, Assad?

– W Holte, Carl. Taki mały domek na ulicy Kongevejen. Ale nie mógłbyś wcześniej zadzwonić, Carl? Moja żona nie za bardzo lubi ludzi, którzy tak nagle się zjawiają.

Carl kiwnął głową. Wróci do tego kiedy indziej.

– Jeszcze jedno. Dlaczego ci na Heimdalsgade mówili, że jesteś szyitą? Nie mówiłeś, że pochodzisz z Syrii?

Wygiął w dół swą pełną dolną wargę.

– Owszem, i?

– Czy w Syrii są w ogóle jacyś szyici, Assad?

Krzaczaste brwi podskoczyły aż do połowy czoła.

– No wiesz, Carl – uśmiechnął się. – Szyici są wszędzie.

Pół godziny później stali w gabinecie briefingowym wraz z piętnastoma udręczonymi poniedziałkiem kolegami oraz Larsem Bjørnem i Marcusem Jacobsenem pośrodku.

Widać było wyraźnie, że nikt tu nie jest dla przyjemności.

Marcus Jacobsen przekazywał, co opowiedział mu Carl, bo takie procedury obowiązywały w Departamencie A. W razie czego ludzie mogli zadawać pytania.

– Młodszy brat zamordowanego Poula Holta, Tryggve Holt, powiedział Carlowi Mørckowi, że rodzina znała porywacza, czy raczej mordercę – powiedział Marcus Jacobsen, przedstawiając sprawę. – Przez pewien czas morderca okazjonalnie uczęszczał na spotkania modlitewne, które ojciec, Martin Holt, organizował dla lokalnych członków zgromadzenia świadków Jehowy. Wszyscy się spodziewali, że ten mężczyzna będzie się starał o przyjęcie go do wspólnoty.

– Mamy jego zdjęcie? – spytała podkomisarz policji Bente Hansen, koleżanka z dawnego zespołu Carla.

Zastępca szefa pokręcił głową.

– Nie, ale mamy jego opis i nazwisko: Freddy Brink. To oczywiście fałszywka, Departament A już to sprawdził. W rejestrach nie pojawia się nikt pasujący do opisywanego wieku. Poprosiliśmy kolegów z Karlshamn, by wysłali rysownika policyjnego do Tryggvego Holta. Zobaczymy, dokąd to doprowadzi.

Szef Wydziału Zabójstw stanął przy białej tablicy, zapisując hasła.

– Czyli porywa chłopców szesnastego lutego tysiąc dziewięćset dziewięćdziesiątego szóstego. Jest piątek, dzień, w którym starszy brat Poul zabrał ze sobą młodszego Tryggvego do Wyższej Szkoły Inżynierskiej w Ballerup. Wspomniany Freddy Brink mija ich swoją jasnoniebieską furgonetką, ciesząc się, że przez przypadek spotkał ich tak daleko od Græsted. Proponuje, że podwiezie ich do domu. Niestety Tryggve nie potrafił opisać samochodu bardziej szczegółowo ponad to, że z przodu był okrągły, a z tyłu kwadratowy.

Chłopcy siadają na przednim siedzeniu, a chwilę później on zatrzymuje się w ustronnej zatoczce i razi ich prądem. Nie dysponujemy opisem, jak to zrobił, ale najprawdopodobniej jakimś paralizatorem typu Stun Gun. Następnie wrzuca ich do bagażowej części auta i przytyka do twarzy szmatę, prawdopodobnie nasączoną chloroformem albo eterem.

– Chciałbym tylko wtrącić, że Tryggve Holt nie ma pewności co do przebiegu – powiedział Carl. – Był na wpół przytomny w wyniku porażenia prądem, a później to, co komunikował mu brat, było ograniczone ze względu na taśmę na ustach.

– Tak – ciągnął Marcus Jacobsen. – Ale o ile dobrze zrozumiałem, Poul przekazał bratu swoje wrażenie, jakoby jechali przez godzinę, jednak nie możemy na tym do końca polegać. Poul cierpiał na rodzaj autyzmu i nie miał pełnego oglądu rzeczywistości, choć był niesamowicie uzdolniony.

– Może zespół Aspergera? Chodzi mi o sformułowania z listu i o to, że w tak straszliwej sytuacji Poul zatroszczył się, by napisać dokładną datę. Czy takie rzeczy nie są dość typowe? – spytała Bente Hansen, trzymając długopis na notatniku.

– Może i tak – szef Wydziału Zabójstw pokiwał głową. – Po dojechaniu na miejsce chłopcy zostali wrzuceni do domku na łodzie, gdzie unosił się silny zapach smoły i gnijącej wody. Domek był bardzo mały – można w nim było stanąć, tylko mocno się garbiąc. Nie taki na łodzie wiosłowe czy żaglówki, lecz raczej do magazynowania kajaków i kanu. Trzymano ich tam przez jakieś cztery-pięć dni, po czym Poul został zamordowany. Czas określił Tryggve, ale pamiętajmy, że chłopak miał wtedy zaledwie trzynaście lat i bardzo się bał. Dlatego spał przez większość czasu.

– Czy dysponujemy jakimiś znakami charakterystycznymi terenu? – spytał Peter Vestervig, jeden z facetów z zespołu, którym kierował Viggo.

– Nie – odparł szef Wydziału Zabójstw. – Chłopcy mieli zawiązane oczy, gdy prowadzono ich do domku. Ale choć nie widzieli nic na zewnątrz, Tryggve mówi, że słyszeli niskie buczenie, przypominające odgłos wiatraków. Słyszeli ten dźwięk często, ale czasem nie był zbyt głośny. Prawdopodobnie miało to związek z kierunkiem wiatru i warunkami pogodowymi.

Szef Wydziału Zabójstw utkwił na chwilę wzrok w pudełku fajek leżącym na biurku. Niedługo już samo to mu wystarczy, by odzyskać energię. Z korzyścią dla niego.

– Wiemy – ciągnął – że domek na łodzie mieścił się nad wodą, prawdopodobnie zbudowano go na palach, bo fale chlupotały tuż przy deskach w podłodze. Drzwi były uniesione jakieś pół metra ponad terenem, żeby można było się wczołgać do środka pomieszczenia przy tak niskim suficie. Tryggve uważa, że musiano je swego czasu zbudować do składowania kajaków albo kanu, bo w środku znajdowały się pagaje. Twierdzi też, że nie zbudowano go z gatunku drzewa, które zwykle kojarzy się z tradycją skandynawską, bo miało jaśniejszy odcień brązu i drewno było inne. Ale o tym dowiemy się później. Laursen, nasz dawny kolega z Technicznego, znalazł na papierze listu drzazgę pochodzącą z kawałka drewna, którego Poul użył jako rysika. W tej chwili oceniają ją eksperci. To może nam pomóc w kwestii gatunku drzewa, z którego zbudowano domek.

– W jaki sposób Poul został zabity? – spytał ktoś z tyłu.

– Tryggve nie wie. Gdy to się działo, naciągnięto mu na głowę worek z materiału. Słyszał szamotaninę, a gdy worek zdjęto, jego brata już nie było.

– Skąd w takim razie wie, że brat został zabity? – kontynuował indagujący.

Marcus wziął głęboki oddech.

– Dźwięki mówiły same za siebie.

– Jakie dźwięki?

– Jęk, szarpanina, głuche uderzenie – i potem już nic.

– Uderzenie tępym narzędziem?

– Tak, możliwe. Przejmiesz, Carl?

Wszyscy na niego spojrzeli. Takiemu gestowi szefa Wydziału Zabójstw wielu spośród zebranych nie przyklasnęło. Gdyby to zależało od nich, Carl powinien stąd zmiatać i zaszyć się w jakimś odległym kąciku. Przez te wszystkie lata mieli go po dziurki w nosie.

Carlowi było wszystko jedno. W jego przysadce mózgowej wciąż buzowały hormonalne następstwa szalonej nocy. Rozkoszne doznania, w których był osamotniony, wnioskując po zebranych tu znudzonych gębach.

Carl odchrząknął.

– Po zabójstwie starszego brata Tryggve został poinstruowany, co ma powiedzieć rodzicom: że Poul został zamordowany i że mężczyzna nie zawaha się ponownie uderzyć, jeśli powiedzą komuś o tym, co zaszło.

Pochwycił spojrzenie Bente Hansen. Była jedyną osobą w pokoju, która na to zareagowała. Skinął do niej głową. Zawsze była z niej fajna babka.

– To musiało być bardzo traumatyczne dla trzynastolatka – powiedział Carl, zwracając się bezpośrednio do niej. – Później, po powrocie do domu, Tryggve dowiedział się, że przed zabójstwem morderca kontaktował się z rodzicami i zażądał miliona okupu. Pieniędzy, które rzeczywiście zapłacili.

– Zapłacili? – spytała Bente Hansen. – Przed czy po morderstwie?

– Przed morderstwem, o ile wiem.

– Zupełnie nie rozumiem, o co w tym chodzi, Carl. Mógłbyś to pokrótce wyjaśnić? – spytał Vestervig. Było rzadkością, by ludzie stąd tak szczerze oznajmiali, że czegoś nie rozumieją. Godne pochwały.

– Proszę bardzo. Rodzina wiedziała, jak wygląda morderca, bo przecież uczestniczył w ich spotkaniach. Prawdopodobnie byliby w stanie całkiem nieźle zidentyfikować jego, samochód i wiele innych rzeczy. Z tym że morderca zabezpieczył się przed tym, by poszli na policję, używając prostej i okrutnej metody.

Kilku uczestników spotkania oparło się o ścianę. Już teraz ich myśli błądziły wokół spraw leżących na ich biurkach. Rockersi i gangi imigrantów myślały teraz położoną zdecydowanie najniżej częścią kręgosłupa. Od wczoraj zdarzyła się kolejna strzelanina w dzielnicy Nørrebro, trzecia w ciągu tygodnia, więc ludzie z wydziału mieli co robić. Teraz już nawet karetki nie ośmielały się zapuszczać w tamte rejony. Na okrągło zdarzały się groźby. Wielu kolegów na własną rękę zainwestowało w lekkie kamizelki kuloodporne, a w tej chwili kilku z nich miało je na sobie pod swetrem.

Do pewnego stopnia Carl ich rozumiał. Co, u diabła, obchodził ich list w butelce z 1996, skoro byli zarobieni po uszy? Ale czy zapracowanie to przypadkiem nie ich własna wina? Czy przeważająca część ludzi stąd nie zagłosowała na partie, które wepchnęły kraj w to gówno? W reformę policji i chybioną politykę integracyjną. Nie, sami się, jasny gwint, o to prosili. Ciekawe, czy o tym pamiętają w wozie policyjnym o drugiej w nocy, podczas gdy ich żony śnią o tym, by przytulić się do mężów.

– Porywacz wybiera rodzinę wielodzietną – ciągnął Carl, wyszukując twarze, do których warto by się zwrócić. – Rodzinę, która pod wieloma względami jest oddzielona od społeczeństwa. Rodzinę o silnie zakorzenionych przyzwyczajeniach i mocno ograniczonym trybie życia. W tym wypadku była to rodzina związana ze świadkami Jehowy. Nie bardzo zamożna, ale wystarczająco. Wtedy morderca wybiera dwoje dzieci, które mają w rodzinie szczególny status. Porywa oboje, a po zapłaceniu okupu zabija jedno dziecko. Teraz rodzina wie, że jest zdolny do wszystkiego. Następnie morderca grozi, że już zawsze będzie gotów zabić zupełnie bez zapowiedzi kolejne dziecko z gromadki przy najmniejszym podejrzeniu, że sprzymierzyli się z policją czy wspólnotą albo próbują go odnaleźć. Rodzina dostaje drugie dziecko z powrotem. Jest biedniejsza o milion koron, ale reszta gromadki żyje. I rodzina milczy w swoim nieszczęściu. Milczą, by nie dopuścić do spełnienia gróźb mordercy. Milczą, by znów żyć w miarę normalnie.

– Ale dziecko znika na zawsze! – wtrąciła Bente Hansen. – Co z otoczeniem? Przecież ktoś musiał zauważyć, że dziecka nagle nie ma?

– Zgadza się, ktoś musiał to zauważyć. Ale niewiele osób z tak wąskiego kręgu zareaguje, jeśli rozpowie się w otoczeniu, że wyklęło się dziecko z powodów religijnych, chociaż taką decyzję często podejmuje specjalna rada. Właśnie wyjaśnienie opierające się na wyklęciu jest wiarygodne w pewnych sektach religijnych. W niektórych sektach wręcz nie wolno kontaktować się z wyklętym, dlatego też nie podejmuje się takich prób. W tej kwestii wspólnota zawsze wykazuje solidarność. Po morderstwie ogłoszono, że Poul Holt został wyklęty przez rodziców. Odesłali go, by to przemyślał, i tak pytania ucichły.

– No dobrze, ale poza zgromadzeniem? Przecież ktoś musiał się zainteresować.

– Owszem, przypuszczalnie. Z tym że najczęściej nie ma kontaktu z nikim spoza takiego zgromadzenia. To właśnie jest najbardziej szatańskie w doborze ofiar. W sumie tylko opiekunka grupy ze studiów Poula skontaktowała się później w tej sprawie z rodziną, ale donikąd to nie doprowadziło. Przecież nie można zmusić studenta do powrotu do szkolnej ławy wbrew jego woli, prawda?

W tej chwili panowała cisza jak makiem zasiał. W końcu do wszystkich dotarło.

– Tak, dobrze wiemy, o czym myślicie – my też tak sądzimy – zastępca szefa Lars Bjørn powiódł wzrokiem po grupie. Jak zawsze usiłował sprawiać wrażenie ważniejszego, niż był. – W przypadku gdy tak poważne przestępstwo nigdy nie zostało zgłoszone i gdy dotyka zamkniętych środowisk, mogło się to równie dobrze zdarzyć więcej niż ten jeden raz.

– Ale chore – wyrwało się któremuś z nowych.

– Tak, witaj w Komendzie Głównej – odparował Vestervig i pożałował w tej samej chwili, zgromiony spojrzeniem Jacobsena.

– Muszę podkreślić, że w obecnym momencie nie możemy wyciągać tak daleko idących wniosków – powiedział szef Wydziału Zabójstw. – W każdym razie nie wypuszczamy niczego do prasy, dopóki nie będziemy wiedzieli czegoś więcej, rozumiemy się?

Wszyscy pokiwali głowami, Assad zaś w szczególności.

– To, co działo się z rodziną, dobitnie świadczy o tym, jaką kontrolę miał nad nią morderca – powiedział Marcus Jacobsen. – Zechcesz, Carl?

– Tak. Według Tryggvego Holta rodzina przeprowadziła się do Lund już tydzień po uwolnieniu Tryggvego. Od tamtej chwili wszyscy w rodzinie otrzymali zakaz mówienia o Poulu.

– To musiało być niełatwe dla młodszego brata – wtrąciła Bente Hansen.

Carl przypomniał sobie twarz Tryggvego. Istotnie, było.

– Rodzinna paranoja na punkcie groźby mordercy przejawiała się za każdym razem, gdy słyszeli kogoś mówiącego po duńsku. Przeprowadzili się ze Skanii do Blekinge i przeprowadzali się jeszcze dwukrotnie, nim osiedlili się na stałe w swoim obecnym miejscu zamieszkania w Hallabro. Jednak cała rodzina dostała od ojca jasne instrukcje, żeby nigdy nie wpuszczać do domu nikogo mówiącego po duńsku i nigdy nie zadawać się z ludźmi spoza zgromadzenia.

– A Tryggve przeciwko temu zaprotestował? – spytała Bente Hansen.

– Tak, z dwóch powodów. Po pierwsze, nie chciał przestać mówić o Poulu, którego bardzo kochał, i uważał w jakiś pokrętny sposób, że on ofiarował za niego swoje życie. A następnie dlatego, że zakochał się w dziewczynie, która nie była świadkiem.

– I został wyklęty – dodał Lars Bjørn, bo też minęło już ładnych parę sekund, odkąd ostatnio słyszał swój wkurzający jak diabli głos.

– Tak, Tryggvego wyklęto – zgodził się Carl. – I to trzy lata temu. Wyprowadził się kilka kilometrów na południe, ustabilizował w związku z dziewczyną i zaczął pracować jako pomocnik w handlu drewnem w Belganet. Rodzina i zgromadzenie nigdy z nim nie rozmawiali, choć jego miejsce pracy mieściło się niedaleko domu rodziców. Zdarzyło się to tylko ten jeden raz, po tym, jak zwróciłem się do ich rodziny. Ojciec zrobił to, by zmusić Tryggvego do trzymania gęby na kłódkę, a Tryggve na to przystał, o ile dobrze zrozumiałem. Trzymał się umowy aż do chwili, gdy pokazałem mu list z butelki. Osunął mu się grunt spod nóg, choć może raczej odwrotnie. Można powiedzieć, że zmusiło go to, by na powrót stanął na ziemi.

– Czy po porwaniu morderca kontaktował się z rodziną? – spytał ktoś.

Carl pokręcił głową.

– Nie, i nie sądzę, by to miało nastąpić.

– Dlaczego?

– Minęło trzynaście lat. Czyżby nie miał innych rzeczy do roboty?

W pomieszczeniu znów zapanowała osobliwa cisza. Słychać było jedynie bezustanne trajkotanie Lis, dobiegające z sąsiedniego pokoju. Ktoś w końcu musiał odbierać telefony.

– Czy jest coś, co wskazywałoby na istnienie innych, podobnych spraw, Carl? Sprawdziliście to?

Carl spojrzał na Bente Hansen z wdzięcznością. Była jedyną osobą w pomieszczeniu, z którą przez cały ten czas nie miał poważniejszej wymiany zdań, i zapewne jedyną osobą w grupie, która nigdy nie miała potrzeby wywyższania się. Po prostu rzetelny pracownik.

– Wyznaczyłem Assada i Yrsę, zastępującą Rose, by skontaktowali się z grupami wsparcia dla odszczepieńców z różnych sekt. Może w ten sposób dotrzemy do wyklętych czy zbiegłych dzieci z któregoś zgromadzenia. To dość cienka nić, ale jeśli pójdziemy prosto do poszczególnych zgromadzeń, nic nie wskóramy.

Kilka osób spoglądało na Assada, który wyglądał jak ktoś, kto właśnie wstał z łóżka. Kompletnie ubrany, warto zauważyć.

– Czy nie powinniście tego zostawić nam, zawodowcom, którzy się na tym znają? – spytał ktoś.

Carl uniósł rękę.

– Kto to powiedział?

Wystąpił jeden z facetów. Nazywał się Pasgård i był chamem. Cholernie dobry w robocie, ale też jeden z tych, co się pchają do udzielania wywiadów, gdy ludzie z telewizji stoją na czatach. Pewnie za parę lat widzi się w fotelu szefa. Niedoczekanie, psiakość.

Carl zacisnął oczy.

– Okej, skoro jesteś taki cholernie dobry, bądź może tak miły i wtajemnicz nas w swoją niesamowitą wiedzę o sektach i sektopodobnych grupach w Danii, które mogły stać się celem ataku człowieka takiego jak morderca Poula Holta? Mógłbyś nam kilka wymienić? Wystarczy pięć.

Gość zaprotestował, ale uśmieszek Jacobsena wywierał na niego presję.

– Hmm! – rozejrzał się po pomieszczeniu. – Świadkowie Jehowy. Baptyści raczej nie są sektą, ale... Rodzina Tongila... Scjentologia...

sataniści i... Dom Ojca* – spojrzał triumfalnie na Carla i skinął głową do pozostałych.

Carl udał, że jest pod wrażeniem.

– Dobra, Pasgård, jasne, że baptystów nie można nazwać sektą, ale też trudno nią nazwać satanistów, chyba że ma się na myśli konkretny ruch Kościół Szatana. Musisz więc podać coś w zamian, dasz radę?

Facet wygiął w dół kąciki ust, a wszyscy na niego patrzyli. Przemknęły mu przez głowę wszystkie wielkie religie świata, ale zostały odrzucone. Było niemal widać, jak jego wargi bezgłośnie formułują słowa. Wreszcie padło: „Dzieci Boże" – co spotkało się ze sporadycznymi oklaskami.

Carl poszedł w ich ślady i krótko zaklaskał.

– Dobrze, Pasgård, zatem zakopmy topór wojenny. W Danii jest wiele sekt i kościołów sektopodobnych. Tyle że trudno je wszystkie mieć w głowie. Oczywiście, że się nie da – zwrócił się do Assada. – Prawda, Assad?

Niewysoki człowiek pokręcił głową.

– Nie, najpierw trzeba tak odrobić lekcje.

– A ty odrobiłeś?

– Nie jestem jeszcze gotowy, ale mogę wymienić tak kilka więcej. Mam to zrobić? – Assad spojrzał na szefa Wydziału Zabójstw, który skinął głową.

– Okej, to uważam, że można jeszcze wymienić kwakrów, towarzystwo Martinusa, Kościół zielonoświątkowców, Sathya Sai Baba, Kościół Matki Bożej, organizację Evangelist, Dom Chrystusa, Ufo-kosmologię, teozofów, ruch Hare Kryszna, Medytację Transcendentalną, Szamanistów, Fundację Emin, Strażników Grzechu, Ananda Margę, ruch Jesa Bertelsena, zwolenników Brahma Kumaris, Czwartą Drogę, Słowo Życia, Osho, New Age, może Kościół Przemienienia, neopogan, W Światłości Pana, Złote Koło i może też jeszcze Wewnętrzną Misję – wziął głęboki oddech, by nie zabrakło mu tchu.

Tym razem nikt nie zaklaskał. Zrozumieli, że wiedza specjalistyczna ma wiele twarzy.

---

* Dom Ojca (duń. *Faderhuset*) jest duńską sektą ewangelicką zrzeszającą od 100 do 150 członków.

– Tak – uśmiechnął się lekko Carl. – Istnieje wiele społeczności religijnych. A spora ich część ma taki stosunek do przywódcy czy wspólnoty, że po pewnym czasie stają się zamkniętymi jednostkami. Przy dogodnych warunkach taki psychopata jak ten, co zamordował Poula Holta, ma pod dostatkiem naprawdę urodzajnych terenów łowieckich.

Szef Wydziału Zabójstw postąpił o krok w przód.

– Usłyszeliście o sprawie zakończonej morderstwem. Nie w naszym okręgu, rzecz jasna, ale w pobliżu. I nikt nie miał zielonego pojęcia, co się wydarzyło. Tymi słowami zakończmy to spotkanie. Carl i jego pomocnicy będą dalej pracować nad sprawą – zwrócił się do Carla. – Proście o pomoc, jeśli będziecie jej potrzebować.

Jacobsen odwrócił się do Pasgårda, którego zimne oczy zdążyły już przesłonić się ciążącymi od obojętności powiekami.

– A tobie, Pasgård, chciałbym powiedzieć, że twój entuzjazm jest przykładny. To świetnie, że uważasz, że jesteśmy dobrze przygotowani do tego zadania. Z tym że tu, na drugim piętrze, musimy być na bieżąco ze sprawami, które już i tak mamy. A jest ich wystarczająco dużo, prawda? Jak uważasz?

Kretyn pokiwał głową. Bo też każda inna reakcja byłaby jeszcze bardziej kretyńska.

– Cóż, chciałbym jednak powiedzieć, że skoro uważasz, że lepiej poradzimy sobie z tym zadaniem niż Departament Q, to może należy to przemyśleć. Powiedzmy, że możemy do niego przydzielić jedną osobę. Skoro zaś wykazujesz takie zainteresowanie, Pasgård, to oczywiście muszę wskazać ciebie.

Carl poczuł, jak wiotczeje mu dolna szczęka, a powietrze więźnie w płucach. To nie może być prawda, mają pracować z tym palantem?

Marcus Jacobsen jednym spojrzeniem pojął jego dylemat.

– Rozumiem, że na papierze, na którym pisano, znaleziono rybią łuskę. Pasgård, mógłbyś dowiedzieć się po pierwsze, o jaką rybę chodzi, a po drugie – w jakich wodach, położonych godzinę jazdy od Ballerup, ta ryba występuje?

Szef Wydziału Zabójstw zignorował wytrzeszczone oczy Carla.

– I jeszcze na koniec, Pasgård: pamiętaj, że to miejsce może znajdować się w pobliżu wiatraków lub czegoś, co wydaje podobny dźwięk – a to coś, co ten dźwięk emituje, powinno się znaleźć w tym miejscu w tysiąc dziewięćset dziewięćdziesiątym szóstym. Zrozumiałeś?

Carl odetchnął z ulgą. Niech sobie Pasgård bierze to zadanie.

– Nie mam czasu – powiedział Pasgård. – Jørgen i ja chodzimy w Sundby po wszystkich klatkach schodowych po kolei.

Jacobsen spojrzał na stojącego w kącie osiłka. Kiwnął głową. Wszystko w porządku.

– Przez te parę dni Jørgen poradzi sobie sam – powiedział Jacobsen. – Prawda, Jørgen?

Zwalisty mężczyzna wzruszył ramionami. Nie był zachwycony. Rodzina, która czekała na wyjaśnienie sprawy napaści na ich syna, z pewnością też nie będzie.

Jacobsen zwrócił się do Pasgårda.

– Wyjaśnisz ten drobiazg w ciągu dwóch dni, prawda?

Tym sposobem szef Wydziału Zabójstw ustanowił przykład. Jeśli na kogoś sikasz, nie rób tego pod wiatr.

25

Zdarzyła się najstraszniejsza rzecz, jaka mogła się zdarzyć, i Racheli ziemia usunęła się spod nóg.

Pośród nich objawił się Szatan, karząc ich za lekkomyślność. Jak mogli pozwolić, by zupełnie obcy człowiek zabrał ich dwa oczka w głowie, i to w święty dzień? Wczoraj mieli w ciszy czytać razem Biblię i przygotowywać się do błogosławionego spokoju, jak to mieli w zwyczaju w szabas. Mieli złożyć ręce na czas spoczynku, pozwalając, by spłynął na nich duch Matki Bożej i obdarzył ich pokojem.

A teraz? Teraz Boża dłoń mierzyła w nich jak grom. Ulegli wszystkim pokusom, którym oparła się wywyższona Maryja Dziewica. Pochlebstwu, diabelskim przebraniom, pustym słowom.

Nadeszła kara. Magdalena i Samuel znaleźli się we władzy grzesznika. Minęła już noc i pół dnia, a oni nie mogli nic zrobić.

Rachela boleśnie odczuwała to upokorzenie. Dokładnie tak jak wtedy, gdy została zgwałcona i nikt nie przybył jej z odsieczą. Ale wtedy mogła działać, a teraz nie.

– Musisz załatwić te pieniądze, Jozue – beształa męża. – Musisz!

Źle wyglądał. Białka oczu zlały się w jedno z kolorem twarzy.

– Rachelo, przecież ich nie mamy. Wiesz, że przedwczoraj zapłaciłem dobrowolny podatek. Milion z odsetkami, tak jak zawsze. – Ukrył twarz w dłoniach. – Tak jak zawsze, w imię Jezusa. Dokładnie tak, jak zawsze robimy!

– Jozue, słyszałeś, co on mówił przez telefon. Jeśli nie załatwimy tych pieniędzy, on ich zabije.

– Więc pójdźmy do pozostałych ze zgromadzenia.

– NIE! – krzyknęła tak głośno, że w salonie obok najmłodsza córeczka zaczęła płakać. – On zabrał nasze dzieci, a teraz t y je odbierzesz, zrozumiałeś? Jestem przekonana, że jak się wygadasz, już ich nie zobaczymy.

Skierował ku niej twarz.

– Skąd możesz to wiedzieć, Rachelo? Może on blefuje. Może powinniśmy po prostu iść na policję.

– Na policję? A co ty o nich wiesz? Może jest wśród nich jakiś szkaradny człowieczek na usługach Diabła. Wiesz na pewno, że *on* się o tym nie dowie, *wiesz to*?

– No to do naszych przyjaciół. Ludzie ze zgromadzenia nic nie powiedzą. Jeśli będziemy działać razem, zdobędziemy te pieniądze.

– A co, jeśli on będzie stał gdzieś na zewnątrz, gdy do nich pójdziemy? Co, jeśli ma wśród nas pomocników, o których nie wiemy? Przez kawał czasu był tak blisko nas, nie pokazując swej prawdziwej twarzy. Skąd możesz wiedzieć, że nie ma innych podobnych jemu? Skąd, Jozue?

Spojrzała na najmłodszą córeczkę, która teraz stała, trzymając się kurczowo futryny drzwi, patrzyła na nich zaczerwienionymi oczami.

On musi znaleźć rozwiązanie i tyle.

– Jozue, musisz znaleźć rozwiązanie i tyle – powiedziała, wstając od stołu w kuchni. Uklękła przed córeczką i objęła ją za głowę.

– Nie rozpaczaj, Saro. Matka Boża na pewno będzie czuwać nad Magdaleną i Samuelem. Musisz się po prostu modlić, tak im pomożesz. A jeśli to się stało, bo zrobiliśmy coś, czego nie powinniśmy, modląc się, otrzymamy przebaczenie. Tylko tyle masz zrobić, kochanie.

Dostrzegła, jak córeczka drgnęła na dźwięk słowa „przebaczenie". Że jej oczy go łaknęły. Miała coś do powiedzenia, ale jej usta nie chciały się otworzyć.

– O co chodzi, Saro? Czy chcesz coś mamusi powiedzieć?

Kąciki ust Sary zaczęły wyginać się w dół, a wargi drżeć. Coś było na rzeczy.

– Czy chodzi o tego pana?

Dziewczynka kiwnęła głową, a łzy popłynęły cichutko.

Rachela podświadomie wstrzymała oddech.

– O co chodzi, *powiedz*?

Mała przestraszyła się ostrego tonu, ale język jej się rozwiązał.

– Zrobiłam coś, czego mi nie wolno.

– Co to takiego, Saro, powiedz.

– W czasie przeznaczonym na spoczynek zajrzałam do albumu

ze zdjęciami, jak wy siedzieliście ze swoimi Bibliami w kuchni. Przepraszam, mamo. Wiem, że to było głupie.

– Och, Saro – spuściła głowę. – Tylko tyle?

Córka pokręciła głową.

– Zobaczyłam tam zdjęcie tego pana, co zabrał Magdalenę i Samuela. Czy dlatego to się stało? Mogłam na niego patrzeć, skoro jest Diabłem?

Rachela zaczerpnęła powietrza do płuc. Nie wiedziała o tym.

– Mamy jego zdjęcie?

Sara pociągnęła nosem.

– Tak, przed domem zgromadzeń. Jesteśmy tam wszyscy razem podczas uroczystości przyjęcia do wspólnoty Johanny i Diny.

Czyżby on był na tej fotografii?

– Gdzie jest to zdjęcie? Pokaż mi je, Saro, już!

Posłusznie odszukała album i wskazała zdjęcie.

„Och" – pomyślała Rachela. „Na co się to zda? Przecież to na nic".

Spojrzała z odrazą na zdjęcie. Wyjęła je z albumu. Pogładziła córkę po włosach i uspokoiła ją, że uzyskała przebaczenie. Następnie zabrała zdjęcie do kuchni i cisnęła je na stół przed znieruchomiałego męża.

– Patrz, Jozue, oto twój przeciwnik – wskazała głowę w ostatnim rzędzie. Była bardzo mała; udało mu się ukryć za stojącymi w rzędzie przed nim i nie patrzeć w aparat. Gdyby się nie wiedziało, kim jest, mógł to być ktokolwiek.

– Jutro rano pójdziesz do Urzędu Skarbowego i powiesz, że wpłata podatku nastąpiła przez pomyłkę. Że musimy odzyskać pieniądze, bo inaczej splajtujemy. Rozumiesz, Jozue? Idziesz jutro rano.

W poniedziałek rano wyjrzała przez okno na wstające słońce za kościołem w Dollerup. Długie, drżące promienie w perłowej mgiełce. Boża potęga w pełnej okazałości. Jak to nieskończone piękno może kazać jej nieść taki krzyż? I jak ona w ogóle dopuszcza do tego, by zadawać to pytanie? Wiedziała przecież, że Boże ścieżki są niezbadane.

Ściągnęła usta, by nie poddać się płaczowi, na powrót złożyła ręce i zamknęła oczy.

Rachela przez całą noc się modliła, jak to często czyniła wcześniej w bezpiecznych objęciach zgromadzenia, ale tym razem nie ogarnął jej spokój. Bo to był czas próby, Hiobowa godzina przeznaczenia, a ból wydawał się bezkresny.

Gdy słońce zagościło na powale z chmur, a Jozue pojechał do gminy po pomoc w odzyskaniu dobrowolnego podatku od firmy Krogh Maskinstation, jej siły były już na wyczerpaniu.

– Józefie, nie pójdziesz do szkoły i zajmiesz się siostrami – powiedziała najstarszemu synowi. Musi zabrać Miriam i Sarę, żeby ona mogła się pozbierać.

Gdy Jozue wróci, to z Bożą pomocą będzie miał ze sobą pieniądze. Ustalili, że ma zdeponować czek w Vestjysk Bank i polecić im, by przelali odpowiednie kwoty na ich konta w bankach Nordea, Danske Bank, Jyske Bank, Sparekassen Kronjylland i Almindelig Brand Bank. Będzie się to równało wypłatom gotówkowym wysokości około 165 tysięcy koron z każdego z banków, a to powinno dać się załatwić bez zbędnych pytań. Gdyby w którymś miejscu wypłacono Jozuemu nowe banknoty, ma je pobrudzić, pognieść i wymieszać z banknotami z pozostałych filii. W ten sposób będą mieli pewność, że raz – dostaną wszystkie pieniądze, a dwa – ten szatan, który zabrał ich dzieci, nie będzie ich podejrzewał o dostarczenie mu banknotów o zapisanych numerach.

Zarezerwowała miejscówki na wieczorny pociąg Intercity, który przyjeżdżał do Odense o 19.29, a następnie dalej na ekspres do Kopenhagi, i czekała na męża. Spodziewali się go między 12.00 a 13.00, ale przyjechał już o wpół do jedenastej.

– Jozue, masz pieniądze? – spytała, choć już na pierwszy rzut oka widać było, że ich nie ma.

– To nie takie proste, Rachelo. Wiedziałem, że tak będzie – powiedział słabym głosem. – W gminie chcieli nam pomóc, ale konto należy do skarbówki, a tam spraw nie załatwia się tak szybko. To straszne.

– Naciskałeś na nich, Jozue, prawda? Chyba naciskałeś? Nie mamy całego dnia. Banki zamykają o szesnastej. – Była już zdesperowana. – Co im powiedziałeś? Powtórz.

– Powiedziałem, że muszę mieć te pieniądze. Że to był z mojej strony błąd, że w ogóle je wpłaciłem. Że mam problemy z komputerem i straciłem rozeznanie. Że na nasze konta wpłynęły pomyłkowe przelewy, a w międzyczasie poginęły mi w systemie faktury, których nie wziąłem pod uwagę. Powiedziałem też, że dziś paru dostawców przysłało mi monity i że kilku najważniejszych możemy stracić, jeśli im teraz nie zapłacimy. Że dostawcy są pod ogromną presją z powodu kryzysu finansowego i że będą musieli zabrać swoje kombajny, by je sprzedać klientom, którzy będą mogli je kupić z dużym rabatem. Powiedziałem, że stracę preferencyjne warunki leasingowe i że to będzie nas kosztować stanowczo za dużo. Że ten moment również dla nas jest krytyczny.

– O Boże. Trzeba było koniecznie tak to komplikować, Jozue? Dlaczego?

– Tylko to potrafiłem wymyślić – usiadł ciężko na krześle, kładąc na stole pustą aktówkę. – Ja też jestem pod presją, Rachelo. Nie potrafię myśleć tak jak zwykle. Też dziś w nocy nie spałem.

– Mój Boże. I co teraz zrobimy?

– Musimy iść do zgromadzenia. Co nam pozostaje?

Zacisnęła usta i wyobraziła sobie Magdalenę i Samuela. Biedne, niewinne dzieci, cóż takiego uczyniły, by zasłużyć na tę czarę goryczy?

Upewnili się, że ksiądz z ich zgromadzenia jest w domu, i włożywszy płaszcze, właśnie się do niego wybierali, gdy rozległ się dzwonek do drzwi.

Gdyby to zależało od Racheli, nie otworzyliby, ale umysł jej męża nie był na tyle przytomny.

Nie znali kobiety stojącej w drzwiach z teczką w ręce ani też nie mieli ochoty z nią rozmawiać.

– Isabel Jønsson. Przychodzę z gminy – powiedziała, wchodząc do przedsionka.

W Rachelę wstąpiła nadzieja. Pewnie kobieta miała ze sobą papiery do podpisania. Pewnie wszystko załatwiła. Czyli jednak jej mąż nie jest aż taki głupi.

– Proszę wejść. Może usiądziemy w kuchni – powiedziała z ulgą.

– Widzę, że państwo właśnie wychodzą. Nie muszę przeszkadzać akurat w tej chwili. Mogę przyjść jutro, jeśli to państwu bardziej pasuje.

Gdy zasiedli przy kuchennym stole, Rachela poczuła zbierające się chmury. Czyli nie przyszła tu, by im pomóc w odzyskaniu pieniędzy. W takim razie musiała przecież widzieć, jak są zajęci. Czemu więc po prostu nie mieć tego z głowy? „Nie muszę przeszkadzać akurat w tej chwili" – co to w ogóle ma znaczyć?

– Jestem ekspertem od technologii informatycznych z zespołu konsultantów do spraw przedsiębiorstw. Ze słów kolegów z ratusza wnioskuję, że mają państwo poważne problemy z systemem informatycznym. Dlatego mnie tu przysłano – uśmiechnęła się, wręczając im wizytówkę. Było tam napisane: „Isabel Jønsson, konsultant ds. technologii informatycznych, gmina Viborg". Ostatnia rzecz, jakiej teraz potrzebowali.

– Wie pani – powiedziała Rachela, jako że jej mąż najwyraźniej nie miał zamiaru interweniować – to bardzo miło z pani strony, ale to nie jest najwłaściwszy moment, jesteśmy bardzo zajęci.

Myślała, że to załatwi sprawę i że kobieta wstanie, ale ona siedziała tam, patrząc przed siebie, jakby ją przymurowało do stołu. Tak jakby przemocą chciała wyegzekwować publiczne prawo do wtrącania się, choć właśnie teraz nie powinna tego robić.

Wtedy Rachela wstała, spoglądając ostro na męża.

– Chodźmy już, Jozue. Jesteśmy zajęci. – Odwróciła się do kobiety. – Jeśli pani pozwoli.

Ale kobieta wciąż nie wstawała. W tym momencie Rachela dostrzegła, że wpatruje się w fotografię, którą odszukała Sara. W fotografię, która leżała na kuchennym stole, przypominając, że w każdej grupie może znaleźć się Judasz.

– Znacie tego mężczyznę? – spytała kobieta.

Spojrzeli na nią zdezorientowani.

– Którego mężczyznę? – spytała Rachela.

– Tego tam – odparła kobieta, kładąc palec pod głową mężczyzny.

Rachela nabrała podejrzeń. Tak samo jak tego straszliwego popołudnia we wsi nieopodal Baobli, gdy żołnierze spytali o drogę.

Ton głosu, okoliczności.

Coś po prostu było nie tak.

– Proszę już iść – powiedziała Rachela. – Jesteśmy zajęci.

Ale kobieta się nie ruszyła.

– Znacie go? – spytała po prostu.

A więc to tak. Napuszczono na nich kolejnego diabła. Jeszcze jeden diabeł pod postacią anioła.

Rachela zacisnęła pięści, stając przed nią.

– Wiem, kim pani jest, proszę wyjść. Myśli pani, że nie wiem, że to bydlę panią nasłało? Niech pani idzie! Przecież pani wie, że nie mamy chwili do stracenia.

Raptem poczuła, jak wszystko się w niej rozsypuje. Jak nagle nie potrafi już dłużej powstrzymywać łez. Jak gniew i bezradność ciągną ją na dno.

– IDŹ JUŻ! – krzyknęła z zamkniętymi oczami i dłońmi przyciśniętymi do piersi.

Wtedy kobieta podniosła się i podeszła bardzo blisko niej. Chwyciła ją za ramiona i potrząsała delikatnie, dopóki ich oczy się nie spotkały.

– Nie wiem, o czym pani mówi, ale proszę mi wierzyć – jeśli jest ktoś, kto nienawidzi tego mężczyzny, to właśnie ja.

Rachela otworzyła oczy i dostrzegła to. W głębi, za spokojnym spojrzeniem tej kobiety, płonęła nienawiść. Pałająca i głęboka.

– Co on zrobił? – spytała kobieta. – Powiedzcie, co wam zrobił, a ja wam powiem, co o nim wiem.

Było jasne, że kobieta go zna, i to nie z dobrej strony. Pytanie tylko, czy to im może pomóc. Rachela w to nie wierzyła. Pomóc mogą tylko pieniądze, a niedługo będzie już za późno.

– Co pani wie? Proszę szybko mówić, bo wychodzimy.

– Nazywa się Mads Fog. Mads Christian Fog.

Rachela pokręciła głową.

– Nam powiedział, że nazywa się Lars. Lars Sørensen.

Kobieta powoli pokiwała głową.

– Okej. Czyli pewnie nie nazywa się ani tak, ani tak. Gdy go poznałam, przedstawiał się jeszcze w trzeci sposób. Ale widziałam część jego papierów. Mam jego adres; dom należy do Madsa Christiana Foga. Myślę, że to jego prawdziwe nazwisko.

Rachela gorączkowo chwytała powietrze. Czyżby Matka Boża usłyszała ich modlitwy? Spojrzała kobiecie głęboko w oczy. Czy naprawdę można jej zaufać?

– O jakim adresie pani mówi? Gdzie? – twarz Jozuego była sina. Widać było, że nic z tego nie pojmuje.

– Gdzieś w północnej części Zelandii, blisko Skibby. Miejsce nazywa się Ferslev. Adres mam w domu.

– Skąd pani to wie? – głos Racheli zadrżał. Bardzo chciała w to wierzyć, ale czy mogła?

– Mieszkał u mnie do soboty. W sobotę rano go wyrzuciłam.

Rachela zakryła usta dłonią, by nie ulec hiperwentylacji. Jakie to straszne. Czyli prosto od niej pojechał do nich.

Spojrzała na zegarek z przeraźliwym niepokojem, ale zmusiła się, by wysłuchać, jak ten człowiek wykorzystał stojącą przed nią kobietę. Jak zjednał ją swoją pozornie szlachetną naturą. Jak w jednej chwili zmienił osobowość.

Wszystkiemu, co mówiła, Rachela mogła przytaknąć, a gdy kobieta skończyła, Rachela spojrzała na męża. Przez chwilę wydawał się nieobecny, tak jakby próbował spojrzeć na wszystko z innej perspektywy, ale po chwili skinął głową. Tak, jego oczy mówiły, że powinni jej o tym opowiedzieć. Łączyła ich wspólna sprawa.

Rachela ujęła dłoń Isabel.

– Nie może pani powtórzyć tego, co teraz pani powiemy, nikomu na całym świecie, rozumie pani? W każdym razie nie teraz. Dowie się tego pani, bo sądzę, że może nam pani pomóc.

– Jeśli chodzi o sprawy kryminalne, to nie mogę niczego zagwarantować.

– Chodzi. Ale to nie my jesteśmy kryminalistami, tylko mężczyzna, którego pani wyrzuciła. A to... – wzięła głęboki oddech i dopiero teraz poczuła, jak drży jej głos. – A to najgorsza rzecz, jaka mogła nam się przydarzyć. Uprowadził dwoje naszych dzieci, a jeśli pani komuś o tym powie, on je zabije, rozumie pani?

Minęło dwadzieścia minut, a Isabel jeszcze nigdy w życiu nie znajdowała się tak długo w stanie szoku. Teraz widziała wszystko takie, jakie było naprawdę. Mężczyzna, który u niej mieszkał i którego przez krótki, intensywny okres postrzegała jako prawdopodobnego kandydata na towarzysza życia, był potworem, zapewne zdolnym do wszystkiego. Teraz sobie to uświadamiała. Że jego ręce na jej szyi wydawały się nieco zbyt silne, zbyt wprawne. Że jego węszenie wokół jej życia mogło się skończyć fatalnie, gdyby przydarzyło się nieszczęście. Poczuła suchość w ustach na myśl o chwili, w której wyjawiła, że zebrała o nim informacje. A gdyby wtedy się na nią rzucił? Gdyby nie zdążyła powiedzieć, że przekazała te informacje bratu? Gdyby on odkrył, że blefuje? Że nigdy w życiu nie wtajemniczyłaby brata w swoje katastrofy o charakterze seksualnym?

Nawet nie ośmieliła się o tym myśleć.

Patrzyła na tych zszokowanych ludzi, cierpiąc wraz z nimi. Och, jak ona nienawidziła tego człowieka. I zawarła pakt sama ze sobą, pal licho koszty. To mu nie może ujść płazem.

– Okej, pomogę wam. Mój brat jest policjantem, wprawdzie w drogówce, ale możemy go poprosić o wszczęcie poszukiwania. To dobra opcja. W okamgnieniu możemy rozesłać informację po całym kraju. Mam numer jego furgonetki, potrafię dokładnie wszystko opisać.

Ale kobieta naprzeciwko pokręciła głową. Chciałaby, ale nie miała śmiałości.

– Mówiłam już, że nie możesz tego przekazywać dalej, obiecałaś – powiedziała. – Do zamknięcia banków zostały cztery godziny, a do tego czasu musimy zdobyć milion w gotówce. Nie możemy tu dłużej siedzieć.

– Posłuchaj. Jeśli teraz wyruszymy, dojedziemy do jego miejsca zamieszkania w mniej niż cztery godziny.

Pani domu znów pokręciła głową.

– Dlaczego sądzisz, że zawiózł tam dzieci? To byłaby najgłupsza rzecz, jaką mógłby zrobić. Moje dzieci mogą znajdować się gdziekolwiek na terenie Danii. Mógł je wywieźć za granicę. Przecież tam już, do diaska, nikt niczego nie kontroluje. Rozumiesz, o co mi chodzi?

Isabel pokiwała głową.

– Tak, masz rację. – Spojrzała na mężczyznę. – Masz komórkę?

Pan domu wyjął telefon z kieszeni.

– Proszę – powiedział.

– Jest w pełni naładowana?

Kiwnął głową.

– Ty też masz, Rachelo?

– Tak – odparła po prostu.

– Co powiecie, gdybyśmy rozdzielili się na dwie grupy? Jozue spróbuje zdobyć ten milion, a my dwie pojedziemy na Zelandię. Już!

Dwoje małżonków siedziało przez chwilę, patrząc na siebie. Niedobrana para, którą tak dobrze rozumiała. Nie miała dzieci, co już samo w sobie było smutne. Jak to jest – spojrzeć w oczy prawdzie, że można stracić te, które się ma? Jak to jest – musieć samemu podjąć decyzję?

– Brakuje nam miliona – powiedział mężczyzna. – Mamy znacznie więcej, ale nie możemy tak po prostu iść do banku i zmusić ich do wypłacenia nam tych pieniędzy, a już na pewno nie w gotówce. Może by to przeszło rok, dwa lata temu, kiedy były inne czasy, ale nie teraz. Dlatego musimy iść do naszego zgromadzenia. To bardzo ryzykowne, ale mimo wszystko to jedyna rzecz, jaką możemy zrobić, by zdobyć te pieniądze. – Spojrzał na nią natarczywie. Oddech miał nierówny, usta sinawe. – Chyba że możesz nam pomóc. Myślę, że możesz, jeśli zechcesz.

Wtedy po raz pierwszy zobaczyła człowieka w mężczyźnie, który słynął z tego, że ma kontrolę nad swoimi interesami. Jeden z najlepszych podatników w gminie Viborg.

– Zadzwoń do swojego przełożonego – kontynuował, patrząc smutno. – Poproś, by zadzwonił do skarbówki. Powiedz, że dokonaliśmy omyłkowej wpłaty i że mają natychmiast przelać pieniądze z powrotem na nasze konto. Możesz to zrobić?

Nagle piłka znalazła się po jej stronie.

Kiedy trzy godziny temu przyszła do pracy, wciąż była wybita z rytmu. Nie w sosie i w niestabilnym nastroju. Użalanie się nad sobą było jej siłą napędową. Teraz nie potrafiła nawet przypomnieć sobie tych uczuć, choć chciała. Bo w tej chwili wszystko mogła i wszystkiego chciała. Nawet jeśli miałoby to ją kosztować pracę.

Nawet jeśli miałoby to ją kosztować coś więcej.

– Włączę się w to równolegle – powiedziała. – Oczywiście muszę się pospieszyć ze wszystkich sił, ale to i tak zajmie trochę czasu.

26

– Tak, Laursen – powiedział Carl na koniec do dawnego technika policyjnego. – Czyli wiemy już, kto napisał list.

– Uff, przerażająca historia – Laursen wziął głęboki oddech. – Mówisz, że wszedłeś w posiadanie przedmiotów Poula Holta. Jeśli na którymś z nich jest zdatny do użytku materiał DNA, możemy oczywiście spróbować udokumentować, czy przynajmniej da się go połączyć z krwią, którą napisano list. W takim wypadku, jeśli wierzyć słowom brata, że faktycznie został zamordowany, może to doprowadzić do oskarżenia, o ile w ogóle znajdzie się podejrzany. Jednak sprawa, w której nie ma zwłok, jest zawsze wątpliwa, przecież wiesz.

Spojrzał na przezroczyste woreczki, które Carl wyciągnął z szuflady.

– Młodszy brat Poula Holta powiedział mi, że wciąż ma sporo przedmiotów brata. Byli ze sobą mocno związani i Tryggve zabrał te rzeczy, wynosząc się z domu. Poprosiłem, by przekazał nam te tutaj.

Laursen owinął swoją wielką łapę chusteczką i je wziął.

– Te na pewno nam się nie przydadzą – orzekł, odkładając parę sandałów i koszulę. – Ale może to?

Przyjrzał się dokładnie czapce z daszkiem. Zupełnie zwyczajna biała czapka z niebieskim daszkiem, na którym widniał napis „JESUS RULES!”.

– Poulowi nie wolno było jej nosić przy rodzicach. Ale Tryggve mówił, że Poul ją uwielbiał i za dnia chował ją pod łóżkiem, a w nocy w niej spał.

– Czy nosił ją ktoś poza Poulem?

– Nie. Oczywiście spytałem o to Tryggvego.

– Okej. Czyli mamy tutaj jego DNA – Laursen wskazał grubym palcem na parę włosów kryjących się na górze czapki.

– Ale tak super! – powiedział Assad, wślizgując się za ich plecami z plikiem papierów w ręce. Twarz jaśniała mu niczym neon, bynajmniej nie z powodu obecności Laursena. Ciekawe, co znowu wymyślił.

– Dziękuję, Laursen – powiedział Carl. – Wiem, że masz tam na górze co robić przy kotletach, ale wszystko potoczy się bez porównania szybciej, jeśli to ty popchniesz sprawę.

Carl podał mu rękę. Niedługo będzie musiał pofatygować się na górę do stołówki i powiedzieć nowym kolegom z pracy Laursena, jakiego mają odjazdowego kumpla.

– Ho, ho – powiedział Laursen, patrząc w powietrze, po czym zamachnął się swoją ogromną ręką, nic, zdawałoby się, nie chwytając. Stał przez chwilę z zaciśniętą pięścią, uśmiechając się, i wykonał ruch, jakby ciskał piłkę o podłogę. W ciągu milisekundy tupnął nogą, po czym się uśmiechnął. – Nie cierpię robali – powiedział, podnosząc nogę tak, by wszyscy mogli zobaczyć ogromną muchę plujkę rozgniecioną na pokaźną plamę.

I poszedł.

Assad zatarł ręce, gdy ucichł dźwięk kroków Laursena.

– Żeby tak wszystko ślizgało się jak po maśle, Carl. Popatrz tu tylko.

Cisnął na stół plik papierów i wskazał arkusz leżący na samym wierzchu.

– To jest ten spójny minownik między pożarami, Carl.

– Ten co?

– Spójny minownik.

– Wspólny mianownik, Assad. Mówi się wspólny mianownik. Jaki wspólny mianownik?

– Tutaj. Bardzo to do mnie dotarło, gdy przeglądałem rachunki JPP. Pożyczali pieniądze od firmy bankowej, która nazywa się RJ-Invest, a to bardzo ważne.

Carl pokręcił głową. Jak na jego gust za dużo skrótów. JPP?

– JPP, czy to ta firma z artykułami metalowymi, co się spaliła w Emdrup?

Kiwnął głową i ponownie postukał w nazwę, odwracając się w stronę korytarza.

– Hej, Yrsa, idziesz tak? Właśnie pokazuję Carlowi, co znaleźliśmy.

Carl poczuł, jak tworzą mu się zmarszczki. Czy to dziwadło Yrsa znów zajmowało się wszystkim poza tym, co jej polecono?

Usłyszał na korytarzu jej tupanie - tak głośne, że zastęp amerykańskich marines mógłby nabawić się przy niej kompleksów. Jak to w ogóle możliwe, gdy waży się zaledwie jakieś 55 kilo?

Wślizgnęła się do środka i jeszcze nim stanęła spokojnie, zdążyła wyciągnąć papiery.

– Powiedziałeś to o RJ-Invest, Assad?

Kiwnął głową.

– To oni pożyczyli pieniądze JPP jakiś czas przed pożarem.

– Ja to tak powiedziałem, Yrsa.

– Okej. A RJ-Invest ma dużo pieniędzy - nie odpuszczała. - Obecnie ich portfel pożyczkowy wynosi ponad pięćset milionów euro. Całkiem niezły wynik jak na firmę zarejestrowaną w dwa tysiące czwartym roku, co?

– Pięćset milionów, cóż to jest w dzisiejszych czasach? - powiedział Carl.

Może w związku z tym powinien im pokazać zawartość kieszeni w postaci nagromadzonych kłaczków.

– W każdym razie RJ-Invest tyle nie miała w dwa tysiące czwartym. Pożyczali pieniądze od AIJ Ltd., która z kolei pożyczyła swój kapitał początkowy w tysiąc dziewięćset dziewięćdziesiątym piątym od MJ AG, która pożyczała od TJ Holding. Widzisz, co ich ze sobą łączy?

Myślała, że jest głupi?

– Nie, Yrso, oprócz literki J, ani na jotę. A co się za nią kryje?

Carl się uśmiechnął. Tego na pewno nie wiedziała.

– Janković - odparli chórem Assad i Yrsa.

Assad rozłożył przed nim plik papierów. Wszystkie cztery firmy, które ucierpiały w pożarach i gdzie znaleziono zwłoki, leżały przed Carlem w pełnej okazałości. Zeznania roczne z okresu 1992-2009. A we wszystkich zeznaniach pożyczkodawcę zaznaczono czerwonym markerem.

Pożyczkodawcy z J.

– Próbujecie mi powiedzieć, że jakimś cudem ta sama firma bankowa stała za wszystkimi krótkoterminowymi pożyczkami, które te firmy zaciągnęły na krótko przed podłożeniem ognia w ich siedzibach?

– Tak! – znów rozległ się chór.

Przez chwilę uważniej studiował zeznania. To był zdecydowanie przełom.

– Okej, Yrso – powiedział. – W takim razie zbierzesz wszystkie możliwe informacje o tych czterech firmach bankowych. Wiecie, co znaczą poszczególne litery?

Uśmiechnęła się krzywo niczym hollywoodzka aktorka, która nie mogła nic więcej zaoferować.

– RJ: Radomir Janković, AIJ: Abram Ilija Janković, MJ: Milica Janković i TJ jak Tomislav Janković. Czworo rodzeństwa. Trzech braci i siostra Milica.

– Dobra. Mieszkają tu w Danii?

– Nie.

– W takim razie gdzie?

– Można powiedzieć, że nigdzie – odparła z ramionami uniesionymi do samych uszu.

W tej chwili Assad i Yrsa przypominali dwójkę uczniaków, których łączy wspólna tajemnica, czyli dwukilowa petarda przechowywana w tornistrze.

– Nie, mówiąc to tobie wprost, Carl – powiedział Assad. – To cała czwórka umarła wiele lat temu.

Oczywiście, że nie żyją. Czegóż innego można się spodziewać?

– Kiedy wybuchła wojna, stali się znani w Serbii – przejęła Yrsa. – Czworo rodzeństwa, zawsze gotowych dostarczyć broń i słono opłacanych. Jakieś, kurczę, niezłe typki. – Wydała chrząknięcie, które miało odgrywać śmiech, po czym pałeczkę przejął Assad.

– Tak, niedopowiedzenie pogłębia zrozumienie, jak to się mówi – podsumował.

Chyba nie można bardziej się pomylić.

Carl zlustrował chichoczącą Yrsę. Skąd, u diabła, to dziwaczne stworzenie miało te informacje? Serbski też znała?

– Zapewne zmierzacie ku temu, że wyjątkowo podejrzaną fortunę skanalizowano w legalnych firmach pożyczkowych tutaj, na Zachodzie, jak sądzę – powiedział Carl. – Posłuchajcie no, wy dwoje. Jeśli to jest sprawa tego typu, uważam, że powinniśmy ją przekazać naszym kolegom z góry, którzy lepiej się znają na przestępstwach gospodarczych.

– Zobacz najpierw to – Yrsa pogrzebała w swoim pliku. – Mamy zdjęcie tej czwórki rodzeństwa. Stare, ale zawsze.

Położyła przed nim zdjęcie.

– No, no – powiedział, chłonąc wizerunek osób przypominających cztery sztuki przekarmionego, hodowanego na mięso bydła. – Mocno zbudowane to rodzeństwo. Nie trenowali przypadkiem sumo?

– Przypatrz się dobrze, Carl – powiedział Assad. – Wtedy dowiesz się, o co nam chodzi.

Podążył za wzrokiem Assada na sam dół fotki. Czworo rodzeństwa siedziało schludnie obok siebie przy stole przykrytym białym obrusem i zastawionym kryształowymi kieliszkami. Wszyscy z rękami ułożonymi ładnie na brzegu stołu, jakby poinstruowała ich surowa matka, stojąca poza kadrem. Cztery pary masywnych rąk – wszyscy mieli obrączki na małym palcu lewej dłoni. Obrączki wżerające się głęboko w skórę.

Carl uniósł wzrok na swoich współpracowników – dwie najbardziej osobliwe postacie, jakie kiedykolwiek przemieszczały się po tych onieśmielających budynkach, a teraz nadały sprawie zupełnie inny wymiar. Sprawie, która na poważnie nawet nie należała do nich.

Jasna cholera, to dopiero surrealistyczne.

Godzinę później ustalony przez Carla podział zadań znów został zakłócony. Zadzwonił mianowicie zastępca szefa Wydziału Zabójstw, Lars Bjørn. Ktoś z jego ludzi był na dole w archiwum i usłyszał wymianę zdań między Assadem a tą nową. O co tu znów chodzi? Znaleźli związek między sprawami podpaleń?

Carl przekazał skrótowo, o co chodziło, podczas gdy ten sztywniak po drugiej stronie pochrząkiwał przy każdym słowie, by pokazać, że rozumie.

– Bądź tak miły i wyślij Hafeza el-Assada do Rødovre, by poinformował Antonsena. Będziemy oczywiście pracować dalej nad sprawą tu w mieście, ale wy możecie się zająć tą starą sprawą, skoro już zaczęliście – powiedział zastępca szefa.

No i spokój diabli wzięli.

– Nie sądzę, by Assad miał na to ochotę, jeśli mam być szczery.

– W takim razie sam się tym zajmij.

Pieprzony Bjørn, znał go aż za dobrze.

*

– Chyba nie mówisz tak tego poważnie, Carl? To tylko po to, żeby zażartować, prawda? – głębokie dołeczki w jednodniowej szczecinie Assada szybko zniknęły.

– Assad, bierz wóz służbowy. Ostrożnie z pedałem gazu na ulicy Roskildevej, bo stoi tam dziś drogówka z lizakiem.

– Jeśli teraz coś myślę, to myślę, że to bardzo głupie. Albo bierzemy wszystkie sprawy podpaleń, albo absolutnie żadnej – kiwnął głową dobitnie.

Carl nie zareagował. Po prostu wręczył mu kluczyki do samochodu.

Gdy Assadowe odgrażanie, składające się z niezrozumiałych przekleństw i wyrzekania, ucichło wreszcie wraz z tupaniem po schodach, Carl musiał niechętnie chłonąć serenady w pięciu piskliwych oktawach, które w dalszej części korytarza wyśpiewywała Yrsa. Jakże człowiek w takich chwilach tęsknił za Rose i jej bardziej niż okazjonalnym ponuractwem. Co, u diabła, robi teraz ta kobieta?

Podniósł się ciężko i wyszedł na korytarz.

Oczywiście. Znów tam stoi, gapiąc się na gigantyczny list na ścianie.

– Yrso, za późno już na to – powiedział. – Tryggve Holt podał nam swoją interpretację listu. Nie sądzisz, że lepiej się do tego nadaje i że wiemy już wystarczająco dużo? Co tam może być więcej napisane, żeby mogło nam pomóc w śledztwie? Nic, prawda? Zajmij się więc czymś sensownym, już o tym rozmawialiśmy.

Przestała śpiewać dopiero, gdy on skończył mówić.

– Chodź tu, Carl – powiedziała, wciągając go do swego różowego raju.

Posadziła go przy biurku Rose, na którym leżała kopia listu z butelki w interpretacji Tryggvego.

– Popatrz. Co do pierwszej linii wszyscy jesteśmy zgodni.

POMOCY Dnia 16 lótego 1996 zostaliśmy óprowadzeni zabrano nas z pszystanku przy Lautropvang w Ballerup – Mężczyzna ma 18. wzrostu krutkie włosy

– Okej?

Carl kiwnął głową.

– Dalej Tryggve proponuje następujące słowa.

ciemne oczy ale niebieskie – Ma bliznę na prawym ....

– Tak i wciąż nie wiemy, gdzie znajduje się ta blizna – wtrącił Carl. – Tryggve nie zwrócił na to uwagi, nie rozmawiał też o tym z Poulem. Ale Tryggve mówi, że właśnie takie rzeczy Poul zauważał. Drobne niedoskonałości natury u innych pozwalały mu być może zapomnieć o własnych. Ale mów dalej.

Kiwnęła głową.

jeździ nibieską furgonetką Tata i mama go znają –
Freddy i coś na B – grosił nam poraził prondem –
on nas zamordóje –

– Owszem, to wszystko brzmi dość prawdopodobnie. – Carl spojrzał na sufit. Siedziała na nim kolejna odrażająca mucha plujka, kpiąc z niego. Przyjrzał jej się uważniej. Czyżby na jednym skrzydle widniała plamka z korektora? Pokręcił głową z niedowierzaniem. Ależ tak, to prawda. To mucha, za którą cisnął korektorem. Gdzie się, u diabła, podziewała w międzyczasie?

– Czyli zgadzamy się, że Tryggve był obecny przy tych wydarzeniach i że był przytomny – ciągnęła Yrsa niezrażona. – Ten fragment listu dotyczy cech charakterystycznych tego człowieka i w połączeniu z opisem Tryggvego da nam nie najgorszy rysopis. Teraz brakuje nam tylko portretu pamięciowego od Szwedów.

Wskazała linie poniżej.

– Nie wiem za bardzo, co z kolejnymi zdaniami listu. Pytanie, czy tam jest napisane to, co podejrzewamy. Odczytaj to na głos, Carl.

– Odczytać na głos? Sama odczytaj – miała go za aktora na królewskim dworze?

Klepnęła go po ramieniu i poprawiła uszczypnięciem w rękę.

– Dawaj, Carl. Lepiej pojmiesz treść.

Pokręcił głową z rezygnacją i odchrząknął. Szalone babsko.

Naciągnął na głowę szmatę najpierw mi a potem memu bratu -
Jehaliśmy prawie przez godzinę a teraz jesteśmy nad wodą
Są tu blizko wiatraki Tu pachnie bżydko - pżyjedźcie szybko
Mój brat to Tryggve - 13 lat i ja Poul 18 lat
POUL HOLT

Po prezentacji zaklaskała bezgłośnie czubkami palców.

– Ślicznie, Carl. Tak, wiem, że Tryggve ma pewność co do większości, ale te wiatraki – czy tu nie może chodzić o coś innego? I parę innych słów. Pomyśl sam, może pod tymi kropkami kryje się coś więcej, niż można ot tak sobie odgadnąć.

– Poul i Tryggve w ogóle nie dyskutowali na temat tego dźwięku, nie bardzo mieli jak z taśmą na ustach, ale Tryggve przypomina sobie, że raz na jakiś czas słychać było niski, buczący dźwięk – rzekł Carl. – Poza tym Tryggve mówił, że Poul był dobry w takich rzeczach jak dźwięk i technika. No, krótko mówiąc, ten dźwięk to mogło być cokolwiek.

Carl wyobraził sobie Tryggvego, kiedy w świetle szwedzkiego poranka, zapłakany i milczący, czytał po raz drugi list z butelki.

– List wywarł wielkie wrażenie na Tryggvem. Powtarzał parokrotnie, że ten zapis jest bardzo typowy dla jego brata. Że w ogóle nie było żadnej interpunkcji poza paroma myślnikami i że Poul zawsze pisał tak, jak mówił. Że przeczytać list – to jak usłyszeć, jak wypowiada go na głos.

Carl uwolnił się od obrazu Tryggvego. Kiedy facet ochłonie już po tym doświadczeniu, muszą dopilnować, by przyjechał do Kopenhagi.

Yrsa zmarszczyła brwi.

– A tak poza tym, pytałeś Tryggvego, czy w tych dniach, które spędzili w domku na łodzie, w ogóle było wietrznie? Czy ty albo Assad sprawdzaliście to w almanachu? Pytaliście w Instytucie Meteorologii?

– W połowie lutego? Tak, przypuszczam, że było wietrznie. Niewiele trzeba, by wiatraki się obracały.

– Tak, ale jednak. Pytaliście?

– Z tym pytaniem to do Pasgårda, Yrso. To on bada sprawę wiatraków. Teraz mam dla ciebie inne zadanie.

Usiadła na krawędzi biurka.

– Wiem, co powiesz. To ja mam teraz rozmawiać z grupami wsparcia dla tych, co odeszli z sekt religijnych, zgadza się? – Sięgnęła po torebkę i wyłowiła z niej opakowanie chipsów. I jeszcze zanim Carl zdążył sformułować odpowiedź, opakowanie było już przedziurawione, a jego zawartość pożerana.

Cholernie dezorientujące.

Wszedłszy do swojego gabinetu, sprawdził archiwum pogodowe DMI i stwierdził, że sięga ono roku 1997. Zadzwonił więc do Instytutu Meteorologicznego, przedstawił się i zadał proste pytanie, licząc na równie prostą odpowiedź.

– Czy mogą mi państwo powiedzieć, jaka była pogoda w dniach po szesnastym lutego tysiąc dziewięćset dziewięćdziesiątego szóstego? – spytał.

Odpowiedź nastąpiła po zaledwie paru sekundach.

– Osiemnastego lutego tysiąc dziewięćset dziewięćdziesiątego szóstego Danię nawiedziły silne burze śnieżne, które niemal sparaliżowały kraj na trzy–cztery dni. Były tak intensywne, że zamknięto nawet duńsko-niemiecką granicę – powiedziała kobieta po drugiej stronie.

– Naprawdę? A na północy Zelandii?

– W całym kraju, ale najgorzej było na południu. Na północy mimo wszystko większość dróg była przejezdna.

Dlaczego, do kurwy nędzy, nie spytali o pogodę wcześniej?

– Czyli mówi pani, że silnie wiało?

– Tak, z całą pewnością wiało.

– A co w takim okresie z wiatrakami?

Kobieta zrobiła krótką pauzę.

– Pyta pan, czy burza śnieżna była wystarczająco mocna, by wygenerować siłę wiatru?

– Yy, tak, pewnie o to mi chodziło. Myśli pani, że w tych dniach zatrzymano wiatraki?

– Tak, nie jestem co prawda ekspertką od wiatraków, ale tak. Oczywiście, że na te dni je zatrzymano. W przeciwnym razie powylatywałyby z zawiasów.

Wtedy Carl podziękował, wyciągając z paczki papierosa. Co, u diabła, dzieci słyszały w tym domku na łodzie? To oczywiście miało związek z burzą śnieżną. Marzły w domku, ale nie mogły wyjrzeć na zewnątrz, więc jest to jakaś możliwość. Bo czy w ogóle wiedziały o śnieżycy?

Carl sprawdził numer telefonu Pasgårda i wybrał go.

– Tak – odparł mężczyzna. Brzmiał wyjątkowo nieuprzejmie, choć było to tylko jedno słowo. Istnieją ludzie, którzy są w tym mistrzami.

– Mówi Carl Mørck. Sprawdzałeś pogodę w dniach, w których uprowadzono dzieci?

– Jeszcze nie. Zrobię to.

– Oszczędź sobie. Przez ostatnie trzy dni spośród pięciu, kiedy były uwięzione, panowała burza śnieżna.

– No nie mogę.

Czego nie może? Typowa uwaga w stylu Pasgårda.

– Daj sobie spokój z wiatrakami, Pasgård. Śnieżyca była zbyt silna.

– Taak, ale mówisz o trzech dniach spośród pięciu. A co z dwoma pierwszymi?

– Tryggve mi mówił, że to buczenie słychać było przez wszystkie pięć dni. Może słabiej przez ostatnie trzy. Burza stanowiłaby wyjaśnienie; pewnie zagłuszyła ten dźwięk.

– Tak, może.

– Pomyślałem po prostu, że powinieneś to wiedzieć.

Carl zaśmiał się w głębi duszy. Pasgård na bank pozieleniał ze złości, że nie doszedł do tego pierwszy.

– Musisz szukać innego źródła dźwięku niż wiatraki – ciągnął. – Ale nadal chodzi o niski warkot. A tak na marginesie, co tam z tą rybią łuską, wiesz coś o niej?

– Pomału. W tej chwili poddawana jest badaniu mikroskopowemu w Zakładzie Biologii Morskiej w Instytucie Biologii.

– Badanie mikroskopowe?

– Tak czy coś, kurwa, w tym stylu. Wiem już teraz, że łuska pochodzi z pstrąga. Najwyraźniej decydujące pytanie brzmi, czy chodzi o pstrąga morskiego czy fiordowego.

– A to dwie różne ryby?

– Różne? Nie, nie sądzę. Pstrąg fiordowy to pewnie po prostu pstrąg morski, któremu nie chciało się dalej wypływać, więc został tam, gdzie był.

„Uff" – pomyślał Carl. Yrsa, Assad, Rose, Pasgård. Tego już za wiele na jednego podkomisarza policji.

– Jeszcze jedno, Pasgård: myślę, że powinieneś zadzwonić do Tryggvego Holta i spytać go, czy wie, jaka była pogoda w dniach, kiedy ich przetrzymywano.

Sekundę po odłożeniu słuchawki zadzwonił telefon.

– Antonsen – oznajmił głos po prostu. Już sam ton budził niepokój.

– Twój pomocnik i Samir Ghazi pobili się przed chwilą na tutejszym posterunku. Gdybyśmy sami nie byli policją, musielibyśmy dzwonić pod 112. Bądź tak miły i pofatyguj się tutaj po tego gagatka.

27

Gdy od wielkiego dzwonu Isabel Jønsson proszono, by opowiedziała o swoim pochodzeniu, mówiła zawsze, że dorastała w krainie plastikowych pojemników Tupperware. Wychowana przez dwoje miłych rodziców, posiadających samochód i dom z żółtej cegły. Mieli standardowe, wąskie specjalizacje i takież horyzonty, które rzadko kiedy odbiegały od horyzontów charakteryzujących wzorowych, uzbrojonych w aktówki obywateli. Ładnie opakowane dzieciństwo, zupełnie pozbawione bakterii i pakowane próżniowo. Wszyscy w tej małej rodzinie spełniali pokładane w nich nadzieje. Łokcie ze stołu, karty do brydża w szyfonierze. Rodzice kiwali głowami i życzyli smacznego, ściskali dłoń, gdy Isabel zdała egzamin po dziesiątej klasie i gdy jej brat poszedł do wojska, mimo że nie musiał.

Mozolnie wypracowane wzorce, które zanikały tylko podczas spokojnych podmuchów w jej życiu, gdy z zapałem rzucała się w objęcia właściwego mężczyzny lub – tak jak teraz – siedziała za kółkiem swego przemalowanego forda mondeo z 2002 roku. Maksymalną prędkość określono na 205, ale jej auto wyciągało 210 i miało ku temu okazję, gdy ona i Rachela pędem wjechały z drogi głównej numer 13 na E45.

GPS mówił, że dotrą do celu o 17.30, ale będzie musiała nagiąć te ramy czasowe.

– Mam propozycję – powiedziała do ściskającej komórkę Racheli. – Ale nie możesz się denerwować, obiecujesz?

– Spróbuję – odpowiedziała cicho.

– Jeśli pod adresem w Ferslev nie znajdziemy jego ani twoich dzieci, to prawdopodobnie nie pozostanie nic innego, niż dać mu to, czego się domaga.

– Tak, przecież o tym rozmawiałyśmy.

– Chyba że chcemy zyskać na czasie.

– To znaczy?

Isabel zignorowała korowód wyciągniętych w jej stronę środkowych palców, gdy przedzierała się przez ruch drogowy, błyskając długimi światłami i nie zwalniając.

– Chodzi o to... tylko się nie denerwuj, Rachelo. Chodzi o to, że nie wiemy, na ile bezpieczne są twoje dzieci, nawet gdy damy mu pieniądze. Rozumiesz?

– Myślę, że są bezpieczne – Rachela akcentowała każde słowo. – Jeśli damy mu pieniądze, to je uwolni. Wiemy już o nim zbyt dużo, by ośmielił się zrobić coś więcej.

– Stop, Rachelo. Właśnie w tym rzecz. Jeśli dostarczymy pieniądze i odzyskamy dzieci, co miałoby nas powstrzymać, by potem zgłosić sprawę na policję? Rozumiesz, w czym rzecz?

– Jestem przekonana, że nie będzie go w kraju już pół godziny po otrzymaniu pieniędzy. Będzie gwizdał na to, co zrobimy później.

– Tak myślisz? On nie jest głupi, Rachelo. Obie to wiemy. Ucieczka z kraju niczego nie gwarantuje. Przecież większość i tak zostaje złapana.

– No dobrze, i co z tego? – Rachela poprawiła się niespokojnie na siedzeniu. – Czy mogłabyś trochę zwolnić? – poprosiła. – Jeśli nas złapie kontrola prędkości, zabiorą ci prawo jazdy.

– No i najwyżej. Jeśli tak się stanie, będziesz musiała przejąć kierownicę. Masz chyba prawo jazdy, prawda?

– Tak.

– Dobrze – powiedziała Isabel, wyprzedzając ozdobione chromowanymi listwami bmw, wypełnione po brzegi chłopakami imigrantami w nałożonych tyłem na przód bejsbolówkach.

– Nie możemy czekać – ciągnęła. – I tu dochodzę do sedna: nie wiemy, co on zrobi po otrzymaniu pieniędzy. Nie mamy też pewności, co zrobi, jeśli ich nie dostanie. Dlatego przez cały czas musimy być o krok przed nim. To my musimy tym sterować, nie on. Rozumiesz?

Rachela pokręciła głową tak gwałtownie, że Isabel to dostrzegła, mimo że wzrok miała utkwiony w szosie.

– Nie, w ogóle nie rozumiem.

Isabel zwilżyła wargi. Jeśli się nie powiedzie, wina spadnie na nią. Z drugiej strony była przeświadczona, że wszystko, co mówi i robi, nie tylko jest na wagę złota, ale też musi przynieść plony.

– Jeśli się okaże, że ten gnojek rzeczywiście mieszka w miejscu, do którego jedziemy, to zbliżyłyśmy się do niego o wiele, wiele bardziej, niż sobie wyobrażał w najgorszym koszmarze. Będzie ze wszystkich sił gmerał w tej swojej psychopatycznej głowie, by dojść, gdzie popełnił błąd. To sprawi, że będzie cholernie niepewny waszego kolejnego kroku, prawda? I będzie bezbronny, a właśnie o to nam chodzi.

Wyprzedziły piętnaście aut, nim Rachela odpowiedziała.

– Możemy o tym porozmawiać później, prawda? W tej chwili chciałabym posiedzieć chwilę w spokoju.

Isabel spojrzała na nią przez moment, gdy pędem wjeżdżały na most na Małym Bełcie. Z ust Racheli nie wydobył się żaden dźwięk, ale gdy się lepiej przyjrzeć, widać było, że bezustannie się poruszały. Miała zamknięte oczy, a ręce tak zaciśnięte na komórce, że aż zbielały jej kłykcie.

– Naprawdę wierzysz w Boga? – spytała Isabel.

Minęła krótka chwila; prawdopodobnie musiała dokończyć modlitwę, nim otworzyła oczy.

– Tak, wierzę. Wierzę w Matkę Bożą – że jej zadaniem jest czuwać nad nieszczęśliwymi kobietami, takimi jak ja. Dlatego modlę się do niej i jestem pewna, że mnie wysłucha.

Isabel zmarszczyła brwi, ale kiwnęła głową, nie odzywając się. Każda inna reakcja byłaby niewłaściwa.

Ferslev leżało pośrodku rozległej pajęczyny pól w pobliżu fiordu Isefjorden i roztaczało wszędzie atmosferę beztroskiej idylli, zupełnie nieprzystającej do tego, co krył jeden z zakątków wioski.

Isabel odnotowała, że rytm jej serca się wzmógł w miarę zbliżania się do jego adresu. Gdy już z daleka zobaczyły, że dom ledwie widać z drogi z powodu licznych drzew, Rachela chwyciła ją za ramię i poprosiła, by zatrzymały się na poboczu.

Miała bladą twarz i bez przerwy głaskała się po policzkach, tak jakby chciała pobudzić masażem krwiobieg. Jej czoło pokryte było potem, usta mocno zacisnęła.

– Zatrzymaj się tu, Isabel – powiedziała, gdy dojechały do przydrożnych zarośli. Następnie chwiejnym krokiem wysiadła z auta i uklękła na skraju rowu. Ewidentnie nie czuła się dobrze. Jęczała przy każdej torsji i nie przestawała, dopóki żołądek całkowicie się nie opróżnił.

– Dobrze się czujesz? – spytała Isabel, gdy obok nich przemknął mercedes.

Tak jakby nie znała odpowiedzi. Przecież ona wymiotuje, ale tak się zwykle pyta.

– Już – powiedziała Rachela, wślizgując się bokiem na siedzenie pasażera i ocierając kąciki ust wierzchem dłoni. – Co teraz?

– Jedziemy prosto do domu. On myśli, że mój brat policjant ma wszystkie informacje. Więc jeśli ten bydlak tam jest, na mój widok uwolni dzieci. Nie ośmieli się zrobić nic innego. Będzie mu już tylko chodziło o ucieczkę.

– Musisz postawić samochód tak, by nie czuł, że odcinamy mu drogę – powiedziała Rachela. – W przeciwnym razie ryzykujemy, że zrobi coś nieobliczalnego.

– Nie, mylisz się. Wręcz przeciwnie – zaparkujemy samochód w poprzek. Wtedy będzie musiał nawiewać przez pola. Jeśli będzie miał możliwość ucieczki samochodem, ryzykujesz, że siłą weźmie z sobą twoje dzieci.

Rachela sprawiała wrażenie, jakby znów miało jej się zrobić niedobrze, ale parę razy pospiesznie przełknęła ślinę i opanowała się.

– Wiem, Rachelo. Nie przywykłaś do takich rzeczy, ja też. Ja też nie czuję się za fajnie. Ale to zrobimy.

Rachela spojrzała na nią. Oczy miała mokre, ale chłodne.

– Przeżyłam w życiu więcej, niż myślisz – powiedziała zaskakująco hardo. – Boję się, ale nie ze względu na siebie. To po prostu nie może się nie powieść.

Isabel zaparkowała samochód w poprzek polnej drogi, po czym stanęły pod drzewami pośrodku podwórza, czekając, co się wydarzy.

Z dachu dobiegało gruchanie gołębi, a lekka bryza szeleściła suchymi, dzikimi trawami na poboczu. Oprócz tego jedynymi możliwymi do zarejestrowania oznakami życia były ich głębokie oddechy.

Okna gospodarstwa sprawiały wrażenie czarnych. Może dlatego, że były strasznie zabrudzone, może dlatego, że były od środka czymś zasłonięte – trudno było dociec. Wzdłuż muru stały wysłużone, zardzewiałe narzędzia ogrodowe, a ze stolarki łuszczyła się farba. Martwe, niezamieszkane miejsce. Dość niepokojące.

– Chodź – powiedziała Isabel, kierując się prosto do drzwi wejściowych. Załomotała w nie w pewnych odstępach czasu, po czym przesunęła się w bok i zastukała kłykciami w szybę w przedsionku, ale za ścianami nie nastąpił żaden ruch.

– Najświętsza Matko Boża. Jeśli oni są w środku, to na pewno próbują się z nami skontaktować – powiedziała Rachela, wychodząc z transu. Następnie z zaskakującym brakiem wahania chwyciła motykę ze złamanym trzonkiem, leżącą na bruku pod murem, i zamachnęła się mocno na szyby przy drzwiach.

Nietrudno było się zorientować, że jej normalne życie wypełniały czynności praktyczne, gdy następnie zarzuciła sobie motykę na ramię i zdjęła haczyk z okna. Wszystko wskazywało na to, że jest gotowa użyć narzędzia przeciwko temu człowiekowi, o ile jest w środku z dziećmi. Gotowa pokazać mu, że powinien dokładnie przemyśleć kolejny krok.

Isabel trzymała się tuż za nią, gdy przesuwały się po domu. Oprócz kilku butli z gazem, stojących rzędem w przedsionku, niewielu mebli, ustawionych strategicznie przy szparach w zasłonach, tak by pomieszczenie wyglądało na w miarę zamieszkane, na parterze nie było absolutnie nic. Kurz na podłodze i wszystkich płaskich powierzchniach, nic poza tym. Żadnych papierów, reklam czy tygodników, żadnych naczyń, pościeli, pustych opakowań. Nawet papieru toaletowego.

W tym domu nikt nie mieszkał – i taki właśnie był zamysł.

Następnie znalazły strome schody na piętro i ostrożnie, drobnymi kroczkami, weszły na samą górę.

Przywitały je miękka płyta pilśniowa, pokrywająca wszystkie ściany, i tapeta we wszystkich możliwych wzorach i kolorach. Ścianki działowe cienkie jak papier. Istna orgia pomieszanych stylów i rzucający się w oczy brak pieniędzy. W trzech pomieszczeniach był tylko jeden mebel – odrapana bieliźniarka z niedomkniętymi drzwiczkami.

Do pokoju wdarło się stłumione popołudniowe światło, gdy Isabel rozsunęła zasłony. Otworzyła drzwiczki bieliźniarki i na chwilę zabrakło jej powietrza.

Dopiero co tu był, bo chodził w większości ubrań wiszących na wieszakach, mieszkając u niej. I w kożuchowej kurtce, i w popielatych wranglerach, i w koszulach marek Esprit i Morgan. Zdecydowanie nie były to części garderoby, których można by się spodziewać w tak skromnym miejscu.

Rachela drgnęła, a Isabel to rozumiała. Już sam zapach jego płynu po goleniu przyprawiał o mdłości.

Podniosła jedną z koszul i szybko ją zlustrowała.

– Ubranie nie zostało wyprane, więc mamy jego DNA, jeślibyśmy go potrzebowali – powiedziała, wskazując włos pod kołnierzykiem. Zważywszy na kolor, włos z pewnością nie należał do niej.

– Zabierzmy większość – ciągnęła. – Może znajdziemy coś w kieszeniach, choć nie wydaje mi się.

Kiedy pozabierały, co chciały, wyjrzała na zewnątrz na stodołę i podwórze. Wcześniej nie zwróciła uwagi na ślady w żwirze na podwórzu, ale z góry było je widać wyraźnie. Przed bramą stodoły wciśnięte w ziemię drobne kamyczki układały się w dwie ścieżki – i wyglądały na wyjątkowo świeże.

Zaciągnęła zasłony.

Zostawiły w przedsionku stłuczone szkło, zatrzasnęły za sobą drzwi i szybko się rozejrzały. Nic niezwykłego w warzywniku, na polu i prawdopodobnie też między drzewami. Dlatego skoncentrowały się na kłódce wiszącej na wrotach stodoły.

Isabel wskazała na motykę wiszącą nadal na ramieniu Racheli, a Rachela kiwnęła głową. Złamanie kłódki zajęło mniej niż pięć sekund.

Obie wstrzymały oddech, gdy brama się otworzyła.

W stodole przed nimi stała furgonetka. Jasnoniebieski peugeot partner o stuprocentowo właściwych numerach rejestracyjnych.

Obok niej Rachela zaczęła się cicho modlić.

– O, dobra Matko Boża, nie pozwól, by moje dzieci leżały martwe w tym samochodzie. Nie pozwól, by tam były. Nie pozwól.

Isabel nie miała wątpliwości. Ptak drapieżny uleciał ze swoją zdobyczą. Chwyciła za klamkę tylnych drzwi i otworzyła. Czuł się w swojej kryjówce tak pewnie, że nawet nie pofatygował się, by zamknąć je za sobą na klucz.

Położyła rękę na masce samochodu. Była wciąż ciepła. Właściwie gorąca.

Następnie wyszła na podwórze i spojrzała między drzewami na

drogę, gdzie wymiotowała Rachela. Pojechał albo tamtędy, albo w stronę wody. W każdym razie nie odjechał daleko.

Przybyły za późno. Dopiero co.

Stojąca obok niej Rachela zaczęła drżeć. Wzburzenie, które musiała kontrolować przez całą długą jazdę, nienawiść, której nie sposób wyrazić słowami, ból, który wyrył się w rysach jej twarzy i posturze, znalazły ujście w krzyku, od którego zerwały się gołębie i trzepocząc, zniknęły w zaroślach. Kiedy skończyła, z nosa ciekła jej wydzielina, a kąciki ust były białe od śliny. Uświadomiła sobie, że ich jedyna pewna karta została przebita.

Porywacza tu nie było. Dzieci zabrane, wbrew wszystkim modlitwom.

Isabel kiwnęła do niej głową w milczeniu. To straszne.

– Rachelo, tak mi przykro to mówić. Ale wydaje mi się, że widziałam samochód, kiedy wymiotowałaś – powiedziała ostrożnie. – To był czarny mercedes. Jeden z tych, jakich są setki milionów.

Stały w ciszy przez dłuższy czas, a światło na niebie gasło.

Co teraz?

– Ty i Jozue nie możecie mu dać tych pieniędzy – powiedziała w końcu Isabel. – Nie możecie pozwolić, by dyktował warunki. Musimy zyskać na czasie.

Rachela spojrzała na Isabel tak, jakby była odszczepieńcem plującym na wszystko, w co Rachela wierzyła i co reprezentowała.

– Zyskać na czasie? Nie mam pojęcia, o czym mówisz, i nie wiem, czy chcę wiedzieć.

Rachela spojrzała na zegarek. Myślały o tym samym.

Za chwilę Jozue wsiądzie do pociągu w Viborgu z torbą wypełnioną banknotami i w oczach Racheli było po sprawie. Pieniądze zostaną dostarczone, a dzieci uwolnione. Milion to dużo pieniędzy, ale dadzą radę. Niech Isabel nie waży się w to ingerować. Rachela dawała to bardzo wyraźnie do zrozumienia.

Isabel westchnęła.

– Posłuchaj, Rachelo. Obie go poznałyśmy – to jest najbardziej przerażający człowiek, z jakim można mieć do czynienia. Pomyśl, jak nas nabrał. Wszystko, co mówił i wyrażał, było tak dalekie od prawdy, jak tylko możliwe. – Chwyciła Rachelę za ręce.

– Użył twojej wiary i mojego dziecięcego zaślepienia jako narzędzi. Wybrał punkty, w których jesteśmy najbardziej bezbronne. Trafił do naszych najgłębszych uczuć, a myśmy mu uwierzyły. Rozumiesz? Wierzyłyśmy, a on kłamał, czy tak? Nie możesz temu zaprzeczyć. Wiesz już, do czego zmierzam?

Jasne, że wiedziała, nie była głupia. Ale załamanie było ostatnią rzeczą, jakiej Rachela teraz potrzebowała. Nie mogła dopuścić, by jej ślepa wiara się posypała, Isabel o tym wiedziała. Dlatego musiała sięgnąć głęboko tam, skąd pochodzą pierwotne instynkty, aby uwolnić myśli i odsunąć na bok wszystkie argumenty i pojęcia tego świata. Straszliwa podróż w głąb świadomości. Isabel cierpiała wraz z nią.

Gdy Rachela na powrót otworzyła oczy, wyraźnie było widać, że już wie, jak blisko jest krawędzi. Że może jej dzieci już nawet nie żyją. Nawet to.

Wzięła głęboki oddech i uścisnęła dłonie Isabel. Była gotowa.

– Co zamierzasz? – spytała.

– Zrobimy tak, jak mówił – odparła Isabel. – Kiedy błysną światła, wyrzucimy torbę z pociągu, tak jak nam przykazał, ale bez pieniędzy. Kiedy ją podniesie i otworzy, znajdzie w niej przedmioty z tego domu, które poświadczą, że tu byłyśmy.

Schyliła się, podniosła z ziemi kłódkę i kabłąk i zważyła je w dłoni.

– Włożymy to i któreś z jego ubrań do worka, a obok umieścimy kartkę z informacją, że jesteśmy na jego tropie. Że wiemy, gdzie mieszka, znamy jego fałszywe nazwisko i obserwujemy to miejsce. Że krąg się coraz bardziej zacieśnia i że nasz sukces to tylko kwestia czasu. Napiszemy, że dostanie swoje pieniądze, ale że ma wymyślić rozwiązanie, dzięki któremu będziemy mieli stuprocentową pewność, że odzyskamy dzieci. Nie wcześniej. Musimy go naciskać, inaczej to on będzie miał kontrolę.

Rachela opuściła oczy.

– Isabel – powiedziała. – Stoimy tu, na północy Zelandii, trzymając kłódkę i ubranie, zapomniałaś? Nie zdążymy na pociąg z Viborga. Nie będzie nas w pociągu, kiedy błyśnie światłem na odcinku między Odense a Roskilde. – Podniosła spojrzenie wprost na Isabel i wykrzyczała jej całą swą frustrację prosto w twarz. – Jak możemy rzucić mu tę torbę, JAK?

Isabel ujęła ją za rękę. Była lodowata.

– Rachelo – powiedziała spokojnie. – Zdążymy. Pojedziemy teraz do Odense i spotkamy się z Jozuem na peronie. Mamy mnóstwo czasu.

Wtedy Isabel ujrzała cień Racheli, której nie znała. Nie matki, która straciła dzieci, nie żony rolnika, mieszkającej na Wzgórzach Dollerup. Nie było w niej już nic prowincjonalnego czy swojskiego. Była inną osobą, której Isabel nie znała.

– Myślałaś o tym, dlaczego on chce, byśmy przesiedli się w Odense? – spytała Rachela. – Było tak dużo możliwości, prawda? Jestem przekonana, że chodzi o to, że jesteśmy obserwowani. Ktoś stoi na stacji w Viborgu, a ktoś w Odense. – Jej spojrzenie znów zniknęło. Skierowała je do wewnątrz. Mogła zadawać pytania, ale nie znała ewentualnych odpowiedzi.

Isabel zastanowiła się przez chwilę.

– Nie, nie wierzę w to. Chodzi mu tylko o to, by was zestresować. Jestem pewna, że działa sam.

– Skąd ta pewność? – spytała Rachela, nie patrząc na nią.

– Taki już jest. Wszystko nadmiernie kontroluje. Wie dokładnie, co i kiedy ma zrobić. Jest też wyrachowany. Przebywał w tej winiarni zaledwie parę minut i już upatrzył sobie mnie jako ofiarę. Kilka godzin później potrafił doprowadzić mnie do orgazmu w idealnym momencie. Zrobić śniadanie i wypowiedzieć słowa, które towarzyszyły mi przez resztę dnia. Każdy ruch stanowił ogniwo jego planu, a on wykonywał go z wirtuozerią. Nie może pracować z innymi, poza tym okup byłby za mały. On nie chce się z nikim dzielić.

– A co, jeśli się mylisz?

– No właśnie, co? Czy to nie wszystko jedno? Przecież dziś wieczór to my postawimy ultimatum, nie on. Torba potwierdzi naszą historię, że byłyśmy w jego kryjówce.

Isabel rozejrzała się po zaniedbanym gospodarstwie. Kim on był, ten przebiegły człowiek? Dlaczego to robi? Przecież ze swoim niezłym wyglądem, wybitnym umysłem i zdolnościami do manipulacji mógłby wszystko osiągnąć.

Bardzo trudno to zrozumieć.

– Jedziemy? – spytała Isabel. – W międzyczasie możesz zadzwonić do męża i zapoznać go z sytuacją. Możemy też podyktować treść listu, który włożymy do torby.

Rachela pokręciła głową.

– Nie wiem. Boję się tego wszystkiego. Chodzi mi o to, że do pewnego stopnia się zgadzam, ale czy to postawi porywacza pod ścianą? Czy nie da sobie z tym wszystkim spokoju i nie czmychnie? – Jej wargi drżały. – Co wtedy z moimi dziećmi? Czy to odbije się na Magdalenie i Samuelu? Może grozić, że ich pokaleczy albo zrobi coś równie potwornego. Tyle rzeczy się słyszy – z jej oczu pociekły łzy. – A jeśli on to zrobi, co wtedy poczniemy, Isabel? Co poczniemy, potrafisz mi powiedzieć?

28

– Assad, co, do cholery, zdarzyło się w tym Rødovre? Jeszcze nigdy nie słyszałem, żeby Antonsen tak się darł.

Assad przesunął się na krześle.

– Nie przejmuj się tym tak, Carl. To było tylko nieporozumienie.

Nieporozumienie?! Czyli wybuch rewolucji francuskiej też był nieporozumieniem?

– W takim razie musisz mi wyjaśnić, jakim cudem w wyniku tak zwanego nieporozumienia dwóch dorosłych facetów tarza się po podłodze na duńskim posterunku policji, piorąc się po pyskach ile wlezie.

– Piorąc po czym?

– Po pyskach, znaczy po głowach. Jasny gwint, człowieku, sam powinieneś wiedzieć, w co tłukłeś Samira Ghaziego. Dalej, Assad. Chcę usłyszeć sensowne wyjaśnienie. Skąd się znacie?

– Właściwie to się nie znamy.

– Oj, Assad, to nie może być prawda. Zupełnie obcych ludzi nie okłada się tak po prostu. Czy ma to związek z łączeniem rodzin, małżeństwami zawieranymi pod przymusem czy kwestiami pieprzonego honoru? Po prostu wyduś to z siebie. Musimy to sobie wyjaśnić, w przeciwnym razie nie będziesz mógł tu pracować. Pamiętaj, że Samir jest policjantem, a ty nie.

Assad zwrócił twarz w stronę Carla, robiąc zranioną minę.

– Mogę tak sobie pójść, jeśli chcesz.

– Ze względu na twoje dobro mam nadzieję, że moja długoletnia przyjaźń z Antonsenem powstrzyma go od podjęcia tej decyzji za mnie – Carl nachylił się nad stołem. – Ale Assad, kiedy cię o coś pytam, musisz odpowiedzieć. Skoro nie chcesz, domyślam się, że coś jest nie tak. Jeśli o mnie chodzi, może nawet na tyle źle, że będzie to miało daleko idące konsekwencje dla twojego pobytu w tym kraju, że stracisz tę kurewsko fantastyczną pracę.

– Może tak będziesz mnie prześladować – powiedział. „Urażony" to zbyt łagodne określenie tego, jak teraz wyglądał.

– Chodzi o to, że między tobą a Samirem doszło wcześniej do jakiegoś spięcia? Na przykład w Syrii?

– Nie, nie w Syrii. Samir jest Irakijczykiem.

– Czyli przyznajesz, że coś między wami zaszło? Chociaż się nie znacie?

– Tak, Carl. Mógłbyś już przestać pytać.

– Może i mógłbym. Ale jeśli nie chcesz, bym poprosił samego Samira Ghaziego o wyjaśnienie tej całej batalii, będziesz mi musiał szepnąć słówko albo dwa, żebym się uspokoił. Poza tym odtąd masz bezwzględnie trzymać się od Samira z daleka.

Assad siedział przez chwilę, patrząc przed siebie, zanim pokiwał głową.

– Jestem winien śmierci krewnego Samira. Ja tego tak nie chciałem, Carl, uwierz mi. Nawet o tym nie wiedziałem.

Carl na moment zamknął oczy.

– Czy kiedyś dopuściłeś się w Danii przestępstwa?

– Nie, upewniam cię, Carl.

– Zapewniam, Assad. Zapewniasz mnie.

– Okej, właśnie tak robię.

– Czyli to dawne dzieje?

– Tak.

Carl kiwnął głową. Może Assad opowie coś więcej innym razem.

– Mógłby ktoś na to zerknąć? – Yrsa wepchnęła się do środka bez ostrzeżenia i, dla odmiany, sprawiała wrażenie poważnej, trzymając im przed nosem kartkę. – Przed dwiema minutami przyszedł faks ze szwedzkiej policji w Ronneby. Czyli tak musiał wyglądać.

Położyła przed nimi faks. Nie był to portret pamięciowy, który konstruuje się na komputerze, zestawiając ze sobą fragmenty twarzy. To był autentyk. Naprawdę dobre rękodzieło ze światłocieniem i całą resztą. Ładny kolorowy rysunek twarzy mężczyzny, którą w najlepszym wypadku można było nazwać harmonijną, a która jednak po dokładniejszym przyjrzeniu się zdradzała pewne nieregularności.

– Podobny do mojego kuzyna – oznajmiła sucho Yrsa. – Jest hodowcą świń w Randers.

– Dokładnie tak go sobie nie wyobrażałem w mojej głowie – dorzucił Assad.

Carl też nie. Krótkie baki. Ciemne wąsy, równo i dokładnie przycięte nad ustami. Nieco jaśniejsze włosy z wyraźnym przedziałkiem, mocno zarysowane brwi, które niemal zrastały się nad nosem, normalne, średniej grubości wargi.

– Musimy się liczyć z tym, że rysunek może mocno odbiegać od rzeczywistości. Pamiętajcie, że w chwili wydarzenia Tryggve miał tylko trzynaście lat, a od tej pory minęło drugie tyle. Do tego trzeba dodać, że mężczyzna musiał się od tamtego czasu nieco zmienić. Na ile ocenilibyście jego wiek?

Już mieli coś powiedzieć, ale Carl ich powstrzymał.

– Przyjrzyjcie się dobrze. Wąsy mogą go postarzać. Napiszcie tutaj swoje propozycje.

Wyrwał z bloku parę skrawków papieru i podał swoim pomocnikom.

– Pomyśleć, że to on zabił Poula – powiedziała Yrsa. – Człowiek czuje się prawie tak, jakby zrobił to komuś, kogo się znało.

Carl napisał swoją propozycję i wziął karteczki dwojga pozostałych. Na dwóch było napisane „dwadzieścia siedem lat", a na ostatniej – „trzydzieści dwa".

– My mówimy dwadzieścia siedem, Assad, dlaczego myślisz, że jest starszy?

– Tylko tak z tego powodu – położył palec na linii znajdującej się po zewnętrznej stronie prawej brwi. – To nie jest zmarszczka od śmiania.

Wskazał własną twarz i uśmiechnął się szeroko, ukazując swoje zupełnie pomarszczone kąciki oczu.

– Patrzcie na nie. Rozchodzą się tak aż na policzki. A popatrzcie teraz.

Wygiął kąciki ust w dół, znów przybierając minę taką jak przed chwilą, gdy Carl go przesłuchiwał.

– Czy pojawiła się tu linia? – wskazał punkt po zewnętrznej stronie jednej z brwi.

– Tak, ale nie jest łatwo ją dostrzec – orzekła Yrsa, naśladując ten sam wyraz twarzy i dotykając okolicy brwi.

– To dlatego tak, że jestem zadowolonym człowiekiem. A morderca nie jest. Z taką zmarszczką albo się człowiek rodzi, albo pojawia się ona, kiedy się nie jest zadowolonym. I trochę to zajmuje, nim się pojawi. Moja mama nie była zbyt zadowolona, a zmarszczka pojawiła się u niej dopiero, jak miała pięćdziesiąt lat.

– Może i masz rację, a może nie – powiedział Carl. – Ale zgadzamy się, że on jest mniej więcej w wieku, który odgadliśmy. Tryggve też tak ocenił. Czyli dziś będzie miał prawdopodobnie jakieś czterdzieści, czterdzieści pięć lat, o ile nadal żyje.

– Nie moglibyśmy zeskanować rysunku do komputera i dołożyć paru lat? – spytała Yrsa. – Można to zrobić na tym komputerze?

– Oczywiście, ale to równie dobrze może pójść w niewłaściwym kierunku i stać się bardziej mylące. Lepiej trzymajmy się rysunku. Całkiem przystojny mężczyzna. Nieco bardziej niż średnio pociągający i bardzo męski. Jednocześnie jego styl jest nieco stonowany i konserwatywny, jak u urzędnika.

– Mnie się wydaje, że bardziej przypomina żołnierza albo policjanta – dodała Yrsa.

Carl skinął głową. Mógł być kimkolwiek, tak to najczęściej bywało.

Spojrzał w górę na sufit – znów siedziała na nim ta pieprzona mucha. Może powinien się postarać, by służby zainwestowały w specjalną muchołapkę w spreju? To chyba lepsze, niż gdyby miał jej posłać kulkę?

Oderwał wzrok i spojrzał na Yrsę.

– Skseruj rysunek, a potem możesz go wysłać do wszystkich okręgów policyjnych. Wiesz jak?

Wzruszyła ramionami.

– Aha, Yrso, chcę zerknąć na tekst, nim wyjdziesz.

– Jaki tekst?

Westchnął. Na wielu polach była fantastyczna, ale jednak nie była Rose.

– Opisz sprawę, Yrso. Że podejrzewamy, że to osoba, która dopuściła się morderstwa, i że chcemy się dowiedzieć, czy ktoś wie, czy mężczyzna o tym wyglądzie w jakiś sposób wszedł w kolizję z prawem.

*

– Dokąd to nas doprowadzi, Carl? O jakie powiązania chodzi, masz jakieś propozycje? – Lars Bjørn zmarszczył czoło, odsuwając zdjęcie czworga rodzeństwa Jankoviciów z powrotem do szefa Wydziału Zabójstw.

– Dokąd to nas zaprowadzi? Zaprowadzi nas do tego, że jeśli chcecie ruszyć dalej ze swoimi sprawami o podpalenie, powinniście przeszukiwać rejestry przestępstw pod kątem Serbów noszących dokładnie taki rodzaj obrączek, jaki mają na sobie te cztery góry tłuszczu. Może którąś znajdziecie w duńskich archiwach, ale na waszym miejscu szybko skontaktowałbym się ze służbami policyjnymi w Belgradzie.

– Chodzi ci o to, że zwłoki znalezione na pogorzelisku należą do Serbów związanych z rodziną Jankoviciów i że obrączki wskazują na tę przynależność? – spytał szef Wydziału Zabójstw.

– Absolutnie tak. Sądzę, że oni się wręcz urodzili w tych obrączkach, zważywszy na odkształcenia kości małych palców.

– Liga przestępców? – podsumował Bjørn.

Carl spojrzał na niego z baranim uśmiechem. Był doprawdy błyskotliwy jak na tak kiepski poniedziałek.

Siedzący obok Bjørna Marcus Jacobsen spojrzał łakomie na spłaszczoną paczkę papierosów leżących na stole.

– Tak, musimy obadać sprawę u naszych serbskich kolegów. Jeśli jest tak, jak myślisz, to w tej lidze człowiek się niemal rodzi. Wiesz, kto dziś prowadzi tę działalność kredytową? O ile rozumiem, czworo założycieli już nie żyje.

– Yrsa nad tym pracuje. To spółka akcyjna, ale większość akcji posiadają nadal ludzie o nazwisku Janković.

– Czyli serbska mafia, która pożycza pieniądze.

– Tak. Wiemy, że w pewnym momencie spalone firmy były u tej rodziny zadłużone. Nie wiemy, dlaczego zwłoki się tam znalazły. To z ufnością powierzam wam – Carl uśmiechnął się i podał przez stół jeszcze jedno zdjęcie.

– A tu mamy przypuszczalnego sprawcę morderstwa Poula Holta i uprowadzenia jego brata. Przyjemny facet, co?

Marcus Jacobsen spojrzał na niego jak na każdego innego. Swego czasu zdążył się już napatrzeć na morderców.

– Rozumiem, że Pasgård dokonał dziś w sprawie paru przełomów – powiedział Jacobsen sucho. – Więc chyba jednak dobrze, że otrzymaliście jakąś pomoc.

Carl zmarszczył brwi. O co, u diabła, facetowi chodzi?

– Jakich przełomów? – spytał.

– Ach, jeszcze was nie poinformował? W tej chwili na pewno pisze to w swoim raporcie.

Dwadzieścia sekund później Carl znajdował się w gabinecie Pasgårda. Ponure pomieszczenie, które rozjaśniać miało zdjęcie jego trzyosobowej rodziny, jednak miast tego przypominało, jak niewiarygodnie nieprzytulnie może wyglądać gabinecik takiego funkcjonariusza.

– Co się dzieje? – spytał Carl, podczas gdy Pasgård stukał w klawisze.

– Jeszcze dziesięć minut i będziesz miał raport, a ja skończę z tą sprawą.

To brzmiało, cholera, nieco zbyt efektownie, a jednak po dokładnie dziesięciu minutach facet obrócił się w swoim fotelu biurowym i powiedział:

– Już. Możesz sobie przeczytać na ekranie, nim to wydrukuję. Będziesz mógł sam poprawić, jeśli coś jest niejasne.

Pasgård i Carl trafili do komendy w mniej więcej tym samym czasie, jednak mimo że Carl z ręką na sercu nie próbował się nikomu przypodobać, to najczęściej on dostawał lepsze zadania. Dokuczliwy cierń w oku takiego wazeliniarza jak Pasgård.

Dlatego kwaśny uśmieszek Pasgårda był jedynie źle skrywanym przejawem ogromnej radości, która go zalewała, kiedy Carl czytał raport.

Następnie Carl obrócił się do niego.

– Dobra robota, Pasgård – powiedział po prostu.

– Jedziesz do domu czy możesz dziś wieczór wziąć parę dodatkowych godzin, Assad? – spytał. Sto do jednego, że nie ośmieli się odpowiedzieć inaczej niż twierdząco.

Assad się uśmiechnął. Prawdopodobnie potraktował to jako podarunek. Będą mogli ruszyć dalej z tekstem. Wszystkie dyskusje o Samirze Ghazim i faktycznym miejscu zamieszkania Assada zeszły na bok.

– Yrso, zabierzesz się z nami. Wysadzę cię koło domu, i tak tamtędy pojedziemy.

– Przez Stenløse? O nie, na Boga, nie będzie się wam chciało. Nie, pojadę pociągiem. Uwielbiam jazdę pociągiem – zapięła płaszcz i założyła na ramię swoją elegancką torebeczkę z imitacji krokodylej skóry. Ubranie inspirowane wypisz wymaluj starymi angielskimi filmami fabularnymi, podobnie jak jej brązowe buty turystyczne na masywnych, średniej wysokości obcasach.

– Dziś nie pojedziesz pociągiem, Yrso – powiedział. – Chciałbym was po drodze poinformować o sprawie, jeśli nie macie nic przeciwko.

Z lekkim oporem wsiadła na tylne siedzenie, prawie jak królowa, która musi się zadowolić prostym, czterokonnym powozem. Założone nogi, torebka na kolanach. Wkrótce pod żółtym od dymu dachem rozeszła się fala perfum.

– Pasgård otrzymał odpowiedź z Zakładu Biologii Morskiej. Wynikło z niej wiele interesujących rzeczy. Po pierwsze, stwierdzono, że łuski pochodzą od pstrąga fiordowego, którego jak sama nazwa wskazuje, najczęściej można spotkać w fiordach w miejscu, gdzie słodka woda łączy się z morską.

– A co ze śluzem? – spytała Yrsa.

– Może pochodzić od omułków lub fiordowych krewetek – to pozostanie w sferze domysłów.

Siedzący obok na miejscu pasażera Assad kiwnął głową i otworzył pierwszą stronę mapy północnej Zelandii. Po chwili postawił palec pośrodku mapy poglądowej.

– Okej, tu je widzę. Roskilde Fjord i Isefjord. Aha! Nie wiedziałem, że tak się zbiegają na północy przy Hundested.

– Boooże – rozległo się z tylnego siedzenia. – Macie zamiar przeczesywać oba fiordy? To huk roboty.

– Zgadza się – Carl posłał jej spojrzenie we wstecznym lusterku. – Ale zjednoczyliśmy siły ze znanym lokalnym żeglarzem, który również mieszka w Stenløse. Na pewno pamiętasz go ze sprawy podwójnego morderstwa w Rørvig, Assad. Thomasen. Ten, co znał ojca zamordowanych.

– Ach, ten. Miał imię zaczynające się jakoś na K. Ten z tym grubym brzuchem.

– Tak, właśnie. Miał na imię Klaes. Klaes Thomasen z posterunku policji w Nykøbing. Jego żaglówka cumuje we Frederikssund. Zna fiordy jak własną kieszeń, opłynie je z nami. Mamy parę godzin do zapadnięcia zmroku.

– Czyli będziemy tak żeglować? – zapytał potulnie Assad.

– Tak, przecież musimy, skoro mamy szukać domku na łodzie wysuniętego w morze.

– Nie jest mi to na moją rękę, Carl.

Carl udał, że nie usłyszał.

– Oprócz miejsca bytowania pstrągów fiordowych istnieje jeszcze jedna przesłanka, by szukać domku u ujść fiordów. Z niechęcią muszę przyznać, że Pasgård wykonał kawał dobrej roboty. Po pobraniu próbek przez biologów morskich przesłał dziś rano papier do Wydziału Technicznego, by zbadali te cienie na papierze, o których wspominał Laursen. Okazało się, że to rzeczywiście farba drukarska. Bardzo niewielka ilość, ale jednak.

– Myślałam, że takie rzeczy posprawdzali już Szkoci – powiedziała Yrsa.

– Owszem, ale sprawdzali przede wszystkim litery na papierze, mniej zaś sam papier. Ale kiedy ludzie z Wydziału Technicznego dziś przed południem przyjrzeli mu się jeszcze raz, okazało się, że cały papier pokryty jest farbą drukarską.

– Czy chodzi tylko o farbę, czy było tam coś napisane? – zapytała.

Carl uśmiechnął się do siebie. Kiedyś on z jednym z pozostałych chłopaków leżeli na rynku w Brønderslev i przyglądali się odciskom stóp. Nieco rozmytym przez deszcz, ale mimo wszystko wyraźnie odznaczającym się od pozostałych. Widzieli, że na czubku podeszwy wyżłobiono litery, ale dopiero po jakimś czasie doszli do tego, że stopa odciska w ziemi literki w lustrzanym odbiciu. Napis brzmiał: PEDRO. Wkrótce rozeszły się historie, że pewnie jakiś mężczyzna z fabryki Pedershaab Maskinfabrik bał się, że ukradną mu jedyną parę butów do pracy. Gdy więc chłopaki zamykały swoje ubrania na klucz w szafkach na odkrytym basenie na drugim końcu miasta, robiły to zawsze, myśląc o nieszczęsnym Pedro.

W ten sposób zaczęło się zainteresowanie Carla pracą detektywa, a teraz w pewnym sensie znalazł się znowu w punkcie wyjścia.

– Farba drukarska okazała się pismem w lustrzanym odbiciu.

Sam papier po rybach nie był zadrukowany, musiał zatem przez jakiś czas leżeć na gazecie i przesiąkać.

– Boże – Yrsa pochyliła się do przodu na tyle, na ile pozwalały jej założone jedna na drugą nogi. – Co tam było napisane?

– Gdyby nie fakt, że litery są takie duże, pewnie nic by z tego nie wyszło, ale o ile dobrze zrozumiałem, udało im się odgadnąć, że widniał tam w każdym razie napis „Frederikssund Avis". Sprawdziłem, że jest to rozdawany za darmo tygodnik.

Sądził, że w tym momencie Assad będzie się skręcać z ekscytacji, ale ten nic nie powiedział.

– Nie rozumiecie? Przecież to ogromnie zawęża pod względem geograficznym zakres miejscowości, jeśli przyjąć, że ten kawałek papieru znajdował się na terenie, gdzie faktycznie wrzuca się tę gazetę do skrzynki pocztowej. W przeciwnym wypadku chodziłoby o łączną linię brzegową całej północnej Zelandii. Wiecie, ile to kilometrów?

– Nie – rozległo się sucho z tylnego siedzenia.

On też nie wiedział.

Wtedy zadzwoniła jego komórka. Zerknął na wyświetlacz i zrobiło mu się bardzo gorąco.

– Mona – powiedział zupełnie innym tonem niż wcześniej. – Wspaniale, że dzwonisz.

Zauważył, że Assad zaczął się kręcić na siedzeniu obok. Może już nie myślał, że jego szef jest całkiem stracony.

Carl próbował zaprosić ją na wieczór, ale nie w tej sprawie dzwoniła. Nie, tym razem chodzi o coś bardziej zawodowego – powiedziała, śmiejąc się, a puls Carla zerwał się do galopu. Ale teraz jest u niej z wizytą kolega, który bardzo chętnie porozmawiałby z Carlem o jego traumach.

Carl zmarszczył czoło. Ach tak! Naprawdę by tego chciał? A co, cholera jasna, jego traumy obchodzą kolegów Mony? Przecież z mozołem gromadził je dla niej.

– Czuję się świetnie, Mono, to nie będzie konieczne – powiedział, myśląc o jej gorącym spojrzeniu.

Ponownie się roześmiała.

– Tak, tak, trochę ci się humor poprawił, gdy byliśmy razem wczorajszej nocy, ale do tej pory, Carl, nie czułeś się aż tak świetnie, prawda? A ja nie mogę przez cały czas służyć całodobową pomocą.

Przełknął ślinę. Już na samą myśl przeszedł go dreszcz. Właśnie miał ją zapytać, dlaczego nie może, ale się opanował.

– Dobrze, niech będzie – miał już dodać „kochanie", ale dostrzegł we wstecznym lusterku uważne, zachwycone oczy i oprzytomniał.

– Niech twój kolega przyjdzie jutro. Ale jesteśmy zajęci, więc tylko na moment, okej?

Nie umówili się na spotkanie w domu. Niech to licho!

W takim razie trzeba to jutro załatwić. Taką miał nadzieję.

Zamknął klapkę telefonu i obdarzył Assada sztucznym uśmiechem. Gdy dziś rano zobaczył się w lustrze, czuł się jak autentyczny Don Juan. Teraz było gorzej.

– Och, Mono, Mono, Mono, kiedy nadejdzie ten dzień, że chwycę cię za rękę? Gdy będziemy mogli umknąć gdzieś... razem? – wymknęło się Yrsie na tylnym siedzeniu.

Assad drgnął. Jeśli dotąd nie słyszał jej śpiewu, to teraz miał prawdziwą okazję. Jej głos był naprawdę jedyny w swoim rodzaju.

Carl pokręcił głową. Kurde! Teraz Yrsa wie o sprawie z Moną, a w ten sposób dowiedzą się wszyscy. Może nie powinien był odbierać tego telefonu.

– I pomyśleć – powiedziała Yrsa z tylnego siedzenia.

Carl spojrzał we wsteczne lusterko.

– Co pomyśleć? – zapytał, gotów do kontrataku.

– Frederikssund. Pomyśleć, że on zamordował Poula Holta tu, w pobliżu Frederikssund. – Yrsa spojrzała przed siebie.

Phi, czyli romans między Carlem a Moną już nie zaprzątał jej myśli. Owszem, wiedział, o co jej chodzi. Frederikssund leżało niedaleko od jej obecnego miejsca zamieszkania.

Zło nie przebiera w miastach.

– Czyli będziecie próbowali znaleźć domek na łodzie na samej północy któregoś z fiordów – kontynuowała. – Strach pomyśleć, jeśli to rzeczywiście się sprawdzi. Ale dlaczego nie sądzisz, że to może być bardziej na południe? Tam pewnie też raz na jakiś czas czyta się lokalne gazety?

– Masz rację. Mógł zostać z jakiegoś powodu zabrany z regionu Frederikssund. Ale gdzieś przecież musimy zacząć, a to brzmi logicznie. Prawda, Assad?

Jego kompan nic nie powiedział. Prawdopodobnie już teraz cierpiał na rodzaj choroby morskiej.

– Tu! – powiedziała Yrsa, wskazując chodnik. – Wysadź mnie po prostu tutaj.

Carl spojrzał na GPS. Jeszcze kawałek ulicami Byvej i Ejner Thygesens Vej i znajdą się na Sandalparken, gdzie mieszkała. Po co zatrzymywać się już tu?

– Jeszcze chwilka i będziemy na miejscu, Yrso. To żaden kłopot.

Dostrzegł, że już szykowała się, by powiedzieć „nie, dziękuję". Na pewno powiedziałaby, że musi jeszcze zrobić zakupy; w takim razie będzie musiała zrobić to później.

– Wejdę z tobą na sekundkę, Yrso, jeśli wolno. Chciałbym przywitać się z Rose i coś jej powiedzieć.

Widział doskonale, jak pobielona skóra twarzy Yrsy pokrywa się zmarszczkami.

– Tylko na chwileczkę – powtórzył, by odebrać jej inicjatywę.

Zaparkował pod numerem 19 i wyskoczył z samochodu.

– Zostaniesz tu, Assad – oznajmił i otworzył Yrsie drzwi.

– Wydaje mi się, że Rose nie ma w domu – powiedziała na schodach z wyrazem twarzy, którego wcześniej nie widział. Łagodniejszym i bardziej odprężonym niż zwykle. Taki wyraz twarzy przybiera się po wyjściu z sali egzaminacyjnej, wiedząc, że wypadło się tak sobie.

– Zostań na chwilę na zewnątrz, Carl – powiedziała, otwierając drzwi do mieszkania. – Może jeszcze leży w łóżku. Ostatnio jej się to zdarza raz na jakiś czas.

Carl spojrzał na tabliczkę z nazwiskiem, podczas gdy w środku Yrsa wołała Rose. Napis brzmiał po prostu: „Knudsen".

Yrsa krzyknęła jeszcze parę razy, po czym wróciła do drzwi.

– Nie, Carl. Najwyraźniej teraz jej nie ma, może poszła na zakupy. Mam jej coś przekazać?

Carl pchnął lekko drzwi, by móc postawić stopę w przedpokoju.

– Nie, wiesz co, napiszę jej kartkę. Masz kawałek papieru, na którym mógłbym to zrobić?

Wiedziony wieloletnią praktyką i zręcznością wdzierał się dalej na jej terytorium. Jak ślimak, który niezauważalnie i płynnie przesuwa swój korpus. Nie widać było, by poruszał stopami – można było jedynie stwierdzić, że nagle pokonał kilka metrów i że teraz nie będzie można się go pozbyć.

– Trochę tu zabałaganione – przepraszała Yrsa, ciągle w płaszczu. – Rose bałagani, kiedy tak się czuje. Szczególnie jak przez cały dzień jest sama.

Miała rację. Cały korytarz stanowił plątaninę wierzchnich okryć, zużytych opakowań i stert starych tygodników.

Carl zajrzał do salonu. Jeśli to było królestwo Rose, wyglądało zupełnie inaczej niż wyobrażenia Carla dotyczące miejsca, które zamieszkiwała hardcore'owa dziewczyna z punkowymi włosami i żółcią buzującą po całym ciele. Nie, jeśli ktoś miałby być odpowiedzialny za tę aranżację, to wyłącznie czystej krwi hipiska, która dopiero co zstąpiła ze skalistych połaci Nepalu z plecakiem pełnym gratów. Carl nie widział niczego podobnego od czasu, kiedy wylądował w wyrze z dziewczyną ze wsi Vrå. Kadzielnice, wielkie misy z mosiądzu i miedzi, ze słoniami i różnej maści figurkami voodoo czy hoo-doo. Batikowe szmaty na ścianach, na krzesłach krowie skóry. Brakowało jedynie podartej amerykańskiej flagi, by przenieść się w połowę lat siedemdziesiątych. Wszystko solidnie przyprawione grubą warstwą kurzu. Poza stertami tygodników i magazynów nic a nic nie wskazywało, by siostry Yrsa i Rose były architektami tego anachronicznego miszmaszu.

– No, nie jest aż tak zabałaganione – powiedział, przesuwając oczami po brudnych talerzach i zużytych kartonach po pizzy. – Ile macie miejsca?

– Osiemdziesiąt trzy metry kwadratowe. Oprócz salonu każda z nas ma swój pokój. Ale masz rację, tutaj wcale nie jest tak źle. Trzeba by zajrzeć do pokoi.

Roześmiała się, ale za tą fasadą widać było, że prędzej cisnęłaby w niego toporem, niż pozwoliła mu zbliżyć się na mniej niż dziesięć centymetrów do drzwi ich prywatnych azylów. Właśnie o tym poinformowała go w ten swój pokrętny sposób. Tyle doświadczenia z kobietami jeszcze miał.

Carl przebiegł wzrokiem po salonie w poszukiwaniu czegoś, co by się wyróżniało. Jeśli chciało się poznać tajemnice innych ludzi, trzeba było zawsze zwracać uwagę na rzeczy, które się odznaczały.

Szybko je znalazł. Naga głowa manekina, na jakiej zwykle wiesza się kapelusze albo peruki, oraz porcelanowa miseczka wypełniona po brzegi słoiczkami z tabletkami. Podszedł krok bliżej, by sprawdzić nazwy preparatów i komu je przepisano, ale Yrsa zagrodziła mu drogę, wręczając kartkę.

– Możesz sobie usiąść tam i napisać notatkę, Carl – wskazała na krzesło, na którym nie leżały brudne ubrania. – Na pewno przekażę ją Rose, gdy tylko wróci.

– Carl, mamy do dyspozycji nie więcej niż półtorej godziny. Musicie przyjechać trochę wcześniej innego dnia.

Carl skinął głową do Klaesa Thomasena, po czym przeniósł wzrok na Assada, który siedział w kokpicie żaglówki niczym zagnana w kąt mysz. Jaskrawoczerwona kamizelka ratunkowa sprawiała, że wyglądał na całkowicie zagubionego. Jak nerwowe dziecko przed pierwszym dniem szkoły. Zupełnie pozbawiony wiary, że podtuczony, starszawy szyper, pykający fajkę i kręcący sterem, mógł w jakiś sposób wybawić go od niechybnej śmierci, którą zgotują mu wysokie na pięć centymetrów fale.

Carl spojrzał na mapę pod plastikową osłonką.

– Półtorej godziny – powiedział Klaes Thomasen. – A czego dokładnie szukamy?

– Musimy znaleźć domek na łodzie, który jest wysunięty w morze, ale jak wolno przypuszczać, odizolowany od powszechnie dostępnej drogi i być może niewidoczny z wody. Myślę, że w pierwszej kolejności powinniśmy popłynąć od mostu Księcia Fryderyka w stronę miejscowości Kulhuse. Jak sądzisz, uda się dalej?

Emerytowany policjant wysunął dolną wargę, mocując fajkę.

– To nie żadna wyścigówka, tylko spokojna łajba – wymamrotał. – Tylko siedem węzłów na godzinę, ale zdaje się, że naszej załodze będzie to odpowiadało. Co ty na to, Assad? Wszystko dobrze tam w środku?

Już teraz śniada cera Assada wyglądała, jakby potraktowano ją wybielaczem. Będzie ciężko.

– Siedem węzłów, powiadasz. To około trzynastu kilometrów, prawda? – spytał Carl. – Czyli nie zdążymy nawet do Kulhuse i z powrotem, nim zapadnie zmrok. A ja miałem nadzieję, że damy radę popłynąć na drugą stronę półwyspu Hornsherred, opłynąć wyspę Orø i wrócić.

Thomasen pokręcił głową.

– Mogę poprosić żonę, by odebrała nas w Dalby Huse po drugiej stronie, ale dalej nie dotrzemy. No i na ostatnim odcinku będziemy żeglować w półmroku.

– A co z żaglówką?

Wzruszył ramionami.

– Taak. Jeśli dziś nie znajdziemy, czego szukamy, to jutro mogę przepłynąć się dalej dla rozrywki. Wiesz: stary policjant nie rdzewieje, kiedy mu wiatr w oczy.

Pewnie sam to wymyślił.

– Jeszcze jedno, Klaes. Ci dwaj bracia, którzy siedzieli w domku na łodzie, słyszeli niskie buczenie. Jak wiatrak albo coś w tym stylu. Mówi ci to coś?

Wyciągnął fajkę z ust, patrząc na Carla jak pies tropiący.

– Było sporo hałasu wokół czegoś, co w tym regionie nazywa się infradźwiękami. Może o to chodzi, o ile ta dyskusja sięga połowy lat dziewięćdziesiątych.

– A co to są te infradźwięki?

– No właśnie takie buczenie. Bardzo niskie i męczące dźwięki. Przez długi czas sądzono, że winowajcą jest stalownia we Frederiksværk, ale to zostało podważone, gdy przez pewien czas stalownia nie pracowała, a dźwięki nie ustały.

– Stalownia. Nie mieści się przypadkiem na półwyspie?

– Owszem, mniej więcej, ale infradźwięki rejestruje się nawet bardzo daleko od źródła. Niektórzy twierdzą, że są odczuwalne do dwudziestu kilometrów. W każdym razie skargi były we Frederikssund, Frederiksværk i w Jægerpris po drugiej stronie fiordu.

Carl spojrzał na upstrzoną kroplami deszczu taflę wody. Wszystko wyglądało tak spokojnie. Domy szukające schronienia w gęstwinie i żyzne pastwiska, i pola. Spokojne żaglówki na spokojnych wodach i mewy, polatujące stadami, gdy tylko zbierze się ich odpowiednio dużo. W tym mokrym, ckliwym pejzażu rozlegało się jakieś niewyjaśnione, niskie buczenie. Za fasadami tych pięknych domów ludzie dostawali szału.

– Jeśli nie jest znane źródło ani jego zasięg, to na nic nam się to nie zda – powiedział Carl. – Myślałem, żeby sprawdzić, jak tu w okolicy rozsiane są wiatraki, ale pytanie, czy to w ogóle o nie chodzi. Wiele wskazuje na to, że w Danii w tych dniach żaden wiatrak nie działał. To będzie trudne zadanie.

– Może więc byśmy tak pojechali do domu? – dobiegło z kajuty.

Carl spojrzał jeszcze raz na Assada. Czy to ten sam człowiek, który kotłował się i boksował z Samirem Ghazim? Ten, który potrafił rozwalić drzwi jednym kopniakiem i kiedyś uratował Carlowi życie? Jeśli tak, to w ciągu ostatnich pięciu minut znacznie mu się pogorszyło.

– Assad, będziesz rzygać? – spytał Thomasen.

Assad pokręcił głową. Pokazywało to jedynie, jak mało wiedział o chorobie morskiej i jej urokach.

– Proszę – powiedział Carl, podając mu lornetkę. – Oddychaj spokojnie i poddawaj się ruchom łodzi. I nie spuszczaj oczu z wybrzeża.

– Nie ruszę się tak z ławki – odparł.

– W porządku. Wybrzeże widać przez szybę.

– Sądzę, że możecie sobie odpuścić tę linię brzegową – powiedział Thomasen, sterując na sam środek fiordu. – Jest tu trochę piaszczystych plaż, a czasami pola dochodzą do samego brzegu. Popłyniemy w górę do lasów Nordskoven, jeśli chcemy mieć szansę. Tam gęsty las sięga samego brzegu, ale mieszka tam też sporo ludzi, więc wątpię, żeby domek na łodzie uchował się niezauważony.

Wskazał na szosę biegnącą wschodnią stroną fiordu z północy na południe. Miasteczka ustępowały miejsca płaskim gruntom rolnym, które znów ustępowały miejsca miasteczkom. W każdym razie to nie po tej stronie fiordu mógł się skryć morderca Poula Holta.

Carl spojrzał na mapę.

– Jeśliby trzymać się tezy, że pstrągi fiordowe występują tu na szczycie fiordów i nie chodzi o Fiord Roskilde, zatem musi to być z drugiej strony Hornsherred w Isefjorden. Ale gdzie? Z mapy widzę, że nie ma zbyt wielu możliwości. Po prostu za dużo gruntów rolnych sięgających samego fiordu. Gdzie tam można ukryć domek na łodzie? Z kolei nie może to też być z zupełnie drugiej strony na Holbæksiden albo na północy w Odsherred, bo dojazd z miejsca porwania w Ballerup zająłby znacznie ponad godzinę. – Nagle ogarnęły go wątpliwości. – Czy nie?

Thomasen wzruszył ramionami.

– Nie, nie wydaje mi się. Jedzie się tam pewnie jakąś godzinkę.

Carl wziął głęboki oddech.

– Miejmy więc nadzieję, że teoria dotycząca lokalnej gazety „Frederikssund Avis" jest właściwa, inaczej będzie bardzo, ale to bardzo trudno.

Usiadł na ławce obok ciężko sponiewieranego Assada, drżącego i szarozielonego na twarzy. Podwójny podbródek bezustannie wstrząsany był odruchem wymiotnym, a jednak lornetka była mocno przyciśnięta do oczodołów.

– Carl, daj mu trochę herbaty. Żonie będzie przykro, jeśli zarzyga jej tapicerkę.

Carl przysunął do siebie koszyk i bez pytania nalał herbaty.

– Proszę, Assad.

Opuścił nieco lornetkę, spojrzał na herbatę i potrząsnął głową.

– Nie zrzygam się, Carl. Połykam tak to, co zwracam.

Carl wytrzeszczył oczy.

– Tak, człowiek tak się czuje, kiedy jedzie przez pustynię na dromaderach. Wtedy też żołądek się męczy. A kiedy się człowiek porzyga, to traci za dużo wody. Na pustyni to głupie. Dlatego tak!

Carl poklepał go po ramieniu.

– Dobrze, Assad. Po prostu wypatruj domku na łodzie. A ja będę robił swoje.

– Nie szukam domku na łodzie, bo go tak nie znajdziemy.

– O co ci chodzi?

– Myślę, że jest dobrze ukryty. Wcale nie musi być między drzewami. Może tak być przy kupce ziemi albo piasku, albo pod domem, albo przy jakichś krzakach. Pamiętaj tak, że nie był zbyt wysoki.

Carl przysunął do siebie drugą lornetkę. Jego kompan nie jest przy zupełnie zdrowych zmysłach. Sam się tym zajmie.

– Jeśli nie wypatrujesz domku na łodzie, w takim razie czego, Assad?

– Tego, co tak buczy. Wiatraka albo czegoś innego. Po prostu czegoś, co może buczeć takie buczące dźwięki.

– Będzie trudno, Assad.

Przez chwilę Assad patrzył na niego, jakby był już do cna zmęczony towarzystwem. Po czym wstrząsnął nim tak silny odruch wymiotny, że Carl dla pewności odsunął się w tył. A kiedy już się z nim uporał, powiedział prawie szeptem:

– Wiedziałeś, że rekord siedzenia przy ścianie tak jak na krześle wynosi dwanaście godzin i coś tam, Carl?

– Nie? – zdawał sobie sprawę, że sam przypomina znak zapytania.

– Wiedziałeś tak, że rekord stania bez przerwy wynosi siedemnaście lat i dwa miesiące?

– Niemożliwe!

– Aha, ale tak jest. Indyjski guru tak stał, a nocą spał.

– Aha. Nie, Assad, nie wiedziałem. Co chcesz przez to powiedzieć?

– Tylko tyle, że coś wygląda na trudniejsze, niż jest, a coś wygląda na łatwiejsze.

– Tak?! I?

– Teraz znajdziemy ten buczący dźwięk i już nie będziemy o tym rozmawiać.

Diabelskie rozumowanie.

– Ach tak. Ale i tak nie wierzę w tego, co stał przez siedemnaście lat – odparował Carl.

– Okej. Wiesz tak co, Carl? – spojrzał na niego poważnie i jeszcze raz opanował odruch wymiotny.

– Nie.

Assad przyłożył lornetkę do oczu.

– Sam się tak domyśl.

Nasłuchiwali buczenia motorówek i łodzi rybackich, motocykli na szosach i samolotów jednosilnikowych, które obfotografowywały okoliczne domy, by skarbówka miała co taksować i zdzierać z obywateli. Jednak żaden dźwięk nie był wystarczająco ciągły; żaden też nie wzbudziłby protestów ze strony Stowarzyszenia Wrogów Infradźwięków.

Żona Klaesa Thomasena odebrała ich w Hundested, a jej mąż obiecał, że rozpyta się, czy ktoś wie coś o opisanym domku na łodzie. Stwierdził, że leśniczy z Nordskoven to dobry adres; innym były kluby żeglarskie. On osobiście kontynuowałby polowanie następnego dnia, który zapowiadał się suchy i słoneczny.

Gdy jechali na południe, Assad wciąż kiepsko wyglądał.

W takiej sytuacji nietrudno było solidaryzować się z żoną Thomasena. On też nie chciał mieć pieprzonych rzygów na swojej eleganckiej tapicerce w samochodzie.

– Dasz znać, jak poczujesz, że będziesz wymiotować, prawda, Assad? – spytał Carl.

Kiwnął głową z roztargnieniem. Pewnie sam nad tym nie panował.

Carl powtórzył pytanie, gdy telepali się przez Ballerup.

– Może zrobiłbym tak sobie krótką przerwę – powiedział Assad po paru minutach.

– Okej, mógłbyś poczekać dwie minutki, mam tu po drodze jedną sprawę? I tak jedziemy tędy do Holte. Będę mógł cię odwieźć prosto do domu.

Nie odpowiedział.

Carl spojrzał na drogę. Było już ciemno. Pytanie brzmiało, czy w ogóle go wpuszczą.

– Chciałbym odwiedzić matkę Viggi, rozumiesz. Tak się umówiłem z Viggą. Nie masz nic przeciwko? Matka mieszka tu w pobliżu, w domu opieki.

Kiwnął głową.

– Nie wiedziałem, że Vigga ma matkę. Jak się czuje? Ona jest taka słodka?

Było to pytanie, które przy całej swej prostocie wymagało na tyle skomplikowanej odpowiedzi, że Carl niemal przegapił czerwone światło na ulicy Bagsværd Hovedgade.

– Jak już stamtąd wyjdziesz, nie mógłbyś mnie tak potem wysadzić na stacji, Carl? I tak jedziesz na północ, a stamtąd jedzie autobus tak prosto pod moje drzwi.

Owszem, Assad dobrze wiedział, jak zachować anonimowość swoją i swojej rodziny.

– Nie, nie może pan teraz odwiedzić pani Alsing, za późna pora jak dla niej. Proszę przyjść jutro do czternastej, a najlepiej około jedenastej, jest wtedy najbardziej wypoczęta – powiedziała kobieta pełniąca wieczorny dyżur.

Carl wyciągnął odznakę policyjną.

– Nie przychodzę wyłącznie w prywatnej sprawie. Oto mój asystent, Hafez el-Assad. To zajmie tylko chwilkę.

Pracownica opieki społecznej spojrzała zdumiona na odznakę, a następnie na to stworzenie, które stało obok Carla, chwiejąc się lekko. Nie był to chleb powszedni dla personelu Bakkegården.

– No tak, ale myślę, że ona już śpi. W ostatnim czasie mocno podupadła.

Carl spojrzał na zegarek. Było dziesięć po dziewiątej. O tej porze dla matki Viggi dzień się wręcz zaczynał, o czym ona, u diabła, mówi? Ponad pięćdziesiąt lat kelnerowania przy kopenhaskim życiu nocnym do czegoś zobowiązuje. Nie, takiej demencji nie mogła mieć.

Grzecznie, ale też z grzeczną niechęcią poprowadzono ich do części mieszkalnej dla osób z demencją i postawiono przed drzwiami Karli Margrethe Alsing.

– Niech panowie sami dadzą znać, kiedy was wypuścić – powiedziała pracownica opieki społecznej, wskazując ręką. – Tam jest personel.

Zastali Karlę otoczoną morzem tabliczek czekolady i wsuwek do włosów. Ze swymi długimi, potarganymi, siwymi włosami i niedbałym kimonem przypominała hollywoodzką aktorkę, która nie zaakceptowała kresu kariery. Natychmiast rozpoznała Carla i ułożyła się w pozycji półleżącej, szczebiocząc jego imię i mówiąc mu, jakie to ujmujące, że przyszedł. Vigga stanowczo nie miała tego po obcych.

Assada nie zaszczyciła nawet spojrzeniem.

– Kawki? – spytała Karla, nalewając odrobinę z termosu bez zakrętki do filiżanki, której użyto więcej niż raz. Carl się wzbraniał, ale zdał sobie sprawę, że to nierozsądne posunięcie. Zwrócił się więc do Assada i podał mu filiżankę. Jeśli ktoś potrzebuje zimnej, zwietrzałej kawy, to właśnie on.

– Jak tu przyjemnie – powiedział Carl, rozglądając się po krainie mebli. Złocone ramy, mahoniowe meble z ornamentami i obiciami z brokatu. Tego nigdy za wiele w napuszonych sferach Karli Margrethe Alsing.

– Na czym mija ci czas? – spytał, spodziewając się wykładu o tym, jak trudno się czyta i jak pogorszyły się programy w telewizji.

– Na czym? – jej spojrzenie zrobiło się nieobecne. – Och, oprócz wymieniania tego raz na jakiś czas...

Przerwała w połowie zdania, pogmerała przy poduszce za plecami i wyciągnęła pomarańczowy wibrator z wszystkimi możliwymi i niemożliwymi wypustkami.

– ... człowiek nie ma prawie nic do roboty.

29

Z każdą mijającą godziną powoli opuszczały ją siły. Próbowała krzyczeć na całe gardło, gdy dźwięk samochodu ucichł, ale za każdym razem, gdy opróżniała płuca, ponowne zaczerpnięcie oddechu graniczyło z niemożliwością. Ciężar pudeł był po prostu za duży. Oddychanie stawało się powoli coraz płytsze.

Wykręciła odrobinę prawą dłoń do przodu i drapała paznokciami o pudło tuż przed swoją twarzą. Już sam dźwięk szurania o karton wzbudzał nadzieję. Czyli jednak coś może.

Kiedy przeleżała tak parę godzin, siły umożliwiające jej krzyk ostatecznie ją opuściły. Teraz chodziło tylko o przeżycie.

Może on się nad nią zlituje.

Po kilku godzinach aż nazbyt wyraźnie przypomniała sobie, jak to jest być bliską uduszenia się. Uczucie paniki pomieszanej z bezsilnością, a w pewnym sensie również ulgi. Doświadczyła tego przynajmniej dziesięć razy. To było wtedy, gdy jej zwalisty ojciec siadał na niej, jak była zupełnie mała, i wyciskał z niej powietrze.

– Możesz się teraz wyswobodzić? – śmiał się zawsze. Dla niego to była tylko zabawa, ale ją przerażała.

Kochała po prostu swojego tatę, więc nic nie mówiła.

I nagle któregoś dnia już go nie było. Zabawy się skończyły, ale ulga nie nadeszła. „Nawiał z jakąś babą" – powiedziała jej matka. Jej wspaniały, miły tata nawiał z jakąś babą. Teraz baraszkował z innymi, nowymi dziećmi.

Gdy poznała męża, opowiadała wszystkim, że przypomina jej ojca.

– Pod żadnym pozorem byś tego nie chciała – odparła jej matka.

Tak właśnie powiedziała.

*

Przeleżawszy dobę przygwożdżona pudłami, wiedziała, że umrze.

Słyszała na zewnątrz jego kroki. Postał pod drzwiami do pomieszczenia, nasłuchując, po czym odszedł.

„Trzeba było zajęczeć" – pomyślała. Może wtedy położyłby temu wszystkiemu kres.

Uwięzłe pod jej ciałem lewe ramię przestało ją boleć. Podobnie jak ręka było pozbawione czucia, ale biodro, które musiało przyjąć największy ciężar, bolało ją w każdej sekundzie. Pociła się przez pierwsze godziny tego klaustrofobicznego uścisku, ale teraz już nie. Jedyną wydzieliną, jaką zarejestrowała, był strumień gorącego moczu na udzie.

Leżała tak, w kałuży sików, próbując obrócić się choćby odrobinę, by nacisk na prawe kolano, na którym opierały się pudła, rozłożyć trochę na udo. Nie udało się jej, ale miała czucie. Jak wtedy gdy złamała rękę i mogła się podrapać tylko po zewnętrznej stronie gipsu.

Myślała o dniach i tygodniach, gdy ona i jej mąż byli razem szczęśliwi. Czas na samym początku, gdy przed nią klękał i mógł ją kontrolować, tak jak tego chciała.

A teraz ją zabijał. Po prostu zabijał, bez emocji czy wahania.

Ile razy przedtem to zrobił? Nie wiedziała.

Nic nie wiedziała.

B y ł a niczym.

„Kto będzie o mnie pamiętał, gdy umrę?" – pomyślała, rozprostowując palce na prawym ramieniu, jakby głaskała swoje dziecko. „Beniamin nie, jest za mały. Moja mama, oczywiście, ale co będzie za dziesięć lat, gdy jej już nie będzie? Kto wtedy będzie o mnie pamiętał? Nikt oprócz tego, który pozbawił mnie życia? Nikt oprócz niego i może jeszcze Kennetha".

Oprócz samego faktu, że umierała, to właśnie było najgorsze. Właśnie to, mimo wyschniętych ust, sprawiło, że spróbowała przełknąć ślinę, i właśnie to sprawiło też, że jej udręczonym brzuchem wstrząsnął płacz pozbawiony łez.

Za parę lat zostanie zapomniana.

Raz na jakiś czas dzwoniła komórka, a wibracje z tylnej kieszeni spodni wzbudzały w niej nadzieję.

Gdy dźwięk dzwonka cichł, potrafiła leżeć przez godzinę czy dwie, nasłuchując odgłosów przed domem. A co, jeśli stoi tam teraz Kenneth? Może nabrał podejrzeń? Przecież musiał? Przecież widział, jaka była poruszona, gdy widzieli się ostatnim razem.

Spała trochę i obudziła się gwałtownie, pozbawiona czucia w ciele. Została tylko twarz. W tej chwili była tylko twarzą. Suche nozdrza, pieczenie wokół oczu, mruganie w przyćmionym świetle. Tylko tyle zostało.

Wtedy zarejestrowała to, co ją obudziło. Czy to Kenneth, czy jej się śniło? Zamknęła oczy i nasłuchiwała intensywnie. Coś tam było.

Wstrzymała oddech i wsłuchała się jeszcze raz. Tak, to Kenneth. Otworzyła usta, gwałtownie wciągając powietrze. Stał na dole pod oknem, przed drzwiami wejściowymi i krzyczał. Wołał ją po imieniu tak, że cała dzielnica mogła się go nauczyć. Poczuła, jak na jej ustach pojawia się uśmiech, i zebrała siły, by wydać z siebie ostatni krzyk, który miał ją uratować. Krzyk, który skłoni do reakcji żołnierza na dole.

I krzyknęła ze wszystkich sił.

Tak bezgłośnie, że nawet ona sama tego nie usłyszała.

30

Późnym popołudniem przyjechali odrapanym jeepem żołnierze. Jeden z nich wrzeszczał, że lokalni zwolennicy Doego pochowali broń w wiejskiej szkole, a ona ma wskazać gdzie.

Mieli lśniącą skórę i reagowali lodowatym chłodem na jej zapewnienia, że nie ma nic wspólnego z Samuelem Doe i jego reżimem plemienia Krahn i że nie ma pojęcia o żadnej broni.

Rachela, czy raczej Lisa, bo tak wtedy miała na imię, i jej chłopak słyszeli strzały przez cały dzień. Wieść niosła, że tyły partyzantki Taylora wzięły się ostro i krwawo do roboty, dlatego przygotowywali się do ucieczki. Kto chciałby się przekonać, czy żądza krwi kolejnego reżimu uzna ludzi za niewinnych ze względu na kolor skóry?

Jej chłopak poszedł na piętro po strzelbę, a ją żołnierze zaskoczyli, gdy próbowała wynieść do dobudówek część szkolnych książek. Tyle domów tego dnia spłonęło, więc chciała się po prostu zabezpieczyć.

I nagle tu stali, ci, którzy przez cały dzień zabijali i musieli pozbyć się tych buzujących w ciele wyładowań elektrycznych.

Powiedzieli do siebie coś, czego nie zrozumiała, ale oczy mówiły własnym językiem. Znalazła się w niewłaściwym miejscu. Zbyt młoda i zbyt dostępna w pustej szkolnej sali.

Z całych sił rzuciła się w bok i wskoczyła na parapet, ale złapali ją za kostki. Wciągnęli ją z powrotem i kopali mocno, dopóki nie leżała zupełnie spokojnie.

Przed jej oczami trzy głowy zatańczyły w powietrzu, po czym opadły na nią dwa ciała.

Przewaga i arogancja sprawiły, że trzeci żołnierz oparł swego kałasznikowa o ścianę, gdy pomagał pozostałym rozłożyć jej nogi. Zakrywając jej usta, wtargnęli w nią jeden po drugim, śmiejąc się histerycznie. Gorączkowo wciągała powietrze przez zaciśnięte nozdrza, słysząc jęczenie swojego chłopaka w sąsiednim pomieszczeniu. Bała się o niego. Bała się, że żołnierze go usłyszą i szybko się z nim rozprawią.

Ale chłopak tylko cicho jęknął. Poza tym nie zareagował.

Gdy pięć minut później leżała w kurzu na podłodze, patrząc na tablicę, gdzie przed zaledwie dwiema godzinami napisali „I can hop, I can run", jej chłopaka ani strzelby już nie było. Choć zastrzelenie spoconych żołnierzy, którzy leżeli teraz obok niej z rozpiętymi spodniami i dyszeli, byłoby dla niego łatwizną.

Ale jego przy niej nie było. Nie było go również wtedy, gdy rzuciła się po karabin maszynowy czarnoskórego żołnierza i wystrzeliła długą salwę, rozpłatując ciała czarnych mężczyzn i wzniecając w pomieszczeniu echo krzyków, opary prochu strzelniczego i gorącej krwi.

Jej chłopak był przy niej, gdy wszystko było dobrze. Gdy życie było lekkie, a dzień jutrzejszy – jasny. Nie było go, gdy wywlekała poranione ciała na gnojówkę i zakrywała liśćmi palmowymi ani gdy oczyszczała ściany z fragmentów ciał i krwi.

Między innymi dlatego musiała uciekać.

Dzień wcześniej zawierzyła Bogu i szczerze żałowała za grzechy. Ale nigdy nie zapomniała o obietnicy, którą złożyła sobie tego wieczora, gdy ściągnęła z siebie sukienkę i spaliła ją, tego wieczora, gdy z taką zawziętością myła sobie krocze.

Jeśli jeszcze kiedyś Diabeł wejdzie jej w drogę, ona weźmie sprawy w swoje ręce.

Gdyby złamała Boże przykazanie, pozostanie to sprawą między nią a Nim.

Gdy Isabel dociskała gaz do dechy, a jej wzrok błądził między drogą, GPS-em a lusterkiem wstecznym, Rachela przestała się pocić. W jednej sekundzie jej wargi przestały drżeć, uspokoił się rytm serca. W jednej chwili przypomniała sobie, jak strach przekuć w gniew.

Straszliwe wspomnienie szatańskich oddechów żołnierzy NPFL i ich żółtych oczu, nieznających litości, rozeszło się po jej ciele i sprawiło, że zacisnęła szczęki.

Jeśli potrafiła działać kiedyś, będzie potrafiła to powtórzyć.

Zwróciła się do swego kierowcy.

– Po oddaniu rzeczy Jozuemu ja przejmę kierownicę. Rozumiesz, Isabel?

Isabel pokręciła głową.

– Nie da rady, Rachelo, nie znasz mojego wozu. Mnóstwo rzeczy nie działa. Światła mijania. Hamulec ręczny jest luźny. Jest nadsterowny.

Wymieniła jeszcze parę rzeczy, ale Racheli było wszystko jedno. Może Isabel nie wierzyła, że siedząca obok niej święta Rachela może się z nią równać za kółkiem. W takim razie wkrótce się przekona.

Na peronie w Odense spotkali się z Jozuem; był poszarzały na twarzy i w fatalnym stanie.

– Nie podoba mi się to, co mówicie!

– Owszem, Jozue, ale Isabel ma rację. Tak zrobimy. On musi poczuć, że ma nasz oddech na karku. Masz ze sobą GPS, zgodnie z umową?

Kiwnął głową i spojrzał na nią oczami o zaczerwienionych obwódkach.

– Mam w dupie pieniądze – powiedział.

Chwyciła go mocno za ramię.

– To nie ma nic wspólnego z pieniędzmi. Już nie. Postępuj po prostu zgodnie z jego instrukcją. Gdy mignie światłami, wyrzucisz worek na zewnątrz, ale pieniądze zostawisz w sportowej torbie. My będziemy w miarę możliwości podążać za pociągiem. Nie musisz w ogóle myśleć, po prostu informuj nas, gdzie jest pociąg, jeśli cię spytamy, rozumiesz?

Kiwnął głową, ale wyraźnie bez przekonania.

– Daj mi torbę z pieniędzmi – powiedziała. – Nie ufam ci.

Pokręcił głową, czyli miała rację. Po prostu wiedziała.

– Dawaj je! – krzyknęła, ale on wciąż odmawiał. Wtedy wymierzyła mu policzek, mocno i celnie, pod prawym okiem, i chwyciła sportową torbę. Nim się zorientował, co się stało, torba została przekazana Isabel.

Następnie Rachela chwyciła pustą torbę i wepchnęła do niej ubrania porywacza, oprócz koszuli, na której znajdowały się włosy. Kabłąk od kłódki, kłódkę, a na samym wierzchu list napisany przez Jozuego.

– Masz. I postępuj zgodnie z umową. W przeciwnym razie już nie zobaczymy naszych dzieci. Uwierz mi, ja to wiem.

*

Utrzymywanie tempa pociągu było trudniejsze, niż się spodziewała. Co prawda tuż za Odense znajdowały się na przedzie, ale już za Langeskov zaczęły zostawać w tyle. Raporty Jozuego były niepokojące, a komentarze Isabel, która porównywała na GPS-ie pozycje samochodu i pociągu, stawały się coraz bardziej gorączkowe.

– Musimy zamienić się miejscami, Rachelo – wychrypiała Isabel. – Nie masz na to nerwów.

Rzadko kiedy słowa miały tak bezbłędny wpływ na Rachelę. Docisnęła nogę do samej podłogi, a jakieś pięć minut później stukot silnika, podkręconego do maksimum, był jedynym dającym się słyszeć dźwiękiem.

– Widzę pociąg! – krzyknęła Isabel z ulgą w miejscu przecięcia się autostrady E20 z linią kolejową. Wcisnęła przycisk komórki i po paru sekundach usłyszała po drugiej stronie głos Jozuego.

– Spójrz na lewo, Jozue, jesteśmy trochę z przodu – powiedziała. – Ale na odcinku kolejnych kilometrów autostrada zatacza wielki łuk, więc wkrótce będziesz przed nami. Będziemy próbowały dogonić cię na moście, ale będzie ciężko. Potem musimy też przejechać przez kontrolę na moście. – Przez chwilę słuchała jego komentarzy. – Dzwonił do ciebie? – zapytała jeszcze, nim znów zatrzasnęła klapkę komórki.

– Co odpowiedział? – spytała Rachela.

– Wciąż nie miał kontaktu z porywaczem. Ale Jozue nie brzmiał jak ktoś, kto się dobrze czuje, Rachelo. On nie wierzy, że zdążymy. Wyjąkał, że może i tak wszystko jedno, czy zdążymy, byle porywacz zrozumiał przesłanie listu.

Rachela zacisnęła wargi. „Wszystko jedno" – powiedział. Otóż wcale nie. Muszą tam być, gdy lampa porywacza mignie w stronę pociągu. Muszą tam być, by ten bydlak, który zabrał jej dzieci, poczuł, do czego jest zdolna.

– Nic nie mówisz, Rachelo – odezwała się obok Isabel. – Ale to, co on mówi, to przecież prawda. Nie zdążymy. – W tej chwili kobieta siedziała, nie spuszczając oczu z prędkościomierza. Po prostu szybciej nie pojadą.

– Co masz zamiar zrobić na moście nad Wielkim Bełtem, Rachelo? Tam jest mnóstwo kamer i wielki ruch. Co zrobisz, jak po drugiej stronie trzeba będzie zapłacić za przejazd mostem?

Rachela przez chwilę zastanawiała się nad pytaniami, migając długimi światłami na pasie dla wyprzedzających.

– W ogóle się tym nie przejmuj, Isabel – powiedziała w końcu.

31

Isabel była przerażona.

Przerażona szaloną jazdą Racheli i własną absolutną niemożnością, by coś z tym zrobić.

Zaledwie 200–300 metrów dzieliło je od szlabanów przy punktach kontrolnych na moście nad Wielkim Bełtem, a Rachela nie zwalniała. Za parę sekund będzie im wolno jechać zaledwie 30 kilometrów na godzinę, a jechały 150. Przed nimi przez kraj z łoskotem pędził pociąg z Jozuem, a ta kobieta chciała go dogonić.

– Musisz już zwolnić, Rachelo – krzyknęła, gdy tuż przed nimi pojawiły się kabiny poboru opłat. – HAMUJ!

Ale Rachela ściskała tylko kierownicę, pogrążona we własnym świecie. Musiała uratować swoje dzieci.

Nie miało żadnego znaczenia, co jeszcze się stanie.

Zobaczyły, jak wartownicy z kabin dla ciężarówek machają rękami, a kilka samochodów przed nimi zjechało raptownie na bok.

Wtedy z przeraźliwym hukiem przedarły się przez szlaban, a chmura kawałków szlabanu wzbiła się z boku i przed przednią szybą.

Gdyby jej stary rupieć, ford mondeo, był parę lat młodszy albo w najlepszym wypadku odnowiony, zatrzymałyby je eksplodujące poduszki powietrzne. „Są uszkodzone. Mam je wymienić?" – pytał mechanik, ale to cholernie dużo kosztowało. Przez dłuższy czas Isabel było żal, że powiedziała: nie, ale w tej chwili już nie żałowała. Gdyby poduszki powietrzne uruchomiły się przy tej prędkości, dopiero byłoby źle. Obecnie jedyną rzeczą przypominającą o niedopuszczalnym zamachu na mienie publiczne było okrągłe wgniecenie w masce i brzydkie, poszerzające się z wolna pęknięcie na przedniej szybie.

Za nimi trwała gorączkowa krzątanina. Jeśli policji dotąd nie poinformowano, że samochód zarejestrowany na jej nazwisko staranował szlaban na moście nad Wielkim Bełtem, to ktoś ewidentnie przespał sprawę.

Isabel odetchnęła mocno i jeszcze raz wystukała numer Jozuego.

– Jesteśmy już za mostem! A ty gdzie jesteś?

Podał współrzędne z GPS-u, a ona porównała je ze swoimi. Nie był zbyt daleko.

– Nie czuję się dobrze – powiedział. – Myślę, że źle robimy.

Uspokajała go najlepiej, jak potrafiła, ale chyba nie pomogło.

– Zadzwoń, jak zobaczysz światło – powiedziała, zamykając klapkę komórki.

Tuż przed zjazdem numer 41 zobaczyły po lewej stronie pociąg. Mknący sznur świetlnych pereł pośród czarnego terenu. W środku, w trzecim wagonie, siedział mężczyzna z sercem pod presją.

Kiedy, do licha, ten szatan się z nimi skontaktuje?

Isabel przycisnęła do siebie komórkę, gdy pruły przez odcinek autostrady między Halsskov a zjazdem numer 40 i nie pojawiało się żadne migające na niebiesko światło.

– Policja zatrzyma nas przy Slagelse, możesz być pewna, Rachelo. Dlaczego musiałaś rozwalić ten szlaban?

– Przecież widzisz pociąg. Nie widziałabyś go, gdybym zwolniła i zatrzymała się choćby na dwadzieścia sekund. Dlatego!

– Już nie widzę pociągu – Isabel spojrzała na mapę leżącą na jej kolanach. – Cholera, Rachelo. Pociąg zatacza łuk na północ i jedzie przez Slagelse. Jeśli on mignie do Jozuego światłem między Forlev i Slagelse, nie mamy szans, chyba że już teraz zjedziemy z autostrady!

Zjazd numer 40 mignął za nimi, gdy Isabel odwracała głowę.

Zagryzła wargi.

– Rachelo, jeśli jest tak, jak myślę, to istnieje duże prawdopodobieństwo, że za chwilkę Jozue zobaczy błyśnięcie flesza. Przed Slagelse linię kolejową przecinają trzy wiejskie drogi. To doskonałe miejsce do wyrzucenia worka. Z tym że teraz nie możemy zjechać z autostrady, bo właśnie minęłyśmy zjazd.

Dostrzegła, że trafiła bezbłędnie. W oczach Racheli znów pojawił się ów wyraz desperacji. Teraz brakowało tylko, by w ciągu kolejnych paru minut usłyszała dźwięk komórki.

Nagle nacisnęła mocno na hamulec i zjechała na pas awaryjny.

– Cofam – powiedziała.

Oszalała? Isabel pacnęła w światła awaryjne, próbując uspokoić puls.

– Posłuchaj, Rachelo – powiedziała najspokojniej, jak umiała. – Jozue na pewno sobie poradzi. Nie musimy tam być, gdy wyrzuci worek. Jozue ma rację. Ten gnojek i tak się z nami skontaktuje, jak zobaczy, co jest w środku – powiedziała Isabel. Ale Rachela nie reagowała. Miała zupełnie inny plan, a Isabel ją rozumiała.

– Cofnę się pasem awaryjnym – powtórzyła Rachela.

– Rachelo, nie rób tego.

Ale to zrobiła.

Isabel odpięła pas bezpieczeństwa i obróciła się na siedzeniu. Za ich plecami gnały w jej stronę kolumny świateł samochodów.

– Zwariowałaś, Rachelo? Zabijesz nas. Na co to się zda Samuelowi i Magdalenie?

Ale Rachela nie odpowiadała. Jechała po prostu na wyjącym wstecznym biegu, orząc pobocze.

Właśnie wtedy Isabel dostrzegła, że na paśmie wzgórz, jakieś 400–500 metrów wstecz, gromadzą się niebieskie światła.

– STOP! – krzyknęła, aż Rachela podniosła nogę z gazu.

Rachela spojrzała w stronę niebieskich świateł i w tej samej sekundzie pojęła, w czym problem. Skrzynia biegów ostro zaprotestowała, gdy wrzuciła na jedynkę bezpośrednio ze wstecznego. W ciągu paru sekund znów jechały 150 na godzinę.

– Módl się, by Jozue nie zadzwonił w ciągu najbliższych minut i nie powiedział, że wyrzucił worek, może zdążymy. Ale skręć w zjazd 38, nie 39 – jęknęła Isabel. – Istnieje ryzyko, że przy zjeździe 39 czekają wozy policyjne. Może nawet już tam są. Skręć w 38, żebyśmy mogły pojechać wiejską drogą, to też bliżej torów kolejowych. Aż do Ringsted tory przebiegają przez wieś z dala od autostrady.

Zapięła pasy bezpieczeństwa i przez kolejnych dziesięć kilometrów nie spuszczała oczu z prędkościomierza. Niebieskie światła za nimi najwyraźniej nie były nastawione na równie niebezpieczną jazdę jak one. Rozumiała to doskonale.

Gdy dotarły do zjazdu 39 na Slagelse C, droga prowadząca ku

miastu rozbłysła refleksami niebieskich świateł. Czyli wozy policyjne ze Slagelse za chwileczkę tu będą.

Niestety miała rację.

– Są tam gdzieś, Rachelo. Dodaj gazu, jeśli możesz – krzyknęła, wciskając w komórce numer Jozuego.

– Jozue, jak daleko teraz jesteś? – spytała.

Ale Jozue nie odpowiedział. Czy to oznaczało, że już wyrzucił worek, czy też coś znacznie gorszego? Że ten gnojek znajdował się w pociągu? Jak dotąd taka możliwość nie przyszła jej do głowy. Czy mogło tak być? Że mignięcie fleszem i wyrzucanie worka przez okna to najzwyklejsza zmyłka? Że miał już worek i wiedział, że nie zawiera pieniędzy?

Obróciła się do tyłu i przez sekundę patrzyła na leżącą na tylnym siedzeniu sportową torbę z pieniędzmi.

Co ten bydlak teraz zrobi Jozuemu?

Dojechały do zjazdu 38 akurat w chwili, gdy niebieskie światła wozów policyjnych pojawiły się w oddali na przeciwległym pasie. A Rachela nie tknęła nawet hamulców, gdy z piskiem opon wjechały na drogę główną numer 150, tak bliskie zderzenia z samochodem osobowym, jak tylko możliwe. Gdyby nie manewr wymijający tamtego kierowcy, sytuacja wymknęłaby się spod kontroli.

Isabel poczuła, jak po plecach spływa jej pot. Siedząca obok kobieta nie była szaleńczo zdesperowana. Ona była po prostu szalona.

– Nie wydostaniesz się stąd, Rachelo. Kiedy policja dotrze do wiejskiej drogi, będą mogli z łatwością śledzić twoje tylne światła – krzyknęła.

Rachela pokręciła głową i przylgnęła tak blisko do telepiącego się wciąż przed nimi samochodu, że niemal uczepiła się jego zderzaka.

– Nie – powiedziała, gasząc światła. – Już nie.

Sprytne posunięcie. Dobrze, że automatyczne światła mijania nie działały.

Przez tylną szybę wozu jadącego parę metrów przed nimi widziały wyraźnie dwoje starszych ludzi. Ich gorączkowe gesty wyrażały coś, co łagodnie można by określić jako przerażenie.

– Skręcę w pierwszą lepszą drogę – rzekła Rachela.

– Będziesz musiała włączyć znów światła.

– Zostaw to mnie. Patrz na GPS, kiedy pojawi się kolejna boczna droga, która nie będzie ślepa. Musimy się stąd wydostać, widzę z tyłu policję.

Isabel się obejrzała. Zgadzało się. Migające światła już tam były. Zaledwie 400-500 metrów od nich, przy zjeździe z autostrady.

– Tam! – krzyknęła Isabel. – Patrz na drogowskaz przed nami.

Rachela skinęła głową. Snop światła jadącego przed nimi auta omiótł drogowskaz. „Vedbysønder" – brzmiał napis.

Wdepnęła hamulec i ostro skręciła. Z wyłączonymi światłami, w ciemność.

– Okej – powiedziała, tocząc się na luźnym biegu obok stodoły i jakichś budynków. – Zatrzymamy się za tym gospodarstwem, żeby nas nie zobaczyli. Zadzwoń jeszcze raz do Jozuego, dobrze?

Isabel spojrzała za siebie, gdzie niebieskie, migające światła jawiły się niczym złowróżbna aura.

Następnie wystukała numer Jozuego, tym razem pełna złych przeczuć.

Rozległ się parokrotny sygnał, po czym odebrał.

– Tak – powiedział po prostu.

Isabel skinęła głową do Racheli, by zasygnalizować, że Jozue odebrał telefon.

– Wyrzuciłeś worek? – spytała.

– Nie – sprawiał wrażenie strapionego.

– Jozue, dzieje się coś? Czy wokół ciebie są ludzie?

– W przedziale naprzeciwko mnie siedzi jedna osoba, ale pracuje ze słuchawkami na uszach. Wszystko w porządku. Tyle że ja nie czuję się zbyt dobrze. Ani na chwilę nie mogę przestać myśleć o dzieciach, to takie straszne – brzmiał, jakby brakowało mu oddechu i był zmęczony. Nic dziwnego.

– Spróbuj się uspokoić, Jozue – wiedziała, że łatwo powiedzieć. – Jeszcze trochę i będzie po wszystkim. Gdzie jest w tej chwili twój pociąg? Podaj mi współrzędne z GPS-u.

Odczytał je.

– Wyjeżdżamy już z miasta – powiedział.

Domyślała się tego. Pociąg nie mógł być daleko.

– Schyl się – zakomenderowała Rachela, gdy wozy policyjne przemknęły obok drogi, na której się zatrzymały. Tak jakby ktoś mógł je dostrzec z tej odległości.

Ale za chwilę starsze małżeństwo zostanie zatrzymane. Powiedzą, że ci szaleńcy, którzy ich ścigali z wyłączonymi światłami, skręcili z drogi głównej. Wtedy wozy policyjne zawrócą.

– Hej, widzę pociąg! – krzyknęła Isabel.

Rachela podskoczyła.

– Gdzie?

Isabel wskazała na południe, z dala od drogi głównej; lepiej być nie mogło.

– Tam! Jedź!

Rachela włączyła światła, w ciągu pięciu sekund zmieniła bieg trzy razy, jednym ruchem wzięła w miasteczku dwa ostre zakręty i nagle świetlisty łańcuch pociągu i snop światła z mondeo skrzyżowały się ze sobą gdzieś w oddali.

– O Boże, widzę migające światło! – krzyknął w komórce silnie wzburzony Jozue. – O Boże Ojcze, chroń nas, zachowaj nas!

– Widział je? – dobiegło ze strony Racheli. Ona też słyszała w komórce jego krzyk.

Isabel skinęła, a Rachela lekko przechyliła głowę.

– O, jednorodzona Matko Boża. Niech Twoje święte światło nas ogarnie i pokaże nam drogę do Twej chwały. Przygarnij nas do siebie jak swoje dzieci i ogrzej przy swym sercu – odetchnęła głośno i wzięła głęboki oddech, wciskając mocniej gaz.

– Światło jest tuż przede mną, otwieram okno – rozległo się w komórce. – Teraz kładę komórkę na siedzeniu. O Boże, o Boże.

Jozue sapał w tle. Brzmiał jak stary człowiek, któremu na ścieżce życia pozostało już niewiele kroków. Zbyt wiele rzeczy do zrobienia, zbyt wiele myśli do opanowania.

Oczy Isabel błądziły w mroku. Nie widziała migającego światła. Czyli w tym momencie muszą być po przeciwnej stronie składu pociągu.

– Rachelo, wiejska droga krzyżuje się tam z torami dwukrotnie. Jestem pewna, że on znajduje się na tej samej drodze co my – krzyknęła, podczas gdy po drugiej stronie połączenia Jozue szamotał się, by wyrzucić worek przez okno.

– Puszczam! – krzyknął w tle.

– Gdzie on jest, Jozue, widzisz go? – rzuciła Isabel.

Teraz ponownie podniósł komórkę. Głos był czysty i wyraźny.

– Tak, widzę jego samochód. Stoi tuż przy gęstwinie, gdzie droga przecina się z torami.

– Wyjrzyj przez okno na drugą stronę. Rachela mignie długimi światłami – dała znak Racheli, która siedziała z głową pochyloną do przodu, próbując wypatrzyć coś w dole za składem pociągu.

– Widzisz nas, Jozue?

– TAK! – wykrzyknął. – Widzę was na górze przy moście. Zjeżdżacie dokładnie tu, gdzie my jesteśmy. Będziecie tu za chwi...

Usłyszała, jak wydaje z siebie jęk. Następnie rozległ się dźwięk, jakby komórka uderzyła o podłogę.

– Widzę światło stroboskopowe! – krzyknęła Rachela.

Docisnęła samochód przez most i wjechała w dół w wąską wiejską drogę. Jeszcze tylko kilkaset metrów i już tam będą.

– Co ten człowiek teraz robi, Jozue? – krzyknęła Isabel, ale on nie odpowiedział. Może klapka komórki zamknęła się przy upadku.

– Święta Matko Boża, odpuść mi moje złe uczynki – szeptała obok niej Rachela, gdy skręcały pędem obok kilku domów, gospodarstwa i samotnego domu położonego bliżej torów, aż wreszcie snop światła omiótł samochód.

Stał zaparkowany na zakręcie kilkaset metrów przed nimi, zaledwie pięćdziesiąt metrów od torów, a za autem stał ten bydlak z otwartym workiem i zaglądał do środka. Był ubrany w wiatrówkę i jasne spodnie. Gdyby się nie wiedziało, jak jest, można by go wziąć za zabłąkanego turystę.

W chwili gdy ich długie światła przesunęły się nad nim, podniósł głowę. Z tej odległości nie było widać wyrazu jego twarzy, ale dziesięć tysięcy myśli musiało mu się przewinąć przez głowę. Co robi w worku jego ubranie? Może zdążył zobaczyć, że na wierzchu leży list. W każdym razie musiał już wiedzieć, że w środku nie ma pieniędzy. A teraz jeszcze ten snop światła, kierujący się w jego stronę w diabelskim tempie.

– Wjadę w niego! – krzyknęła Rachela, podczas gdy mężczyzna wpakował worek do auta, po czym rzucił się do środka.

Dzieliło je od niego zaledwie parę metrów, gdy koła jego samochodu odzyskały przyczepność i wyjechał na szosę na pełnych obrotach. To był ciemny mercedes – taki, jaki widziała Isabel przy gospodarstwie w Ferslev. Czyli to jego dostrzegła, gdy Rachela wymiotowała. Kawałek dalej drogę okalał gęsty las i ryk silnika jadącego przed nimi wozu rozniósł się wśród koron drzew. Mercedes przed nimi był nowszy niż ich ford. Niełatwo byłoby utrzymać jego tempo, zresztą na co by się to zdało?

Spojrzała na głęboko skoncentrowaną, kręcącą kierownicą Rachelę. Co, u diabła, ona zamierza?

– Zachowaj odległość, Rachelo! – krzyknęła. – Za chwilę wozy patrolowe za nami wezwą posiłki. Pomogą nam. Na pewno go schwytamy. Zablokują gdzieś drogę.

– Halo – rozległo się w komórce, którą trzymała w ręce. To był obcy głos. Mężczyzna.

– Tak – oczy Isabel były całkowicie skupione na czerwonych tylnych światłach, które mknęły przed nimi, ale wszystko inne skupiło się wokół tego głosu. Lata rozczarowań i porażek nauczyły ją żywić złe przeczucia wobec każdego drobiazgu. Dlaczego to nie był Jozue?

– Kim jesteś? – spytała ostro. – Jesteś w zmowie z tym gnojkiem? Czy tak?

– Przepraszam, ale nie wiem, o czym pani mówi. Czy to pani rozmawiała przed chwilą z mężczyzną, do którego należy ta komórka?

Isabel poczuła, że jej czoło robi się lodowate.

– Tak, to ja.

Spostrzegła, że Rachela kręci się na siedzeniu kierowcy. „Co się dzieje?" – pytało całe jej ciało, podczas gdy ona usiłowała utrzymać auto na wąskiej asfaltowej drodze, a odległość od tego bydlaka coraz bardziej się zwiększała.

– Obawiam się, że on upadł – powiedział głos w komórce.

– Co pan mówi? Kim pan jest?

– Siedziałem w przedziale i pracowałem, gdy to się stało. Bardzo mi przykro, że muszę to powiedzieć, ale jestem pewien, że on nie żyje.

– Hej! – krzyknęła Rachela. – Co się dzieje? Z kim rozmawiasz, Isabel?

– Dziękuję – powiedziała po prostu Isabel do mężczyzny w komórce i zamknęła klapkę.

Spojrzała na Rachelę i na drzewa, które przy olbrzymiej prędkości zlewały się nad nimi w szarą masę. Gdyby na skraju lasu pojawiło się zwierzę albo gdyby po prostu na drodze leżało za dużo mokrych liści, doszłoby do wypadku. Wiele nie trzeba. Jak więc ona ma powtórzyć Racheli to, co właśnie usłyszała? Kto wie, jak zareaguje? Przed kilkoma sekundami zmarł jej mąż, a ona jechała jak szalona przez mrok.

Isabel często bywała zgnębiona życiem. Samotność towarzyszyła jej niczym cień, a ponure zimowe wieczory skłaniały nierzadko do czarnych myśli. Ale w tej chwili tak się nie czuła. Teraz, gdy jej ramiona przygniatała żądza zemsty, gdy spoczywała na niej odpowiedzialność za życie dwojga dużych już dzieci i gdy ich porywacz, szatan we własnej osobie, mknął tuż przed nimi swoim autem, Isabel wiedziała, że chce żyć. Wiedziała, że bez względu na to, jak okropny jest ten świat, będzie potrafiła znaleźć sobie w nim miejsce.

Pytanie tylko, czy Rachela będzie to potrafiła.

Rachela obróciła głowę w jej stronę.

– Mów, Isabel. Co się stało?!

– Zdaje się, że twój mąż miał udar, Rachelo – nie można było tego ująć delikatniej.

Jednak Isabel widziała, że Rachela wyczuła wiszące w powietrzu niedokończone zdanie.

– Czy on nie żyje? – krzyknęła Rachela. – O Boże, Isabel, on nie żyje? Odpowiedz szczerze.

– Nie wiem.

– Powiedz! Inaczej... – jej oczy były oszalałe. Już w tej chwili samochód zaczął lekko zbaczać z drogi.

Isabel uniosła dłoń ku ręce Racheli, ale zatrzymała się w pół gestu.

– Nie spuszczaj oczu z drogi, Rachelo – powiedziała. – W tej chwili chodzi już tylko o twoje dzieci, prawda?

Słowa sprawiły, że ciałem Racheli wstrząsnął dreszcz.

– NIEEEE! – krzyknęła. – NIEEE, to nieprawda. O Matko Boża, powiedz, że to nieprawda.

Łkając, ścisnęła kierownicę, a z ust pociekła jej ślina. Przez chwilę Isabel sądziła, że Rachela się podda i zatrzyma, ale ona nagle wyprostowała się i wcisnęła pedał gazu tak mocno, jak tylko możliwe.

„Lindebjerg Lynge" – poinformowała tablica na skraju drogi, ale Rachela nie zwolniła. Droga zakręciła między skupiskiem domów, po czym znów znalazły się w lesie.

Teraz było widać, że gnojek przed nimi poczuł presję. Na zakręcie zaczęło go znosić, a Rachela zawołała, żeby Maryja, Matka Boża, odpuściła jej złamanie siódmego przykazania, ale że ona zabije człowieka w dobrej sprawie.

– Oszalałaś? Jedziesz prawie dwieście na godzinę, Rachelo, to śmiertelnie niebezpieczne – krzyknęła Isabel, myśląc przez sekundę, żeby wyciągnąć kluczyk ze stacyjki.

„Boże, nie, wtedy kierownica się zablokuje" – przebiegło jej przez myśl i wbiła tylko kłykcie w siedzenie, przygotowując się na najgorsze.

Gdy pierwszy raz wjechały w jadącego przed nimi mercedesa, głowa Isabel najpierw poleciała do przodu, a potem silne szarpnięcie odrzuciło ją w tył. Jednak mercedes wciąż trzymał się drogi.

– Dobra! – krzyknęła zza kierownicy Rachela. – Nie robi to na tobie wrażenia, ty potworze – i ponownie uderzyła w jego zderzak z taką siłą, że aż odkształciła się maska. Tym razem Isabel napięła mięśnie karku, ale nie przewidziała silnego ucisku pasów bezpieczeństwa.

– PRZESTAŃ JUŻ! – zakomenderowała, odczuwając od razu ból w klatce piersiowej. Ale Rachela nie słuchała. Była daleko stąd.

Jadącego przed nimi mercedesa zniosło na pobocze i przez chwilę nim telepało, ale naprostował na równym odcinku, gdzie drogę oświetlało nieco żółte światło padające z dużego gospodarstwa.

Właśnie wtedy to się stało.

W chwili gdy Rachela szykowała się do kolejnego uderzenia w tył jadącego przed nią samochodu, człowiek w mercedesie wykonał zdumiewający skręt na lewą stronę szosy i wcisnął hamulce, aż zapiszczały opony.

Ich samochód przemknął obok i nagle znalazły się na przedzie.

Spostrzegła, że Rachela wpada w panikę, szybkość nagle znacznie się zwiększyła, gdy nie było już jadącego przed nimi wozu, z którym zderzenie zredukowałoby prędkość. Przednie koła znosiło na bok, więc naprostowała i nieco przyhamowała, ale za mało. W tej samej chwili z boku ich samochodu rozległ się dźwięk wgniatanego metalu, co sprawiło, że Rachela instynktownie jeszcze bardziej wyhamowała.

Przerażona Isabel obróciła głowę w stronę stłuczonej bocznej szyby i tylnych drzwi, wgniecionych do połowy na tylne siedzenie. Wtedy z tyłu po raz kolejny nadjechał mercedes. Dolną część twarzy tego bydlaka skrywał cień, ale oczy było widać wyraźnie. Wyglądało to, jakby go oświeciło. Jakby ułożyły się wszystkie elementy układanki.

Zdarzyło się wszystko, co nie mogło się zdarzyć.

Wtedy uderzył ostatni raz, aż Rachela straciła panowanie nad kierownicą, a cała reszta była bólem i spojrzeniem na wirujący wokół nich, pogrążony w mroku świat.

Gdy wszystko się uspokoiło, Isabel odkryła, że wisi głową w dół, przytrzymywana pasem bezpieczeństwa. Obok niej leżała bez życia Rachela, z kolumną kierownicy wygiętą pod zakrwawionym ciałem.

Isabel próbowała się obrócić, ale ciało nie chciało jej słuchać. Zakaszlała i poczuła, że z nozdrzy i gardła płynie jej krew.

„Dziwne, że nie boli" – pomyślała przez krótką chwilę, nim całe ciało eksplodowało w impulsach bólu. Chciała krzyknąć, ale nie mogła. „Umieram" – pomyślała, wykasłując więcej krwi.

Dostrzegła, że na zewnątrz zbliża się do samochodu jakiś cień. Kroki na potłuczonym szkle były miarowe i zdecydowane. Nie miały dobrych zamiarów.

Próbowała skoncentrować wzrok, ale cieknąca jej z ust i nosa krew ją oślepiała. Przy próbie mrugania czuła, jakby pod powiekami miała papier ścierny.

Dopiero gdy podszedł na tyle blisko, by mogła słyszeć jego słowa, odkryła też, że trzyma w dłoniach jakiś metalowy przedmiot.

– Isabel – powiedział. – Jesteś ostatnią osobą, którą spodziewałem się dziś spotkać. Po co się w to mieszałaś? Sama widzisz, jakie są efekty.

Kucnął i zajrzał przez boczną szybę – prawdopodobnie by lepiej wymierzyć, jak ją śmiertelnie ugodzić. Próbowała odwrócić twarz, by widzieć go wyraźniej, ale mięśnie odmówiły jej posłuszeństwa.

– Inni cię rozpoznają – zawyła, czując rwący ból w szczęce.

Uśmiechnął się.

– Nikt mnie nie rozpozna.

Przeszedł w koło i spojrzał na ciało Racheli z drugiej strony samochodu.

– O nią nie muszę się martwić. To dobrze. Mogłaby stanowić zagrożenie.

Nagle się wyprostował. Isabel usłyszała syreny. Niebieskie refleksy na jego nogach sprawiły, że odsunął się parę kroków w tył.

Wtedy jej oczy powoli się zamknęły.

32

Smród palonej gumy stawał się coraz intensywniejszy, gdy wjechał w zatoczkę tuż przed Roskilde. Ściągnąwszy zniszczony błotnik z przedniego prawego koła, obszedł samochód, by ocenić rozmiar szkód. Oczywiście nie obeszło się bez zniszczeń, ale i tak był zaskoczony, że następstwa zderzeń tak mało rzucały się w oczy.

Kiedy już wszystko się ułoży, będzie musiał doprowadzić wóz do porządku. Trzeba będzie usunąć wszystkie ślady, co do jednego. U mechanika w Kilonii czy w Ystad, gdzie tam będzie lepiej pasowało.

Zapalił papierosa i przeczytał znaleziony w worku list.

Zwykle był to ten szczególny moment, na który zawsze czekał. Stać gdzieś w mroku, podczas gdy obok przemykały samochody, i mieć świadomość, że jeszcze raz zrobił to, co należy. Pieniądze w worku, po czym powrót do domku na łodzie i dokończenie roboty.

Tyle że tym razem tak nie było. Nie opuszczało go uczucie, którego doznał, stojąc na wiejskiej drodze przy trakcji kolejowej i zaglądając do worka z listem i własnymi ubraniami.

Oszukali go. Pieniędzy nie było, a to niedobrze.

Przywołał obraz roztrzaskanego forda mondeo i pomyślał, że to dobrze, że ta świętoszkowata wieśniaczka dostała za swoje. Nurtowała go jednak kwestia Isabel.

Taki rozwój spraw był od samego początku wynikiem jego własnego błędu. Gdyby tylko kierował się instynktem, Isabel zostałaby zabita w dniu, w którym zdemaskowała go w Viborgu.

No i kto by się spodziewał, że Rachelę coś łączy z Isabel? Przecież jest daleko z Frederiks do szeregowca Isabel w Viborgu. Co, do cholery, przeoczył?

Zaciągnął się głęboko papierosem i przytrzymał dym w płucach tak długo, jak potrafił. Zero pieniędzy, a wszystko przez głupie błędy.

Głupie błędy i zbiegi okoliczności, które wskazywały w jednym kierunku: Isabel. W tej chwili nie miał nawet pewności, że ona nie żyje. Gdyby miał dziesięć sekund więcej przy tym pieprzonym samochodzie, walnąłby ją w tył głowy lewarkiem.

Wtedy miałby pewność.

A tak pozostawała mu nadzieja, że natura zrobi swoje. Wypadek był naprawdę dramatyczny. Mondeo wjechało prosto w drzewo, a potem dachowało przynajmniej dziesięć razy. Przeszywający, trący dźwięk wgniatanego przez asfalt metalu rozlegał się jeszcze, gdy już wysiadł z mercedesa. Jak miałyby to przeżyć?

Dotknął pulsujących mięśni karku. Pieprzone babska. Czemu po prostu nie postępowali zgodnie z jego poleceniami?

Pstryknięciem wyrzucił papierosa w zarośla, otworzył drzwi od strony pasażera, usiadł na siedzeniu, położył sobie worek na kolana i opróżnił jego zawartość.

Kłódka i kabłąk ze stodoły w Ferslev. Kilka jego rzeczy z szafy, no i ten list. To wszystko.

Przeczytał go jeszcze raz. Niewątpliwie konieczna jest zdecydowana reakcja. Ci, którzy go pisali, po prostu wiedzą za dużo.

Ale poczuły się zbyt pewnie i to był ich błąd. Były przeświadczone, że role się odwróciły, że to one go szantażują. Teraz wedle wszelkiego prawdopodobieństwa nie żyją, ale naturalnie będzie musiał to sprawdzić.

Zagrozić mu mogą tylko ten facet, Jozue, i być może brat Isabel, policjant.

Być może. Feralne słowa.

Przez krótką chwilę siedział, zastanawiając się nad sytuacją, podczas gdy blask lamp halogenowych z płynącego autostradą strumienia samochodów falami oświetlał wiatę w zatoczce.

Nie obawiał się, że ścigają go wozy patrolowe. Gdy samochody policyjne dotarły na miejsce wypadku, dzieliło go od niego kilkaset metrów i choć nim dojechał do autostrady, minęły go kolejne wozy na sygnale, żaden z nich nie wykazał zainteresowania samotnym, telepiącym się mercedesem.

Jasne, znajdą na aucie Isabel ślady po zderzeniach, ale z kim? Jak mieliby kiedykolwiek do niego trafić?

Nie, w tej chwili chodziło przede wszystkim o męża Racheli, tego Jozuego. No i o zgarnięcie forsy. Poza tym będzie musiał pozbyć się wszystkiego, co mogłoby naprowadzić prześladowców na jego trop. Musiał po prostu odbudować swoją działalność od podstaw.

Westchnął. To był fatalny rok.

Zgodnie z przewidywaniami musiałby załatwić tym sposobem razem dziesięć spraw, nim odłoży pieniądze. A był niezły w swojej robocie. Miliony z pierwszych lat zostały sensownie ulokowane i przyniosły korzyści, po czym nastąpił kryzys finansowy, obracając wniwecz jego portfel akcji.

Nawet porywacz i morderca podlega mechanizmom wolnego rynku i teraz musiał właściwie zaczynać od początku.

– Kurwa – wymamrotał do siebie, gdy pojawiła się nowa myśl.

Jeśli jego siostra nie dostanie pieniędzy tak jak zwykle, będzie miał kolejny problem. Można było odgrzebać stare sprawy z dzieciństwa. Nazwiska, które nie powinny wyjść na jaw.

Jeszcze i to.

Kiedy wrócił z poprawczaka, matka miała już nowego męża, którego wybrali spośród wdowców najstarsi w zgromadzeniu. Mistrz kominiarski, dwie dziewczynki w wieku Evy, „dostojny mężczyzna", jak powiedział nowy pastor, nie zważając na rzeczywistość.

Z początku ojczym nie bił, ale gdy ich matka zredukowała dawkę tabletek nasennych i podporządkowała mu się w łóżku, jego temperament zyskał większe pole do popisu.

– Niech Pan zwróci ku tobie Swoje oblicze i obdarzy cię spokojem – tymi słowami kończył zawsze bicie swoich córek. Te słowa padały często. Jeśli któraś z nich postąpiła wbrew słowu Pana, a ten dureń rościł sobie monopol na jedyną właściwą interpretację, wówczas karał swoje biologiczne potomstwo. Z reguły to nie one zrobiły coś złego, ale ich przyrodni brat. Może zapomniał dodać „amen" albo uśmiechnął się nieznacznie podczas modlitwy przy stole. Z rzadka coś więcej. Jednak tego dużego, silnego chłopaka nie odważył się tknąć. Jego fizyczność nie pozwoliła mu posunąć się tak daleko.

Potem następował moralny kac, a to chyba było najgorsze. Jego ojciec nigdy nie miał z nim do czynienia, jego można było zawsze być pewnym. A ojczym głaskał dziewczynki po policzkach i przepraszał za swoją porywczość i ich niedobrego przybranego brata. Potem szedł do gabinetu, nakładał Bożą Szatę, którą jego ojciec zwykł nazywać księżym ornatem, i modlił się do Boga, by ochraniał te bezbronne i niewinne dziewczynki, jakby były samymi aniołami.

Jeśli chodziło o Evę, nie zaszczycał jej nawet słowem. Jej niewidome, białe oczy napawały go obrzydzeniem, a ona to czuła.

Nie rozumiało go żadne z dzieci. Nie rozumiały, dlaczego musiał karać własne córki, a nie pasierba, którego nienawidził, ani pasierbicy, którą pogardzał. Nikt też nie rozumiał, dlaczego nie interweniowała ich matka i dlaczego poprzez czyny tego człowieka Bóg objawia swoje zło i wołającą o pomstę do nieba niesprawiedliwość.

Przez pewien czas Eva broniła ojczyma, ale i to się skończyło, gdy ślady po uderzeniach u ich przybranych sióstr stały się tak drastyczne, że niemal potrafiła je wyczuć.

Jej brat przeczekiwał. Po prostu szykował się na ostateczną rozgrywkę, która miała nadejść, gdy będą się jej najmniej spodziewać.

Wtedy było ich razem sześcioro: czworo dzieci, mąż i żona. Teraz został tylko on sam i Eva.

Wyjął ze schowka plastikową koszulkę z wszystkimi informacjami o rodzinie i szybko odszukał numer komórki Jozuego.

Zaraz do niego zadzwoni i skonfrontuje z rzeczywistością. Że jego żona i jej wspólniczka zostały unieszkodliwione i teraz kolej na ich dzieci, jeśli w ciągu dwudziestu czterech godzin pieniądze nie zostaną dostarczone w nowe miejsce. Powie Jozuemu, że jeśli wygadał się o porwaniu jeszcze przed kimś poza Isabel, już jest martwy.

Nietrudno było przywołać w pamięci rumianą twarz tego poczciwca. Facet się załamie i dostosuje.

Tak mówiło mu doświadczenie.

Wybrał numer i odczekał całą wieczność, nim telefon został odebrany.

– Tak, halo – powiedział głos, którego w pierwszej chwili nie skojarzył z Jozuem.

– Czy mogę prosić Jozuego? – spytał, podczas gdy za nim w zatoczce pojawiła się para snopów światła.

– Z kim rozmawiam? – rozległ się głos.

– Czy to nie komórka Jozuego? – zapytał.

– Nie, zdaje się, że pomylił pan numer.

Spojrzał na swoją komórkę. Nie, nie pomylił. Co się właściwie stało?

Wtedy go oświeciło. Imię!

– Ach tak, przepraszam. Mówię Jozue, bo tak go wszyscy nazywamy, ale nazywa się oczywiście Jens Krogh, przepraszam, człowiek o tym zapomina. Mogę z nim rozmawiać?

Siedział spokojnie, patrząc przed siebie. Mężczyzna po drugiej stronie zamilkł. Nie wróżyło to dobrze. Kim on jest, do cholery?

– Ach tak – powiedział wreszcie głos. – A z kim rozmawiam?

– Z jego szwagrem – to był strzał z biodra. – Czy mogę go prosić?

– Nie, przykro mi. Rozmawia pan z inspektorem Leifem Sindalem z policji w Roskilde. Mówi pan, że jest jego szwagrem? Jak się pan nazywa?

Policja? Czyżby ten dureń ich wezwał? Już całkiem zwariował?

– Policja? Czy coś się stało Jozuemu?

– Nie mogę udzielać takich informacji, jeśli nie poda pan swojego nazwiska.

Czyli coś jest nie tak. Tylko co?

– Nazywam się Søren Gormsen – powiedział. Taka była reguła. Zawsze podawaj policji charakterystyczne nazwisko. Uwierzą. Wiedzą, że mogą je sprawdzić.

– Rozumiem – usłyszał. – Czy może nam pan opisać szwagra, panie Gormsen?

– Tak, oczywiście. Jest wysokim mężczyzną. Prawie łysy, ma pięćdziesiąt osiem lat, zawsze chodzi w kamizelce khaki i...

– Panie Gormsen – przerwał mu policjant. – Wezwano nas, bo Jensa Krogha znaleziono nieprzytomnego w pociągu. Jest tu obok kardiolog i muszę z przykrością poinformować, że właśnie stwierdził zgon pana szwagra.

Pozwolił, by słowo „zgon" wybrzmiało, po czym zadał pytanie.

– O nie, to straszne. Co się stało?

– Nie wiemy. Według słów współpasażera po prostu upadł.

„Czy to pułapka?" – pomyślał.

– Dokąd go zabieracie? – spytał.
Usłyszał w tle rozmowę policjanta z lekarzem.
– Przyjedzie po niego karetka. Wszystko wskazuje, że konieczna będzie sekcja zwłok.
– Czyli odwozicie Jozuego do szpitala w Roskilde?
– Tak, wysiadamy z pociągu dopiero w Roskilde.
Podziękował, wyraził ubolewanie, po czym wysiadł z samochodu, by wytrzeć komórkę i rzucić ją w krzaki. Nie będą mogli go po niej namierzyć, jeśli to zasadzka.
– Hej – rozległo się za jego plecami. Obrócił się i zobaczył, jak kilku mężczyzn wysiada z samochodu, który właśnie zaparkował. Łotewskie tablice rejestracyjne, znoszone dresy i chude twarze, które nie miały wobec niego dobrych zamiarów.
Szli prosto do niego, cel był jasny. Za chwilę go przewrócą i opróżnią mu kieszenie – na pewno z tego się utrzymywali.
Podniósł rękę ku przestrodze, wskazując na komórkę w dłoni.
– Masz – krzyknął do nich i rzucił nią mocno w jednego, a potem wyskoczywszy w bok, kopnął drugiego w krocze tak, że kościste ciało, jęcząc, osunęło się na ziemię, upuszczając nóż sprężynowy.
Nie minęły dwie sekundy, a chwycił nóż i parokrotnie dźgnął leżącego w brzuch, a drugiego w bok.
Następnie podniósł swoją komórkę i cisnął ją wraz z nożem w krzaki tak daleko, jak potrafił.
Życie nauczyło go, by pierwszy zadawał cios.
Zostawił dwa krwawiące monstra swojemu losowi i wystukał na GPS-ie posterunek w Roskilde.
Znajdzie się tam za osiem minut.

Ambulans czekał przez chwilę, nim wytaszczyli się z noszami. Wepchnął się w szereg zaciekawionych spojrzeń, skierowanych na sylwetkę Jozuego pod kocem. Kiedy zobaczył podążającego za noszami policjanta w mundurze, niosącego w objęciach płaszcz i torbę Jozuego, miał już pewność.
Jozue nie żyje. Pieniądze przepadły.
– Kurwa mać – przeklinał bez przerwy, obierając mercedesem kurs na Ferslev, gdzie od lat miał fałszywy adres. Adres, nazwisko,

furgonetka – wszystko, co zapewniało mu tożsamość, łączyło się z tym domem. A teraz nastąpił koniec. Isabel miała numery rejestracyjne furgonetki i przekazała je bratu, a właściciel auta był powiązany z tym domem. Tyle że nie jest tu już bezpiecznie.

Kiedy dotarł do wsi i jechał między drzewami do gospodarstwa, nad okolicą panował spokój. Małą wiejską społeczność już dawno ogarnął letarg, do którego zachęcał ekran telewizora. Tylko w głównym budynku jednego z gospodarstw w oddali wśród pól jaśniały okna. Czyli prawdopodobnie zostanie wszczęty alarm.

Stwierdził, że Rachela i Isabel włamały się do garażu i domu, więc obszedł wszystko, usuwając drobiazgi. Przedmioty, które mogły przetrwać pożar. Lusterko, pudełko z przyborami do szycia, apteczkę.

Następnie wyprowadził furgonetkę ze stodoły, wycofał za dom i z impetem wjechał do środka przez duże okno w salonie, skąd dobrze było widać pola.

Dźwięk tłuczonego szkła sprawił, że zaskrzeczało parę ptaków, to wszystko.

Okrążył dom i wszedł do środka z zapaloną latarką.

„Idealnie" – pomyślał, widząc furgonetkę z przebitymi tylnymi oponami i z połową dostawczej części auta pośrodku podłogi z laminatu. Stąpając ostrożnie po odłamkach szkła, otworzył tylne drzwi, wziął kanister i rozlał benzynę równo od salonu do kuchni, po podłodze w korytarzu i na piętrze.

Następnie odkręcił wieko wlewu paliwa furgonetki, wziął kawałek zasłony, zanurzył jeden koniec w benzynie na podłodze, a drugi wetknął do wlewu paliwa.

Stał przez chwilę na podwórzu, rozglądając się, nim podpalił resztę zasłony i cisnął ją do korytarza w kałużę benzyny, ciągnącą się wzdłuż butli z gazem.

Mercedes jechał już pełną prędkością po wiejskiej drodze, gdy zbiornik paliwa furgonetki wyleciał w powietrze z potwornym hukiem. Po upływie kolejnej półtorej minuty przyszedł czas na butle z gazem. Eksplozja była tak silna, że wyglądało to niemal tak, jakby uniósł się dach.

Dopiero gdy minął centrum handlowe miasteczka, zyskując lepszy widok na pola, zjechał na bok i spojrzał za siebie.

Za drzewami gospodarstwo przypominało ognisko świętojańskie, z sypiącymi się w powietrze iskrami. Już w tej chwili było je widać w promieniu mili. Wkrótce płomienie sięgną gałęzi i wszystko stopi się w jedno.

Z tego miejsca nie miał się już czego obawiać.

Kiedy dotrze tam straż pożarna, ocenią, że nic nie da się ocalić.

Nazwą to prymitywnym kawałem.

Tu na wsi często się to zdarza.

Stanął przed drzwiami do pomieszczenia, w którym pod kartonami leżała pogrzebana jego żona, i stwierdził kolejny raz z osobliwą mieszaniną smutku i zadowolenia, że wewnątrz panuje głucha cisza. Ich dwoje przeżyło razem dobry czas. Była piękna i delikatna, była dobrą matką - to wszystko mogło się oczywiście inaczej skończyć. Znów mógł dziękować tylko sobie, że nie wyszło. Nim następny raz poszuka sobie kogoś, z kim chciałby żyć, zadba, by pozbyć się wszystkiego, co kryje się w tym pomieszczeniu. Dotąd przeszłość rzutowała na całe jego życie, ale przyszłości nie dosięgnie. Jeszcze parę porwań i sprzeda dom, i osiedli się gdzieś daleko stąd. Może do tego czasu nauczy się żyć.

Przez parę godzin leżał na sofie narożnikowej, rozmyślając, jakie zadania go jeszcze czekają. To pewne, że będzie mógł zachować Vibegården z domkiem na łodzie. Ale dom w Ferslev będzie musiał czymś zastąpić. Mały domek z dala od głównych dróg. Miejsce, gdzie ludzie się nie zapuszczają, a już najlepiej, by jego właściciel był pariasem. Stary pijus, który radzi sobie sam i dodatkowo nikomu nie zawadza. Prawdopodobnie będzie musiał tym razem szukać bardziej na południe. W każdym razie przyglądał się paru nadającym się domom, jeżdżąc po okolicy Næstved, jednak doświadczenie mówiło mu, że dokonanie ostatecznego wyboru nie jest łatwym zadaniem.

Właściciel gospodarstwa w Ferslev nadawał się idealnie. Nikt się nim nie interesował, a i on sam nie wykazywał zainteresowania nikim. Większość swych lat przepracował na Grenlandii i miał, zdaje się, dziewczynę w Szwecji - tak mówili wtedy w miasteczku. „Zdaje się". To cudowne, mętne „zdaje się" naprowadziło go na właściwy tor. Mówiło się, że to człowiek żyjący z pieniędzy, które zarobił na wcześniejszym etapie życia. Nazywali go „dziwakiem", podpisując na niego tym samym wyrok śmierci.

Obecnie od zabójstwa „dziwaka" minęło ponad dziesięć lat i od tej pory skrupulatnie pilnował, by opłacać wszystko, co przychodziło w kopertach z okienkiem, które okazjonalnie wpadały do gospodarstwa przez szparę na listy. Po kilku latach zrezygnował z prądu i remontów i od tej pory nic już nie przychodziło. Paszport i prawo jazdy z nazwiskiem mężczyzny, zaopatrzone w nowe zdjęcia i bardziej wiarygodną datę urodzenia, sprawił sobie u fotografa na Vesterbro. Porządnego, słownego człowieka, dla którego fałszerstwo stało się sztuką – na równi z tą, której dopuszczali się uczniowie Rembrandta za namową mistrza. Prawdziwy artysta.

Nazwisko Mads Christian Fogh towarzyszyło mu przez dziesięć lat, a teraz i to dobiegło kresu.

Czyli znów był po prostu Chaplinem.

Gdy miał szesnaście i pół roku, zakochał się w jednej z przybranych sióstr. Była taka bezbronna, taka eteryczna z tym swoim delikatnym, wysokim czołem i cienkimi żyłkami na skroniach. Zupełne przeciwieństwo prostackiego materiału genowego jego ojczyma czy kanciastości jego własnej matki.

Chciał ją całować, obejmować, zatopić się w jej spojrzeniu i zanurzyć w jej wnętrzu, ale wiedział, że to zakazane. W oczach Boga byli prawdziwym rodzeństwem, a Boże oko spoglądało w tym domu na wszystko.

Na koniec uciekał się do grzesznych przyjemności, w samotności pod kołdrą albo wieczorami, gdy ukradkiem zaglądał przez szpary w podłodze nad jej pokoikiem, pod koniec skośnej ściany.

Złapali go, można by powiedzieć, na gorącym uczynku. Leżał, spoglądając w dół na tę piękność w cienkiej koszuli nocnej, gdy na krótką sekundę jej wzrok powędrował w górę i napotkał jego wzrok. Szok był tak gwałtowny, że raptownie podniósł głowę, uderzając w krokwie i wystający z nich gwóźdź, który wbił mu się za prawym uchem i przeszedł niemal na wylot.

Kiedy usłyszeli na strychu jego jęki, było już po sprawie.

Jego siostra Eva w przypływie pobożności wyśpiewała wszystko matce i ojczymowi. Jej niewidome oczy nie widziały, że na wieść o tym bluźnierstwie w obojgu rodzicach zawrzał gniew graniczący z chęcią zemsty.

Najpierw go przesłuchali, grożąc wiecznym potępieniem, ale on nie przyznawał się do niczego. Że podglądał przybraną siostrę. Że chciał po prostu ujrzeć obiekt swoich marzeń bez ubrania. Jak perspektywa potępienia miałaby skłonić go, by się przyznał? Słyszał o niej aż nazbyt często.

– Sam się o to prosiłeś – wrzasnął ojczym, chwytając go od tyłu. Może i nie był silniejszy, ale policyjny chwyt pod ramionami i wokół szyi był zaskakujący i silny jak stal.

– Weź krzyż – krzyknął do żony. – Wybij mu Szatana z tego zakażonego ciała. Bij, dopóki nie wypędzisz wszystkich diabłów grzechu.

Zobaczył, jak nad jej oszalałymi oczami unosi się krucyfiks, i poczuł na twarzy jej zatęchły oddech, gdy padło uderzenie.

– W imię chwały Bożej – krzyknęła, unosząc ponownie krucyfiks. Nad jej górną wargą zebrały się kropelki potu, a ojczym zwiększył ucisk, jęcząc i szepcząc bez przerwy to swoje „W imię Wszechmogącego".

Zadawszy dwadzieścia razów po ramionach i rękach, matka się odsunęła, zdyszana i wyczerpana.

Stąd nie było już odwrotu.

Jego obie siostry przyrodnie płakały w sąsiednim pokoju. Wszystko słyszały i były głęboko zszokowane. Eva natomiast nie dała niczego po sobie poznać, choć musiała wszystko słyszeć. Niewzruszona siedziała wciąż nad swoim pismem dla niewidomych, nie potrafiąc jednak ukryć zgorzkniałej miny.

Tego samego wieczora wrzucił kilka tabletek nasennych do wieczornej kawy matki i ojczyma. A gdy nadeszła noc i mocno zasnęli, rozpuścił w wodzie całą buteleczkę. Obrócenie ich na plecy zajęło mu trochę czasu, podobnie jak wlanie w nich gęstej, pigułkowej brei. Ale czas to wszystko, co posiadał.

Wytarł słoiczek po tabletkach, odcisnął na nim palce ojczyma, wziął dwie szklanki, odcisnął na nich dłonie nieprzytomnej dwójki i odstawił na ich szafki nocne, po czym nalał do środka nieco wody i otworzył drzwi.

– Co tam robiłeś? – rozległ się głos na zewnątrz.

Spojrzał przed siebie w mrok. Eva miała przewagę bycia za pan brat z ciemnością i posiadania słuchu wyostrzonego jak u psa.

– Nic nie robiłem, Evo. Chciałem po prostu przeprosić, ale śpią bardzo mocno. Chyba wzięli środki nasenne.

– Mam tylko nadzieję, że dobrze im się śpi – powiedziała po prostu.

Następnego ranka wynieśli ciała. Skandal związany z samobójstwem w małym miasteczku był ogromny, a Eva milczała. Może już wtedy przeczuwała, że to wydarzenie i okoliczności, w których również jej brat ponosił winę za jej ślepotę i na swój milczący sposób nad tym bolał, będą stanowić dla niej zabezpieczenie przed życiem w bezradności i nędzy.

Jeśli chodzi o jego przyrodnie siostry, odeszły do wieczności parę lat później. Trzymając się za ręce, weszły do morza, a ono je przyjęło. One uwolniły się od wszystkich bolesnych wspomnień, ale on i Eva nie.

Od śmierci rodziców minęło już ponad dwadzieścia pięć lat, a dzięki różnorakim obliczom fanatyzmu wciąż pojawiali się ludzie niewłaściwie interpretujący wyrażenie „miłość bliźniego".

Nie, niech idą do diabła. Nienawidził ich bardziej niż czegokolwiek. Niech piekło pochłonie tych, którzy za sprawą boskiej ręki czują się wywyższeni nad wszystkich innych.

Trzeba ich usunąć z tego świata.

Odpiął od breloczka klucze do samochodu i gospodarstwa i bacznie się rozglądając, wrzucił je do śmietnika sąsiada pod leżący na samej górze worek ze śmieciami.

Następnie poszedł do siebie i opróżnił skrzynkę na listy.

Reklamy poszły prosto do kosza na śmieci, resztę zaś rzucił na stół w salonie. Parę kopert z okienkiem, dwie gazety poranne i pisana odręcznie karteczka z logo kręgielni.

Oczywiście w gazetach niczego nie było, nie zdążyli niczego zamieścić. Natomiast lokalne radio było na bieżąco. Było co nieco o Łotyszach, którzy odnieśli poważne obrażenia w bójce, po czym nadano historię o wypadku z udziałem dwóch kobiet. Nie powiedzieli dużo, ale wystarczająco. Informacje o miejscu wypadku, wieku kobiet, że obie doznały silnych urazów w wyniku wielogodzinnej szaleńczej jazdy, podczas której między innymi staranowały szlaban na moście. Nie podawano nazwisk, wspomniano natomiast, że w zdarzenie może być zamieszany kierowca, który uciekł z miejsca wypadku.

Wszedł do Internetu, by wyszukać coś więcej na temat wydarzenia. Na stronie domowej jednej z przedpołudniówek dodano, że po przeprowadzonych nocą operacjach życie obu kobiet wciąż znajduje się w stanie bezpośredniego zagrożenia. Dziwiła też szaleńcza jazda kobiet mostem na Wielkim Bełcie. Wymieniony z nazwiska lekarz z Centrum Traumatologii Szpitala Królewskiego bardzo pesymistycznie wypowiadał się o ich stanie.

A jednak mocno go to zaniepokoiło.

Obejrzał w Internecie wideo o Centrum Traumatologii – co i gdzie robią; wreszcie sprawdził schemat rozkładu oddziałów szpitalnych. Jest przygotowany.

Póki co musi się na bieżąco dowiadywać o stanie obu kobiet.

Następnie wziął karteczkę z logo i numerem okręgu kręgielni i przeczytał ją.

„Przyszedłem dziś, ale nikogo nie było. Turniej zespołowy w środę przesunięty o pół godziny z 19.30 na 19.00. Pamiętaj, żeby potem zabrać kulę zwycięzcy! A może masz już i tak wystarczającą liczbę kul do kręgli, ha, ha? Może przyjdziecie oboje? Jeszcze raz ha, ha! Pzdr, Papież" – brzmiał napis.

Zwrócił oczu ku strychowi, gdzie leżała jego żona. Gdyby poczekał parę dni z zawiezieniem ciała do domku na łodzie, mógłby pozbyć się całej trójki za jednym zamachem. Jeszcze kilka dni bez wody, a dzieci umrą same z siebie – i tak właśnie ma być. To poniekąd wybór ich rodziców.

Idiotyczne od A do Z. Tyle zachodu na próżno.

33

Słyszał wprawdzie, że nocą na dole w salonie było niespokojnie, ale nie wiedział, że był tam znów lekarz dyżurny.

– Hardy ma trochę wody w płucach – powiedział Morten. – Ma problemy z oddychaniem. – Wyglądał na zatroskanego. Trochę tak, jakby jego wesoła, nalana twarz się zapadła.

– To coś poważnego? – spytał Carl. To byłoby naprawdę smutne.

– Lekarz chce położyć Hardy'ego na parę dni w Szpitalu Królewskim na obserwację, żeby zbadali mu serce i tak dalej. Obawiają się też zapalenia płuc. To bardzo groźne dla kogoś w sytuacji Hardy'ego.

Carl skinął głową. Oczywiście, nie mogą ryzykować.

Pogłaskał przyjaciela po włosach.

– Hardy, co za paskudztwo, ale się porobiło! Dlaczego mnie nie obudziliście?

– Powiedziałem Mortenowi, by tego nie robił – wyszeptał, patrząc smutno. Smutniej niż zwykle. – Pozwolicie mi wrócić, jak mnie wypiszą, prawda?

– Oczywiście, stary. Bez ciebie to nie to samo.

Hardy uśmiechnął się lekko.

– Nie sądzę, by Jesper był tego zdania. Bardzo by mu się podobało, gdyby salon wyglądał jak dawniej, kiedy przyjdzie dziś po południu.

Dziś po południu? Carlowi udało się o tym szczęśliwie zapomnieć.

– No, ale nie będzie mnie, jak wrócisz z pracy, Carl. Morten pojedzie ze mną do szpitala, będę więc w dobrych rękach. Kto wie, może w najbliższych dniach będę z powrotem? – próbował się uśmiechnąć, chwytając powietrze. – Carl, coś mi chodzi po głowie – powiedział.

– Tak? Dawaj.

– Pamiętasz sprawę Børgego Baka, w której znaleziono zwłoki

prostytutki pod mostem Langebro? Wyglądało to na utonięcie, może nawet samobójstwo, ale tak nie było.

Tak, Carl doskonale pamiętał. Czarnoskóra kobieta, niewiele ponad osiemnaście lat. Była naga, jeśli nie liczyć obręczy plecionej z drutu miedzianego wokół kostki. Nie przejęto się tym szczególnie, wiele afrykańskich kobiet je miało. Znacznie uważniej przyjrzano się licznym śladom po wkłuciach, jakie miała na rękach. Typowa dziwka ćpunka, niezbyt powszechne wśród afrykańskich dziewcząt z Vesterbro.

– Została zamordowana przez swojego alfonsa, zgadza się? – spytał Carl.

– Nie, raczej przez tych, którzy sprzedali ją alfonsowi.

Tak, teraz sobie przypominał.

– Ta sprawa przypomina mi tę waszą ze zwęglonymi zwłokami w pogorzelisku.

– Aha. Chodzi ci o miedzianą obręcz, którą miała wokół kostki?

– Właśnie. – Dwukrotnie mocno zacisnął powieki. Sygnał kiwnięcia głową. – Dziewczyna nie chciała już pracować na ulicy. Chciała wrócić do domu, ale nie zarobiła wystarczająco dużo pieniędzy, więc nie wypaliło.

– I została zamordowana.

– Tak, afrykańskie dziewczęta wierzą w voodoo, ale tamta dziewczyna nie wierzyła, czyli system był zagrożony. Trzeba było się jej pozbyć.

– I użyli w jej przypadku obręczy, by przypomnieć innym dziwkom, że nie można bezkarnie przeciwstawiać się ani swoim panom, ani voodoo.

Hardy jeszcze raz dwukrotnie zacisnął oczy.

– Tak. Ktoś wplótł w obręcz pióra, włosy i inne pierdółki. Wszystkie afrykańskie dziewczyny zrozumiały przekaz.

Carl otarł usta. Hardy ewidentnie na coś wpadł.

Jacobsen stał zwrócony plecami do Carla i wyglądał na ulicę. Często tak robił, gdy się koncentrował.

– Mówisz, że Hardy uważa, że ciała w pogorzelisku należą do poborców pieniędzy. Że każdy z nich był odpowiedzialny za administrowanie i pobieranie rat od tych trzech firm i że nie radzili sobie z tym wystarczająco dobrze. Że pieniądze nie wpływały, jak powinny, i dlatego zostali zamordowani.

– Tak. W ten sposób liga ustanowiła przykład dla pozostałych poborców. A firmy, które pożyczyły pieniądze, spłaciły długi pożyczkodawcom dzięki odszkodowaniu za straty poniesione w pożarze. Dwie pieczenie przy jednym ogniu.

– Jeśli ci Serbowie zainkasowali odszkodowanie za straty poniesione w pożarze, to znajdzie się jedna czy dwie firmy, które nie mają pieniędzy na odbudowę – stwierdził Jacobsen.

– Owszem.

Szef Wydziału Zabójstw kiwnął głową. Proste wyjaśnienia często dawały proste rozwiązania. Może to i bestialskie, ale wschodnioeuropejskie i bałkańskie gangi nie słynęły z delikatności.

– Wiesz co, Carl. Myślę, że pójdziemy dalej tym tropem – kiwnął głową. – Skontaktuję się natychmiast z Interpolem. Może pomogą wydusić coś z tych Serbów. Przekaż, proszę, podziękowania Hardy'emu. A tak przy okazji, jak on się miewa, zaaklimatyzował się u ciebie?

Carl pokręcił głową. „Zaaklimatyzował się?" Mało powiedziane.

– A, przy okazji, mała rada – Marcus Jacobsen zatrzymał go w drodze do wyjścia. – Dziś zajrzy do was Inspekcja Pracy.

– Tak? A skąd o tym wiesz? Sądziłem, że ich wizyty powinny być zaskoczeniem?

Szef Wydziału Zabójstw się uśmiechnął.

– Co, u diabła, w końcu jesteśmy policją, nie? Takie rzeczy się wie.

– Yrso, idź dziś posiedzieć na drugim piętrze, dobra? – powiedział Carl.

Najwyraźniej nie usłyszała.

– Mam przekazać podziękowania za karteczkę, którą wczoraj u nas zostawiłeś. Od Rose – powiedziała.

– Aha. Co odpowiedziała? Wraca niedługo?

– Właściwie to nie odpowiedziała.

Dobitniej nie można było tego ująć.

Nie odpuszczał Yrsie.

– Gdzie Assad? – spytał.

– Siedzi w swoim gabinecie i wydzwania do odszczepieńców z różnych sekt. Ja się zajmę grupami wsparcia.

– Dużo ich jest?

– Nie. Chyba zrobię to co Assad i podzwonię do zwykłych eks-wyznawców.

– Dobry pomysł. Gdzie ich znajdujecie?

– W starych wycinkach prasowych. Jest w czym wybierać.

– Gdy będziesz się przenosiła na drugie piętro, weź z sobą Assada. Wkrótce przyjdzie Inspekcja Pracy.

– Kto?

– Inspekcja Pracy. Ci od azbestu.

Nie całkiem do niej dotarło.

– Halo! – pstryknął palcami. – Śpisz?

– I nawzajem! Pozwól, że powiem prosto z mostu, Carl. Nie mam pojęcia o żadnym azbeście. Może chodziło o Rose?

Czy chodziło o Rose?

Dobry Boże, niedługo nie będzie się mógł połapać, kto był kim i gdzie.

Tryggve Holt zadzwonił do Carla, gdy ten zamierzał postawić krzesło na samym środku pokoju, by dopaść muchę, gdy następnym razem usiądzie na swoim ulubionym miejscu pośrodku sufitu.

– Zadowolił was portret pamięciowy? – spytał Tryggve.

– Tak, a pana?

Potwierdził.

– Kontaktuję się z panem, bo pewien duński policjant, Pasgård, bez przerwy do mnie dzwoni. Powiedziałem mu, co wiem, nie mógłby pan mu przekazać, że to bardzo działa na nerwy i żeby zostawił mnie w spokoju?

„Z przyjemnością" – pomyślał Carl.

– Ale czy mógłbym wpierw zadać panu jeszcze parę pytań, panie Holt? – spytał. – Potem dopilnuję, by to się skończyło.

Facet nie był zachwycony, ale też nie zaoponował.

– Nie pasuje nam wersja z wiatrakami, panie Holt. Nie mógłby pan trochę dokładniej opisać tego dźwięku?

– Jak mam go opisać?

– Jak bardzo był niski?

– Naprawdę nie wiem. Co mam panu powiedzieć?

Carl zabuczał.

– Gdzieś taki niski?

– Tak, chyba coś koło tego.

– Ale to przecież nie był szczególnie niski dźwięk.

– Aha, czyli po prostu nie był szczególnie niski. W przeciwnym wypadku nazwałbym go po prostu niskim.

– Brzmiał metalicznie?

– Jak to metalicznie?

– Czy to był łagodny dźwięk, czy bardziej ostry?

– Nie pamiętam. Zdaje mi się, że bardziej ostry.

– Czyli coś jakby silnik?

– Tak, możliwe. Ale nieprzerwanie, całymi dniami.

– I nie był mniej wyraźny podczas śnieżycy?

– Owszem, trochę, ale nie za bardzo. Ale wie pan, mówiłem to już Pasgårdowi. W każdym razie większość. Mógłby pan z nim porozmawiać? Już nie daję rady dłużej myśleć o tej sprawie.

„Pogadaj z psychologiem" – pomyślał i odpowiedział:

– Doskonale rozumiem, panie Holt.

– Dzwonię też z innego powodu. Mój ojciec jest obecnie w Danii.

– Tak? – Carl chwycił swój notatnik. – Gdzie?

– Na spotkaniu w biurze Oddziału Świadków Jehowy w Holbæk. Chodzi o to, że chciałby, by go posłano w inne miejsce. Sądzę, że go pan wystraszył. Nie życzy sobie, by odgrzebywano tę starą sprawę.

„I to was łączy, miły przyjacielu" – pomyślał.

– Okej? A co mogą z tym zrobić świadkowie Jehowy w Danii? – spytał.

– Co mogą zrobić? Mogą go na przykład wysłać na Grenlandię albo Wyspy Owcze.

Carl zmarszczył brwi.

– Skąd właściwie pan o tym wie, panie Holt? Już pan rozmawia z ojcem?

– Nie, wiem to od Henrika, mojego młodszego brata. I niech pan nikomu o tym nie mówi, bo wtedy lepiej nie być w jego skórze.

Potem Carl siedział przez chwilę, patrząc na zegarek. Za godzinę i dwadzieścia minut przyjdzie tu Mona ze swoim głębinowym superpsychologiem, tyle że dlaczego w ogóle chce mu to zrobić? Spodziewa się, że nagle podskoczy jak jakiś młokos, wołając „Alleluja, już nie oblewa mnie pot na myśl, że mojego dawnego kolegę zastrzelono na moich oczach, a ja nawet nie kiwnąłem palcem"?

Pokręcił głową. Gdyby nie Mona, już on by ostudził wścibstwo tego psychiatry hobbysty.

Rozległo się delikatne pukanie do drzwi. Był to Laursen z plastikowym woreczkiem w dłoni.

– Drewno cedrowe – powiedział po prostu i rzucił przed niego woreczek z drzazgą z listu w butelce. – Szukaj domku zbudowanego z drewna cedrowego. Jak sądzisz, ile ich postawiono na północy Zelandii przed porwaniem? Mogę ci powiedzieć, że niewiele, bo wtedy wszyscy używali drewna impregnowanego ciśnieniowo. Jeszcze zanim Silvan i inne składy budowlane wmówiły Duńczykom, że to już nie wystarcza.

Carl spojrzał na skrawek. Drewno cedrowe!?

– Kto powiedział, że domek na łodzie zbudowano z tego samego materiału co drzazga, którą pisał Poul Holt? – spytał.

– Nikt. Ale istnieje taka możliwość. Sądzę, że powinieneś pogadać z okolicznymi handlarzami drewnem.

– Świetna robota, Tomas, ale ten domek mógł zostać zbudowany z ćwierć wieku temu. Według wszelkiego prawdopodobieństwa nawet wcześniej. W Danii należy przechowywać rachunki przez zaledwie pięć lat. Żaden skład budowlany ani handlarz drewnem nie odpowie, kto i w jakiej ilości kupił drewno cedrowe dziesięć lat temu, a co dopiero dwadzieścia. Takie rzeczy udają się na filmach, ale nie w rzeczywistości.

– Mogłem więc sobie darować – uśmiechnął się. Tak jakby ten szczwany lis nie wiedział, co się tłucze po głowie jego dawnemu koledze. Jak spożytkować tę informację? No jak?

– Poza tym mogę ci powiedzieć, że na górze w Departamencie A są teraz nieźle podjarani – ciągnął Laursen.

– Jak to?

– Doprowadzili do tego, że właściciel jednej z tych firm, co to się niedawno spaliły, załamał się. Siedzi na górze w pokoju przesłuchań i sra ze strachu. Myśli, że ci, co mu pożyczyli pieniądze, teraz go zabiją.

Carl przez chwilę trawił tę informację.

– Wydaje mi się, że ma ku temu powody.

– No, słuchaj, Carl, przez parę dni nie będę się odzywał. Idę na kurs.

– Aha. Będziesz się uczył, jak przygotowywać jedzenie zakładowe? – zaśmiał się może nieco zbyt głośno.

– Tak. Skąd wiedziałeś?

Teraz dostrzegł w oczach Laursena spojrzenie, które już kiedyś widywał na miejscach zbrodni, gdzie znajdowano martwych i aż roiło się od białych całunów.

Zbolałe spojrzenie, które Laursen powinien był zostawić za sobą, znów się pojawiło.

– Co się dzieje, Tomas? Wylali cię?

Kiwnął zdawkowo.

– Nie tak jak myślisz. Ale stołówka jest nierentowna. Pracuje tu osiemset osób i nie mają ochoty jadać u nas na górze, więc stołówka zostanie zamknięta.

Carl zmarszczył czoło. Sam nie należał do tej elity, która po długim czasie lojalności wobec stołówki została nagrodzona dodatkowym plasterkiem cytryny na filecie rybnym, ale jednak. Jeśli zamkną kantynę, bufet, jadłodajnię, bistro, restaurację pracowniczą, stołówkę czy jak tam wolą nazywać tę koślawą zbieraninę stołów i skośne sufity, w które człowiek walił głową, to ewidentnie źle się stanie.

– Zamkną ją? – spytał.

– Tak. Ale komendantka policji żąda, żeby jednak była stołówka, więc teraz ogłoszą przetarg na ten biznes. Lone i wszyscy inni, ze mną włącznie, mamy robić kanapki, dopóki ten czy inny palant w imię liberalizmu nie zmusi nas do przejścia na bezrobocie albo do szatkowania sałaty od rana do wieczora.

– Więc zmykasz już teraz?

Zmusił swoją zaprawioną w bojach twarz do krzywego uśmiechu.

– Zmykam? Nie, do diabła. Przyznano mi kurs, żebym miał uprawnienia do prowadzenia tego interesu. W ten sposób.

Odprowadził Tomasa Laursena kawałek po schodach i zastał na drugim piętrze Yrsę paplającą zawzięcie z Lis o tym, kto jest przystojniejszy – George Clooney czy Johnny Depp. Kimkolwiek, cholera, są.

– Praca wre – powiedział kwaśno, zastając Pasgårda w rączym galopie między ekspresem do kawy a gabinetem.

– Dzięki za robotę, Pasgård – powiedział już w gabinecie. – Jesteś tym samym oddelegowany z tej sprawy.

Gość popatrzył na niego podejrzliwie. Zawsze sobie wyobrażał, że wszyscy są w równym stopniu skłonni do wycinania numerów, co on sam.

– Jeszcze tylko jedno zadanie, a będziecie już mogli z Jørgenen wspólnie kontynuować kolędowanie w Sundby. Byłbyś tak miły i dopilnował, by doprowadzono ojca Poula Holta do komendy na przesłuchanie? Martin Holt znajduje się w tej chwili w biurze Oddziału Świadków Jehowy w Holbæk. Stenhusvej dwadzieścia osiem, jeśli chciałbyś wiedzieć. – Spojrzał na zegarek. – Pasowałoby mi przesłuchać go za dokładnie dwie godziny. Na pewno będzie protestował, ale to mimo wszystko sprawa o morderstwo, a on jest w niej świadkiem koronnym.

Carl obrócił się na pięcie. Już słyszał protesty policji w Holbæk. Wdzierać się do najświętszego miejsca świadków Jehowy! Boże wszechmocny! Ale Martin Holt na pewno pójdzie dobrowolnie. Z dwojga złego gorzej jest przyznać się do kłamstw o wyklęciu syna przed bratnimi duszami wśród świadków Jehowy.

Skłamać ludziom spoza sekty to jedno; co innego zrobić to współwyznawcom.

Znalazł Assada przy biurku na korytarzu przed gabinetem Jacobsena. Na stole warczał żałosny komputer tego typu, jaki wynosiło się do magazynów przed pięciu laty. Dali mu natomiast stosunkowo nowy telefon komórkowy, by był w kontakcie ze światem zewnętrznym. O tak, naprawdę świetne warunki.

– Trafiłeś na coś, Assad?

Podniósł rękę. Najwyraźniej musiał dokończyć pisanie. Po prostu poukładać myśli w ciszy i spokoju, nim ulecą. Carl znał to doskonale z własnego doświadczenia.

– To dziwne, Carl. Jak rozmawiam z ludźmi, którzy uciekli z sekty, to oni myślą, że chcę ich schwytać do innej. Myślisz, że chodzi o mój akcent?

– Mówisz z akcentem, Assad? Naprawdę nie zwróciłem na to uwagi.

Spojrzał w górę z błyskiem w oku.

– Aha, tak się naśmiewasz. Dobrze to zrozumiałem, Carl. – Podniósł ostrzegawczo palec wskazujący. – Ze mną nie robi się takiego nabierania.

– Czyli nie mamy nic więcej – powiedział Carl, kiwając głową. To nie jest w każdym razie wina Assada. – Ale, Assad, może jest tak dlatego, że już nic więcej się nie wydarzyło. Mimo wszystko nie możemy być pewni, że porywacz dopuścił się przestępstwa więcej niż ten jeden raz, prawda?

Assad się uśmiechnął.

– Ha, jeszcze raz robisz ze mną nabieranie. Oczywiście, że porywacz zrobił to więcej niż raz. Widziałem w twoich oczach, że to wiesz.

Miał rację. W tej sprawie trudno było o wątpliwości. Milion koron to dużo pieniędzy, ale nie aż tak strasznie dużo. Nie, jeśli się z tego żyło.

Oczywiście, że morderca zrobił to więcej niż ten raz. Dlaczegóż by nie?

– Nie przerywaj, Assad. I tak nie mamy w tej chwili niczego lepszego do roboty.

Kiedy dotarł do kontuaru, za którym Lis i Yrsa bezwstydnie kontynuowały swoją szowinistyczną paplaninę o tym, jak powinni wyglądać prawdziwi mężczyźni, dyskretnie zapukał kłykciami w ladę.

– Widzę, że Assad solo obdzwania osoby wyrzucone z sekt, dlatego mam dla ciebie nowe zadanie, Yrso. A jeśli to za duża porcja, to Lis ci pewnie pomoże, prawda, Lis?

– Nie musisz, Lis – rozległ się kwaśny głos pani Sørensen. – Ten pan Mørck pochodzi z innego departamentu. W opisie twojego stanowiska pracy nie ma nic o tym, że masz mu iść na rękę.

– To naprawdę zależy – powiedziała Lis, wysyłając mu jedno z tych swoich gorących spojrzeń, w których pewnie wyspecjalizował ją mąż podczas namiętnej wycieczki po USA. To spojrzenie powinna zobaczyć Mona. Może wtedy bardziej by walczyła o swoją nową zdobycz.

W odruchu samoobrony skierował spojrzenie na czerwone usta Yrsy.

– Yrso, sprawdź, czy znajdziesz ten domek na łodzie na zdjęciu lotniczym. Sprawdź wszystkie zdjęcia zrobione na użytek rejestru nieruchomości w gminach Frederikssund, Halsnæs, Roskilde i Lejre. Znajdziesz je na pewno na ich stronach domowych, możesz też poprosić o przesłanie ich mejlem. Dobre zdjęcia lotnicze o wysokiej rozdzielczości, które obejmują teren całego wybrzeża aż do półwyspu Hornsherred. A skoro to będziesz robić, poproś ich też o mapę wszystkich wiatraków w regionie.

– Sądziłam, że ustaliliśmy, że nie działały z powodu śnieżycy.

– Zgadza się, ale trzeba to przecież sprawdzić.

– No, z taką pierdółką na pewno się upora – powiedziała Lis. – A co masz w takim razie dla mnie? – popatrzyła na niego spojrzeniem trafiającym prosto w podbrzusze. Co, u diabła, ma odpowiedzieć na tak dwuznaczne pytanie? I to publicznie! Aż się poplątał w inteligentnych odpowiedziach.

– Yyy. Może mogłabyś popytać nadzór techniczny w tych samych gminach, czy udzielili pozwolenia na postawienie domków na łodzie przy linii brzegowej w okresie poprzedzającym tysiąc dziewięćset dziewięćdziesiąty szósty rok, a jeśli tak, to gdzie.

Zakręciła biodrami.

– Nic więcej? To rzeczywiście nie za dużo. – Obróciła się do niego swymi nadzwyczaj atrakcyjnymi pośladkami, odzianymi w dżinsy, i podeszła do telefonu.

Była nie do pokonania.

34

Prowincja Helmand była prywatnym piekłem Kennetha, piach pustynny – jego koszmarem. Raz w Iraku i dwa razy w Afganistanie. Aż nadto.

Jego kumple codziennie słali mu mejle. Dużo słów o braterstwie i superczasie, nic o tym, co naprawdę się działo. Wszyscy chcieli utrzymać się przy życiu – właśnie na tym to polegało.

Dlatego czuł, że dla niego nastąpił koniec. Stos śmieci na poboczu drogi, niewłaściwe miejsce w ciemności, niewłaściwe miejsce za dnia. Przecież tam były bomby. Oko, przykładane do celownika optycznego. Nie można było liczyć na łut szczęścia.

Dlatego siedział teraz w swoim domku w Roskilde, próbując stępić zmysły, zapomnieć i po prostu żyć dalej.

Zabił i nikomu o tym nie powiedział. Zdarzyło się to po prostu w błyskawicznej potyczce. Nie widzieli tego nawet jego kumple. Zwłoki nieco oddalone od wszystkich pozostałych, jego zwłoki. Trafione prosto w tchawicę, zupełnie młode. W jego przypadku wzbudzająca przerażenie cecha charakterystyczna talibańskich wojowników miała po prostu formę puszku na brodzie i policzkach.

Nie, nikomu o tym nie mówił, nawet Mii.

To nie są rzeczy, które cisną się na usta w pierwszej kolejności, gdy człowiekowi aż zapiera dech z zakochania.

Gdy zobaczył Mię po raz pierwszy, wiedział, że byłaby w stanie skłonić go do bezgranicznego oddania.

Spojrzała mu głęboko w oczy, gdy ujął ją za rękę. To się stało już wtedy. Absolutne oddanie. Tłumione tęsknoty i nadzieje nagle wyrwały się na wolność. Słuchali siebie otwartymi na oścież zmysłami, wiedząc, że to się musi powtórzyć.

Drżała, opowiadając, jak czeka na powrót męża. Również ona była gotowa na nowe życie.

Ostatni raz widzieli się w sobotę. Przyszedł spontanicznie, trzymając gazetę pod pachą, zgodnie z umową.

Była sama, ale zdenerwowana, niechętnie zaprosiła go do środka, nie chcąc mu powiedzieć, co się stało. Najwyraźniej nie mając też pojęcia, co przyniesie dzień.

Gdyby mieli parę sekund więcej, ubłagałby ją, by z nim poszła. By spakowała to, co niezbędne, wzięła Beniamina na ręce i wyszła.

Był przekonany, że zgodziłaby się, gdyby w tej samej chwili jej mąż nie wjechał na podjazd. A u niego w domu oboje mieliby czas, by rozsupłać węzły zagmatwanego życia.

Zamiast tego musiał wyjść, bo go o to prosiła. Tylnymi drzwiami. W mrok, jak spłoszony pies. Nie zabrał nawet roweru.

Od tej pory myśl o tym wydarzeniu nie opuszczała go ani na chwilę.

Minęły już trzy dni. Od nieprzyjemnej sobotniej niespodzianki był tam już wielokrotnie. Mogło się zdarzyć, że spotka męża Mii. Że nieprzyjemności pojawią się w sposób spontaniczny. Jednak nie odczuwał już lęku wobec innych ludzi, jedynie wobec siebie. Bo co by zrobił temu człowiekowi, gdyby się okazało, że skrzywdził Mię?

Ale gdy tam wrócił, dom był pusty. Kolejnym razem też tak było, a jednak przez cały czas nie dawało mu to spokoju. Narastało w nim przeczucie, ba, wręcz przekonanie. Tak jak instynkt, który dał o sobie znać, gdy jeden z jego przyjaciół wskazał w kierunku ulicy, na której później zostało zabitych dziesięciu lokalnych mieszkańców. Po prostu wiedział, że nie powinni iść tą ulicą, tak jak wiedział, że ten dom kryje tajemnice, które nigdy nie ujrzą światła dziennego bez jego pomocy.

Stał więc przed drzwiami wejściowymi i wołał ją po imieniu. Gdyby wyjechali na wakacje, powiedziałaby mu o tym. Gdyby nie była już nim zainteresowana, jej błyszczące oczy uciekałyby w bok.

Była nim zainteresowana, a teraz po prostu jej nie było. Nie odbierała nawet komórki. Przez parę godzin sądził, że nie ośmieliła się jej odebrać, bo w pobliżu był mąż. Potem wmawiał sobie, że mąż zabrał jej telefon i wie, kim on jest.

„Jeśli wie, gdzie mieszkam, niech tu przyjdzie" – mówił sobie. Ta walka nie będzie wyrównana.

Gdy nadszedł dzień wczorajszy, pomyślał po raz pierwszy, że może istnieć jeszcze inna odpowiedź.

Bo zaskoczył go pewien dźwięk, a właśnie w wychwytywaniu zadziwiających dźwięków wyszkolił się tkwiący w nim żołnierz. Bardzo słabe dźwięki, które mogą odmienić kolejną sekundę. Dźwięki mogące oznaczać śmierć, jeśli nie zostaną usłyszane.

Właśnie taki dźwięk usłyszał, stojąc przed jej domem i dzwoniąc na jej komórkę.

Dźwięk komórki, która anemicznie rozdzwoniła się za murami.

Wtedy zamknął klapkę swojego telefonu i nasłuchiwał. Teraz nie było nic słychać.

Wystukał jeszcze raz numer telefonu Mii i odczekał chwilę. Dźwięk się pojawił. Jej komórka, na którą właśnie zadzwonił, leżała gdzieś na górze za skosowym oknem i znów się odezwała.

Stał przez chwilę, namyślając się.

Oczywiście istnieje możliwość, że zostawiła ją tam z rozmysłem, ale on w to nie wierzył.

Nazywała ją swoją liną ratunkową, łączącą ją z resztą świata, a człowiek nie pozwoli linie ratunkowej ot tak wyślizgnąć się z rąk.

Wiedział o tym aż za dobrze.

Od tamtej pory był tam raz i słyszał komórkę w pomieszczeniu na górze, za skosowym oknem nad drzwiami wejściowymi. Nic nowego. Skąd więc to uparte podejrzenie, że coś jest nie tak?

Czyżby to drzemiący w nim pies zwietrzył niebezpieczeństwo? Czy żołnierz? Czy to po prostu zakochanie, sprawiające, że stał się ślepy na ewentualność, że stanowił w jej życiu zaledwie epizod?

I wbrew wszystkim pytaniom, wbrew potencjalnym odpowiedziom, to przeczucie go nie opuszczało.

Za zasłonami w domu naprzeciwko siedziała para starszych ludzi, nie spuszczając go z oka. Gdy tylko zawołał Mię po imieniu, już tam byli. Może powinien ich spytać, czy coś widzieli.

Otworzyli dopiero po jakimś czasie i nie byli zachwyceni, widząc go.

– Czy nie mógłby zostawić w spokoju rodziny po drugiej stronie? – spytała kobieta.

Silił się na uśmiech, pokazał im, jak mocno trzęsą mu się ręce. Pokazał, że jest przestraszony i że bardzo chciałby pomóc.

Powiedzieli, że mężczyzna przez ostatnich parę dni był kilkakrotnie w domu, w każdym razie stał tam jego mercedes, ale kobiety i dziecka nie widzieli od jakiegoś czasu.

Podziękował im i poprosił o rzucenie okiem, co się dzieje, po czym dał im swój numer telefonu.

Gdy zatrzasnęli za nim drzwi, wiedział, że nie zadzwonią. Przecież nie był jej mężem. Mimo wszystko.

Po raz ostatni wybrał jej numer, po raz ostatni telefon rozdzwonił się w pomieszczeniu na górze.

„Mia, gdzie jesteś?" – pomyślał z rosnącym niepokojem.

Od jutra będzie przechodził koło domu kilka razy dziennie.

Jeśli nie stanie się nic, co mogłoby go uspokoić, pójdzie na policję.

Nie żeby miał coś konkretnego.

Ale co innego mógł zrobić?

35

Sprężysty chód. Męskie bruzdy we właściwych miejscach na twarzy. Ewidentnie drogie ubranie. Genialna kombinacja wszystkiego, co sprawiało, że Carl poczuł się fatalnie.

– A oto i Kris – przedstawiła mężczyznę, odwzajemniając nieco zbyt lekko uścisk Carla.

– Kris i ja byliśmy razem w Darfurze. Kris jest specjalistą w zakresie traum wojennych i pracuje mniej lub bardziej na stałe dla Lekarzy bez Granic, prawda, Kris?

Powiedziała: „byliśmy razem w Darfurze". Nie „pracowaliśmy razem w Darfurze". Nie trzeba być psychologiem, by zrozumieć, co to znaczy. Już nienawidził tego zajeżdżającego perfumami idioty.

– Jestem jako tako wdrożony w sprawę – powiedział, odsłaniając trochę zbyt równe i zbyt białe zęby. – Mona ustaliła ze swoimi przełożonymi, że może mnie o tym informować.

„Ustaliła ze swoimi przełożonymi, co za pieprzenie" – pomyślał Carl. „A mnie kto pytał?"

– Czy pan też się zgadza?

Cóż, trochę późnawo. Spojrzał na Monę, która obdarzyła go najsłodszym, dyskretnym uśmiechem. Kurwa mać.

– Tak, oczywiście – odparł. – Ufam w pełni, że Mona robi to, co jest najlepsze dla wszystkich.

Odwzajemnił uśmiech faceta, a Mona to dostrzegła. Dobrze wycelował.

– Przyznano mi trzydzieści godzin na wyprowadzenie pana na prostą. O ile dobrze zrozumiałem pana szefa, jest pan na wagę złota – zaśmiał się. Czyli pewnie dostawał za dużo za godzinę.

– Trzydzieści godzin, mówi pan? – Ma przesiedzieć z tym ważniakiem w sumie ponad dobę? Chyba go pogięło.

– Tak, a teraz sprawdzimy, jak bardzo pan ucierpiał. W każdym razie trzydzieści godzin to aż nadto w większości przypadków.

– Aha! – To chyba jakiś, kurde, żart.

Usiedli przed nim. Mona z diabelsko pięknym uśmiechem.

– Kiedy pomyśli pan o Ankerze Høyerze, Hardym Henningsenie i sobie w altanie na Amager, gdzie został pan postrzelony, jakie jest pana pierwsze uczucie? – spytał mężczyzna.

Carlowi ciarki przeszły po plecach. Co czuł?

Trans. Zwolnione tempo. Zgrabiałe ręce.

– Że to było dawno temu – powiedział.

Ten cały Kris pokiwał głową, demonstrując, w jaki sposób dorobił się zmarszczek od uśmiechu.

– Trzymamy gardę, co, Carl? Ale ostrzegano mnie. Musiałem po prostu sprawdzić, czy to się zgadza.

Co, do kurwy nędzy, ma się jeszcze z nim bawić w boks? To by było ciekawe!

– Wie pan, że żona Hardy'ego Henningsena wniosła o separację?

– Nie. Hardy nic o tym nie mówił.

– O ile dobrze rozumiem, miała przejawiać do pana pewną słabość. Jednak pan odrzucił jej zaloty. Mówiła, zdaje się, że przyszedł pan, by ją wesprzeć. To mówi o panu coś, co sięga nieco głębiej za pana hardą fasadę. Co pan na to?

Carl zmarszczył czoło.

– Co, u diabła, ma do tego Minna Henningsen? Niech mi pan powie, gada pan z moimi przyjaciółmi za moimi plecami? Nie podoba mi się to.

Facet zwrócił się do Mony.

– Sama widzisz. Dokładnie tak, jak przewidziałem.

Uśmiechnęli się do siebie.

Jeszcze jedno niewłaściwe słowo, a owinie parę razy ozór tego zasrańca wokół jego własnej szyi. Będzie paradnie wyglądać obok tego złotego łańcuszka, który dynda mu na wycięciu w kształcie litery V.

– Ma pan teraz ochotę mnie uderzyć, prawda, panie Mørck? Zasunąć mi parę ciosów w nos, wysłać mnie do stu diabłów, widzę to. – Spojrzał Carlowi w oczy tak głęboko, że jasnoniebieskie tęczówki niemal go pochłonęły.

Po czym zmienił spojrzenie. Spoważniał.

– Spokojnie, Carl. Jestem naprawdę po pana stronie i wiem, że czuje się pan do dupy. – Podniósł rękę, hamując go. – I spokojnie. Jeśli w tej chwili zastanawia się pan, kogo w tym pokoju chętniej bym przeleciał, to właśnie pana.

Carlowi na moment opadła szczęka.

„Spokojnie, powiada". Oczywiście, to pocieszające dowiedzieć się, jak przedstawiają się sprawy gościa, ale zupełnie dobrze nie będzie nigdy.

Pożegnali się, ustaliwszy przebieg spotkań, a Mona przytuliła do niego głowę tak blisko, aż ugięły się pod nim nogi.

– Widzimy się wieczorem u mnie, prawda? Co powiesz na dziesiątą? Możesz się urwać z domu czy musisz zajmować się swoimi chłopakami? – wyszeptała.

Carl oczyma wyobraźni zobaczył, jak obraz nagiego ciała Mony nakłada się na obraz krnąbrnej facjaty Jespera.

Cóż za wyjątkowo nieskomplikowany wybór.

– Tak, spodziewałem się, że zastanę tu ludzi – powiedziała kreatura z teczką, wyciągając ku niemu malutką rączkę biurowego pieszczoszka. – John Studsgaard, Inspekcja Pracy.

Facet myślał, że cierpi na demencję? Nie minął tydzień, odkąd był tu ostatnio.

– Carl Mørck – przedstawił się. – Podkomisarz policji w Departamencie Q. Czemu zawdzięczam zaszczyt?

– Tak, jedna rzecz to azbest tu w piwnicy – wskazał na prowizoryczną ściankę działową w korytarzu. – Inna rzecz, że te lokale nie nadają się na miejsce pracy osób zatrudnionych w Komendzie Głównej. A pan tu znów siedzi.

– Słuchaj no, Studsgaard, powiem wprost. Od pana ostatniej wizyty na ulicach doszło do dziesięciu strzelanin. Dwie osoby nie żyją. Rynek haszyszu wymknął się spod kontroli. Minister sprawiedliwości oddelegowała dwustu funkcjonariuszy, których nie mamy. Dwa tysiące straciły pracę, reforma podatków zdziera z biednych, nauczyciele w szkołach dostają lanie od uczniów, młodych chłopców masakruje się w Afganistanie, ludzie idą pod przymusowe licytacje, emerytury są nic niewarte, banki upadają, jeśli nie oszukują, by funkcjonować. A w międzyczasie premier zapierdala, próbując znaleźć sobie inną posadę za pieniądze podatników. Dlaczego, do kurwy nędzy, tak bardzo pana obchodzi, czy siedzę tu, czy sto metrów dalej w jakiejś innej piwnicy, gdzie wszystko jest dozwolone? Czy to nie jest... wszystko, kurwa, jedno, gdzie siedzę, dopóki wykonuję swoją robotę?

Studsgaard stał cierpliwie, wysłuchując tyrady. Następnie otworzył teczkę i wyciągnął z niej kartkę papieru.

– Mogę tu usiąść? – spytał, pokazując na jedno z krzeseł po przeciwnej stronie stołu. – Nie obejdzie się wszak bez sprawozdania – powiedział oschle. – Możliwe, że reszta kraju schodzi na manowce, ale to chyba dobrze, że niektórzy z nas się nie dają. – Carl westchnął głęboko. Facet miał słuszność.

– Okej, panie Studsgaard. Przepraszam, że wcześniej trochę się uniosłem. Jestem po prostu strasznie zestresowany. Oczywiście ma pan rację.

Biurowy pieszczoch podniósł ku niemu głowę.

– Chciałbym bardzo z panem współpracować. Czy może mi pan powiedzieć, co mamy zrobić, by te pomieszczenia zostały uznane za pokoje do pracy?

Odłożył długopis. Teraz pewnie będzie dłuższa prelekcja o tym, dlaczego to niemożliwe i że złe środowisko pracy skutkuje wielkim obłożeniem szpitali.

– To bardzo proste. Musi pan poprosić swojego szefa, by wystąpił z takim wnioskiem. Wtedy przyjdzie tu ktoś inny, dokona inspekcji i poinstruuje.

Carl wychylił głowę. Ten człowiek był doprawdy zdumiewający.

– Pomógłby pan przy tym wniosku? – zapytał Carl pokorniej, niżby chciał.

– Cóż, sięgnijmy jeszcze raz do torby – uśmiechnął się, podając Carlowi formularz.

– Jak tak poszło z Inspekcją Pracy? – spytał Assad.

Carl wzruszył ramionami.

– Tak faceta objechałem, że od razu spotulniał!

Objechał? Wyraźnie było widać, że tym sformułowaniem bynajmniej nie pomógł Assadowi. Co to ma wspólnego z ruchem ulicznym? myślał zapewne.

– A co u ciebie, Assad?

Kiwnął głową.

– Dostałem nazwisko od Yrsy i do niego zadzwoniłem. To był mężczyzna, który wcześniej był członkiem Domu Chrystusa. Znasz Dom Chrystusa?

Carl pokręcił głową. W każdym razie nie dogłębnie.

– Uważam, że oni też są bardzo dziwni. Wierzą tak, że Jezus wróci na ziemię w statku kosmicznym wraz z istotami z wszystkich możliwych światów, z którymi my, ludzie, będziemy się mnażać.

– Rozmnażać. Pewnie o to ci chodzi.

Wzruszył ramionami.

– Ten tam powiedział, że w ostatnich latach wielu dobrowolnie uciekło z tego kościoła. Że były wielkie awantury. Ale nikt, kogo znał, nie został wyklęty. Ale on też tak powiedział, że zna paru, którzy ciągle są członkami kościoła i mieli dziecko, które zostało wyklęte. Według niego to było tak pięć-sześć lat temu.

– A co jest w tej informacji szczególnego?

– Chłopak miał tylko czternaście lat.

Carl pomyślał o swoim pasierbie Jesperze. Kiedy miał czternaście lat, też potrafił mieć własne zdanie.

– Okej, to faktycznie nienormalne. Ale widzę po tobie, Assad, że coś innego tłucze ci się po głowie.

– Nie wiem, Carl. To tylko takie wrażenie w brzuchu. – Postukał w swój pękaty bebech. – Wiedziałeś, że bardzo rzadko wyklina się ludzi z sekt religijnych w Danii, jeśli nie liczyć świadków Jehowy?

Carl wzruszył ramionami. Zostać wyklętym czy wystawionym poza nawias, co za różnica? Na północy, skąd pochodził, znał paru, którzy nie byli mile widziani we własnych domach spod znaku Wewnętrznej Misji. Cóż w tym wielkiego?

– Ale to się jednak zdarza, w ten czy inny sposób – powiedział Carl. – Oficjalnie albo nieoficjalnie.

– Tak, nieoficjalnie – Assad podniósł w górę palec wskazujący. – Dowiedziałem się, że ci w Domu Chrystusa są bardzo fanatyczni i grożą ludziom wszystkim, co można, ale nie wyklinają nikogo dobrowolnie.

– Co w takim razie?

– Ten, z którym rozmawiałem, powiedział, że to ojciec i matka sami wyklęli dziecko. Rodzice zostali za to skrytykowani przez wspólnotę, ale się nie przejęli.

Ich oczy się spotkały. Teraz również u Carla pojawiło się wrażenie w brzuchu.

– Masz adres tych ludzi, Assad?

– Dostałem stary adres, gdzie już tak nie mieszkają. Teraz sprawę bada Lis.

Za piętnaście druga zadzwoniono z wartowni. Na wniosek Carla policja z Holbæk właśnie doprowadziła na przesłuchanie mężczyznę. Co teraz mają z nim zrobić? Był to ojciec Poula Holta.

– Przyślijcie go tu do mnie na dół, ale dopilnujcie, żeby nie nawiał.

Pięć minut później dwóch nieopierzonych, lekko zdezorientowanych funkcjonariuszy stało na korytarzu z mężczyzną na przedzie.

– Nie taka prościzna tutaj trafić – powiedział jeden w dialekcie, który wielkimi jak byk literami układał się w napis „zachodnia Jutlandia".

Carl skinął głową do obu i ruchem ręki poprosił Martina Holta, by usiadł.

– Proszę spocząć – powiedział.

Zwrócił się do funkcjonariuszy.

– Przejdźcie na drugą stronę do małego gabinetu, tam siedzi mój asystent. Z przyjemnością zrobi wam filiżankę herbaty, kawy nie polecam. Zakładam, że tu zostaniecie, dopóki nie skończę. Wtedy będziecie mogli zabrać z powrotem pana Martina Holta.

Ani herbata, ani oczekiwanie nie było im w smak, jeśli już trzymać się wiejskich powiedzonek.

Martin Holt wyglądał inaczej niż ostatnio w drzwiach w Hallabro. Wtedy był oporny; teraz nie sprawiał takiego wrażenia. Był raczej poruszony.

– Skąd wiedzieliście, że jestem w Danii? – brzmiały jego pierwsze słowa. – Obserwujecie mnie?

– Panie Holt, trudno mi sobie wyobrazić, przez co pan i pana rodzina przechodziliście przez ostatnich trzynaście lat. Musi pan wiedzieć, że w naszym departamencie żywimy wielkie współczucie dla pana, pana żony i dzieci. Nie mamy wobec was złych zamiarów, już i tak dużo przeszliście. Ale musi pan też wiedzieć, że nie będziemy przebierać w środkach, by schwytać tego, kto zabił Poula.

– Poul nie umarł. Jest gdzieś w Ameryce.

Gdyby ten człowiek wiedział, jak wiele przemawia za tym, że kłamie, pewnie by się nie odezwał. Wyginanie dłoni, cofnięta głowa, pauza tuż przed słowem Ameryka. To i jakieś cztery-pięć innych rzeczy, na które Carl nauczył się reagować dzięki wieloletniej pracy z tą częścią społeczeństwa, dla której mówienie prawdy nie stanowiło automatycznego wyboru.

– Czy kiedykolwiek pomyślał pan, że w tej samej sytuacji co pan mogli się znaleźć inni? – spytał Carl. – Że morderca Poula wciąż jest na wolności. Że mordował innych zarówno przed Poulem, jak i po nim.

– Przecież mówiłem, że Poul jest w Ameryce. Gdybym miał z nim kontakt, powiedziałbym, gdzie jest. Czy mogę już iść?

– Proszę posłuchać, panie Holt. Zapomnijmy na chwilę o świecie na zewnątrz. Wiem, że ma pan pewne dogmaty i zasady, ale wiem też, że gdyby mógł się pan ode mnie uwolnić raz na zawsze, z pewnością skorzystałby pan z okazji. Mam rację?

– Proszę już przyprowadzić tamtych policjantów. To jakieś wielkie nieporozumienie. Próbowałem to panu wytłumaczyć w Hallabro.

Carl kiwnął głową. Mężczyzna wciąż się bał. Trzynaście lat lęku zahartowało go na użytek wszystkiego, co mogło stłuc klosz, pod którym umieścił siebie i swoją rodzinę.

– Rozmawialiśmy z Tryggvem – powiedział Carl, podsuwając mężczyźnie portret pamięciowy. – Jak pan widzi, mamy już twarz sprawcy. Chciałbym, by pan przedstawił sprawę z własnej strony; dzięki temu może posuniemy się naprzód. Wiemy, że czuje pan zagrożenie ze strony tego człowieka – położył palec na portrecie pamięciowym z takim impetem, że Martin Holt podskoczył.

– Zapewniam pana, że nikt postronny nie wie, że depczemy mu po piętach, więc spokojnie.

Oderwał wzrok od rysunku i spojrzał Carlowi prosto w oczy. Głos mu drżał.

– Myśli pan, że łatwo będzie wyjaśnić nadzorcom okręgu świadków Jehowy, dlaczego przyjechała po mnie policja? Czyli pewnie inni też wiedzą, co się dzieje? Nie jesteście specjalnie dyskretni.

– Gdyby mnie pan wpuścił do domu w Szwecji, uniknąłby pan tego wszystkiego. Przejechałem taki szmat drogi po pomoc w schwytaniu mordercy Poula.

Opuścił ramiona i spojrzał jeszcze raz na rysunek.

– Podobny – powiedział. – Ale nie miał takich ciemnych oczu. Nie mam panu nic więcej do powiedzenia.

Carl wstał.

– Pokażę panu coś, czego jeszcze nigdy pan nie widział – poprosił, by poszedł za nim.

Z gabinetu Assada dobiegał śmiech. Ten charakterystyczny, dudniący, zachodniojutlandzki śmiech, którego pierwotnym zamysłem było najprawdopodobniej zagłuszanie huku silnika kutra podczas sztormu. Tak, Assad potrafił rozbawić większość ludzi, no i dobrze. Czyli Carl nie musiał się spieszyć.

– Proszę spojrzeć, ile tu mamy niewyjaśnionych spraw – powiedział, kierując wzrok Martina Holta na Assadowy system teczek na ścianie. – Każda z tych spraw skrywa przerażające wydarzenie, a smutek, do którego się przyczyniło, z pewnością nie różni się od pańskiego.

Spojrzał na Martina Holta, ale ten był zimny jak lód. To nie były jego sprawy, a ci ludzie nie byli jego braćmi ani siostrami. To, co działo się poza kręgiem świadków Jehowy, było mu, krótko mówiąc, tak obojętne, jakby w ogóle nie istniało.

– Moglibyśmy wybrać którąkolwiek z tych spraw, rozumie pan? Ale wzięliśmy sprawę pana syna. Chcę panu pokazać dlaczego.

Niechętnie przeszedł ostatnie metry. Jak skazany na śmierć, zbliżający się do szafotu.

Wtedy Carl wskazał gigantyczną kopię listu z butelki, wykonaną przez Rose i Assada.

– Oto dlaczego – powiedział, cofając się o parę kroków.

Martin Holt długo stał, czytając list. Jego oczy tak wolno przesuwały się po linijkach, że można było prześledzić, w którym miejscu listu się znajdowały. A kiedy skończył czytanie, zaczął od początku. Stateczna postać powoli się załamywała. Człowiek, któremu zasady przysłaniały wszystko. Ale też człowiek, który próbował chronić swoje pozostałe dzieci za pomocą przemilczeń i kłamstw.

Teraz stał, chłonąc słowa swego syna, których nieporadność tym mocniej chwytała go za serce. Nagłym ruchem postąpił krok w tył i asekurując się rękami, oparł się o mur, inaczej upadłby na ziemię. Bo tu błaganie jego syna o pomoc brzmiało głośno jak trąby jerychońskie. Pomoc, której nie mógł mu udzielić.

Carl pozwolił Martinowi Holtowi postać przez chwilę i cicho popłakać. Następnie mężczyzna podszedł bliżej i ostrożnie położył dłoń na liście syna. Jego dłonie drżały przy dotyku, a palce powolutku przesuwały się wstecz od słowa do słowa, tak wysoko, jak mógł sięgnąć.

Potem głowa opadła mu na bok. Trzynaście lat cierpienia znalazło ujście.

Poprosił o szklankę wody, gdy Carl zaprowadził go z powrotem na miejsce w swoim gabinecie.

Potem opowiedział wszystko, co wiedział.

36

– Drużyna znów w komplecie! – ryknęła Yrsa na korytarzu, nim wetknęła głowę do gabinetu Carla. Wnioskując po wijących się we wszystkich kierunkach lokach, musiała się mocno spieszyć w drodze do piwnicy.

– Powiedz, że mnie kochasz – zaszczebiotała, z plaśnięciem kładąc na stole przed Carlem plik zdjęć lotniczych.

– Czy tak znalazłaś dom, Yrsa? – wrzasnął Assad, galopując ze schowka na szczotki.

– Nie. Znalazłam wiele fajnych rzeczy, ale nie bezpośrednio domek na łodzie. Fotografie ułożone są w kolejności, w której na waszym miejscu dokładniej bym sprawdziła. Zakreśliłam kółkiem budynki, o które mi chodzi.

Carl wziął stos i przeliczył strony. Piętnaście arkuszy i ani jednego domku na łodzie, powiada. Nieźle, cholera.

Sprawdził daty. Większość została zrobiona w czerwcu 2005.

– Hej – powiedział. – Te fotki zostały zrobione dziewięć lat po zabójstwie Poula Holta, Yrso. Od tamtej pory można by zburzyć ten domek ze dwadzieścia razy.

– Dwadzieścia razy? – zaoponował Assad. – Nie, nie można by tak, Carl.

– Tak się tylko mówi, Assad – Carl wziął głęboki wdech. – Mamy jakieś starsze fotki niż te tutaj?

Yrsa parokrotnie zamrugała. Robi sobie z niej jaja? miało to zapewne znaczyć.

– Wie pan co, panie zastępco inspektora kryminalnego – powiedziała. – Jeśli w międzyczasie domek na łodzie został zburzony, to chyba i tak jest wszystko jedno, co?

– Nie, Yrso, nie jest. Być może morderca wciąż jest właścicielem domku i może się przecież zdarzyć, że go złapiemy, prawda? Leć z powrotem na górę do Lis i wyszukaj starsze zdjęcia.

– Tych piętnastu odcinków? – wskazała na stertę.

– Nie, Yrso. Musimy mieć zdjęcia całej linii brzegowej wokół fiordu sprzed tysiąc dziewięćset dziewięćdziesiątego szóstego. Chyba nie tak trudno to zrozumieć.

Pociągnęła lekko swoje loki, gdy, już nie taka zaczepna jak wcześniej, zawróciła w swoich traperkach i wymknęła się z powrotem.

– Będzie trudno, żeby tak znów była miła – powiedział Assad, machając w górze ręką, jakby się o coś oparzył. – Widziałeś, jak ją wkurzyło, że sama nie pomyślała o tym z datą?

Carl usłyszał brzęczenie i zaobserwował muchę lądującą na suficie. Czyli kolejna runda szyderstw.

– Nieważne, Assad. Udobrucha się.

Assad pokręcił głową.

– Tak, Carl. Ale bez względu na to, z jaką siłą usiądziesz na słupku od płotu, i tak rozboli cię tyłek, kiedy wstaniesz.

Carl zmarszczył czoło. Ciekawe, czy do końca zrozumiał, o co chodziło w tej metaforze.

– Powiedz no mi, Assad – wykręcił się. – Czy wszystkie twoje przysłowia dotyczą dupy?

Assad się roześmiał.

– Znam też kilka bez. Słabe są.

Okej. Jeśli tak się przejawia humor w Syrii, to jego uśmiech zrobi sobie wolne, gdyby jakimś nieszczęśliwym trafem go tam zaproszono.

– Co ci tak powiedział podczas przesłuchania Martin Holt, Carl?

Carl przysunął do siebie notatnik. Zapiski w nim zawarte nie były liczne, za to użyteczne.

– W przeciwieństwie do tego, czego się spodziewałem, Martin Holt wcale nie jest niesympatyczny – oznajmił Carl. – Ten wasz wielki list na zewnątrz zupełnie sprowadził go na ziemię.

– Czyli tak chciał mówić o Poulu Holcie?

– Tak. Nieprzerwanie przez pół godziny. Z trudnością panował nad głosem – Carl wyjął fajkę z kieszeni na piersi i obracał nią.

– Ja pierdzielę, jaką ten człowiek miał potrzebę mówienia. Całe lata nie rozmawiał o swoim najstarszym synu. To było po prostu zbyt bolesne.

– Co masz napisane na tej kartce, Carl?

Carl z rozkoszą zapalił papierosa, myśląc o niezaspokojonej potrzebie nikotynowej Jacobsena. Czasami można wspiąć się tak wysoko, że człowiek już nad sobą nie panuje. On w każdym razie się tam nie wybierał.

– Martin Holt powiedział, że nasz portret pamięciowy jest jako taki, ale że oczy porywacza są trochę zbyt blisko osadzone. Wąsy były za duże, a włosy przy uszach trochę dłuższe.

– Czy to tak przerabiamy, Carl? – spytał Assad, opędzając się od dymu.

Carl pokręcił głową. Wyjaśnienia Tryggvego mogły być równie dobre jak ojca. Każde oko interpretuje po swojemu.

– Najważniejsze, że Martin Holt w swoim zeznaniu potrafił precyzyjnie określić, jak i gdzie pieniądze zostały dostarczone porywaczowi. Rozegrało się to po prostu tak, że pieniądze wyrzucono w worku z pociągu. Tamten zamrugał światłem stroboskopowym i...

– Co to jest światło stroboskopowe?

– Co to jest? – Carl zaciągnął się głęboko. – Hmm, to błyskające światło, takie jak na dyskotekach. Błyska jak flesz.

– Aaa! – uśmiechnął się Assad. – I to wtedy wygląda, jakby się skakało w takich zrywach jak na starym filmie, tak, dobrze to znam.

Carl spojrzał na fajkę. Smakowała syropem czy jak?

– Holt potrafił dość precyzyjnie wskazać, gdzie nastąpiło przekazanie – powiedział. – Było to na odcinku drogi blisko torów kolejowych między Slagelse a Sorø – Carl wyciągnął mapę i pokazał palcem. – Tutaj, w tym miejscu między Vedbysønder a Lindebjerg Lynge.

– Wygląda na naprawdę dobre miejsce – stwierdził Assad. – Blisko torów i niezbyt daleko od autostrady, żeby można było szybko uciec.

Carl przesunął wzrokiem wzdłuż torów na mapie. Owszem, Assad miał rację. Idealne miejsce.

– W jaki sposób porywacz tak sprowadził ojca Poula w to miejsce? – spytał Assad.

Carl ujął paczkę papierosów i obejrzał ją. Kurczę, zdaje się, że na dnie jest jakiś syropowy klajster.

– Dostał polecenie, by wsiąść do konkretnego pociągu z Kopenhagi do Korsør i wypatrywać światła. Miał siedzieć w przedziale pierwszej klasy po lewej stronie pociągu i po zobaczeniu światła wyrzucić worek z pieniędzmi przez okno.

– Kiedy się tak dowiedział, że Poul został zamordowany?

– Kiedy? Został poinstruowany przez telefon, gdzie ma odebrać dzieci. Ale gdy on i jego żona tam dotarli, na polu leżał tylko Tryggve. Zaaplikowano mu coś, przez co stracił przytomność, prawdopodobnie chloroform. To Tryggve opowiedział rodzicom, że Poul został zamordowany i że stracą więcej dzieci, jeśli informacja o porwaniu w jakiś sposób wycieknie. Oprócz straszliwej wiadomości o śmierci Poula również szok Tryggvego, spowodowany tym, co się wydarzyło, odcisnął nieusuwalne piętno na Martinie Holcie i jego żonie.

Assad podniósł ramiona aż do uszu, odczuwając prawdopodobnie ciarki.

– Gdyby to tak były moje dzieci... – Podniósł palec do szyi, pozwalając głowie opaść na bok.

Carl nie wątpił, że mówił poważnie. Opuścił wzrok na notatnik.

– Tak. Na koniec Martin Holt powiedział ostatnią rzecz, która może okazać się przydatna.

– Jaką, Carl?

– Na breloczku od kluczyków do samochodu porywacz miał kulę do bowlingu z numerem 1.

Rozdzwonił się telefon na biurku Carla. To pewnie Mona z podziękowaniami za jego uprzejmość.

– Podkomisarz kryminalny Mørck? – zabrzmiał dudniący głos należący, jak się okazało, do Klaesa Thomasena. – Carl, chciałem tylko powiedzieć, że skorzystaliśmy z dobrej pogody od samego rana i wraz z żoną opłynęliśmy resztę trasy. O ile potrafię ocenić, z wody nie można niczego zobaczyć, ale wiele miejsc wzdłuż wybrzeża jest stosunkowo gęsto zarośniętych, więc oznaczyliśmy te niepewne.

Znów okazało się, że potrzebowali trochę autentycznego, staromodnego szczęścia.

– Jak myślisz, na którym obszarze istnieje największe prawdopodobieństwo? – spytał Carl, gasząc syropowego papierosa w popielniczce.

– Taa – po drugiej stronie słuchawki rozległo się pykanie fajeczki. Czyli pewnie stał jeszcze na molo w ubraniu do żeglowania. –

Przypuszczam, że powinniśmy się skoncentrować na obszarze lasu Østskov przy Sønderby i Bognæs oraz na lesie Nordskoven. W wielu miejscach gęste zarośla sięgają aż do krawędzi plaży, ale jak mówiłem, nie znaleźliśmy niczego, co mogłoby stanowić pewny trop. Dziś trochę później będę rozmawiać z leśniczym z Nordskoven. Zobaczymy, czy to do czegoś doprowadzi.

Carl zanotował trzy lokalizacje i podziękował. Obiecał, że pozdrowi kilku dawnych kolegów Thomasena, którzy z pewnością już od wielu lat nie pracowali w Komendzie Głównej, ale o tym przecież nie musiał wspominać, i tu wymiana uprzejmości się zakończyła.

– Zero – powiedział Carl, zwracając się do Assada. – Żadnych konkretów u Thomasena, choć napomknął, że są jakieś szanse na tych trzech obszarach – wskazał je na mapie. – Zobaczmy, czy Yrsa zaserwuje nam coś sensowniejszego niż przedtem, a potem porównajmy dane. W międzyczasie możesz dalej robić swoje.

Minęło pół godziny regenerującego odpoczynku z nogami na stole, nim łaskoczące wrażenie na grzbiecie nosa przywołało go do rzeczywistości. Potrząsnął głową, otworzył oczy i zobaczył siebie w epicentrum hordy niebiesko-zielonych, lśniących much plujek, poszukujących do złożenia jaj czegoś innego niż słodkości z paczki papierosów.

– Kurwa mać – powiedział, opędzając się, aż kilka sztuk padło na ziemię z sześcioma nóżkami w górze.

Tego już za wiele.

Zajrzał do śmietnika. Ostatnio wrzucił tam coś parę tygodni temu i śmieci wciąż tam były, ale materii organicznej, mogącej zwabić zdolną do rozrodu muchę plujkę, nie uświadczył.

Carl wyjrzał na korytarz – jeszcze jedna mucha. Ciekawe, może odżył któryś z egzotycznych posiłków Assada? Może to jego tahin zaczął pełzać, może śmierdzące wodą różaną rachatłukum zaowocowało importowanym robactwem?

– Wiadomo ci coś o tych wszystkich muchach? – wypalił, zanim jeszcze dotarł do Assadowego gabinetu wielkości pudełka od zapałek.

Wewnątrz unosił się przenikliwy zapach. Nie tak jak zwykle – cukierkowy standard. Raczej jakby się bawił zapalniczką Zippo.

Assad wyciągnął rękę do góry. Siedział głęboko skoncentrowany ze słuchawką przy uchu.

– Tak – powtórzył wielokrotnie przez telefon. – Ale będziemy musieli przyjechać i sami to tak sprawdzić – powiedział trochę niższym głosem i wyglądając nieco bardziej władczo niż normalnie. Ustalił termin, po czym odłożył słuchawkę.

– Pytałem, czy wiadomo ci coś o tych muchach – powiedział Carl, pokazując parę sztuk siedzących na ślicznym plakacie z dromaderami i mnóstwem piachu.

– Carl, ja tak myślę, że znalazłem rodzinę – powiedział. Jego twarz wyrażała coś na kształt sceptycyzmu. Jak u kogoś, kto patrzy na swój kupon totolotka i stwierdza, że wszystkie liczby zgadzają się z tymi wygrywającymi dziesięć milionów koron. Jak ktoś, kto nie bez bólu musi przyznać, że marzenia jego życia właśnie się spełniają.

– Co znalazłeś?

– Rodzinę, która była w rękach naszego porywacza, tak uważam.

– To ci z Domu Chrystusa, o których mówiłeś?

Kiwnął głową.

– Lis ich znalazła. Nowy adres i nowe nazwisko, ale to oni. Sprawdziła w rejestrze numerów ewidencyjnych. Czworo dzieci, a najmłodsze, Flemming, miało tak pięć lat temu czternaście lat.

– Spytałeś wprost, gdzie chłopak dziś jest?

– Nie, to by nie było za mądre.

– A o co chodziło, jak mówiłeś, że musimy przyjechać i sami sprawdzić?

– Noo, powiedziałem tej kobiecie po prostu, że jesteśmy z Urzędu Skarbowego i że uważamy, że to dziwne, że ich najmłodszy syn, który najwyraźniej jest jedynym spośród dzieci, który nie wyemigrował, nie dopilnował, by wysłać swoje zeznanie, choć już dawno temu skończył osiemnaście lat.

– Assad, tak nie wolno. Nie możemy podawać się za urzędników, którymi nie jesteśmy. A tak na marginesie, skąd wiesz o tym zeznaniu?

– Znikąd. Wymyśliłem to tak – postukał się w nos.

Carl pokręcił głową, choć Assad jednak dotarł do czegoś. Jeśli ktoś nie popełnił żadnego przestępstwa, to właśnie Urząd Skarbowy sprawi, że się wkurzy i straci głowę.

– Dokąd i kiedy jedziemy?

– Do miasta, co się nazywa Tølløse. Kobieta powiedziała, że mąż wróci do domu o wpół do piątej.

Carl spojrzał na zegarek.

– Okej, jedziemy tam razem. Dobra robota, Assad, naprawdę dobra.

Carl uśmiechnął się, po czym wskazał w górę na musze przyjęcie składkowe na plakacie.

– Assad, no dalej. Masz tu coś, co te cholery mogłyby nazwać domem?

Assad rozłożył ręce.

– Nie wiem, skąd one pochodzą – jego twarz na moment zastygła. – Ale wiem, skąd pochodzi ten tu – powiedział, wskazując na małego, samotnego owada o znacznie mniejszych gabarytach niż mucha plujka. Cherlawe, bezmyślne stworzenie, które nagle dokonało żywota w zetknięciu z żylastymi, śniadymi rękami Assada.

– Mam cię! – zatriumfował Assad, wycierając mola o notatnik. – Znalazłem ich tam całe mnóstwo – wskazał swój dywan modlitewny, dostrzegając, ku swojej irytacji, wyrok śmierci na dywan wypisany w oczach Carla.

– Ależ, Carl, w dywanie nie ma już tak dużo owadów, a on należał do mojego ojca i bardzo go lubię. Dziś rano go wytrzepałem, jeszcze przed twoim przyjściem. Tam za drzwiami przy azbeście.

Carl odgiął róg dywanu. Doprawdy akcja ratownicza nadeszła w ostatniej chwili. W każdym razie zostało z niego niewiele więcej niż frędzle.

Przez dającą do myślenia chwilę Carl zobaczył oczyma wyobraźni archiwa policyjne w azbestowej krainie. Kto wie, czy spuścizna kilku przestępców nie zostanie uratowana przez te żarłoczne mole, jeśli rozsmakują się w pożółkłym papierze?

– Coś mi tu śmierdzi. Spryskałeś dywan? – spytał.

Assad się uśmiechnął.

– Nafta, jest dobra.

Najwyraźniej smród mu nie przeszkadzał. Może to jedna z zalet dorastania z bulgoczącą ropą naftową pod ziemią. O ile w ogóle coś takiego dzieje się w Syrii.

Carl pokręcił głową, wychodząc z oparów. Czyli za dwie godziny w Tølløse. Ma jeszcze czas, by rozwikłać muszą zagadkę.

Stał przez chwilę zupełnie nieruchomo na korytarzu. Stłumione brzęczenie dochodziło sponad rur pod sufitem. Spojrzał na nie i ponownie dostrzegł kątem oka swoją ozdobioną korektorem muchę alfa. Jasna cholera, ależ ona wszędobylska.

– Co robisz, Carl? – usłyszał za plecami chrapliwy głos Yrsy. – Chodź no tu – kontynuowała, ciągnąc go za rękaw.

Odsunęła na brzeg stołu morze buteleczek z lakierem do paznokci, płynem zmiękczającym skórę wokół paznokci, zmywaczem do paznokci, lakierem do włosów i mnóstwem innych preparatów o silnych właściwościach rozpuszczających, ustawionych na biurku.

– Popatrz na to – powiedziała. – Masz tu swoje zdjęcia lotnicze. Powiem ci tylko, że to była strata czasu – uniosła brwi, przypominając jego starą, złośliwą ciotkę Addę. – Cały czas to samo, wzdłuż całego wybrzeża. Nic nowego pod słońcem.

Carl ujrzał, jak przez drzwi, bzycząc, wlatuje mucha i urządza sobie brzęczące rundy pod sufitem.

– To samo dotyczy wiatraków – odsunęła na bok wypełnioną do połowy kawą filiżankę o ładnych brzegach. – Skoro, jak mówisz, fale dźwiękowe o niskiej częstotliwości można usłyszeć w promieniu dwudziestu kilometrów, to do niczego nam się to nie przyda – wskazała szereg krzyżyków na mapie.

Rozumiał, o co jej chodzi. Znajdowali się w krainie wiatraków. Było ich zbyt dużo, by można było dzięki nim zawęzić obszar poszukiwań.

Coś mignęło mu przed oczami i ujrzał, jak na brzegu filiżanki Yrsy siada mucha. Szelma z korektorem. Naprawdę daleko zaleciała.

– Wynoś się – powiedziała Yrsa. I z wzrokiem skierowanym w drugą stronę wepchnęła muchę do filiżanki pstryknięciem długich, krwistoczerwonych paznokci. – Lis obdzwoniła gminy – ciągnęła niewzruszona. – Nie wydawano żadnych pozwoleń na budowę domków na łodzie w rejonach, na których się skupiamy. Wiesz, przepisy o ochronie przyrody.

– Jak daleko w czasie Lis się cofnęła? – spytał Carl, śledząc muchę pływającą stylem grzbietowym po kofeinowym piekle. Niesamowite, jaka ta Yrsa potrafiła być efektywna. A on uganiał się przez cały dzień...

– Do reformy gminnej w tysiąc dziewięćset siedemdziesiątym.

Tysiąc dziewięćset siedemdziesiąty! To trzydzieści lat temu. Można w każdym razie dać sobie spokój z szukaniem dostawców drewna cedrowego.

Z cieniem żalu spojrzał na muchę w przedśmiertnych drgawkach i stwierdził, że problem rozwiązany.

Wtedy Yrsa pacnęła mocno ręką w jedno ze zdjęć lotniczych.

– Według mnie powinniśmy szukać tu!

Spojrzał na narysowane przez nią kółko wokół domu w lesie Nordskoven. „Vibegården" – głosił napis. Prawdopodobnie ładny dom nieopodal drogi prowadzącej przez las, ale o ile dobrze widział, żadnego domku na łodzie. Był idealnie położony wśród zarośli i z widokiem na fiord, ale cóż – brak domku na łodzie.

– Wiem, o czym myślisz, ale on może znajdować się tu – powiedziała, stukając w zielony obszar na skraju terenu należącego do domu.

– Co, u licha – powiedział Carl. Wokół niego nagle zaczęło brzęczeć kilka much. Przeszkodziła im tym swoim pukaniem w stół.

Rąbnął więc mocno pięścią w blat z tym rezultatem, że powietrze wokół ożyło.

– Co ty robisz? – wybuchnęła Yrsa z irytacją, rozkwaszając kilka much na podkładce pod myszkę.

Carl dał nura i zajrzał pod biurko. Rzadko miał okazję widzieć tyle przejawów życia na tak małej powierzchni. Gdyby muchy podjęły wspólną decyzję, z łatwością dałyby radę unieść kosz na śmieci, w którym się lęgły.

– Co ty, do diabła, masz w tym koszu? – spytał wstrząśnięty.

– Nie mam pojęcia. Nie używam go. To musi być coś Rose.

„Okej" – pomyślał. Teraz w każdym razie wiedział, kto nie sprząta w mieszkaniu Rose i Yrsy, o ile w ogóle ktoś to robił.

Spojrzał na Yrsę, która z zajadłym wyrazem twarzy i z zabójczą precyzją miażdżyła muchy na lewo i prawo za pomocą gołych rąk. Doprawdy szykuje się nieco sprzątania dla Assada.

Dwie minuty później Assad stał tam ze swoimi zielonymi gumowymi rękawicami na wielkim czarnym worku na śmieci, gdzie miały wylądować muchy oraz zawartość kosza.

– Paskudztwo – orzekła Yrsa, patrząc na paćkę z much na swoich palcach. Carl był skłonny przyznać jej rację.

Wzięła buteleczkę rozcieńczalnika celulozowego, zamoczyła w nim kłębek waty i zaczęła dezynfekować ręce. Wkrótce zaczęło śmierdzieć jak w fabryce lakierów do statków po długotrwałym ostrzale moździerzowym. Miał szczerą nadzieję, że Inspekcja Pracy nie planuje już składać im w tym dniu więcej wizyt.

W tym momencie dostrzegł lakier zmywający się z palca wskazującego i środkowego prawej dłoni Yrsy, a w szczególności – co było pod spodem.

Siedział przez chwilę z opadniętą szczęką, widząc Assada wyłażącego z muszego piekła pod stołem, i pochwycił jego spojrzenie.

Teraz stali we dwóch, robiąc wielkie oczy.

– Chodź – powiedział, ciągnąc Assada na korytarz, kiedy ten już zawiązał worek.

– Też to widziałeś?

Assad stał, kiwając głową z ustami ułożonymi pod dziwnym kątem, którego człowiek używa tylko wtedy, gdy ma totalną rewolucję żołądkową.

– Ona ma pod tym lakierem paznokcie Rose, porysowane czarnym pisakiem. Te krzyżyki od pisaka, co miała ostatnio. Widziałeś je?

Ponownie kiwnął głową.

Niesamowite, że też się nie zorientowali.

Nie było wątpliwości, chyba że kraj przeżywał właśnie inwazję mody na czarne krzyżyki na paznokciach.

Yrsa i Rose były jedną i tą samą osobą.

37

– Popatrz, co dla was mam – powiedziała Lis, wręczając Carlowi opakowany w celofan ogromny bukiet róż.

Carl odłożył słuchawkę na widełki. A to co znowu?

– Oświadczasz mi się, Lis? Najwyższy czas, byś dostrzegła moje przymioty.

Zrobiła słodkie oczy.

– Dostaliśmy go na górze w Departamencie A, ale Marcus uznał, że to wam się należy.

Carl zmarszczył brwi.

– Za co?

– Och, daj spokój, Carl. Przecież wiesz.

Wzruszył ramionami i pokręcił głową.

– Znaleziono ostatnią kość z małego palca z tym wgłębieniem. Przeszukano pogorzelisko jeszcze raz i znaleziono ją w kupce popiołu.

– I dlatego dostajemy róże? – Carl podrapał się po karku. Może i róże znaleziono w popiele?

– Nie, nie dlatego. Ale niech ci o tym opowie sam Marcus. W każdym razie bukiet jest od Torbena Christensena, tego ubezpieczyciela od pożarów. Dzięki śledztwu policji jego firma zaoszczędziła dziś naprawdę dużo pieniędzy.

Chwyciła Carla za policzek jak wujaszek, który nie potrafi w lepszy sposób wyrazić uznania, i odeszła tanecznym krokiem.

Carl przechylił się na bok. Po prostu musiał odprowadzić kawałek tę piękną pupę.

– Co się dzieje? – spytał na korytarzu Assad. – Niedługo jedziemy.

Carl kiwnął głową i wystukał numer szefa Wydziału Zabójstw.

– Assad pyta, dlaczego dostaliśmy róże – powiedział po prostu, gdy szef się odezwał.

Rozległo się coś, co można by odczytać jako wybuch radości.

– Carl, przesłuchaliśmy dziś trzech właścicieli firm, które ucierpiały w pożarach, i mamy teraz trzy wypasione zeznania. Mieliście całkowitą rację. Zmuszano ich do brania wysoko oprocentowanych pożyczek, a kiedy nie mogli spłacić rat, poborcy stali się obcesowi i zażądali spłaty kwoty zadłużenia. Szykany, groźby telefoniczne. Poważne groźby. Poborcy robili się coraz bardziej zdesperowani, ale na co się to zdało? Firmy mające problemy z płynnością środków nie mogą przecież w obecnych czasach pójść pożyczyć pieniędzy gdzie indziej.

– A poborcy, co się z nimi stało?

– Nie wiemy, ale mamy teorię, że przywódcy gangu kazali ich zlikwidować. Serbska policja już wcześniej się z tym zetknęła. Wielkie bonusy dla poborców, którzy na czas uzyskali pieniądze, nóż dla tych, którzy nie potrafili ich dostarczyć.

– Nie mogli po prostu spalić tego wszystkiego bez zabijania siły roboczej?

– Owszem, ale inna teoria głosi, że wysyłają najgorszych poborców do Skandynawii, bo tutejszy rynek cieszy się reputacją łatwiejszego do opanowania. A kiedy okazało się, że jest inaczej, trzeba było po prostu ustanowić przykłady, na które zwrócono uwagę w Belgradzie. Dla rekinów finansowych nie ma nic groźniejszego niż fatalni poborcy albo ktoś, kogo nie da się kontrolować ani mu ufać. Czyli małe zabójstwa tu i ówdzie pomagają utrzymać dyscyplinę.

– Hmm. Zabijają w Danii kiepską siłę roboczą. Wyobrażam sobie, że gdyby schwytano sprawców, to oczywiście jest jak najbardziej celowe, by wydarzyło się to w państwie prawa, gdzie wymiar kary jest niski.

Niemal zobaczył, jak Jacobsen unosi ku niemu kciuk w geście na tak.

– No, Carl – powiedział szef Wydziału Zabójstw. – W każdym razie dziś udało nam się dowieść, że towarzystwa ubezpieczeniowe mają parę spraw, w których nie można się domagać pełnego odszkodowania. To sporo pieniędzy i dlatego agent ubezpieczeniowy przysłał nam róże. A któż zasłużył na nie bardziej niż wy?

To wyznanie z pewnością nie należało do najłatwiejszych.

– Dobrze. No i macie kilku wolnych ludzi do innych zadań – powiedział Carl. – Uważam, że w takim razie powinni przyjść tu na dół i mi pomóc.

Po drugiej stronie rozległo się coś na kształt śmiechu. Czyli szef Wydziału Zabójstw nie tak to sobie wymyślił.

– Tak, tak, Carl. Z tymi sprawami zostało oczywiście jeszcze trochę roboty. Musimy się jeszcze dowiedzieć, kto za tym stoi. Ale masz rację. Przecież ostatnio mamy też konflikt gangów, więc czemu nie napuścić na niego tak zwanych wolnych ludzi?

Gdy Carl odłożył słuchawkę, w drzwiach stał Assad. Najwyraźniej już dawno rozeznał się w duńskim klimacie. W każdym razie jego kurtka puchowa należała do najgrubszych, jakie Carl kiedykolwiek widywał na dworze w marcu.

– Jestem gotowy – oznajmił.

– Już idę, minutkę – powiedział Carl i wystukał numer Brandura Isaksena. Nazywano go Soplem, nawiązując do jego nader skąpo dawkowanego czaru. Był to człowiek, który wiedział o wszystkim, co działo się na posterunku City, a z tego właśnie posterunku przeniesiono Rose do Departamentu Q.

– Tak – powiedział Isaksen po prostu.

Carl wyjaśnił mu swoją sprawę i jeszcze zanim skończył, facet aż zawył ze śmiechu.

– Nie wiem, co jest nie tak z Rose, ale była po prostu dziwna. Za dużo piła, chodziła do wyra z młodymi aspirantami ze Szkoły Policyjnej. Wiesz, szalona babka, co to ją wszędzie swędzi. Czemu pytasz?

– Bez powodu – powiedział Carl i odłożył słuchawkę. Następnie zalogował się do ewidencji ludności. Obok rubryki z nazwiskiem wpisał „Sandalparken 19".

Odpowiedź nie pozostawiała złudzeń. „Rose Marie Yrsa Knudsen" – było napisane obok numeru ewidencyjnego.

Carl pokręcił głową. Miał tylko, kurde, nadzieję, że w którymś momencie nie pojawi się jeszcze ta Marie. Dwie wersje Rose to aż nadto.

– Oj – powiedział Assad nad jego ramieniem. On też to widział.

– Zawołaj ją tu, Assad.

– Nie powiesz jej tak tego wprost w głowę, prawda, Carl?

– Zwariowałeś? Wolałbym iść do łóżka z workiem pełnym kobr. – Powiedzieć Yrsie, że wie, że jest Rose? Wtedy dopiero się doigra!

Gdy Assad wrócił z Yrsą, ona była już w pełni ubrana. Płaszcz, rękawice jednopalczaste, szalik i czapka. Tych dwoje mogłoby konkurować z kobietami ubranymi w burki jako specjaliści od zakrywania ciała.

Carl spojrzał na zegarek. Zgadzało się. Fajrant. Yrsa wybierała się do domu.

– Miałam ci właśnie powiedzieć...! – zatrzymała się, widząc bukiet w objęciach Carla. – O, co to za kwiatki, jakie śliczne!

– Zabierz ten bukiet dla Rose od Assada i ode mnie – powiedział Carl, podając jej naręcze. – Życz jej powrotu do zdrowia. Powiedz jej, że mamy nadzieję ją wkrótce zobaczyć. Możesz jej powtórzyć, że te róże są dla róży. Naprawdę dużo o niej myśleliśmy.

Yrsa zesztywniała i przez chwilę stała nieruchomo, podczas gdy płaszcz powoli zsuwał jej się z ramion. Zapewne rodzaj osłupienia.

I tak czas pracy dobiegł końca.

– Czy ona jest naprawdę tak chora, Carl? – spytał Assad, gazując autostradą do Holbæk.

Carl wzruszył ramionami. Był ekspertem od wielu rzeczy, ale jedynym rozdwojeniem jaźni, z którym się na poważnie zetknął, była transformacja, którą potrafił zademonstrować jego przybrany syn, w ciągu dziesięciu sekund przeobrażając się z miłego, uśmiechniętego chłopca, któremu zabrakło stu koron, w skwaszonego gówniarza, który ani myśli, kurde, sprzątnąć swojego pokoju.

– Nikomu o tym nie mówimy – powiedział po prostu.

Resztę drogi spędzili każdy zagłębiony w swoich myślach, dopóki nie pojawiła się tabliczka z napisem Tølløse – miasteczko znane najbardziej ze stacji kolejowej, fabryki musu jabłkowego i kolarza o nieczystym sumieniu, który stracił żółtą koszulkę lidera w Tour de France.

– Jeszcze tak kawałek – powiedział Assad, wskazując główną ulicę, niezaprzeczalne centrum Tølløse, będące niczym puls każdego prowincjonalnego miasteczka. Tyle że teraz jakoś nie było za dużo tego pulsu. Może obywatele miasteczka utknęli przy szyjkach od butelek z Netto albo się powyprowadzali. Miasteczko, które żywotniejsze czasy miało już zdecydowanie za sobą.

– Tam, naprzeciwko terenu fabryki – powiedział Assad, wskazując willę z czerwonej cegły, emanującą życiem w równym stopniu, co zdechła dżdżownica w zimowym pejzażu.

Otworzyła kobieta o wzroście metr pięćdziesiąt i oczach większych niż oczy Assada. Gdy tylko zobaczyła ciemny zarost Assada, przestraszona cofnęła się w głąb korytarza i zawołała męża. Pewnie naczytała się o napadach na domy i teraz widziała siebie jako potencjalną ofiarę.

– Tak – powiedział mężczyzna, nie siląc się na zaproponowanie kawy ani gościnność.

„Lepiej trzymać się linii podatkowej" – pomyślał Carl, wkładając odznakę policyjną z powrotem do kieszeni.

– Mają państwo syna, Flemminga Emila Madsena, który według naszych danych nigdy nie płacił podatku. Poza tym nie kontaktował się z opieką społeczną ani szkołą, dlatego przychodzimy, by omówić to z nim osobiście.

W tym miejscu wtrącił się Assad.

– Panie Madsen, ma pan sklep spożywczy, czy syn tak u pana pracuje?

Carl zrozumiał taktykę. Od razu zagnać faceta do narożnika.

– Jest pan muzułmaninem? – odparł mężczyzna. Pytanie padło zupełnie niespodziewanie, doskonały kontratak. Tym razem to Assad był w szachu.

– Niech to pozostanie sprawą mojego kolegi – powiedział Carl.

– Ale nie w moim domu – odpowiedział mężczyzna, szykując się do zatrzaśnięcia drzwi.

Wtedy Carl jednak wyciągnął odznakę.

– Hafez el-Assad i ja pracujemy razem nad wykryciem kilku morderstw. Jeśli pan teraz choćby pogardliwie odwróci głowę, aresztuję pana z miejsca za morderstwo własnego syna Flemminga pięć lat temu. Co pan na to?

Mężczyzna nic nie powiedział, ale był wyraźnie wstrząśnięty. Nie jak ktoś, kto zostaje oskarżony o coś, czego nie popełnił, ale jak ktoś, kto faktycznie jest winny.

Weszli do domu, gdzie zaprowadzono ich do brązowego, mahoniowego stołu, jaki przed pięćdziesięciu laty był marzeniem każdej rodziny. Co prawda brakowało ceraty, za to serwetek było zatrzęsienie.

– Nie zrobiliśmy niczego niedozwolonego – powiedziała kobieta, majstrując przy krzyżyku wiszącym na dekolcie.

Carl się rozejrzał. Na dębowych meblach stały w rzędzie co najmniej trzy tuziny ramek ze zdjęciami dzieci w każdym wieku. Dzieci oraz ich dzieci. Uśmiechnięte stworzenia pod bezchmurnym niebem.

– Czy to pozostałe państwa dzieci? – spytał Carl.

Kiwnęli głowami.

– Wszystkie wyemigrowały?

Znów skinęli głowami. Niezbyt rozmowni ludzie, jak ocenił Carl.

– Czyli tak do Australii? – wtrącił Assad.

– Pan jest muzułmaninem? – spytał ponownie mężczyzna. Co za pieprzony upór. Bał się, że sam widok wyznawcy alternatywnej religii zamieni go w kamień?

– Jestem tym, czym uczynił mnie Bóg – odparł Assad. – A pan? Pan też?

Oczy pomarszczonego mężczyzny zwęziły się. Może i był nawykły do prowadzenia tego rodzaju dyskusji w progach ludzkich domów, ale nie u siebie.

– Pytałem, czy pana dzieci tak wyemigrowały do Australii – powtórzył Assad.

Kobieta kiwnęła głową. Jednak główka pracuje.

– Proszę – powiedział Carl, kładąc przed nimi portret pamięciowy porywacza.

– Boże święty – wyszeptała kobieta, robiąc znak krzyża, a mężczyzna zacisnął usta.

– Nigdy nic nikomu nie powiedzieliśmy – oświadczył mężczyzna krótko.

Carl zmrużył oczy.

– Myli się pan, myśląc, że mamy z nim coś wspólnego. Ale jesteśmy na jego tropie. Pomoże nam pan go schwytać?

Przez sekundę kobieta gorączkowo chwytała powietrze.

– Proszę wybaczyć obcesowość – powiedział Carl. – Musieliśmy po prostu państwa podejść – postukał w portret. – Czy mogą państwo potwierdzić, że to on porwał państwa syna Flemminga i najprawdopodobniej jeszcze jedno spośród państwa dzieci, i że to on zabił Flemminga po otrzymaniu od państwa sporego okupu?

Mężczyzna pobladł. Wysączyły się z niego wszystkie siły, które z biegiem czasu zmobilizował, by się trzymać. Siły potrzebne, by wytrzymać smutek, kłamać swoim współwyznawcom, odizolować się, pożegnać wszystkie pozostałe dzieci, stracić majątek. Wreszcie siły konieczne do życia ze świadomością, że morderca ich ukochanego Flemminga wciąż jest na wolności i ich obserwuje.

Teraz to wszystko odpuściło.

Przez chwilę siedzieli w samochodzie w milczeniu, nim Carl zabrał głos.

– Chyba nigdy nie widziałem ludzi tak wypalonych jak tych dwoje – stwierdził.

– Moim zdaniem źle było z nimi, jak wyciągnęli z szuflady zdjęcie Flemminga. Myślisz, że naprawdę na nie nie patrzyli, odkąd go zabrano? – spytał Assad, ściągając puchową kurtkę. Czyli jednak za gorąco.

Carl wzruszył ramionami.

– Nie wiem. W każdym razie nie chcieli ryzykować, by ktoś zwietrzył, jak bardzo nadal kochali tego chłopca. Przecież sami go wyklęli.

– Zwietrzył? Nie rozumiem, co masz na myśli, Carl.

– Zwietrzyć coś. Pies wietrzy zwierzynę.

– Zwierzynę?

– Nieważne, Assad. Po prostu ukrywali swoją miłość do syna. Inni nie mogli się o tym dowiedzieć. Nie wiedzieli przecież, kto jest wrogiem, a kto przyjacielem.

Assad siedział przez chwilę nieruchomo ze wzrokiem skierowanym na brązowe pola, pod których powierzchnią tętniło życie.

– Myślisz, Carl, że ile razy on to tak zrobił?

Co, u licha, ma odpowiedzieć? Nie znał odpowiedzi.

Assad podrapał się po kruczoczarnych policzkach.

– Musimy go złapać. Prawda, Carl? Po prostu musimy.

Carl zagryzł zęby. Tak, po prostu muszą. Para z Tølløse podała im nowe imię. Tym razem nazywał się Birger Sloth. I po raz trzeci potwierdzono im jako tako jego opis. Martin Holt miał rację. Powinni szukać osoby o szerszym rozstawie oczu. Wszystko inne – wąsy, włosy, spojrzenie się nie liczyło. Tylko tyle, że był mężczyzną o ostrych, a jednak nieco rozmytych rysach. Jedyna rzecz, jaką wiedzieli o nim ze stuprocentową pewnością, to fakt, że w dwóch przypadkach zabierał pieniądze z tego samego miejsca. Na małym odcinku torowiska między Sorø a Ringsted, już wiedzieli gdzie. Martin Holt dokładnie to opisał.

Mogli tam dotrzeć w ciągu góra dwudziestu minut, ale teraz było za ciemno. Megawkurzające.

To powinna być bezwzględnie pierwsza rzecz, do której się jutro wezmą.

– Co robimy z naszymi Yrsą i Rose? – spytał Assad.

– Nic nie robimy. Po prostu spróbujemy z tym żyć.

Assad kiwnął głową.

– Ona jest takim wielbłądem z trzema garbami.

– Czym?

– Mówimy tak tam, skąd pochodzę. Trochę odstaje od innych. Trudno się na nim jeździ, ale zabawnie popatrzeć.

– Wielbłąd o trzech garbach, tak, to by się zgadzało. Brzmi bardziej strawnie niż schizofrenik.

– Schizofrenik? Tam, skąd pochodzę, mówimy tak na kogoś, kto stoi na mównicy i się uśmiecha, ale dupą na ciebie sra.

Znów się zaczyna.

38

Niewyraźnie i z oddali. Jak końcówka snów, które nigdy się nie kończą. Jak trudny do przypomnienia sobie głos matki.

– Isabel. Isabel Jønsson, obudź się! – odbiło się echem, jakby głowa była za duża, by zebrać słowa.

Wykręciła nieco ciało i poczuła tylko przytłaczający uścisk snu. Senne uczucie zawieszenia między kiedyś a teraz.

Ktoś potrząsnął ją za ramię. Delikatnie, czule i wielokrotnie.

– Obudziłaś się, Isabel? – zapytał głos. – Oddychaj głęboko.

Poczuła, jak wokół jej twarzy przemieszcza się odgłos pstrykania, ale więcej nie potrafiła zdziałać.

– Miałaś wypadek, Isabel – powiedział ktoś.

Jakimś sposobem dobrze o tym wiedziała.

Czy to się dopiero co nie zdarzyło? Uczucie wirowania i ten potwór, zbliżający się do niej w ciemności. Tak to było?

Poczuła ukłucie w rękę. To jawa czy sen?

Nagle poczuła przepływającą przez głowę krew. Mobilizujący się umysł, myśli doprowadzające chaos do porządku, którego nie chciała.

Wtedy to do niej dotarło. On! Ten człowiek! Przypominała go sobie teraz jak przez mgłę.

Zaczęła chwytać powietrze. Poczuła ukłucie w szyi i potrzeba kaszlu wywołała u niej wrażenie, jakby się dusiła.

– Spokojnie, Isabel – powiedział głos. Poczuła, jak ktoś ujmuje i ściska jej dłoń. – Daliśmy ci zastrzyk, byś się trochę ocknęła. Tylko tyle. – Dłoń znów się zacisnęła.

„Tak" – mówiło w niej wszystko. „Odwzajemnij uścisk, Isabel. Pokaż, że żyjesz, że jeszcze tu jesteś".

– Odniosłaś ciężkie obrażenia, Isabel. Znajdujesz się na oddziale intensywnej terapii Szpitala Królewskiego. Rozumiesz, co mówię?

Wstrzymała oddech i zebrała wszystkie siły, by kiwnąć głową. Choćby nieznaczny ruch. Choćby miała sama go poczuć.

– Dobrze, Isabel. Widzieliśmy to – ręka została uściśnięta jeszcze raz.

– Jesteś umieszczona na wyciągu, więc nie będziesz mogła się poruszyć, jeśli spróbujesz. Masz złamania wielu kości, Isabel, ale na pewno wydobrzejesz. W tej chwili jesteśmy bardzo zajęci, ale kiedy będziemy mieli trochę czasu, przyjdzie tu pielęgniarka i przygotuje cię do przenosin na inny oddział. Rozumiesz, Isabel?

Napięła nieco mięśnie szyi.

– Dobrze. Wiemy, że ciężko ci się komunikować, ale po jakimś czasie będziesz mogła znów mówić. Masz złamaną szczękę, więc dla pewności została unieruchomiona.

Teraz poczuła zaciski wokół głowy. Woreczki przyczepione do bioder, jakby człowiek był zagrzebany w piasku. Spróbowała otworzyć oczy, ale nie chciały słuchać.

– Poznaję po brwiach, że próbujesz otworzyć oczy, Isabel, ale musieliśmy założyć na nie opatrunek. Miałaś w gałkach sporo odłamków szkła. Ale będziesz widziała: za parę tygodni słońce znów zaświeci.

Za parę tygodni! Co jest nie tak? Skąd to drżenie w ciele, protest? Czy to właśnie czasu było za mało?

„Dalej, Isabel" – rozległ się w niej szept. „Co takiego nie może się zdarzyć? Co się stało? Ten człowiek, tak. I co jeszcze?"

Pomyślała, że na rzeczywistość składa się wiele rzeczy. Narzeczony, który nigdy się nie pojawił, ale żył w jej marzeniach. Sznury u sufitu starej sali gimnastycznej, na które nie potrafiła wspiąć się do końca. Rzeczywistość to też to, co się jeszcze nie zdarzyło. Nacisk na skronie się nie zmienił. Jest równie konkretny.

Powoli zaczerpnęła powietrza, wsłuchując się w to wszystko, co ją uwiera, a co wspólnie składa się na jej świadomość. Najpierw pojawił się dyskomfort, potem niepokój, wreszcie drżenie, układające twarze i dźwięki w stapiające się ze sobą ciągi myślowe.

Poczuła, że znów odruchowo chwyta powietrze i że ma to związek ze wspomnieniami.

Dzieci.

Mężczyzna, który był też porywaczem.

I Rachela.

– Hmmm – usłyszała samą siebie zza zamkniętych zębów.

– Tak, Isabel!

Poczuła, jak ręka zwalnia uścisk, a ciepłe powietrze omiata jej twarz.

– Co mówisz? – spytała twarz z bliska.

– Eeeehhh.

– Czy ktoś rozumie, co ona mówi? – spytała twarz z większej odległości.

– Aaarrrrglll.

– Czy teraz mówisz „Rachela", Isabel?

Wydała krótki dźwięk.

– „Tak, właśnie to powiedziała".

– Czy tak nazywasz tę kobietę, z którą przyjechałaś?

Dźwięk znów się pojawił.

– Rachela żyje, Isabel! Leży tu, obok ciebie – powiedział nowy głos przy jej podnóżku. – Jest bardziej poturbowana niż ty. Nie wiemy, czy z tego wyjdzie, ale żyje, a jej organizm sprawia wrażenie silnego. Mamy duże nadzieje.

Mogli być u niej godzinę czy minutę, ale też cały dzień temu – tak elastyczny zdawał się czas. Wokół niej rozlegał się cichy dźwięk urządzeń i słabe pikanie jej własnego serca. Czuła wilgoć pod sobą, a w sali było gorąco. Może to coś, co jej wstrzyknęli, sprawiało, że tak się czuła. Może to ona sama.

W korytarzu na zewnątrz terkotały wózki, a głosy jakby wraz z nimi. Czy to czas posiłku, czy noc? Nie miała pojęcia. Zamruczała, ale nic się nie zdarzyło. Skoncentrowała się więc na odległości między uderzeniem swojego serca a pulsowaniem w palcu wskazującym, do którego przymocowana była jakaś rurka. Czy były to milisekundy, czy sekundy, nie wiedziała.

Ale wiedziała jedno. Pikające urządzenie, odmierzające bicie serca, nie odmierzało w każdym razie jej serca, czuła to. To się w ogóle nie zgadzało, była przecież na tyle świadoma.

Przez chwilę leżała, wstrzymując oddech. Pikające urządzenie się odzywało. Pik, pik – brzmiało. Było też inne urządzenie, wydające dźwięk jakby cichego zasysania. Ssący dźwięk, który nagle się urywał i zastępowało go jakby ciśnienie wahadłowych drzwi autobusu.

Słyszała już ten dźwięk. Przez niekończące się godziny przy łożu chorej matki, nim wreszcie wyłączyli respirator i dali jej spokój.

Pacjentka, z którą dzieliła salę, nie potrafiła sama oddychać. A pacjentką tą była Rachela. Czy nie tak mówili?

Chciała się obrócić. Otworzyć oczy i przeniknąć mrok. Spojrzeć na człowieka walczącego o życie.

– Rachelo – powiedziałaby, gdyby mogła. – Rachelo, damy radę – dodałaby bez przekonania.

Może Rachela nie miała w ogóle po co się budzić. Pamiętała to aż nazbyt wyraźnie.

Że jej mąż nie żyje.

Że dwoje dzieci gdzieś tam czeka. I że porywacz nie ma już powodu, by utrzymywać je przy życiu.

To straszne, a ona nie może nic zrobić.

Poczuła ciecz zbierającą się w kąciku oka. Gęstszą niż łzy, a jednak płynną. Poczuła, jak gaza owinięta wokół głowy nagle zaczyna jej ciążyć na powiekach.

„Płaczę krwią?" – pomyślała, starając się nie dawać upustu smutkowi i bezradności. Na co zda się szlochanie? Nie, przyniosło jej tylko cierpienie, którego to wszystko, co jej podali, nie mogło uśmierzyć.

Usłyszała, jak cicho otwierają się drzwi, i poczuła, jak do spokojnego pokoju sączą się powietrze i dźwięki z korytarza.

Na twardej podłodze rozległy się kroki. Miarowe i niepewne. Jakby zbyt niepewne.

Czy to zatroskany lekarz obserwujący rytm serca Racheli? Pielęgniarka zastanawiająca się, kiedy respirator przestanie spełniać swoje funkcje?

– Isabel, nie śpisz? – szept przedzierał się przez ciągły odgłos pompujących urządzeń.

Drgnęła. Nie wiedziała dlaczego.

Kiwnęła nieznacznie głową, ale najwyraźniej wystarczyło.

Poczuła uścisk dłoni. Tak jak kiedy była dzieckiem i czuła się zepchnięta na bok na szkolnym boisku. Jak wtedy, gdy stała przed szkołą tańca, nie ośmielając się przestąpić progu.

Wtedy z pociechą spieszyła ta sama dłoń co teraz. Ciepła, kochająca i pomocna dłoń jej brata, jej cudownego, opiekuńczego starszego brata.

I właśnie w tym momencie, gdy już wiedziała, że wreszcie może poczuć się bezpiecznie, pojawiła się w niej potrzeba, by krzyczeć.

– Tak, tak – powiedział jej brat. – Popłacz sobie, Isabel. Po prostu się wypłacz. Wszystko się jakoś ułoży. Obie z tego wyjdziecie, i ty, i twoja przyjaciółka.

„Wyjdziemy z tego?" – pomyślała, usiłując zapanować nad głosem, językiem i oddechem.

„Pomóż nam" – chciała powiedzieć. „Przeszukaj mój samochód. W schowku znajdziesz jego adres. Sprawdzisz na moim GPS-ie, gdzie byłyśmy. To będą łowy twojego życia!"

Chciała rzucić się na kolana przed Bogiem w niebiosach Racheli, by pozwolił jej choćby na chwilę zrobić użytek z mowy. Choćby na długość jednego oddechu.

Leżała niema, słuchając własnego rzężenia. Słów przechodzących w spółgłoski, spółgłosek przechodzących w świst i śliny pieniącej się między zębami.

Dlaczego zawczasu nie zadzwoniła do brata? Dlaczego nie zrobiła tego, co powinna? Miała się za nadczłowieka, który potrafi powstrzymać samego Diabła?

– Dobrze, że to nie ty prowadziłaś samochód, Isabel. Ale pewnie nie unikniesz konsekwencji prawnych, choć nie wydaje mi się, by uznano cię za współwinną ryzykownej jazdy, która doprowadziła do wypadku. Będziesz natomiast musiała rozejrzeć się za nowym autem – brat próbował wpleść w wypowiedź trochę śmiechu.

Ale nie było się z czego śmiać.

– Co się stało, Isabel? – spytał, nie bacząc, że jeszcze na nic nie odpowiedziała.

Ściągnęła lekko wargi. Może choć trochę zrozumie.

Wtedy od strony łóżka Racheli rozległ się niski głos.

– Przykro mi, ale nie może pan dłużej przebywać w sali, panie Jønsson. Isabel zostanie teraz przeniesiona. Może pan w tym czasie zejść do bufetu. Kiedy pan wróci, poinformujemy pana, gdzie Isabel została umieszczona. Może pan wrócić za pół godziny.

Nie rozpoznała głosu jako jednego z tych, które rozlegały się u nich wcześniej w ciągu dnia.

Jednak kiedy głos powtórzył prośbę, a jej brat w końcu wstał i uściśnięciem ręki dał jej znać, że wróci nieco później, wiedziała, że na nic się to nie zda.

Bo głos, który był teraz jedynym głosem w sali, był jej znany.

Tak, znała go aż nazbyt dobrze.

Przez krótki czas łudziła się, że ten głos da jej powód do życia.

Teraz wiedziała, że nic bardziej mylnego.

39

Nocą Carl był u Mony i nadwerężył sobie stawy. Tym razem nie czekała na słodkie słówka i zapewnienia, że dla niego jest jedyna. Po prostu to wiedziała, zdejmując bluzkę przez głowę i ściągając majtki z piekielnie niepojętą ekwilibrystyką.

Zrozumienie, gdzie się znajduje, zajęło mu potem pół godziny. Zastanawianie się, czy chce przeżyć jeszcze jedno podejście – drugie tyle.

Była inną kobietą niż ta, która wyjechała do Afryki. Nagle stała się taka namacalna i bliska. Delikatne zmarszczki przy oczach, które zasysały z niego powietrze, gdy się ściągały. Załamania na brzegu szminki, które za chwilę przeobrażą się w drenujący go z myśli uśmiech.

„Jeśli w ogóle istnieje dla niego kobieta, oto i ona" – pomyślał, gdy ponownie zbliżała się do niego ze swym gorącym oddechem, drapiąc go czule.

Gdy go obudziła następnego ranka, była już ubrana i gotowa na kolejny dzień. Zmysłowa, uśmiechnięta, delikatnie rozkołysana.

Jakiego jeszcze człowiek potrzebuje dowodu, gdy przygniata go kołdra, a nogi są jak z ołowiu?

Ta kobieta zupełnie go zawojowała.

– Co tak jest z tobą? – spytał Assad, gdy zderzyli się ze sobą w wozie służbowym.

Carl nie miał siły odpowiedzieć. Jak można to zrobić, gdy człowiek czuje się jak bitka wołowa, a jądra pulsują niczym ropień zęba?

– A tak oto i Vedbysønder – powiedział Assad po półgodzinie gapienia się na przerywaną linię na szosie.

Carl przeniósł wzrok z GPS-u na minizbitkę gospodarstw i domów oraz dalej na krajobraz składający się z pól. Niewiele domów, porządna, asfaltowa wiejska droga. Mniejsze lub większe skupiska drzew i krzewów. Całkiem dorzeczne miejsce do pobierania okupu.

– Dojedź do tamtego budynku. – Assad wskazał w przód. – Będziemy przejeżdżać przez most, więc musimy mieć oczy szeroko otwarte.

Gdy tylko przy wiadukcie kolejowym pojawiło się pierwsze gospodarstwo, Carl rozpoznał miejsce opisywane przez Martina Holta. Domy po prawej i po lewej stronie drogi. Tory kolejowe za domami po prawej stronie. Trochę dalej kilka odosobnionych budynków i droga dojazdowa ciągnąca się do samych torów. Następnie wąskie pasmo drzew i gęstsze zarośla na samym zakręcie. Oto miejsce, gdzie w każdym razie dwie z ofiar porywacza wyrzuciły pieniądze z okna pociągu.

Zaparkowali auto przy drodze dojazdowej prowadzącej w dół do wąskiego wiaduktu i włączyli sygnał świetlny, by mieć pewność, że inni kierowcy dostrzegą ich w mglistym świetle poranka.

Carl z trudnością wytaszczył się z samochodu, zastanawiając się, czyby nie wzmocnić się papieroskiem, podczas gdy Assad stał już ze wzrokiem utkwionym w kępę trawy wokół swoich stóp.

– Tu jest tak trochę mokro – powiedział Assad, zwracając się w zasadzie do siebie. – Trochę mokro. Musiało niedawno padać, ale nie tak dużo. Sam popatrz.

Wskazał odznaczające się ślady kół.

– Patrz. Dotąd dojechał, tak powoli i spokojnie – powiedział, kucając. – A tu tak dodał gazu, jakby nagle zaczęło mu się spieszyć.

Carl kiwnął głową.

– Tak, albo też koła zabuksowały, bo było mokro.

Carl zapalił papierosa i się rozejrzał. Wiedzieli o dwóch mężczyznach, którzy na to pole wyrzucili worki z okupem z okien pociągu, ale żaden z nich nie widział samochodu. Widzieli po prostu błyskające światło.

W tych dwóch przypadkach pociąg nadjechał ze wschodu, więc worek mógł wylądować aż przy domu stojącym w odosobnieniu paręset metrów stąd. Wyglądał na świeżo odremontowany, więc być może mieszkańcy domu pojawili się tu dopiero po 2005, kiedy to ojciec Flemminga Emila Madsena wyrzucał z pociągu swój worek. Jego doświadczenie mówiło, że bez względu na wszystko nie widzieli właściwie nic, co mogłoby ich poprowadzić dalej.

Carl podniósł ręce za głową i przeciągnął się, gdy dym z papierosa, ulatujący z kącika ust, mieszał się z wilgocią, którą wyciskało z ziemi marcowe ciepło. W nozdrzach miał wciąż zapachy Mony. Jak, u diabła, ma myśleć, jak należy? Jak ma myśleć o czymkolwiek innym niż to, że musi ją znowu zobaczyć?

– Patrz, Carl. Z tamtego domu wyjeżdża samochód – Assad wskazał budynek stojący w odosobnieniu. – Nie zatrzymamy go?

Carl puścił fajkę i wgniótł ją w asfalt.

Kobieta za kółkiem wyglądała na przestraszoną, gdy polecono jej zatrzymać się za wozem policyjnym na sygnale świetlnym.

– Co się dzieje? – spytała. – Mam coś nie tak ze światłami?

Carl wzruszył ramionami. Skąd on ma to wiedzieć?

– Interesuje nas ten teren. Należy do pani?

Kiwnęła głową.

– Tak, aż do drzew, dlaczego?

– Dzień dobry, nazywam się Hafez el-Assad – powiedział Assad, podając jej przez okno włochatą rękę. – Czy widziała pani, by ktoś wyrzucał tu coś z pociągu?

– Nie, kiedy by to miało być? – spytała. Oczy błyszczały bardziej niż wcześniej. Czyli to nie o nią chodziło.

– Wiele razy. Może parę lat temu. Widziała pani może stojący tutaj samochód?

– Parę lat temu nie. Dopiero się wprowadziliśmy – uśmiechnęła się z ulgą. – Tak, właśnie skończyliśmy przebudowę. Widzą panowie, z tyłu jeszcze jest rusztowanie – wskazała za siebie, patrząc wprost na Carla. Może wyglądał na kogoś, kto lepiej się zna na rusztowaniach niż Assad.

Carl już miał podziękować za pomoc, zejść na bok niczym celnik i umożliwić jej kontynuowanie podróży. Wyjąć kolejnego papierosa i dalej myśleć o Monie.

– Ale stał tu samochód przedwczoraj, kiedy wydarzył się ten paskudny wypadek w pobliżu Lindebjerg Lynge – ciągnęła kobieta.

Carl skinął głową domyślnie. Stąd te ślady kół w ziemi.

Wyraz jej twarzy zmienił się.

– Słyszałam, że to był pościg samochodowy. Kobiety z jednego z samochodów doznały bardzo poważnych obrażeń. Mój szwagier jest kuzynem jednego z ratowników z Falcka. Mówił, że pewnie nie przeżyją.

„Tak" – pomyślał Carl. Na wsiach ruch drogowy potrafi być jak trucizna. Co, do diabła, ludzie mają innego do roboty, niż dociskać w autach gaz do dechy?

– Jak wyglądał ten samochód, który tak tu parkował? – spytał Assad.

Kobieta wygięła wargi w dół.

– Widzieliśmy tylko czerwone światła z tyłu, które potem zgasły. Widzimy to miejsce dokładnie z salonu, kiedy oglądamy telewizję. Mój mąż i ja sądziliśmy, że ktoś tu siedzi i się całuje.

Zakołysała głową z boku na bok. Miało to zapewne oznaczać, że całujący się oczywiście mieli do tego prawo, bo i ona sama tego próbowała.

– Ale nagle już go nie było – ciągnęła. – Zobaczyliśmy światła innego samochodu i oba auta odjechały. Mój mąż mówił potem, że to pewnie jeden z tych samochodów miał wypadek – uśmiechnęła się przepraszająco. – Ale on lubi dramatyzować.

– Mówi pani, że to się zdarzyło w poniedziałek? – Carl spojrzał na ślady kół. Ten, który tu zaparkował, zachował się strategicznie pod wieloma względami. Dobry ogląd. Blisko torów. A gdyby zdarzyło się coś nieoczekiwanego, w ciągu sekundy można się było znaleźć z powrotem na drodze. – Mówiła pani o wypadku – dopytywał. – Mówi pani, że gdzie się zdarzył?

– Po drugiej stronie Lindebjerg Lynge. Moja siostra mieszkała zaledwie kilkaset metrów stamtąd. – Pokręciła lekko głową. – Ale teraz wyprowadziła się do Australii.

Kobieta stwierdziła, że i tak jedzie w tym kierunku i żeby po prostu za nią pojechali.

Jechała przez las z prędkością najwyżej pięćdziesięciu kilometrów na godzinę, a Carl deptał jej po piętach.

– Nie powinieneś tak wyłączyć tego koguta? – spytał Assad parę kilometrów dalej.

Carl pokręcił głową z rezygnacją. Owszem, czemu nie? O czym on myślał? Ta kawalkada w ślimaczym tempie musiała zaiste wyglądać komicznie.

– Patrz – Assad wskazał odcinek szosy, gdzie słońce wreszcie wzięło się do osuszania rosy.

Carl też to dostrzegł. Ślady hamowania na przeciwnym pasie ruchu, a dziesięć metrów dalej kolejne ślady, ale na ich pasie.

Assad pochylił się ku przedniej szybie i zmrużył oczy. W jego głowie rozgrywał się teraz prawdopodobnie fikcyjny pościg samochodowy. Tuż za nim zaczął kręcić wyimaginowaną kierownicą i pompować nogami po gumowych matach.

– Tam też – krzyknął, wskazując kolejne ślady świadczące o gwałtownym hamowaniu.

Wtedy kobieta zatrzymała się przed nimi i wysiadła z samochodu.

– To się stało tutaj – powiedziała, pokazując na pień drzewa z zupełnie zdartą korą.

Pochodzili w tę i z powrotem i znaleźli trochę stłuczonego szkła z reflektorów i wyraźne rysy na asfalcie. Poważny i zagadkowy wypadek. Bardziej wyczerpujących wyjaśnień powinni pewnie poszukać u swoich kolegów z Wydziału Ruchu Drogowego.

– Jedźmy – powiedział Carl.

– Jak tam, Carl? Mam poprowadzić tym razem?

Carl spojrzał na towarzysza. Świeże wspomnienie o nierozważnym używaniu pedału gazu nie przemawiało na korzyść jego śniadego asystenta. Ani na jotę.

– Sprawdzimy najpierw w Wydziale Ruchu Drogowego – powiedział, rzucając się na przednie siedzenie.

Nie znał mężczyzny, który prowadził sprawę i był odpowiedzialny za pomiary, ale nie należał on do głupich.

– Zawieźliśmy wrak na ulicę Kongstedsvej, żeby poddać go oględzinom – powiedział kolega. – Znaleźliśmy trochę lakieru innego samochodu w paru punktach, w których odnotowano kolizję, ale na razie nie wiadomo, o jaki lakier chodzi. Kolor jest ciemny, prawdopodobnie antracytowy, ale tarcie w momencie kolizji mogło oczywiście mieć wpływ na odcień.

– A ofiary? Żyją?

Otrzymał numery ewidencyjne. Będzie mógł sam sprawdzić.

– Uważa pan zatem, że w wypadek zamieszany był inny samochód? – spytał Carl.

Kolega zaśmiał się po drugiej stronie.

– Nie, nie uważam. Ja to wiem. Po prostu jeszcze tego nie ujawniliśmy. Istnieją wyraźne poszlaki wskazujące na pościg samochodowy na odcinku drogi o długości co najmniej dwa i pół kilometra przed miejscem wypadku. Szybka i bezwzględna jazda. Więc jeśli te dwie kobiety jeszcze żyją, to cud.

– I żadnego śladu ucieczki z miejsca wypadku?

Mężczyzna potwierdził.

– Zapytaj go o te panie, Carl – wyszeptał obok Assad.

Zrobił to. Kim były? Jakie łączyły je ze sobą relacje? Tego typu rzeczy.

– Tak – odparł mężczyzna. – Właściwie to te dwie kobiety pochodziły z rejonu Viborga, czyli to oczywiście dość zabawne, że rozbijają się w cholerę daleko na wiejskiej drodze na południu Zelandii. Wiemy, że tego dnia wielokrotnie przejeżdżały przez most, ale nie to jest najdziwniejsze.

Carl wyczuł, że facet zachował najlepsze na koniec. Typowe dla policjantów z drogówki. Żeby kryminalni wiedzieli, że nie oni jedni mają interesującą robotę.

– A co jest w takim razie? – spytał.

– Najdziwniejsze jest to, że krótko przedtem staranowały szlaban na moście na Wielkim Bełcie, a potem robiły wszystko, by uniknąć zatrzymania przez policję.

Carl wyjrzał na szosę. Jasna cholera.

– Czy mogę prosić, by wysłał mi pan mejlem raport? Odebrałbym go na komputerze w samochodzie.

– Teraz? Muszę najpierw uzgodnić to z przełożonym.

Po czym odłożył słuchawkę.

Pięć minut później czytali relację policji z przebiegu jazdy kobiet. Zdecydowanie nie była to codzienna lektura. Cztery razy uchwycone przez fotoradary, dwa razy inny kierowca, i to w ciągu jednego dnia. Staranowany szlaban na moście na Wielkim Bełcie, niebezpieczna jazda na E20, ścigane przez cztery wozy patrolowe na tym samym odcinku. Podobno jechały dobry kawałek z wyłączonymi światłami, co skończyło się fatalnym wypadkiem na leśnej drodze.

– Dlaczego jadą pełnym gazem z Viborga na Zelandię, z powrotem na Fionię, po czym znów na Zelandię, możesz mi to wyjaśnić, Assad?

– Nie wiem tak tego, Carl. Teraz patrzę na to.

Wskazał listę fotoradarów, które zarejestrowały samochód kobiet. Różnorodne lokalizacje, takie jak E45 na południe od Vejle, E20 w pół drogi między Odense a Nyborgiem, po czym znów E20 na południe od Slagelse.

Następnie palec Assada powędrował linijkę niżej w raporcie.

Carl zobaczył adres miejscowości, którą podkreślił. Najwidoczniej kobiety zostały złapane również przez fotoradary wystawione na próbę na wsi. On w każdym razie nigdy nie słyszał o takim miasteczku. Nazywało się Ferslev, a one jechały osiemdziesiąt pięć kilometrów na godzinę w miejscu, gdzie dozwolona prędkość wynosiła pięćdziesiąt. Gdyby zsumować wszystkie wykroczenia, dodając, że kierowców było dwóch, tego dnia te dwie kobiety co najmniej utraciły prawo jazdy.

Wstukał Ferslev w GPS-ie i przestudiował mapę. Leżało zaraz za Skibby, mniej więcej w pół drogi między Roskilde a Frederikssund.

Zobaczył, jak palec Assada kładzie się na mapie i wolno przesuwa w górę w stronę lasu Nordskoven. W to samo miejsce, gdzie według Yrsy mógł się znajdować domek na łodzie.

Ależ to wszystko dziwne.

– Dzwoń do Yrsy – powiedział Carl, wrzucając bieg w samochodzie. – Powiedz jej, że ma zebrać informacje o tych dwóch kobietach. Podaj jej numery ewidencyjne i poproś, by się pospieszyła. Powiedz też, by do nas oddzwoniła i powiadomiła nas, gdzie te dwie kobiety są hospitalizowane i jaki jest ich stan. To wszystko przyprawia mnie o dreszcze.

Słyszał, jak Assad rozmawia, ale na chwilę się wyłączył. Nasuwał mu się ciągle obraz tych dwóch kobiet jadących szaleńczo przez cały kraj.

„To pewnie narkomanki" – szeptało jego małe, rzeczowe Ja. „Narkomanki albo na odwyku. Coś w tym stylu, na pewno pod wpływem".

Kiwnął głową sam do siebie. Oczywiście, że to coś takiego. W przeciwnym razie nie miałyby wypadku. Kto w ogóle mówi, że w grę wchodzi kierowca, który uciekł z miejsca wypadku? Dlaczego nie mógł to być po prostu jakiś zestrachany biedak, storpedowany przez rozszalałe idiotki z narkotykami we krwi? Nieszczęśnik, który się wystraszył i po prostu uciekł.

– Okej – usłyszał głos Assada, gdy ten odłożył słuchawkę.

– Dodzwoniłeś się do niej? – spytał. – Zrozumiała zadanie?

Próbował pochwycić bardzo zamyślone spojrzenie Assada.

– Hej, Assad. Co powiedziała Yrsa?

– Co powiedziała Yrsa? – wyprostował głowę. – Nie wiem. Bo to z Rose tak rozmawiałem.

40

Nie był zadowolony. Ani trochę.

Od wypadku nie minęły jeszcze dwie doby, a według wiadomości w radio stan jednej z poszkodowanych się poprawiał. Drugiej nie dawano wielkich szans, ale kto był kim – tego nie mówili.

Tak czy siak, nie mógł już dłużej czekać z kontratakiem.

Dzień wcześniej zebrał informacje o kolejnej potencjalnej rodzinie i odtąd zastanawiał się, czyby nie pojechać do domu Isabel w Viborgu i nie dokonać włamania, tak by zniknął jej komputer. Ale na co się to zda, jeśli ona i tak wysłała wszystkie informacje na jego temat swojemu bratu?

Pozostało jeszcze pytanie, ile wie Rachela. Czy Isabel o wszystkim jej opowiedziała?

Jasne, że tak.

Nie, wiedział już, że trzeba się pozbyć tych kobiet.

Zwrócił oczy ku niebu. Zapasy między nim a Bogiem wciąż trwały; było tak od zawsze. Odkąd był małym chłopcem.

Dlaczego Bóg nie mógł go po prostu zostawić w spokoju?

Zebrał myśli, włączył komputer, znalazł numer do Centrum Traumatologii Szpitala Królewskiego i dodzwonił się do autorytatywnej sekretarki, która nie miała nic nowego do powiedzenia.

Wiedziała tylko, że obie kobiety zostały przeniesione na oddział intensywnej opieki medycznej.

Przez chwilę siedział, wpatrując się w swój notes.

Oddział Intensywnej Opieki Medycznej. OIOM 4131.

Telefon 35454131.

Trzy skromne informacje, które dla jednych oznaczały śmierć, a dla niego życie. Tak prosto to można przedstawić, bez względu na to, czyje oczy spoglądały na niego z wszechmocnych niebios.

Wstukał numer oddziału w Google i znalazł stronę domową Oddziału Intensywnej Opieki Medycznej Szpitala Królewskiego niemal na samym początku wyników wyszukiwania.

Strona domowa była przejrzysta. Czysta i sterylna jak sam Szpital Królewski. Jedno kliknięcie na „Informacje praktyczne", a następnie na „Informacje dla bliskich.pdf" i już miał podręcznik mówiący mu wszystko, co chciał wiedzieć.

Spojrzał na dół strony.

Było tam napisane „zmiana dyżuru 15.30-16.00". Czyli właśnie wtedy powinien uderzyć. Kiedy jest największy rozgardiasz.

W tym niewiarygodnym instruktażu było poza tym napisane, że odwiedziny i obecność osób bliskich mogą stanowić pociechę i wsparcie dla pacjenta. Uśmiechnął się. Czyli od tej chwili będzie bliską osobą. Kupi bukiet kwiatów, wszak to pociecha. I postara się o odpowiednie zmarszczki na twarzy, by wyraźnie widzieli, jak jest poruszony.

Czytał dalej. Było jeszcze lepiej. Napis brzmiał, że wszyscy członkowie rodziny lub bliscy przyjaciele pacjenta hospitalizowanego na oddziale są mile widziani przez całą dobę.

Bliscy przyjaciele przez całą dobę!

Namyślał się przez chwilę. Pewnie lepiej, jeśli poda się za bliskiego przyjaciela, trudniej to sprawdzić. Bliski przyjaciel, zaufany Racheli. Ktoś z jej wspólnoty. Przybierze ładny, śpiewny, środkowojutlandzki akcent, który usprawiedliwi, dlaczego zostaje na tak długo. Tak długo, jak potrzebuje - w końcu przyjedzie z daleka.

To wszystko i znacznie więcej znajdowało się we wskazówkach dla gości. Kiedy należy czekać w sali dla osób bliskich. Gdzie można zrobić herbatę czy kawę. Że rozmowy z lekarzami odbywają się w ciągu dnia. Były też ładne zdjęcia wystroju sal dla chorych, dokładne wskazówki, czego się można spodziewać po sondach i sprzęcie monitorującym.

Spojrzał na zdjęcia sprzętów rejestrujących, wiedząc, że chodzi o to, by szybko zabić i szybko się stamtąd ulotnić. W momencie śmierci pacjenta na oddziale intensywnej opieki medycznej takim jak ten zasygnalizują o tym wszystkie urządzenia. Personel w sali obserwacyjnej będzie o tym wiedział. Zjawią się tam w mgnieniu oka. W ciągu paru sekund zostaną podjęte próby reanimacji. Są profesjonalistami, więc to do nich należy.

Musi zatem zabić nie tylko szybko, ale też tak, by nie można było reanimować zmarłych. Przede wszystkim zaś ważne jest, by nikt od razu nie nabrał podejrzeń, że śmierć nie nastąpiła z przyczyn naturalnych.

Spędził pół godziny przed lustrem. Marszczył czoło, wkładał nową perukę, zmieniał okolice oczu.

Kiedy był gotów, przyjął rezultat z zadowoleniem. Był pogrążonym w smutku człowiekiem. Starszym mężczyzną w okularach, o włosach przyprószonych siwizną i o brzydkiej cerze. Mocno odległe od rzeczywistości.

Otworzył lustrzane drzwiczki szafki na leki. Wyciągnął szufladę i odszukał cztery plastikowe opakowania między wieloma innymi.

Najzwyczajniejsze strzykawki – takie, jakie można kupić w aptece bez recepty. Najzwyczajniejsze igły – takie, jakimi tysiące narkomanów kłują się codziennie z błogosławieństwem społeczeństwa.

Więcej nie potrzebował.

Po prostu napełnić strzykawkę powietrzem, szybko wkłuć się w żyłę i docisnąć tłok. Śmierć nastąpi prędko. Zdąży przejść z sali do sali i zrobić to im obu, nim włączą się wszystkie alarmy.

To tylko kwestia planowania.

Poszukał oddziału 4131. Plansze instruktażowe i winda prawie do samych drzwi, jak sądził. Jeśli się tylko znało numer oddziału, znało się tym samym numer wejścia, piętra i sektora – było napisane w przewodniku po Szpitalu Królewskim.

Wejście 4, 13 piętro, 1 sektor. Tak powinno być, ale winda dojeżdżała tylko do siódmego piętra.

Spojrzał na zegarek. Zbliżała się zmiana dyżuru, nie było więc chwili do stracenia.

Wyprzedził kilka ślamazar i znalazł informację przy wejściu głównym. Mężczyzna za szybą z pewnością miał za sobą lepsze posady, ale był efektywny i uprzejmy.

– Nie, należy to inaczej odczytywać. Wejście czterdzieści jeden, trzecie piętro, sektor pierwszy. Proszę zejść do wejścia numer trzy i pojechać windą.

Wskazał palcem i dla pewności wetknął przez luk ksero kartki, na którą naniósł długopisem numery. Było tam napisane „Pacjent leży na oddziale" oraz numery.

Cóż za doskonałe pokierowanie na miejsce zdarzenia! Ot tak!

Wysiadł na trzecim piętrze i od razu skonstatował, że widnieje tu szyld Oddziału Intensywnej Opieki Medycznej 4131. Prowadziły doń zamknięte dwuskrzydłowe drzwi z białymi zasłonami. Gdyby człowiek nie wiedział, gdzie jest, mógłby pomyśleć, że przypomina to zakład pogrzebowy.

Uśmiechnął się. Przecież tak w pewnym sensie było.

Jeśli tempo w środku odpowiadało temu na korytarzu, gdzie nie było żywego ducha i gdzie wszędzie stały puste wózki transportowe, bardzo by mu to pasowało.

Pchnął drzwi wahadłowe.

Oddział nie był duży, ale sprawiał takie wrażenie. Nie przewidział tylko energii, która tu tętniła. Spodziewał się głębokiej koncentracji i cichej pracy, a jednak tak nie było. W każdym razie nie teraz.

Być może pora jednak nie jest tak fortunna, jak przewidywał.

Przeszedł obok dwóch małych, otwartych sal dla odwiedzających i poszedł prosto do recepcji. Kolorowe, zwieńczone łukiem miejsce, przy którym każdy by się zatrzymał.

Sekretarka skinęła do niego, musiała jeszcze uporządkować papiery.

Rozejrzał się.

Wszędzie lekarze i pielęgniarki. Niektórzy w salach chorych, inni siedzieli w wyposażonych w komputery pokoikach pełniących funkcję przedsionków do sal chorych. Byli też tacy, co w jakimś celu przemierzali korytarz w tę i z powrotem.

„Może to z powodu zmiany dyżuru" – powiedział do siebie.

– Przychodzę w nieodpowiednim momencie? – spytał z typowym jutlandzkim akcentem.

Sekretarka spojrzała na zegarek, a potem przyjaźnie na niego.

– Może trochę. Kogo pan szuka?

W tej chwili przywołał na twarz zatroskaną minę, którą wcześniej wyćwiczył.

– Jestem przyjacielem Racheli Krogh – powiedział.

Pokręciła głową.

– Racheli? Nie ma tu żadnej Racheli Krogh, ma pan pewnie na myśli Lisę Krogh? – spojrzała na monitor. – Mam tu napisane Lisa Karin Krogh.

Gdzie on, do kurwy nędzy, ma głowę? Miała na imię Rachela we wspólnocie, nie w rzeczywistości. Przecież dobrze wiedział.

– Ach tak, przepraszam. Tak, Lisa, oczywiście. Rozumie pani, jesteśmy z tej samej wspólnoty, używamy tam swoich imion biblijnych. Lisa nazywa się tam Rachela.

Wyraz twarzy sekretarki zmienił się trochę, ale nie za wiele. Nie wierzyła w jego słowa czy może miała awersję do religijnych ludzi? Czy za chwilę poprosi go o dowód tożsamości?

– Tak, znam też Isabel Jønsson – dodał, nim zdążyła coś powiedzieć. – Jesteśmy trójką przyjaciół. O ile dobrze zrozumiałem pani kolegów z dołu z Centrum Traumatologii, przywieziono je tu razem, prawda?

Kiwnęła głową. Trochę spięty uśmiech, ale zawsze.

– Owszem – powiedziała. – Obie leżą tam – wskazała salę i podała numer.

W tej samej sali. Lepiej być nie mogło.

– Musi pan chwilkę poczekać. Isabel Jønsson jest przenoszona na inny oddział. Nasi lekarze i pielęgniarki wszystko przygotowują. Poza tym do Isabel Jønsson przyszedł inny odwiedzający, musi pan więc poczekać do jego wyjścia. Staramy się, by w sali przebywała naraz tylko jedna osoba – wskazała na świetlicę najbliżej wyjścia. – Siedzi tam. Może go pan zna.

Niepokojąca informacja.

Szybko obrócił się w stronę świetlicy. Owszem, siedział tam w samotności mężczyzna z założonymi rękami. Miał na sobie mundur policyjny. Prawdopodobnie brat Isabel, tak, to na pewno on. Takie same wysokie kości policzkowe, kształt twarzy i nos. Naprawdę niedobrze.

Spojrzał na sekretarkę z nadzieją.

– Czy może Isabel czuje się lepiej?

– O ile wiem, to tak. Zwykle nie dokonujemy przenosin na inne oddziały, jeśli tak nie jest.

„O ile wiem" – powiedziała. Jasne, że doskonale wiedziała. Nie wiedziała po prostu, kiedy nastąpią przenosiny, a może to pewnie być lada chwila.

Bardzo niefortunnie. I do tego ten jej brat.

– Czy mógłbym w takim razie porozmawiać z Rachelą? Jest przytomna? Przepraszam, chodziło mi o Lisę.

Pokręciła głową.

– Nie, Lisa Krogh jest wciąż nieprzytomna.

Schylił głowę.

– Ale Isabel jest przytomna? – spytał cicho.

– Nie wiem, proszę spytać tamtą pielęgniarkę – wskazała jasnowłosą, bardzo zmęczoną z wyglądu kobietę, która przeczłapała obok z zestawem dokumentacji medycznych pod pachą. Następnie sekretarka zwróciła się do innego gościa, który podszedł do kontuaru. Audiencja skończona.

– Och, przepraszam – zatrzymał pielęgniarkę, machając ręką w powietrzu. Na plakietce widniał napis „Mette Frigaard-Rasmussen". – Czy mogłaby mi pani powiedzieć, czy Isabel Jønsson jest przytomna? Czy mogę z nią porozmawiać?

Może to nie była jej pacjentka, może to nie był jej dyżur, może to nie był jej dzień albo może po prostu była wykończona. W każdym razie spojrzała na niego przez wąskie szparki i odpowiedziała równie wąskimi ustami.

– Isabel Jønsson? Hmm, tak... – Stała przez chwilę, patrząc przed siebie. – Owszem, jest przytomna, ale jest pod wpływem silnych leków i ma złamaną szczękę, więc nie mówi zbyt dobrze. Właściwie jeszcze wcale się nie komunikuje, ale przyjdzie na to czas.

Uśmiechnęła się do niego z wysiłkiem, a on podziękował, pozwalając, by powlokła się dalej przez resztę swego niewątpliwie ciężkiego dnia.

Isabel się nie komunikuje, wreszcie dobra nowina. Trzeba więc wykorzystać sytuację.

Zacisnął usta i oddaliwszy się od świetlic, poszedł dalej korytarzem. Za chwilę będzie musiał szybko się stamtąd ulotnić. Wolał spokojnie i po kolei pojechać windami na zewnątrz, ale jeśli istniały inne możliwości, powinien je poznać.

Przeszedł obok kilku sal, w których leżeli ludzie wymagający szczególnej opieki, a wokół nich spokojnie i stabilnie pracowali lekarze i pielęgniarki. W pokoju obserwacyjnym siedziało sporo osób w fartuchach i z koncentracją wpatrywało się w ekrany, rozmawiając półgłosem. Nad wszystkim sprawowano kontrolę.

Przeszedł koło niego pielęgniarz, dziwiąc się może przez chwilę, co tu robi. Następnie uśmiechnęli się do siebie i poszedł dalej.

Na ścianach kolory i obrazy w intensywnych barwach. Nawet malowidła na szkle. Wszystko emanowało życiem. Śmierć nie była tu mile widziana.

Minąwszy czerwoną ścianę, stwierdził, że równolegle do korytarza, na którym dopiero co się znajdował, biegnie drugi. Po jego lewej stronie znajdowały się prawdopodobnie jedynie pokoiki dla personelu. W każdym razie przy drzwiach wisiały tabliczki z nazwiskami i tytułami. Spojrzał na prawo, spodziewając się, że będzie mógł przejść tamtędy z powrotem do recepcji, ale przy bliższych oględzinach przejście okazało się zagrodzone. Była tu za to kolejna winda. Być może jego droga ucieczki.

Dostrzegł fartuch wiszący za drzwiami pokoju, w którym na regałach leżały pościel i przeróżne przedmioty. Był prawdopodobnie przeznaczony do prania, w każdym razie było tak w wypadku wszystkiego innego w tym pomieszczeniu.

Zszedł na bok, chwycił fartuch, wsunął go pod pachę i odczekał chwilę, po czym ponownie skierował się w stronę recepcji.

W drodze powrotnej skinął głową do tego samego pielęgniarza co przedtem, sprawdzając, czy w kieszeni marynarki są strzykawki.

Oczywiście były.

Usiadł na niebieskiej kanapie w położonej najbliżej, mniejszej świetlicy, a policjant w większym pokoju z tyłu nawet nie podniósł głowy. Dokładnie pięć minut potem funkcjonariusz podniósł się ze swojego miejsca w świetlicy i podążył do recepcji. Salę, w której leżała jego siostra, opuściło właśnie dwoje lekarzy i kilku pielęgniarzy, a w międzyczasie nowe osoby z personelu zaczęły zajmować odpowiednie stanowiska.

Zmiana dyżuru na pełnych obrotach.

Policjant skinął głową sekretarce, a ona odwzajemniła skinienie. Tak, droga wolna. Brat Isabel Jønsson może wejść.

Odprowadził mężczyznę wzrokiem i zobaczył, jak znika w sali chorych. Za chwilę po siostrę przyjedzie sanitariusz. Nie najlepszy start dla jego przedsięwzięcia.

Jeśli Isabel rzeczywiście czuje się tak dobrze, że można ją przenieść, musi się zatroszczyć, żeby zabić ją pierwszą. Na nic innego może już nie starczyć czasu.

Wszystko kręciło się wokół zyskania na czasie. Dlatego musiał się postarać o szybkie wyrzucenie tego brata, choć to ryzykowne. Myśl, że miałby się zbliżyć do tego człowieka, wcale mu się nie podobała. Isabel mogła mu coś powiedzieć, przecież tak twierdziła. Może to coś to trochę za dużo. Musi przynajmniej zakryć twarz, gdy podejdzie do tego mężczyzny.

Zaczekał, aż sekretarka zacznie pakować swoje rzeczy osobiste, robiąc miejsce dla bardziej wypoczętej siły roboczej.

Włożył fartuch.

Teraz.

Po wejściu nie od razu rozpoznał kobiety, ale policjant siedział w głębi sali, mówiąc do swojej siostry „Isabel" i trzymając ją za rękę.

Czyli kobietą przy drzwiach, otoczoną pajęczyną maseczek, sond i kroplówek, była Rachela.

Za nią piętrzyły się zaawansowane urządzenia migające światłami i wydające pikające dźwięki. Twarz była prawie całkiem zakryta, jej ciało podobnie. Pod kocem można było odróżnić ciężkie uszkodzenia i nieodwracalne obrażenia.

Spojrzał na Isabel i jej brata.

– Co się stało, Isabel? – spytał właśnie brat.

Wszedł więc między ścianę a łóżko Racheli i schylił się.

– Przykro mi, ale nie może pan dłużej przebywać w sali, panie Jønsson – powiedział, pochylając się nad Rachelą i odchylając jej powieki, jakby sprawdzał źrenice. Rzeczywiście wyglądała na głęboko nieprzytomną.

– Isabel zostanie teraz przeniesiona – ciągnął. – Może zszedłby pan w międzyczasie do bufetu. Poinformujemy pana, dokąd została przeniesiona pana siostra, gdy pan wróci. Mógłby pan wrócić za pół godziny?

Usłyszał, jak mężczyzna wstaje i wypowiada kilka pożegnalnych słów do swojej siostry. Człowiek, który wie, co to rozkaz.

Skinął krótko do funkcjonariusza, zwrócony do niego profilem, gdy mężczyzna zniknął za drzwiami. Stał przez chwilę, patrząc na kobietę przed sobą. Bardzo by się zdziwił, gdyby mogła kiedykolwiek stanowić dla niego zagrożenie.

Właśnie w tym momencie Rachela otworzyła oczy. Utkwiła wzrok prosto w niego, jakby była zupełnie przytomna. Wpatrywała się pustym wzrokiem, a jednak na tyle intensywnie, że będzie mu trudno się z tego otrząsnąć. Następnie oczy ponownie się zamknęły. Przez chwilę stał w bezruchu, sprawdzając, czy to się powtórzy, ale się nie powtórzyło. Czyli był to zapewne jakiś odruch. Posłuchał dźwięków pikania jej urządzeń rejestrujących. W ciągu ostatniej minuty rytm serca stanowczo przyspieszył.

Następnie zwrócił się do Isabel, której klatka piersiowa coraz szybciej unosiła się i opadała. Czyli wiedziała, że on tu jest. Rozpoznała jego głos, ale w czym jej to teraz pomoże? Szczęka była zablokowana, a oczy zawiązane gazą. Leżała unieruchomiona, podłączona do paru kroplówek i urządzeń rejestrujących, a jednak w ustach nie miała sond ani respiratora. Niedługo będzie mogła mówić. Jej życie nie znajdowało się już w stanie zagrożenia.

„Co za ironia, że wszystkie pozytywne oznaki życia zadecydują o jej śmierci" – pomyślał, podchodząc bliżej i wyszukując na jej ręce żyłę, pulsującą dostatecznie mocno.

Wyjął z kieszeni jedną strzykawkę, wydobył igłę z opakowania i połączył je. Następnie odciągnął tłoczek do samego końca, napełniając strzykawkę powietrzem.

– Trzeba było zadowolić się tym, co mogłem ci dać, Isabel – powiedział, stwierdzając, że jej oddech i rytm serca zdecydowanie nabrały tempa.

„Niedobrze" – pomyślał i prześlizgnął się na jej drugą stronę, wytrącając spod jej ramienia poduszkę podpierającą. Przecież mogli zobaczyć reakcje Isabel w pokoju obserwacyjnym.

– Spokojnie, Isabel – powiedział. – Nic ci nie zrobię. Przyszedłem, żeby powiedzieć, że dzieciom nic się nie stanie. Zajmę się nimi. Jak wydobrzejesz, wyślę ci wiadomość, gdzie się znajdują. Uwierz mi. Chodziło po prostu o pieniądze. Nie jestem mordercą. Przyszedłem, by to właśnie powiedzieć.

Skonstatował, że oddech wciąż jest ciężki, ale rytm serca nieco spowolnił. Dobrze.

Następnie skierował wzrok na urządzenia rejestrujące Racheli. Pikanie rozlegało się teraz bez przerwy. Jakby jej serce nagle oszalało.

„Muszę się pospieszyć" – przemknęło mu przez głowę.

Ujął mocno rękę Isabel, odnalazł pulsującą żyłę i wbił igłę. Weszła jak w masło.

Nie zareagowała w najmniejszym stopniu. Prawdopodobnie była tak otumaniona lekami, że mógłby przebić jej się przez rękę na wylot bez wartej odnotowania reakcji.

Usiłował docisnąć tłoczek strzykawki, ale nic to nie dało. Musiał wbić się obok żyły.

Wyjął igłę i wkłuł się ponownie. Tym razem Isabel drgnęła. Wiedziała już, co zamierza. Że nie jest dobrze. Rytm serca znów się wzmógł. Docisnął jeszcze raz, ale tłoczek wciąż nie chciał przesunąć się w dół. Niech to wszyscy diabli, będzie musiał znaleźć inną żyłę.

W tym momencie otworzyły się drzwi.

– Co się tu dzieje? – krzyknęła pielęgniarka, błądząc wzrokiem między urządzeniami rejestrującymi Racheli a obcym mężczyzną w fartuchu lekarskim z igłą wycelowaną w ramię Isabel.

Włożył strzykawkę do kieszeni i zdążył się podnieść, nim kobieta zrozumiała, co miało się zdarzyć. Szybkim, silnym ruchem otrzymała cios w szyję i osunęła się w otwartych drzwiach.

– Proszę się nią zająć, upadła. To pewnie przeciążenie – krzyknął do pielęgniarki, która pędem przybiegła z pokoju obserwacyjnego, by sprawdzić sygnały alarmowe urządzeń rejestrujących obu kobiet. W ciągu sekundy oddział wyglądał jak mrowisko. Wyroili się ludzie w bieli, zbierając się przy drzwiach sali, podczas gdy on szybko oddalił się w kierunku wind.

Wszystko poszło fatalnie. Po raz drugi sekundy zadziałały na korzyść Isabel. Zaledwie dziesięć sekund więcej, a wcelowałby w odpowiednią żyłę i wtłoczył w nią powietrze. Tylko dziesięć sekund. Więcej też nie było trzeba, by pokrzyżować mu szyki.

Gdy drzwi wahadłowe się zamykały, zza jego pleców dochodziły gorączkowe krzyki. Na zewnątrz przy windach siedział chudy mężczyzna z podkrążonymi oczami, czekając na wiadomość z oddziału chirurgii plastycznej. Skinął głową na widok fartucha. Oto jak fartuchy działają w szpitalu.

Wcisnął przycisk windy, wypatrując jednocześnie schodów pożarowych, gdy winda zatrzymała się na piętrze. Skinął głową do znajdujących się w windzie paru mężczyzn w fartuchach i kilku odwiedzających o zmartwionych twarzach, po czym oparł się o ścianę, by nie zauważyli, że nie nosi plakietki.

Na parterze przy windzie niemal zderzył się z bratem Isabel. Widać daleko nie zaszedł.

Dwóch mężczyzn, z którymi rozmawiał, było niewątpliwie jego kolegami. No, może nie ten niski, śniady, ale Duńczyk na pewno. Wszyscy wyglądali na poważnych.

On sam czuł się, cholera, podobnie.

Na dworze, wysoko nad budynkiem, zobaczył kołyszący się helikopter. Czyli kolejna porcja problemów zawitała do Centrum Traumatologii.

„No, dalej!" – pomyślał. Im więcej nawarstwi się wypadków, tym mniej zasobów ludzkich będzie mogło zająć się tymi, do których pobytu tutaj się przyczynił.

Fartuch zdjął dopiero w cieniu drzew na parkingu, gdzie stał jego samochód.

Perukę rzucił na tylne siedzenie.

41

On i Assad nie zeszli jeszcze nawet do piwnicy, a Carl już zdążył odnotować zmiany, bynajmniej nie na lepsze. Podnóże schodów w rotundzie tonęło w kartonach i wszelkiej maści śmieciach. Wzdłuż ścian piętrzyły się stalowe regały, a pobrzękiwanie w oddali wróżyło, że nie są to ostatnie rzeczy, które tego dnia zostaną poprzestawiane.

– Co, do kurwy – wybuchnął, gapiąc się na ich własny korytarz. Gdzie się podziały drzwi do azbestowego piekła? Gdzie, do cholery, jest ścianka działowa, którą dopiero co postawili? Czy to te płyty, oparte o ich system teczek i gigantyczną kopię listu z butelki?

– Co się dzieje? – krzyknął, gdy Rose wystawiła głowę ze swojego gabinetu. Na szczęście przynajmniej o n a przypominała samą siebie. Kruczoczarne krótkie włosy, biała pudrowa substancja na twarzy i mnóstwo cienia na powiekach. Wyjątkowo rozsierdzone spojrzenie, dzięki któremu tak dobrze dała się im poznać.

– Opróżniają piwnicę. Ściana zawadzała – powiedziała obojętnie.

To Assad przypomniał sobie, by ją powitać.

– Wspaniale znów cię widzieć, Rose. Wyglądasz... – stał przez chwilę, szukając właściwego słowa. – Wyglądasz naprawdę świetnie we własnej osobie.

Carl niekoniecznie wybrałby właśnie to sformułowanie.

– Dziękuję za róże – powiedziała. Jej ostro zarysowane brwi uniosły się odrobinę na czole. Był to zapewne rodzaj wybuchu uczuciowości.

Carl uśmiechnął się zdawkowo.

– Nie ma za co. Brakowało nam ciebie. Nie dlatego, że z Yrsą było coś nie tak – pospieszył z uzupełnieniem. – Ale jednak.

Wskazał na korytarz.

– Sprawa ze ścianą oznacza, że Inspekcja Pracy znów tu przyjdzie – stwierdził. – Co tu się, u licha, dzieje? Mówisz, że opróżniają piwnicę. Co masz na myśli?

– Wszystko musi stąd zniknąć. Oprócz nas – archiwum, magazyn skradzionych przedmiotów, Departament Pocztowy i Stowarzyszenie Pogrzebowe. Reforma policji, sam wiesz. Wte i wewte, i od nowa to samo.

Czyli będzie, cholera, dużo miejsca.

Carl zwrócił się do niej.

– Co dla nas masz? Kim są te dwie kobiety z wypadku i jak się czują?

Wzruszyła ramionami.

– Ach, to. Jeszcze do tego nie doszłam, musiałam pozbyć się ozdóbek Yrsy. A co, to było pilne?

Carl odnotował gdzieś z tyłu rękę Assada, unoszącą się w powietrze w zapobiegawczym geście. Oznaczał on: „Uważaj teraz, inaczej znów czmychnie", więc Carl odliczył w głowie do dziesięciu.

Cholerna zołza. Nie zrobiła tego, o co ją prosił? Znów będzie postępować w tym stylu?

– Bardzo cię przepraszam, Rose – powiedział, tocząc z sobą walkę. – Odtąd będziemy wyrażać swoje potrzeby ze zdecydowanie większą precyzją. Byłabyś tak miła i poszukała informacji dla nas już teraz? Bo owszem: to troszkę pilne.

Skinął nieznacznie do Assada, który odwzajemnił się zwróconym ku górze kciukiem.

Rose pokręciła głową, nie wiedząc, co ma odpowiedzieć.

Tak, teraz już wiedzą, jak ją omamić.

– A tak poza tym za trzy minuty masz wizytę u psychologa, Carl, ale może o tym zapomniałeś? – powiedziała, patrząc na zegarek. – Miałam przekazać, że masz się pospieszyć.

– O co ci chodzi?

Podała mu adres.

– Jeśli pobiegniesz, jeszcze zdążysz. Mam cię pozdrowić od Mony Ibsen i przekazać, że jest dumna, że się za to wziąłeś.

Trafiony, zatopiony. Czyli nie ma już odwrotu.

Ulica Anker Heegaardsgade leży zaledwie dwie ulice za komendą, ale wystarczająco daleko, by Carl czuł się, jakby do ust wetknięto mu pompę próżniową, pracującą intensywnie nad zasysaniem jego płuc. Jeśli Mona chce w ten sposób wyświadczyć mu przysługę, będzie musiała trochę przystopować.

– Dobrze, że pan przyszedł – powiedział psycholog nazywający siebie Krisem. – Trudno było trafić?

Co człowiek ma na to odpowiedzieć? Dwie ulice dalej. Wydział do spraw Cudzoziemców, w którym był już około trzech tysięcy razy.

Ale co tu robi psycholog?

– Żarty na bok. Doskonale wiem, że potrafi pan znaleźć, co trzeba. A teraz zastanawia się pan pewnie, co ja porabiam w tym budynku. Tu, w Wydziale do spraw Cudzoziemców, mamy wiele zadań, w które zaangażowany jest psycholog. Pewnie się pan tego domyśla.

Cholernie nieprzyjemny był ten człowiek. Odbierał jego myśli czy co?

– Mam tylko pół godziny – powiedział Carl. – Pracujemy nad pilną sprawą.

Nie było to nawet kłamstwem.

– Ach tak – Kris zanotował to w swoich dokumentach. – Następnym razem bardzo bym prosił, by postarał się pan tu być przez całą umówioną wizytę, dobrze?

Wyciągnął teczkę sprawy, której skserowanie musiało zająć co najmniej dwie godziny.

– Wie pan, co to jest? Poinformowano pana o tym?

Carl pokręcił głową, ale miał pewne pojęcie.

– Widzę, że ma pan jakąś teorię. To informacje bazowe na pana temat, a oprócz tego wszystkie dokumenty w sprawie, która doprowadziła do postrzelenia pana i pana kolegów w altanie na Amager. Powiem w związku z tym, że mam informacje, w które niestety nie mogę pana wtajemniczyć.

– Co ma pan na myśli?

– Posiadam raporty zarówno od Hardy'ego Henningsena, jak i Ankera Høyera, z którymi prowadził pan śledztwo w tej sprawie. Wynika z nich, że był pan lepiej zorientowany niż oni.

– Aha. Wcale tak nie uważam. Dlaczego tak piszą? Byliśmy w tej sprawie razem od pierwszego dnia.

– Tak, to jedna z tych rzeczy, z którymi uda się nam może trochę posunąć podczas tych sesji. Wydaje mi się, że może pan w tej sprawie mieć coś na sumieniu. Coś, co albo pan wyparł, albo czego nie chce pan ujawnić.

Carl pokręcił głową. Co to, do cholery, ma być? Jest o coś oskarżony?

– Nie mam absolutnie nic na sumieniu – powiedział, podczas gdy irytacja dała o sobie znać w postaci gorąca na twarzy. – To była zupełnie zwyczajna sprawa. Poza tym, że do nas strzelano. Do czego pan zmierza?

– Wie pan, dlaczego tak silnie reaguje na tę strzelaninę po tak długim czasie?

– Tak, pan by, kurka wodna, też tak reagował, gdyby od śmierci dzieliły pana milimetry, a dwóch spośród pana najlepszych przyjaciół nie miało tyle szczęścia.

– Chce pan powiedzieć, że Hardy i Anker byli dwójką pana najlepszych przyjaciół?

– To byli moi kumple, owszem. Moi dobrzy koledzy.

– Według mnie jest jednak różnica.

– Być może. Nie wiem, czy p a n zgodziłby się, by sparaliżowany człowiek zamieszkał u pana w salonie; ja tak. Nie nazwałby mnie pan w takim wypadku dobrym przyjacielem?

– Źle mnie pan zrozumiał. Jestem pewien, że pod wieloma względami jest pan porządnym facetem. Pewnie miał pan też wyrzuty sumienia wobec Hardy'ego Henningsena, rozumiem więc, że musiał pan się dla niego bardziej wysilić. Ale czy jest pan pewien, że kiedy pracowaliście razem, to było prawdziwe kumplowanie się?

– Tak, tak uważam. – Niewiarygodne, jaki ten człowiek wkurzający.

– Sekcja zwłok Ankera Høyera wykazała obecność kokainy we krwi. Wiedział pan o tym?

W tym momencie Carl oparł się o coś, co miało przypominać fotel. Nie, autentycznie nic o tym nie wiedział.

– Czy pan też brał kokainę?

W jakiś sposób te jasnoniebieskie, przenikliwe oczy stały się nagle bardzo, ale to bardzo mało przyjemne. Wcześniej bezwstydnie z nim flirtował w obecności Mony. Dyskretne gejowskie mrugnięcia i usta, które jednocześnie układały się w dzióbek i uśmiechały. Teraz sprawiał wrażenie, jakby prowadził brutalne przesłuchanie.

– Kokainę? Zaręczam, że nie. Nienawidzę tego gówna.

Psycholog Kris podniósł rękę.

– Okej, spróbujmy z innej strony. Miał pan kontakty z żoną Hardy'ego, nim za niego wyszła?

„Znów mamy o niej gadać?" – spojrzał na faceta, który po prostu czekał niczym posąg.

– Tak, miałem – powiedział. – Była przyjaciółką osoby, z którą się spotykałem. Właśnie w ten sposób poznali się z Hardym.

– Nie łączyła was relacja seksualna?

Carl się uśmiechnął. Daleko zawędrował. Trudno pojąć, jak to wszystko ma pomóc na jego ucisk w klatce piersiowej.

– Waha się pan. Co pan odpowie?

– Odpowiem, że to najdziwniejszy rodzaj terapii, w jakim dotąd uczestniczyłem. Kiedy zabierze się pan za narzędzie do miażdżenia kciuków? Nie, oprócz migdalenia do niczego nie doszło.

– Co się kryje pod określeniem „migdalenie"?

– Ach, niech pan da spokój. Mimo że jest pan gejem, chyba potrafi pan sobie wyobrazić wzajemną eksplorację ciał o podtekście heteroseksualnym.

– Czyli otrzymał pan...

– Nie, no bez przesady, Kris. Nie mam ochoty podawać panu szczegółów. Trochę się całowaliśmy i pieściliśmy, ale nie rżnęliśmy się, okej?

To też zanotował.

Następnie skierował jasnoniebieskie oczy na Carla.

– Odnośnie do sprawy, którą nazywamy sprawą pistoletu na gwoździe, z notatek Hardy'ego Henningsena wynika, że mógł pan mieć kontakt z osobami, które potem pana postrzeliły. Czy to prawda?

– Nie, do jasnej cholery. Musiał coś źle zrozumieć.

– Okej – obdarował Carla miną mającą skłaniać do poufałości. – Tak to po prostu jest, Carl, że kiedy swędzi tyłek, gdy się idzie spać, to człowiek budzi się ze śmierdzącymi palcami.

Boże, uchowaj. On też z tym zaczyna?

– Jak tam, wyleczony? – spytała na korytarzu Rose po jego powrocie. Uśmiechnęła się, może nieco zbyt szeroko.

– Bardzo śmieszne, Rose. Kiedy pójdę następnym razem, nie zaszkodziłoby ci się zapisać na kurs dobrego wychowania.

– Aha – już zaczęła się okopywać. – Chyba nie oczekujesz, że będę za jednym zamachem i miła, i poprawna politycznie.

Miła!? O bogowie.

– Czego się dowiedziałaś o tych kobietach, Rose?

Podała ich nazwiska, adresy i wiek. Obie były w średnim wieku. Żadnych kontaktów ze środowiskiem kryminalnym, zupełnie zwykłe osoby.

– Nie kontaktowałam się jeszcze z Oddziałem Intensywnej Opieki Medycznej w Królewskim. Za chwilę to zrobię.

– Zapomniałem zapytać, do kogo należał samochód, który uległ wypadkowi?

– Nie czytałeś raportu z wypadku? Do Isabel Jønsson, ale prowadziła ta druga, Lisa Karin Krogh.

– Tak, wiem. Czy one są członkami kościoła narodowego?

– Trochę dziś błądzisz z tymi pytaniami, prawda?

– Wiesz czy nie?

Wzruszyła ramionami.

– Dowiedz się tego, Rose. A jeśli nie, dowiedz się, jaką wiarę wyznają.

– A co ja jestem, dziennikarka?

Już miał się zagotować, ale przerwały mu gwałtowne okrzyki dobiegające od strony Departamentu Pocztowego.

– Co się dzieje? – krzyknął Assad.

– Nie mam pojęcia – odparł Carl. Widział tylko, że przy końcu korytarza stoi mężczyzna ze sztachetą ze stalowego regału wzniesioną nad głową i że z jednego z bocznych korytarzy rzuca się w jego stronę funkcjonariusz w mundurze. Wtedy padł cios sztachetą, a policjant runął do tyłu.

W tej samej chwili napastnik zobaczył trójcę z Departamentu Q i bez wahania obrócił się i zaczął biec prosto na nich, trzymając przed sobą stalową sztachetę. Rose się cofnęła, ale Assad stał całkiem nieruchomo obok Carla i czekał.

– Czy nie powinni się nim zająć wartownicy, Assad? – spytał Carl, podczas gdy mężczyzna zaczął niezrozumiale krzyczeć.

Ale Assad nie odpowiedział. Po prostu pochylił się w przód i wyciągnął przed siebie ręce niczym zapaśnik. Niestety ta poza nie odstraszyła napastnika, czego wkrótce miał on pożałować. Bo w momencie gdy mężczyzna był już całkiem blisko i uniósł nad głową gotową do ciosu sztachetę, Assad podskoczył i obiema rękami chwycił broń. Rezultat był nader osobliwy.

Ręce mężczyzny załamały się w stawach łokciowych, a stalowa sztacheta przechyliła się w tył i z dużą siłą runęła na ramiona mężczyzny, aż rozległo się wyraźne chrupnięcie którejś z jego kości.

Przypuszczalnie dla pewności Assad dokończył swój kontratak, kopiąc mięśniaka czubkiem stopy prosto w podbrzusze. Nie wyglądało to przyjemnie. Dźwięki, jakie wydawał zdesperowany mężczyzna, nie należały w każdym razie do takich, które chciałoby się ponownie usłyszeć. Nigdy jeszcze nie widziano, aby takie zagrożenie zostało pokonane w tak krótkim czasie.

Gdy mężczyzna wił się, leżąc na boku ze złamanym obojczykiem i straszliwą kanonadą dobiegającą z podbrzusza, przybiegło pędem kilku funkcjonariuszy.

Dopiero wtedy Carl dostrzegł kajdanki zwisające z prawego nadgarstka mężczyzny.

– Właśnie weszliśmy z nim na Dziedziniec 4 – miał iść do sądu – powiedział jeden, zakładając kajdanki na miejsce. – Nie wiem, jak udało mu się je zdjąć, ale wskoczył przez luk towarowy do Departamentu Pocztowego.

– I tak by się nie wymknął – powiedział drugi policjant. Carl go znał. Doskonały strzelec.

Policjanci poklepali Assada po ramieniu. Nie przejęli się tym, że istniało duże prawdopodobieństwo, iż przekierował ich więźnia prosto na oddział szpitalny.

– Kim jest ten gość? – spytał Carl.

– Ten tu? Wedle wszelkich przypuszczeń to ten, co w ciągu ostatnich czternastu dni zabił trzech serbskich poborców pieniędzy.

Dopiero teraz Carl dostrzegł wżartą w ciało obrączkę na małym palcu mężczyzny.

Carl napotkał wzrok Assada. Również tym razem nie wyglądał na mocno zaskoczonego.

– Widziałem to – rozległ się głos za plecami Carla, podczas gdy policjanci wlekli jęczącego Serba tam, skąd przybył.

Carl się odwrócił. To był Valde, jeden z emerytowanych policjantów, którzy zajmowali się Stowarzyszeniem Pogrzebowym. Zastępca przewodniczącego, o ile Carl się orientował.

– Co, do diabła, robisz tu w środę, Valde? Nie spotykacie się tylko we wtorki?

Roześmiał się, trąc brodę.

– Owszem, ale byliśmy wczoraj wszyscy na urodzinach Jannika. Wiesz, siedemdziesiątka. Trzeba więc trochę nagiąć tradycje.

Zwrócił się do Assada.

– Jak cię mogę, kolego, to mi się podobało. Gdzie się nauczyłeś takich trików?

Assad wzruszył ramionami.

– Akcja i reakcja. Cóż więcej?

Valde kiwnął głową.

– Chodź do nas. Zasłużyłeś na kieliszek gammel danska*.

– Gammel Dansk? – Assad wyglądał na zdezorientowanego.

– Assad nie pije mocnych alkoholi, Valde – wtrącił się Carl. – Jest muzułmaninem. Ale mnie możesz postawić.

Siedziała tam cała gromada. Przede wszystkim dawni policjanci z drogówki, ale też konserwator Jannik i jeden z dawnych kierowców komendanta policji.

Chleb, fajki, czarna kawa i gammel dansk. Emerytom to dobrze w Komendzie Głównej.

– Dobrze się już czujesz, Carl? – spytał jeden. Facet, z którym okazjonalnie miał kontakt w okręgu Gladsaxe.

Carl kiwnął głową.

– Paskudnie wyszło z Hardym i Ankerem. W ogóle paskudna sprawa. Rozwiązałeś ją?

– Niestety nie – obrócił się do okna nad biurkami. – Macie szczęście, że macie okno. Nam też by się przydało.

Stwierdził, że cała piątka jednocześnie zmarszczyła czoła.

---

* Gammel Dansk – tradycyjny duński napój alkoholowy na bazie ziół. Nazwa oznacza dosłownie „stary duński".

– Co? – spytał.

– Przepraszam, ale tutaj we wszystkich piwnicach są okna – odparł jeden z nich.

– U nas nie ma.

Podniósł się konserwator Jannik.

– Jestem tu od trzydziestu siedmiu lat i znam każdy kąt tego śmietnika. Nie pokazałbyś mi od razu tych piwnic? Niedługo będę się zbierał.

Nastąpiła szybka kolejka gammel danska.

– Tutaj – powiedział Carl minutkę później. Wskazał na ścianę, na której wisiał telewizor plazmowy. – No i gdzie okno?

Konserwator przechylił się nieco w bok.

– A jak nazwałbyś to? – wskazał prosto na ścianę.

– Yyy, ściana?

– Płyty gipsowe, Carl. To są przecież płyty gipsowe. Stawiali je moi ludzie, kiedy używaliśmy tych pomieszczeń jako magazynu części zamiennych. Wtedy stały tu wszędzie regały. Tutaj i tam, gdzie jest twoja miła sekretareczka. Te same regały, na których później leżały osłony na oczy i kaski w sekcji interwencji. Teraz wszędzie się tu walają – roześmiał się. – Za bystry to ty nie jesteś, Mørck. Mam za ciebie przebić tu dziurę, żebyś sobie wyjrzał na ulicę, czy wolisz sam to zrobić?

Ładne, kurde, rzeczy.

– A tam, po drugiej stronie? – wskazał na klitkę Assada.

– A, tam. Tam nie ma żadnego gabinetu, Carl. To schowek na szczotki. Oczywiście, że nie ma tam okna.

– Okej. W takim razie wydaje mi się, że Rose i ja też się bez niego obejdziemy. Może potem, jak już skończą wynosić to wszystko z piwnicy i Assad będzie mógł sobie znaleźć inne miejsce.

Konserwator pokręcił głową i zachichotał sam do siebie.

– Swoją drogą niezły tu burdel – powiedział, stojąc na korytarzu. – Co wyście tu, do diaska, wykombinowali? – wskazał pozostałości ścianki działowej, ciągnącej się od Assadowej ściany z teczkami i obok gabinetu Rose.

– Postawiliśmy ściankę działową ze względu na te rury. Wydzielają azbest. Czepiała się ich Inspekcja Pracy.

– Tych tutaj rur? – konserwator wskazał na sufit, obracając się i oddalając z powrotem w kierunku swojego gammel danska. – Te możecie sobie po prostu zlikwidować. Wszystkie rury centralnego ogrzewania są poprowadzone specjalnymi tunelami. Te tutaj nie spełniają absolutnie żadnej funkcji.

Jego śmiech odbił się echem po prawie całej piwnicy.

Carl nie zdążył nawet jeszcze przestać kląć, gdy przybyła Rose. Może choć raz wykonała swoją robotę.

– Obie żyją, Carl. Życie tej jednej, Lisy Karin Krogh, jest wciąż zagrożone, ale już wiadomo, że druga z tego wyjdzie.

Carl kiwnął głową. Dobrze, muszą tam jechać, by z nią porozmawiać.

– A jeśli chodzi o ich przynależność religijną, to Isabel Jønsson jest członkinią kościoła narodowego, a Lisa Krogh należy do czegoś o nazwie Kościół Matki Bożej. Rozmawiałam przez telefon z ich sąsiadką z Frederiks. To jest coś dziwnego, rodzaj bardzo hermetycznej sekty. Według sąsiadki mąż Lisy Krogh został tam przez nią zwabiony. Przyjęli też nowe imiona. Mężczyzna ma na imię Jozue, a kobieta Rachela.

Carl wziął głęboki oddech.

– Ale to jeszcze nie wszystko – powiedziała, kręcąc głową. – Nasi koledzy ze Slagelse znaleźli sportową torbę w krzakach w pobliżu miejsca wypadku. Prawdopodobnie została wyrzucona z samochodu na zupełnym odludziu. Jak myślisz, co w niej było? Milion koron w używanych banknotach.

– Wszystko słyszałem – głos Assada rozległ się tuż za Carlem. – Allachu Wszechmogący!

Allachu Wszechmogący, dokładnie słowa Carla.

Rose przechyliła głowę.

– Otrzymałam poza tym informację, że mąż Lisy Karin Krogh umarł w pociągu między Slagelse a Sorø w poniedziałek wieczorem. Mniej więcej w tym samym czasie, gdy jego żona miała wypadek. Sekcja zwłok wykazała atak serca.

– Kurwa mać! – wybuchnął Carl. To wszystko brzmiało bardzo niedobrze. Wszystkie możliwe złe przeczucia zaczęły się kłębić, aż po plecach przeszedł mu zimny dreszcz.

– Nim pojedziemy windą do Isabel Jønsson, zobaczmy, jak się miewa Hardy – powiedział Carl. Wyciągnął ze schowka lizak, którym zatrzymywali łamiących przepisy ruchu drogowego, i położył go za przednią szybą. Doskonały sposób pacyfikacji parkingowych, kiedy parkowało się nie całkiem zgodnie z przepisami.

– Lepiej, żebyś poczekał na zewnątrz, w porządku? Chciałbym mu zadać parę pytań.

Znalazł Hardy'ego w sali z widokiem, tak jak mówili. Wielkie okna z doskonałym widokiem na chmury, odrywające się od siebie jak puzzle, które spadły na podłogę.

Hardy twierdził, że czuje się dobrze. Płuca zostały osuszone, a badania się wkrótce zakończą.

– Ale nie wierzą mi, jak mówię, że mogę poruszać nadgarstkiem – powiedział.

Carl tego nie skomentował. Jeśli była to idée fixe Hardy'ego, odbieranie jej nie było zadaniem Carla.

– Byłem dziś u psychologa, Hardy. Nie u Mony, ale u takiego gnojka o imieniu Kris. Poinformował mnie, że napisałeś o mnie pewne rzeczy w raporcie, którego mi nie pokazałeś. Przypominasz sobie coś na ten temat?

– Napisałem po prostu, że znałeś sprawę lepiej niż Anker i ja.

– Dlaczego tak napisałeś?

– Bo tak było. Znałeś tego starszego człowieka, Georga Madsena, którego znaleźliśmy zamordowanego.

– To nieprawda, Hardy, nie znałem tego Georga Madsena.

– Owszem, znałeś. Był świadkiem w innej sprawie, nie pamiętam, w której, ale był.

– Źle pamiętasz, Hardy – pokręcił głową. – Zresztą pies to drapał. Jestem tu w innej sprawie. Chciałem się po prostu dowiedzieć, jak się miewasz. Pozdrowienia od Assada, on też tu jest.

Hardy uniósł brwi.

– Musisz mi coś obiecać, zanim pójdziesz, Carl.

– Gadaj, stary, zobaczę, co da się zrobić.

Hardy parokrotnie przełknął ślinę, nim się wypowiedział.

– Musisz pozwolić mi wrócić do siebie do domu, Carl. Umrę, jeśli tego nie zrobisz.

Carl spojrzał mu w oczy. Jeśli istniał człowiek, który za pomocą woli potrafił przyspieszyć własne wniebowstąpienie, był to właśnie on.

– Oczywiście, Hardy – powiedział cicho.

Niech więc się Vigga lepiej trzyma zaturbanionego Ogórkemala.

Czekali na windę przy wejściu numer 3, gdy otworzyły się drzwi i wysiadł z niej jeden z dawnych instruktorów Carla ze szkoły policyjnej.

– Karsten! – wykrzyknął Carl, wyciągając dłoń. Kiedy wreszcie został rozpoznany, obdarzono go uśmiechem.

– Carl Mørck – powiedział po kilkusekundowym namyśle. – Ale się postarzałeś z upływem lat.

Carl się uśmiechnął. Karsten Jønsson. Kolejny człowiek z obiecującą karierą, który skończył w wydziale drogowym. Jeszcze jeden człowiek, który wiedział, jak nie dać się wyniszczyć przez system.

Stali przez chwilę, rozmawiając o starych, dobrych czasach i o tym, jak trudno ostatnio być policjantem, po czym podali sobie ręce na pożegnanie.

W niezrozumiały sposób uścisk dłoni Karstena Jønssona wywołał wrażenie w ciele, jeszcze nim mózg zdążył zarejestrować dlaczego. Coś niepokojącego i nieokreślonego, co zastopowało wszystko inne. Najpierw to uczucie, a zaraz potem kiełkująca świadomość.

Nagle wszystko do niego dotarło. Oczywiście. Zbyt dużo się zgadza, żeby to mógł być zbieg okoliczności.

„Przecież facet wygląda na smutnego" – pomyślał Carl. Wysiadł z windy kursującej na piętro oddziału intensywnej opieki medycznej. Nazywa się Jønsson. „Oczywiście, że to wszystko się ze sobą łączy" – wydedukował.

– Powiedz no mi, Karsten. Jesteś tu z powodu Isabel Jønsson? – spytał.

Kiwnął głową.

– Tak, to moja młodsza siostra. Masz z nią coś wspólnego? – potrząsnął głową z niedowierzaniem. – Nie pracujesz w Departamencie A?

– Nie, już nie. Ale spokojnie. Chcę jej tylko zadać parę pytań.

– Myślę, że będzie z tym kłopot. Ma unieruchomioną szczękę, jest też pod wpływem silnych leków. Dopiero co tam byłem i nie powiedziała ani słowa. Właśnie mnie wyprosili, bo prawdopodobnie będą ją przenosić na inny oddział. Poproszono mnie, żebym posiedział w bufecie i poczekał z pół godziny.

– Okej. W takim razie chyba pójdziemy na górę, nim to zrobią. Miło było cię zobaczyć, Karsten.

Jedna z pozostałych wind zasygnalizowała swoje przybycie i wysiadł z niej mężczyzna w fartuchu.

Obrzucił ich mrocznym spojrzeniem.

Następnie pojechali windą w górę.

Carl wielokrotnie bywał na tym oddziale. Lądowali tu ludzie, których drogi nieszczęśliwie przecięły się z drogami idiotów z bronią. Była to jedna z bardziej drastycznych konsekwencji przestępczości.

Mieli tu zdolnych ludzi. Prawdopodobnie właśnie w to miejsce na ziemi chciałby trafić, gdyby coś poszło naprawdę źle.

Otworzyli z Assadem drzwi i spojrzeli na mrowie personelu szpitalnego. Najwyraźniej w tej chwili można było mówić o sytuacji kryzysowej z gatunku tych poważniejszych. Widział, że nie jest to dobry moment, żeby się tu pojawić.

Pokazał za kontuarem swoją odznakę, przedstawił też Assada.

– Przyszliśmy, żeby zadać Isabel Jønsson kilka pytań. Obawiam się, że to dość pilne.

– A ja się obawiam, że to w obecnej chwili niemożliwe. Lisa Karin Krogh, która leży na tej samej sali co Isabel Jønsson, właśnie zmarła, a Isabel Jønsson też nie czuje się najlepiej. Poza tym mieliśmy napad na pielęgniarkę. Jeszcze do końca nie wiadomo, ale może chodzić o mężczyznę, który próbował zamordować obie kobiety. Pielęgniarka jest wciąż nieprzytomna.

42

Przez pół godziny siedzieli w świetlicy, gdy oddział intensywnej opieki medycznej był w stanie kompletnego chaosu.

Następnie Carl wstał i podszedł do kontuaru. Po prostu nie mogli dłużej czekać.

– Nie ma pani przypadkiem informacji o zmarłej Lisie Karin Krogh? – spytał sekretarkę, wyciągając odznakę policyjną. – Potrzebny mi numer jej telefonu stacjonarnego.

Po chwili miał już w ręce karteczkę.

Wyjął komórkę i wrócił do Assada, którego nogi zaczęły już chodzić jak pałeczki bębenka.

– Zostaniesz tu i popilnujesz tego wszystkiego? – spytał. – Będę stał przy windach. Przyjdź po mnie, jak będziemy mogli wejść do sali, okej?

Następnie zadzwonił do Rose.

– Potrzebuję informacji dotyczących tego numeru telefonu. Imion, numerów ewidencyjnych wszystkich osób, które mieszkają pod tym adresem, dobrze? Aha, Rose, natychmiast, rozumiesz?

Burknęła, ale powiedziała, że zobaczy, co da się zrobić.

Wcisnął guzik windy i zjechał na parter.

Swego czasu co najmniej pięćdziesiąt razy przechodził obok bufetu, nie zatrzymując się. Zbyt dużo wysokotłuszczowych kanapek z pasztetem, zbyt wysokokaloryczne ceny jak na jego żebraczą państwową pensję. Tym razem też tak się stało. Głód był, ale miał co innego na głowie, jak to się mówi.

– Karsten Jønsson! – krzyknął i zobaczył, jak jasnowłosy mężczyzna wyciąga szyję, by zlokalizować, skąd dochodzi krzyk.

Poprosił, żeby z nim poszedł, a po drodze opowiedział, co wydarzyło się na oddziale od momentu, gdy poproszono go o poczekanie na dole.

Potem ten dzielny policjant nie sprawiał już wrażenia aż tak dzielnego. Na jego twarzy malowało się zmartwienie.

– Chwileczkę – powiedział Carl, gdy dojeżdżali na trzecie piętro i zadzwoniła jego komórka. – Wejdź po prostu, Karsten. Przyjdź po mnie w razie czego.

Ukucnął przy ścianie, przyłożył komórkę do ucha, kładąc notatnik na podłodze.

– Tak, Rose, czego się dowiedziałaś?

Podała adres, a następnie siedem imion i powiązanych z nimi numerów ewidencyjnych. Ojciec, matka i pięcioro dzieci. Osiemnastoletni Józef, szesnastoletni Samuel, czternastoletnia Miriam, dwunastoletnia Magdalena i dziesięcioletnia Sara. Zapisał wszystko.

Czy chciałby się dowiedzieć jeszcze czegoś?

Pokręcił głową i zamknął klapkę komórki, nie udzieliwszy jej właściwie odpowiedzi.

Informacje były szokujące.

Pięcioro dzieci bez ojca i matki, a życie dwojga spośród nich było z pewnością bezpośrednio zagrożone. Ten sam model co poprzednio. Porywacz uderzył w sekciarską, wielodzietną rodzinę. Różnica polegała na tym, że tym razem były nikłe szanse na oszczędzenie jednego z porwanych dzieci, jak to zwykle czynił. Dlaczego miałby to robić?

Carl poruszał się na granicy życia i śmierci; dawały mu o tym znać wszystkie instynkty. Chodziło o zapobieżenie większej liczbie morderstw i śmierci całej rodziny. Nie było chwili do stracenia, ale co on mógł zrobić? Nie licząc dzieci zmarłej kobiety oraz sekretarki, która przyjmowała mordercę, a w tej chwili znajdowała się w drodze do domu z wyłączoną komórką, jedyna osoba, która mogła mu pomóc, znajdowała się gdzieś za tymi drzwiami. Ślepa, niema i w stanie szoku grożącego śmiercią.

Morderca był tu tego dnia. Widziała go pielęgniarka, ale jest nadal nieprzytomna. Sytuacja jest gorzej niż beznadziejna.

Spojrzał na swój notatnik i wystukał numer do domu we Frederiks. W takich chwilach jego praca była ohydna.

– Mówi Józef – odezwał się głos. Carl spojrzał na notatnik. Najstarsze z dzieci. Bogu dzięki.

– Dzień dobry, Józefie. Rozmawiasz z podkomisarzem policji

Carlem Mørckiem z Departamentu Q Komendy Głównej Policji w Kopenhadze. Dzwonię...

Wtedy słuchawka po drugiej stronie została cicho odłożona.

Carl stał przez chwilę, zastanawiając się, jaki popełnił błąd. Nie powinien był ujawniać się w ten sposób. Policja na pewno już tam była i powiedziała dzieciom o śmierci ich ojca. Józef i jego rodzeństwo byli w szoku, to nie ulegało wątpliwości.

Spojrzał zezem na podłogę. Jak ma się tu i teraz dostać do tego chłopca?

Wtedy zadzwonił do Rose.

– Bierz torbę, Rose – powiedział. – Złap taksówkę i jedź szybko do Szpitala Królewskiego.

– Tak, to bardzo niefortunna sytuacja – powiedział lekarz. – Nie dalej jak przedwczoraj mieliśmy na oddziale oddelegowanego policjanta, bo leżały tu ofiary wojny gangów. Gdyby dziś jeszcze tu był, do niczego takiego by nie doszło. Bo wczoraj wieczorem, można rzec – niestety, wypuściliśmy dwóch ostatnich przestępców.

Carl się przysłuchiwał. Lekarz miał dobrą, serdeczną twarz. Żadnego wywyższania się.

– Oczywiście doskonale rozumiemy, że policja chciałaby ustalić tożsamość napastnika tak szybko, jak tylko się da, a my byśmy w miarę możliwości z chęcią służyli pomocą, jednak sytuacja napadniętej pielęgniarki jest niestety nadal taka, że my z pionu lekarskiego musimy stawiać jej interesy ponad wszystkim. Mogła doznać złamania kręgu szyjnego i znajduje się w stanie szoku. Będziecie mogli ją przesłuchać najwcześniej jutro przed południem. Miejmy nadzieję, że wkrótce uda się nawiązać kontakt z sekretarką, która widziała dziś napastnika. Mieszka w Ishøj, więc o ile pojechała prosto do domu, za dwadzieścia minut powinna tam być.

– Nasz człowiek czeka już w jej miejscu zamieszkania, więc nie będziemy tracić czasu. Ale co z Isabel Jønsson? – Carl spojrzał pytająco na jej brata i otrzymał w odpowiedzi skinienie głową. Nie ma nic przeciwko, że to Carl zadaje pytanie.

– Tak. To zrozumiałe, że jest bardzo pobudzona. Oddychanie i praca serca są wciąż niestabilne, ale jesteśmy przekonani, że kontakt z bratem mógłby jej dobrze zrobić. Za pięć-dziesięć minut, gdy skończymy ją badać, będzie mógł do niej wejść.

Carl usłyszał rumor przy drzwiach wejściowych. Była to torba Rose, która zahaczyła o zasłonę.

„Chodźcie, wychodzimy" - zamachał równocześnie do Rose i Assada.

- Do czego mnie potrzebowałeś? - zapytała na korytarzu. Całą sobą dawała do zrozumienia, że ostatnim miejscem, w jakim miała ochotę się znajdować, są windy przed oddziałem intensywnej terapii. Może ma problem ze szpitalami.

- Czeka cię trudne zadanie - oznajmił Carl.

- Jakie? - spytała, oczywiście przygotowana, by się wycofać.

- Musisz zadzwonić do pewnego chłopaka i powiedzieć mu, że musi nam pomóc tu i teraz, w przeciwnym razie umrze dwójka jego rodzeństwa. Tak w każdym razie sądzę. Ma na imię Józef i ma osiemnaście lat. Przedwczoraj umarł mu ojciec, a jego matka leży na OIOM-ie. Wie już o tym na pewno od policji w Viborgu. Nie wie natomiast, że przed chwilą jego matka umarła tu w sali. Przekazanie mu tej wiadomości przez telefon byłoby bardzo nieetyczne, ale może być jednak konieczne. Teraz wszystko zależy od ciebie, Rose. Musi po prostu odpowiedzieć na pytania, bez względu na wszystko.

Sprawiała wrażenie osłupiałej. Parokrotnie próbowała zaprotestować, ale słowa uwięzły między poczuciem niepokoju a koniecznością. Widziała wszak po Carlu, pod jaką presją się znajdował.

- Dlaczego ja? Dlaczego nie Assad albo ty sam?

Wyjaśnił, że chłopak rzucił słuchawką.

- Potrzebujemy neutralnego głosu. Pięknego i delikatnego kobiecego głosu, takiego jak twój.

Roześmiałby się, wyrażając się w ten sposób o jej głosie w innych okolicznościach. W tej chwili nie było absolutnie z czego się śmiać. Po prostu musiała to zrobić.

Poinstruował ją, o czym powinna wiedzieć, po czym poprosił Assada, by cofnął się z nim o parę kroków.

Pierwszy raz widział, jak Rose trzęsą się ręce. Może Yrsa poradziłaby sobie lepiej. Dziwnym trafem najczęściej ci najtwardsi okazywali się mieć najbardziej miękkie serce.

Widział, że mówi powoli. Unosi ostrożnie dłoń, jakby chciała zapobiec temu, by chłopak się nie rozłączył. Wiele razy zaciskała usta, patrząc w sufit, by samej nie wybuchnąć płaczem. Niełatwo było obserwować to z odległości. W tej chwili wszystko runęło. Właśnie powiedziała chłopcu, że życie jego i jego rodzeństwa już nigdy nie będzie takie samo. Carl rozumiał aż za dobrze, z czym się zmagała.

Potem otworzyła usta, słuchając ze skupieniem i wycierając oczy. Oddychała głębiej. Zadawała pytania jedno po drugim, dawała chłopakowi po drugiej stronie czas na odpowiedź, po czym po paru minutach machaniem przywołała Carla.

Zakryła mikrofon ręką.

– On nie chce rozmawiać z tobą, tylko ze mną. Jest strasznie rozbity. Ale możesz zadawać pytania.

– Świetnie sobie poradziliście oboje, Rose. Spytałaś go o to, co ustalaliśmy?

– Tak.

– Mamy rysopis i nazwisko?

– Tak.

– Coś, co mogłoby nas doprowadzić prosto do tego człowieka?

Pokręciła głową.

Carl chwycił się za czoło.

– Ech, w takim razie nie wydaje mi się, bym miał o co pytać. Podaj mu swój numer i poproś, by oddzwonił, jeśli coś mu przyjdzie do głowy.

Przytaknęła, a Carl się wycofał.

– Żadnej dodatkowej pomocy – powiedział, opierając się o ścianę. – Sprawa jest naprawdę poważna.

– Na pewno go tak złapiemy – odparł Assad. Ale z pewnością bał się tego samego co Carl. Że nie zdążą i będzie po dzieciach.

– Potrzebna mi chwilka – powiedziała Rose, skończywszy rozmowę.

Spojrzała martwo przed siebie, tak jakby pierwszy raz zobaczyła świat od ciemnej strony i nie chciała widzieć nic więcej.

Stała tak, zupełnie nieobecna, przez dość długi czas, ze łzami zbierającymi się w kącikach oczu, a Carl próbował siłą woli nakazać sekundnikowi swojego zegarka poruszać się wolniej.

Parokrotnie przełknęła ślinę.

– Okej, jestem gotowa – powiedziała w końcu. – Porywacz ma dwójkę rodzeństwa Józefa. Szesnastoletniego Samuela i dwunastoletnią Magdalenę. Porywacz zabrał ich w sobotę, a matka i ojciec próbowali zebrać kwotę okupu. Isabel Jønsson chciała im pomóc; Józef nie wiedział tylko, w jaki sposób pojawiła się w kadrze. Pojawiła się dopiero w poniedziałek. Nic więcej na ten temat nie wiedział. Ojciec i matka nie powiedzieli zbyt dużo.

– A co z porywaczem?

– Józef opisał mężczyznę, tak jak wygląda na portrecie pamięciowym. Ma ponad czterdzieści lat i jest być może nieco wyższego wzrostu niż przeciętny. Nie porusza się w jakiś szczególny sposób. Józef uważa, że farbuje włosy i brwi. No i że na pewno bardzo dużo wie na temat zagadnień teologicznych – spojrzała w przestrzeń. – Jeśli zobaczę tego paskudnego potwora, to go... – Nie skończyła zdania, ale twarz mówiła wszystko.

– Kto był z dziećmi?

– Ktoś z ich kościoła.

– Jak Józef to przyjął?

Machnęła ręką przed twarzą. Nie chciała o tym mówić, w każdym razie nie teraz.

– Powiedział też, że ten człowiek nie umie śpiewać – ciągnęła, a jej ciemnoczerwone usta zaczęły wibrować. – Słyszał, jak śpiewa na ich spotkaniach, i nie brzmiało to dobrze. Jeździł furgonetką. Nie dieslem, pytałam o to. Powiedział w każdym razie, że samochód nie brzmiał jak diesel. Jasnoniebieska furgonetka bez znaków szczególnych. Nie zna numeru rejestracyjnego ani modelu. Nie za bardzo interesuje się samochodami.

– To wszystko?

– Porywacz nazywał się Lars Sørensen, ale Józef raz tak go zawołał, a on nie zareagował na imię automatycznie, więc chłopak sądzi, że jest nieprawdziwe.

Carl zapisał nazwisko w notatniku.

– A co z blizną?

– Nie zwrócił na nią uwagi – ponownie zacisnęła usta. – Czyli nie może być za bardzo widoczna.

– Nie masz nic więcej?

Pokręciła głową, smutnie opuszczając brwi.

– Dziękuję, Rose. Do zobaczenia jutro. Możesz już jechać do domu.

Rose kiwnęła głową, ale nie ruszyła się z miejsca. Pewnie potrzebowała więcej czasu, by dojść do siebie.

Zwrócił się do Assada.

– Czyli została nam tylko kobieta w sali.

Gdy wślizgnęli się do środka, Karsten Jønsson stłumionym głosem rozmawiał z siostrą. Pielęgniarka dotykała palcami nadgarstka Isabel Jønsson. Na panelu powyżej rytm jej serca pikał w normalnym tempie, czyli już się uspokoiła.

Wzrok Carla padł na sąsiednie łóżko. Po prostu białe prześcieradło, a pod nim postać. Nie matka piątki dzieci czy kobieta, która umarła pogrążona w smutku. Po prostu postać pod prześcieradłem. Ułamek sekundy w samochodzie, a teraz leży tutaj. Wszystko minęło.

– Możemy podejść? – spytał Karstena Jønssona.

Kiwnął głową.

– Isabel chciałaby z nami porozmawiać, ale mamy problem ze zrozumieniem jej. Nie możemy używać tabliczki, więc pielęgniarka spróbuje ostrożnie wyswobodzić z bandaża palce jej prawej ręki. Isabel ma złamane obie ręce i kilka palców, czyli pozostaje pytanie, czy utrzyma ołówek.

Carl spojrzał na kobietę w łóżku. Podbródek podobny do tego, jaki miał jej brat. Poza tym nie można było nic powiedzieć o tej pokiereszowanej osobie.

– Dzień dobry, pani Jønsson. Podkomisarz policji Carl Mørck z Departamentu Q Komendy Głównej Policji w Kopenhadze. Rozumie pani, co mówię?

– Mmmm – odpowiedziała, a pielęgniarka kiwnęła głową.

– Wyjaśnię pani pokrótce, dlaczego dziś się tu znaleźliśmy – i opowiedział o liście z butelki i pozostałych porwaniach oraz o tym, że teraz już wie, że ma do czynienia z aktualną sprawą. Wszyscy dostrzegli, że jego słowa wywarły wpływ, widać to było na wszystkich urządzeniach rejestrujących.

– Przykro mi, że musi pani tego wszystkiego wysłuchać, pani

Jønsson. Wiem, że już i tak jest pani przytłoczona, ale to konieczne. Czy nie mylę się, że pani i Lisa Karin Krogh głęboko zaangażowałyście się w sprawę podobną do tej z listem w butelce, o której właśnie pani opowiedziałem?

Kiwnęła słabo i wymruczała coś, co musiała wielokrotnie powtarzać, nim jej brat zwrócił się w ich stronę.

– Wydaje mi się, że mówi, że ta kobieta ma na imię Rachela.

– Zgadza się – powiedział Carl. – Przybrała inne imię, którego używała w zgromadzeniu. Wiemy o tym.

Postać kiwnęła głową nieznacznie.

– Czy to prawda, że pani i Rachela w ten poniedziałek próbowałyście ratować dwoje dzieci Racheli, Samuela i Magdalenę, i że podczas tej próby miałyście wypadek? – spytał.

Dostrzegł, że drżą jej usta. Ponownie słabo skinęła głową.

– Pani Jønsson, spróbujemy teraz włożyć pani ołówek do ręki. Brat pani pomoże – widział, że pielęgniarka próbuje umieścić ołówek w ręce, ale palce nie chciały słuchać.

Pielęgniarka spojrzała na Carla, kręcąc głową.

– Będzie ciężko – powiedział jej brat.

– Może ja tak spróbuję – rozległo się z tyłu. Assad podszedł bliżej. – Przepraszam, ale mój ojciec dostał afazji, kiedy miałem dziesięć lat. Zakrzep w mózgu, i już! Znikają wszystkie wyrazy. Tylko tak ja go rozumiałem. Aż do śmierci.

Carl zmarszczył brwi. Czyli to nie z ojcem rozmawiał Assad któregoś poranka na Skypie.

Pielęgniarka wstała, ustępując Assadowi.

– Przepraszam, pani Jønsson. Nazywam się Assad i pochodzę tak z Syrii. Jestem asystentem Carla Mørcka i teraz sobie porozmawiamy. Carl będzie mówił, a ja słucham pani ust, może tak być?

Nieznaczne skinienie.

– Widziała pani, jaki samochód w was wjechał? – spytał Carl. – Marka, kolor? Był nowy czy stary?

Assad przyłożył ucho do jej ust. Jego oczy żywo śledziły każdy świst wydobywający się spomiędzy zębów kobiety.

– Mercedes, ciemny. Nie najnowszy – powtórzył Assad.

– Pamięta pani numery rejestracyjne? – spytał Carl.

Jeśli pamięta, jest nadzieja.

– Tablica była brudna. Prawie nic nie widziała w mroku – odparł Assad dobrą chwilę później. – Ale numery kończyły się prawdopodobnie na 433, choć Isabel nie jest pewna tych trójek. To mogły być też ósemki, albo to i to.

Carl się zastanowił. 433, 438, 483, 488. Tylko cztery kombinacje, brzmi wykonalnie.

– Masz to, Karsten? – spytał. – Ciemny mercedes, nie najnowszy rocznik, którego numery rejestracyjne kończą się na 433, 438, 483 albo 488. Czy to nie odpowiednie zadanie dla komisarza drogówki?

Pokiwał głową.

– Owszem. Carl, szybko dojdziemy, ile mamy starszych mercedesów o tych numerach końcowych, ale nie wiemy nic o kolorach. No i mercedesy nie stanowią wcale rzadkiego widoku na duńskich drogach. Może być ich sporo na tych numerach.

Miał rację. Jedna rzecz to odszukać auta, inna – to sprawdzić właścicieli. Zajmie to znacznie więcej czasu, niż mieli.

– Pani Jønsson, czy jest coś jeszcze, co mogłoby nam pomóc? Nazwisko, coś innego?

Znów kiwnęła głową. Szło jej powoli i ewidentnie z dużą trudnością. Wielokrotnie słyszeli, jak Assad mówi szeptem, że musi usłyszeć to jeszcze raz.

W końcu mieli nazwiska, razem trzy: Mads Christian Fog, Lars Sørensen i Mikkel Laust. Dołożywszy do nich czwarte, które mieli ze sprawy Poula Holta, Freddy Brink, i piąte ze sprawy Flemminga Emila Madsena, czyli Birger Sloth, mieli do czynienia w sumie z jedenastoma imionami i nazwiskami. Nie wróżyło to dobrze.

– Nie sądzę, by któreś z nich było jego prawdziwym nazwiskiem – oznajmił Carl. – Jeśli mamy szukać jego nazwiska, to będzie ono zupełnie inne niż te tutaj.

W międzyczasie Assad słuchał dalej, jak Isabel dokłada starań, by im pomóc.

– Ona mówi, że jedno nazwisko pochodzi z jego prawa jazdy. Wie też, gdzie tak mieszka – powiedział Assad.

Carl się wyprostował.

– Ma adres? – spytał.

– Tak, i jeszcze jedno – odparł Assad po kolejnej pełnej skupienia chwili. – Miał jasnoniebieską furgonetkę. Zna numer na pamięć.

Po minucie mieli wszystko zapisane.

– Biorę się do roboty – powiedział Karsten Jønsson, podnosząc się i wychodząc.

– Isabel mówi, że adres tego człowieka jest w jakiejś miejscowości na Zelandii – ciągnął Assad. Zwrócił się ponownie w stronę twarzy Isabel. – Tyle że nie rozumiem dokładnie, jak według pani ta miejscowość się nazywa, pani Jønsson. Czy nazwa kończy się tak na „løv"? Nie? Mówi pani „slev"?

Kiwnął głową po odpowiedzi Isabel.

Nazwa miejscowości kończyła się na „slev". Pierwszej części Assad nie usłyszał.

– Zrobimy przerwę do powrotu Karstena, w porządku? – zwrócił się Carl do pielęgniarki.

Kiwnęła głową. Przerwa była jak najbardziej wskazana.

– Myślałem, że Isabel miała zostać przeniesiona? – ciągnął Carl.

Pielęgniarka ponownie kiwnęła głową.

– Biorąc pod uwagę okoliczności, myślę, że odczekamy parę godzin.

Rozległo się pukanie do drzwi, po czym do środka weszła kobieta.

– Telefon do Carla Mørcka. Jest tutaj?

Gdy Carl podniósł palec, wręczono mu telefon bezprzewodowy.

– Halo – powiedział.

– Halo. Nazywam się Bettina Bjelke. Podobno mnie państwo szukali. Jestem sekretarką na oddziale intensywnej opieki medycznej 4131. Tą, która dyżurowała na poprzedniej zmianie.

Carl gestem przywołał do siebie Assada, by też posłuchał.

– Potrzebny nam rysopis mężczyzny, który odwiedził Isabel Jønsson w okolicach zmiany dyżuru – powiedział. – Nie chodzi o policjanta, ale tego drugiego. Mogłaby go nam pani opisać?

Słuchając, Assad mrużył oczy. Kiedy skończyła i odłożyła słuchawkę, spojrzeli po sobie, kręcąc głowami.

Opis mężczyzny, który zaatakował Isabel Jønsson, zgadzał się w stu procentach z wyglądem człowieka, który wysiadł z windy na parterze podczas ich rozmowy z Karstenem Jønssonem.

Szpakowaty, po pięćdziesiątce, ziemista cera, lekko zgarbiony, w okularach. Dość różniło się to od opisu wysportowanego, ponadczterdziestoletniego wysokiego faceta o gęstych włosach, który podał im Józef.

– Mężczyzna był więc przebrany – stwierdził Assad.

Carl kiwnął głową. Nie rozpoznali go, mimo że widzieli jego portret pamięciowy co najmniej sto razy. Pomimo jego szerokiej twarzy. Mimo prawie zrośniętych brwi.

– Wielkie nieba – powiedział obok Assad.

Bardzo dobrze powiedziane. Widzieli go, mogli go dotknąć, pojmać, uratować życie dwojga dzieci, zaledwie wyciągając rękę i chwytając.

– Zdaje się, że Isabel ma wam coś więcej do powiedzenia – oznajmiła pielęgniarka. – Jednak uważam, że powinniśmy przerwać. Isabel jest bardzo zmęczona – wskazała urządzenia rejestrujące. Wykazywały mniejszą aktywność niż wcześniej.

Assad podszedł do niej i na minutę-dwie przyłożył ucho do jej ust.

– Tak – powiedział potem, kiwając głową. – Na pewno powiem, Isabel.

Zwrócił głowę do Carla.

– Na tylnym siedzeniu rozbitego samochodu powinno tak leżeć kilka ubrań porywacza. Są na nich włosy. Co ty na to, Carl?

Nic nie odpowiedział. Na długą metę może to i dobrze, tyle że nie tu i teraz.

– Isabel mówi też, że porywacz miał kulkę do bowlingu z numerem 1, przyczepioną do kluczyków od samochodu.

Carl wydął dolną wargę. Kulka do bowlingu! Czyli wciąż ją miał. Nosi tę kulkę przy pęku kluczy od co najmniej trzynastu lat. Musi naprawdę dużo dla niego znaczyć.

– Mam adres – wszedł Karsten Jønsson z notatnikiem w ręce. – Ferslev na północ od Roskilde – podał adres Carlowi. – Właściciel nazywa się Mads Christian Fog, co się zgadza z jednym z nazwisk podanych przed chwilą przez Isabel.

Carl natychmiast wstał.

– Czyli trzeba po prostu ruszać – powiedział, dając znak Assadowi.

– Taaak – powiedział z wahaniem Karsten Jønsson. – Aż tak się nam niestety nie spieszy. Dowiedzieliśmy się też, że w poniedziałek wieczorem odnotowano tam zgłoszenie. Na ile zrozumiałem straż pożarną ze Skibby, miejsce jest doszczętnie spalone.

Spalone! Czyli ten bydlak znów jest o krok przed nimi.

Carl ciężko wypuścił powietrze.

– Wiesz może, czy miejsce, o którym mówisz, znajduje się nad wodą?

Jønsson wyciągnął z kieszeni iPhone'a i wstukał adres w GPS-ie. Po chwili pokręcił głową, podając Carlowi komórkę i wskazując miejsce. Nie, to nie tam znajdował się domek na łodzie. Ferslev dzieliło od wody wiele kilometrów.

Oczywiście, że to nie tam. Ale w takim razie gdzie?

– Assad, i tak musimy tam pojechać. Ktoś musi znać tego człowieka.

Zwrócił się do Karstena Jønssona.

– Zauważyłeś mężczyznę, który wysiadł z windy w chwili, gdy my do niej wsiadaliśmy? Po naszym dzisiejszym spotkaniu na dole? Szpakowaty, w okularach. To on zaatakował twoją siostrę.

Jønsson wyglądał na zszokowanego.

– O rany! Nie, nie zauważyłem. Jesteś pewien?

– Nie mówiłeś przypadkiem, że wyrzucono cię z sali, bo twoja siostra miała zostać przeniesiona? To on się ciebie pozbył. Nie widziałeś go?

Pokręcił głową, wyglądając na szczerze zmartwionego.

– Nie, przykro mi. Stał pochylony nad Rachelą, a ja niczego nie podejrzewałem. Miał na sobie fartuch.

Wszyscy spojrzeli na postać pod prześcieradłem. Straszliwa historia.

– Tak, Karsten – powiedział Carl, wyciągając rękę. – Szkoda, że nie spotkaliśmy się w innych okolicznościach, ale dobrze, że tu byłeś.

Podali sobie dłonie.

Carlowi przemknęła przez głowę pewna myśl.

– Halo, Assad i pani Jønsson, jeszcze jedno pytanie. Mężczyzna miał podobno widoczną bliznę. Wie pani gdzie?

Spojrzał na siedzącą obok pielęgniarkę, która pokręciła głową. Isabel Jønsson spała już mocno. Odpowiedź będą musieli uzyskać później.

– Czyli musimy zrobić trzy rzeczy, Carl – powiedział Assad, gdy opuszczali salę. – Musimy tak objechać wszystkie miejsca, które wskazała nam Yrsa. Może też pomyślmy o tym, co powiedział Klaes

Thomasen. Moglibyśmy? I to z tym bowlingiem. Musimy dotrzeć z portretami pamięciowymi wszędzie tam, gdzie gra się w kręgle. I zapytać ludzi o wszystko co popadnie tam, gdzie spalił się ten dom.

Carl kiwnął głową. Właśnie zobaczył, że Rose wciąż stoi oparta o ścianę przy windach. Daleko nie zaszła.

– Dobrze się czujesz, Rose? – spytał, gdy podeszli bliżej.

Wzruszyła ramionami.

– Źle się stało, że trzeba było powiedzieć temu chłopakowi o jego mamie – powiedziała cicho. Wnioskując ze śladów eyelinera rozsmarowanego po policzkach, musiała mocno płakać.

– Och, Rose, tak mi przykro – powiedział Assad. Objął ją ostrożnie i stali tak w bezruchu przez dłuższą chwilę, aż w końcu Rose odsunęła się do tyłu, wytarła nos swymi długimi rękawami i spojrzała prosto na Carla.

– Złapiemy tego gnoja, prawda? Nie jadę do domu. Powiedz mi, co mogę zrobić. Już ja pokażę temu pierdolonemu bydlakowi, co go czeka.

Rose wróciła do gry.

Poinstruowawszy Rose, że ma skoncentrować się na kręgielniach na północy Zelandii i przefaksować do nich portret pamięciowy i nazwiska, które z czasem zostały powiązane z mordercą, poszli z Assadem do samochodu i nastawili GPS na Ferslev.

Zbliżała się godzina fajrantu, ale to coś dla biurowych pieszczochów. U nich było inaczej.

W każdym razie dziś.

Gdy dojechali do pogorzeliska, słońce właśnie dogorywało. Jeszcze pół godziny, a zapadnie mrok.

Pożar musiał być wyjątkowo gwałtowny. Sam dom spłonął doszczętnie – zostały tylko mury. To samo dotyczyło stodoły i wszystkiego w promieniu 30–40 metrów od domu. Drzewa pięły się ku niebu niczym pokryte sadzą pale totemiczne, a pola graniczące z domem spalone były aż po uprawy ozime sąsiada.

Nic dziwnego, że wezwano wozy strażackie z Lejre, Roskilde, Skibby i Frederikssund. To mogło przerodzić się w prawdziwą katastrofę.

Obeszli dom parę razy. Na widok wraku furgonetki w salonie Assad wykrzyknął, że przypomina mu to Bliski Wschód.

Carl nigdy przedtem nie widział niczego podobnego.

– Nic tu nie znajdziemy, Assad. Zatarł za sobą wszystkie ślady. Jedźmy do najbliższego sąsiada i popytajmy o tego Madsa Christiana Foga.

Zadzwoniła komórka. To była Rose.

– Chcesz usłyszeć, do czego dotarłam? – spytała.

Nie zdążył odpowiedzieć.

– Ballerup, Tårnby, Glostrup, Gladsaxe, Nordvest, Rødovre, Hillerød, Valby, Axeltorv i DGI-byen w Kopenhadze, Bryggen na Amager, Centrum Stenløse, Holbæk, Tåstrup, Frederikssund, Roskilde, Helsingør i Allerød, skąd sam pochodzisz. To lista kręgielni znajdujących się na obszarze, o który ci chodziło. Przefaksowałam do wszystkich materiały, a za dwie minuty zacznę je obdzwaniać. Odezwę się do was trochę później. Już ja ich przycisnę, spokojna głowa.

Biedni ci ludzie w kręgielniach.

Mieszkańcy gospodarstwa oddalonego kilkaset metrów od zagrody otworzyli im w samym środku kolacji. Piękny widok, składający się z kartofli, wieprzowiny i innych dóbr, które z pewnością sami wyhodowali. Duzi ludzie o dużych uśmiechach. Niczego tu nie brakowało.

– Mads Christian? Nie, szczerze mówiąc, nie widziałem już tego ramola od paru ładnych lat. Ma dziewczynę w Szwecji, więc pewnie jest tam – powiedział pan domu, orędownik flanelowych koszul w kratę.

– No, czasami widujemy przejeżdżającą pędem tę jego brzydką jasnoniebieską furgonetkę – wtrąciła kobieta. – No i mercedesa. Zarabiał na Grenlandii, więc pewnie go na to stać. Bez podatku, wiecie? – uśmiechnęła się.

Bez podatku – najwyraźniej się na tym znała.

Carl oparł się obydwoma łokciami o masywny stół. Jeśli on i Assad nie znajdą wkrótce jakiegoś miejsca do jedzenia, polowanie dobiegnie końca. W każdym razie aromat karkówki sprawiał, że był bliski dopuszczenia się zamachu na własność innych osób.

– Ramol, powiada pan. Czy aby mówimy o tym samym człowieku? – spytał ze śliną zbierającą się w ustach. – Mads Christian Fog, prawda? Według naszych informacji ma najwyżej 45 lat.

Zarówno kobieta, jak i mężczyzna wybuchnęli śmiechem.

– Nie wiem, może to jakiś siostrzeniec czy ktoś tam – powiedział mężczyzna. – Ale takie coś to sobie możecie sprawdzić w dwie minutki przy komputerze, nie? – kiwnął sam do siebie. – Może przecież wynajmować komuś ten dom, sami o tym rozmawialiśmy, prawda, Mette?

Kobieta pokiwała głową.

– Chodziło o to, że przyjeżdżała furgonetka, a potem odjeżdżał mercedes. Potem przez dłuższy czas nic nie widywaliśmy, przyjeżdżał mercedes, a potem odjeżdżała furgonetka. – Pokręciła głową. – Ale za każdym razem sobie mówię, że na takie wariactwa Mads Christian Fog zrobił się już za stary.

– Czyli my myślimy o nim – powiedział Assad, wyławiając z kieszeni portret pamięciowy.

Małżeństwo spojrzało na rysunek, nie wykazując najmniejszych oznak rozpoznania.

Nie, to nie był Mads Christian. Powiedzieliby, że ma około osiemdziesiątki i jest strasznym flejtuchem. Ten tu jest przystojny i pełen godności.

– Okej. A co z pożarem? Widzieli go państwo? – spytał Carl.

Uśmiechnęli się. Osobliwa reakcja.

– Jeśli mnie spytać – powiedział mężczyzna – to widać go było aż na wyspie Orø, a może i nawet hen w Nykøbing Sjælland.

– Ach tak. Nie widzieli może państwo, by ktoś tego wieczora podjeżdżał czy wyjeżdżał z zagrody?

Pokręcili głowami.

– Gdzie tam – powiedział mężczyzna z uśmiechem. – Leżeliśmy już wtedy w łóżkach. Niech pan weźmie poprawkę na to, że my tu na wsi wcześnie wstajemy. Nie to co ci z Kopenhagi, co to wylegują się do szóstej.

– Będziemy musieli zajechać na stację benzynową – powiedział Carl, gdy stali przy aucie służbowym. – Padam z głodu, ty nie?

Assad wzruszył ramionami.

– Nie, podjadam sobie to.

Sięgnął do kieszeni i wyciągnął parę opakowań o wyjątkowo bliskowschodnim wyglądzie. Wnioskując z rysunków, zawartość składała się zasadniczo z daktyli i fig.

– Chcesz? – spytał.

Carl westchnął z zadowoleniem, siedząc za kierownicą i przeżuwając. Cholernie to dobre.

– Myślisz, że co się tak stało z tym, co tam mieszkał? – Assad wskazał pogorzelisko. – Nic za bardzo dobrego, jeśli mnie spytać.

Carl kiwnął głową, przełykając.

– Myślę, że powinniśmy tu wezwać do przeszukania kupę ludzi – odparł. – Jeśli gruntownie przeszukają, to pewnie znajdą szkielet faceta, który miałby około osiemdziesiątki, gdyby wciąż żył.

Assad położył nogi na desce rozdzielczej.

– Z ust mi to wyjąłeś – powiedział. – Co teraz, Carl? – kontynuował.

– Nie wiem. Musimy zadzwonić do Klaesa Thomasena i zapytać, czy udało mu się porozmawiać z klubami żeglarskimi i leśniczym z Nordskoven. Możemy też zadzwonić do Karstena Jønssona i poprosić, by sprawdził, czy na którymś z fotoradarów nie złapano ciemnego mercedesa, który przekroczył prędkość. Tak jak złapano Isabel i Rachelę.

Assad kiwnął głową.

– Ale może odszukają tego mercedesa po numerach rejestracyjnych. Może dopisze nam szczęście, choć Isabel Jønsson nie miała całkowitej pewności.

Carl włączył silnik. Miał wątpliwości, czy pójdzie tak łatwo.

Wtedy zadzwoniła komórka.

„Nie mogła zadzwonić pół minuty temu?" – pomyślał, wrzucając na luz.

To była podekscytowana Rose.

– Dzwoniłam do wszystkich kręgielni. Nikt nie zna mężczyzny z portretu, który wysłaliśmy.

– Cholera! – powiedział Carl.

– Co się dzieje? – spytał Assad, ściągając nogi z deski rozdzielczej.

– Ale to nie wszystko, Carl – ciągnęła Rose w słuchawce. – Oczywiście nikt nie nosi żadnego z tych nazwisk, oprócz Larsa Sørensena, których było kilku.

– Nie, jasne, że nie.

– Ale rozmawiałam z takim bystrym gościem z Roskilde. Jest całkiem nowy, więc przywołał jednego ze starych graczy, którzy strzelali sobie po kielonku. Dziś wieczór mają spotkanie. Jego zdaniem rysunek przypomina wielu, których zna, ale skupił się na jednej rzeczy.

– Tak, Rose, czyli? – Jasna cholera, prawdziwa z niej specjalistka w przeciąganiu.

– Mads Christian Fog, Lars Sørensen, Mikkel Laust, Freddy Brink i Birger Sloth. Prawie wybuchnął śmiechem, słysząc te nazwiska.

– Niby dlaczego?

– Nie znał takich osób, ale w jego drużynie, w której wieczorem będą grać, był i Lars, i Mikkel, i Birger. On sam ma na imię Lars. No i parę lat temu był jeszcze Freddy, który grał z nimi w innej kręgielni, ale za bardzo się zestarzał. Nie było żadnego Madsa Christiana, ale jednak. Myślisz, że to się może do czegoś nadać?

Carl położył połówkę daktylowej substancji na desce rozdzielczej. Zrobił się czujny. Zdarzało się wcześniej, że przestępca inspirował się bliskim otoczeniem. Nazwiska w odwrotnej kolejności, „K" przerobione na „C", wymieszane imiona i nazwiska. Psycholodzy z pewnością potrafiliby wyjaśnić głębsze powody, ale Carl nazywał to po prostu brakiem pomysłowości.

– No i zapytałam, czy zna kogoś, kto miałby kulę do bowlingu przyczepioną do kluczy, i znów się zaśmiał. Powiedział, że mają je wszyscy w jego drużynie. Najwidoczniej grywają razem od wielu lat i w różnych miejscach.

Carl utkwił wzrok w snopie światła rzucanym przez ich samochód. Zbieżność nazwisk i ta kula bowlingowa.

Skierował spojrzenie na GPS. Jak daleko może być do Roskilde? Trzydzieści pięć kilometrów?

– Hej, Carl, myślisz, że coś w tym jest? Tego Madsa Christiana nie było wśród tych, których wymienił.

– Nie, Rose. Ale też to nazwisko pochodzi z zupełnie innego miejsca i wiemy, kim jest ten mężczyzna. Tak, do cholery. Oczywiście, że myślę, że coś w tym jest. Tak, Rose, jak jasna cholera. Podaj mi adres tej kręgielni.

W tle rozległo się przewracanie kartek, podczas gdy Carl wskazał GPS, by Assad był w pogotowiu.

– Tak – odpowiedział jej. – Dobrze, Rose. Zadzwonię do ciebie później.

Zwrócił się do Assada.

– Ulica Københavnsvej 51 w Roskilde – powiedział, wciskając gaz. – Kurde, Assad, wpisz to czym prędzej.

43

„Dobrze się zastanów" – powtarzał sobie. „Postąp właściwie. Nie rób w pośpiechu czegoś, czego będziesz żałować".

Jechał powoli willową uliczką, odwzajemniając powitania ludzi, którzy mu się kłaniali, po czym skręcił we wjazd w poczuciu katastrofy.

Znajdował się na otwartej przestrzeni, w miejscu gdzie czujne oczy ptaków drapieżnych mogły śledzić każdy jego ruch z dużej odległości. Zajście w Szpitalu Królewskim potoczyło się tak źle, jak tylko mogło.

Spojrzał na huśtawkę wiszącą luźno na sznurach. Niecałe trzy tygodnie temu zawiesił ją na brzozie. Prysło wyobrażenie o lecie, kiedy mieli huśtać chłopczyka w tę i z powrotem. Podniósł z piaskownicy czerwoną plastikową łopatkę, czując obezwładniający smutek. Uczucie, którego nie doświadczał, odkąd był dzieckiem.

Posiedział z zamkniętymi oczami na ławce ogrodowej. Parę miesięcy temu pachniało tu różami i bliskością kobiety.

Wciąż czuł cichą radość, wywołaną rączkami dziecka wokół swojej szyi, jego spokojny oddech na policzku.

„Daj spokój" – powiedział sobie, kręcąc głową. To już przeszłość, tak jak wszystko inne.

To rodzice zawinili, że jego życie wyglądało tak, a nie inaczej. Rodzice i ojczym. Ale zemścił się od tamtej pory już wielokrotnie. Ileż to razy uderzał w mężczyzn i kobiety dokładnie takich, jak tych troje ludzi? Czegóż było żałować?

Nie, wszystkie walki wymagają ofiar, więc również on musi żyć ze swoimi.

Rzucił łopatkę w trawę i wstał. Gdzieś tam są inne kobiety. Beniaminowi na pewno przypadnie w udziale dobra mama. Jeśli zgromadzi wszystkie swoje aktywa i wszystko sprzeda, będą mogli urządzić się w jakimś zakątku świata, dopóki nie będzie mógł kontynuować swojej misji i zarabiać pieniędzy.

Póki co musi po prostu stawić czoła rzeczywistości.

Isabel żyła i miała się coraz lepiej. Jej brat, który jest policjantem, znajdował się w szpitalu, gdy on tam przyszedł. To było największe zagrożenie. Znał tych ludzi. Są w stanie rozpocząć własną misję, która będzie polegała na tym, by go znaleźć, ale im się to nie uda, już on się o to postara.

Zapamięta go pielęgniarka, którą powalił. Odtąd będzie schodzić z drogi każdemu nieznajomemu człowiekowi, którego spojrzenia nie będzie potrafiła rozszyfrować. Szok spowodowany ciosem w szyję będzie w niej głęboko zakorzeniony. Na zaufaniu do innych pojawiła się rysa. On będzie ostatnią osobą na ziemi, o której ona będzie w stanie zapomnieć. Podobnie sekretarka; ona też go zapamięta. Ale tych dwu w żadnym wypadku się nie obawiał.

Jak przyszło co do czego, nie miały pojęcia, jak wygląda.

Stanął przed lustrem, przyglądając się swojej twarzy podczas zmywania charakteryzacji.

Na pewno sobie poradzi. Jeśli ktoś się zna na ludzkim zmyśle obserwacji, to właśnie on. Jeśli ma się na twarzy wystarczająco głębokie bruzdy, ludzie zwracają uwagę właśnie na nie. Jeśli chowa się szkliste spojrzenie za okularami, nie zostanie się bez nich rozpoznanym.

Natomiast jeśliby się miało szpecącą, dużą brodawkę, ludzie zwrócą na nią uwagę, ale, co dziwne, nie zauważą, gdy zniknie.

Pewne rzeczy stanowiły charakteryzację, inne nie, ale jedno jest pewne: najlepsze przebranie sprawia, że wygląda się przeciętnie, bo przeciętność niełatwo się rejestruje. Właśnie w przeciętności się specjalizował. Umieścić zmarszczki we właściwych miejscach, nanieść cień na twarz i pod oczami, zaczesać włosy w innym kierunku, pomanipulować przy brwiach, oddać wiek i stan zdrowia za pomocą kolorytu cery i stanu włosów, a rezultat nierzadko będzie oszałamiająco dobry.

Dziś ucharakteryzował się na pana „ktokolwiek". Zapamiętają jego wiek, dialekt i ciemne okulary. Nie zapamiętają, czy ma wąskie czy pełne usta, czy kości policzkowe są subtelne czy mocno zarysowane. Czuł się więc pewny swego. Oczywiście, że nie zapomną całego zajścia i pewnych cech jego twarzy, ale nie rozpoznaliby go tak, jak wygląda w rzeczywistości.

Nie, niech sobie uskuteczniają śledztwo, jakie tylko chcą, przecież i tak nic nie wiedzą. Ferslev i furgonetki już nie ma, on wkrótce też zniknie. „Exit" zwyczajnego mężczyzny ze zwyczajnej willowej uliczki w Roskilde. Człowiek z willi – jeden z miliona w tym małym kraju.

Za parę dni, kiedy Isabel będzie mogła mówić, dowiedzą się z pewnością, czym ten człowiek się zajmował przez wszystkie te lata, ale nadal nie będą wiedzieć, kim jest. Tylko on sam to wiedział i tak musi pozostać. Ale będą o tym mówić media, i to dużo, i szczegółowo. Będą ostrzegać następne potencjalne ofiary. Dlatego będzie musiał na pewien czas zawiesić swoją działalność. Żyć skromnie z odłożonych oszczędności i poszukać sobie nowych baz.

Rozejrzał się po swoim schludnym domu. Choć jego żona dbała i troszczyła się o dom i choć on sam nie żałował na remonty, kryzys nie był dobrym momentem na sprzedaż. Ale sprzedać trzeba.

Z jego doświadczenia wynikało, że jeśli chciało się zniknąć, nie wystarczyło spalić za sobą kilku mostów. Nowe auto, nowy bank, nowe nazwisko, nowy adres, nowy krąg znajomych. Trzeba zmienić wszystko. Byle przygotować sobie dobre wytłumaczenie dla otoczenia, tak żeby zrozumieli, dlaczego człowiek znika, a wszystko jakoś pójdzie. Nowa praca w innym kraju, dobre pieniądze, fajny klimat – każdy to zrozumie. Wtedy ludzie nie będą się dziwić.

Krótko mówiąc, żadnych nagłych i irracjonalnych działań.

Stanął w otwartych drzwiach przed górą kartonów i kilka razy wypowiedział głośno imię żony. Kiedy po kilku minutach nie dawała znaku życia, obrócił się i odszedł.

Pasowało mu to. Niewielu miałoby ochotę uśpić domowe zwierzątko, które się lubi, a tak właśnie z nią było.

Już po wszystkim, no i dobrze.

Wieczorem, po skończonym turnieju bowlingowym, wsadzi zwłoki do auta i zawiezie do Vibegården, by mieć już wszystko za sobą. Trzeba pozbyć się i żony, i dzieci.

Za parę tygodni, po rozpuszczeniu ciał i oczyszczeniu zbiornika po ropie naftowej, wszystko będzie gotowe.

Teściowa otrzyma od córki łzawy list pożegnalny, z którego będzie wynikało, że złe stosunki między córką i matką wpłynęły na decyzję o emigracji i że skontaktują się z nią, gdy rany się zabliźnią.

A kiedy nadejdzie ten nieuchronny moment, w którym teściowa zacznie się kręcić, a może wręcz coś podejrzewać, on wróci do domu i zmusi ją do napisania własnego listu samobójczego. Nie pierwszy raz wmusi w kogoś środki nasenne.

Ale najpierw musi zniszczyć kartony, naprawić i sprzedać samochód, wystawić dom na sprzedaż. Wygugluje jakąś wygodną chatkę na Filipinach, odbierze Beniamina, powie siostrze, że nadal będzie dostawać od niego pieniądze, i pojedzie przez całą Europę do Rumunii starym wrakiem, który będzie mógł zostawić na jakiejś ulicy, wiedząc, że w krótkim czasie wszystko zostanie rozdrapane.

Bilety lotnicze na fałszywe nazwiska nie wyjawią nic o tym, kim właściwie są. Nie, nikogo nie zainteresuje chłopczyk i jego tata podróżujący z Sofii do Manili. W odwrotną stronę to co innego.

Czternaście godzin lotu i przyszłość będzie stała otworem.

Wyszedł na korytarz po swoją torbę do bowlingu marki Ebonite. Znajdował się w niej sprzęt przeznaczony do święcenia triumfów, a trochę się ich przez lata nazbierało. Jeśli będzie za czymś tęsknił w tym życiu, to właśnie za tym.

Właściwie nie przepadał za żadnym kumplem z drużyny. Kilku z nich było skończonymi idiotami, których chętnie wymieniłby na kogoś innego. Wszyscy byli prostymi ludźmi o prostych pomysłach i prostym życiu. Zwyczajni z wyglądu i z nazwisk. Jeśli o niego chodziło, mogli być kimkolwiek, gdyby nie fakt, że znaleźli się w przytulnym kąciku klasyfikacji, który zapewnił im przeciętny wynik dobrze ponad 125. Dźwięk dziesięciu kręgli, rozstawianych z hukiem przez automat, był dźwiękiem sukcesu dla całej ich szóstki.

Właśnie na tym cała rzecz polegała.

Drużyna wychodziła na tor, by go zdobyć. Dlatego zawsze tam był, kiedy było trzeba. Z tego względu, no i oczywiście ze względu na „Papieża", jego szczególnego przyjaciela.

*

– Cześć – powiedział przy barze. – Tu siedzicie? – tak jakby mieli siedzieć gdzie indziej.

Wszyscy unieśli dłonie, a on przybił z wszystkimi piątkę.

– Co pijecie? – spytał. Zagajenie będące prostą drogą do poczucia wspólnoty.

Podobnie jak pozostali w drużynie, tuż przed rozgrywką ograniczał się do wody mineralnej. Przeciwnicy tego nie robili, co stanowiło ich błąd.

Siedzieli kilka minut, omawiając zalety i wady drużyny, z którą mieli się spotkać, trochę też gadali o tym, że są pewni wygranej w mistrzostwach okręgowych w Zielone Świątki.

Wtedy to powiedział.

– Pewnie do tej pory będziecie musieli poszukać sobie kogoś innego na moje miejsce – rozłożył ręce w przepraszającym geście. – Przykro mi, chłopaki.

Spojrzeli na niego z oskarżeniem o zdradę kryjącym się głęboko w oczach. Przez jakiś czas nie powiedzieli ani słowa. Sven żuł swoją gumę intensywniej niż zwykle. Zarówno on, jak i Birger patrzyli na niego z nieskrywanym gniewem. Oczywiście, nic dziwnego.

Ciszę przerwał Lars.

– Kiepsko to brzmi, René. Co się stało? Coś z żoną? Zawsze tak, kurde, jest.

Ten punkt widzenia zyskał jednogłośne poparcie.

– Nie – pozwolił sobie na chwilę śmiechu. – Nie, to nie ona. Zostałem mianowany dyrektorem administracyjnym w zupełnie nowym przedsiębiorstwie solarnym w Trypolisie w Libii. Ale spokojnie, za pięć lat wracam, mój kontrakt nie przewiduje dłuższego pobytu. Pewnie będziecie mogli mieć wtedy ze mnie użytek w drużynie dla oldbojów.

Nikt się nie zaśmiał; zresztą wcale się tego nie spodziewał. Dopuścił się świętokradztwa, absolutnie najgorszej rzeczy, jaką można zrobić drużynie tuż przed rozgrywką. Bo coś, co uwiera gdzieś z tyłu głowy, nie wpływa korzystnie na bieg kuli.

Przeprosił za swoje złe wyczucie czasu, ale w głębi duszy wiedział, że lepiej nie mógł wybrać.

Znajdował się już na wylocie ze wspólnoty. Zgodnie ze swoją wolą.

Owszem, wiedział dokładnie, jak się czują. Bowling był ich ucieczką. Nie czekała na nich interkontynentalna posada dyrektorska. W momencie gdy stworzył dystans, poczuli się wszyscy jak myszy w pułapce. On sam kiedyś też się tak czuł, ale to było dawno.

Teraz to on był kotem.

44

Widziała blask poranka przeświecający trzykrotnie między kartonami i wiedziała, że więcej już go nie zobaczy.

Czasami popłakiwała, ale teraz już nie mogła. Nawet na to brakowało jej sił.

Gdy próbowała otworzyć usta, wargi nie chciały się rozdzielić, a język tkwił w gardle. Dobę temu może i miała w ustach wystarczająco dużo śliny, by móc choćby raz ją przełknąć.

Myśl o śmierci wydawała się teraz wybawieniem. Zasnąć na wieki, nie odczuwać już tego bólu i tej samotności.

„Niech mówi o życiu ten, kto znajduje się w godzinie śmierci, ten, kto wie, że ona wnet nadejdzie, ten, kto widzi nadciągającą ku sobie chwilę, w której wszystko przestanie istnieć" – jej mąż zacytował kiedyś z drwiną swojego ojca.

Jej mąż! On, który sam nigdy nie żył, jak śmiał kwestionować te słowa? Może i ona umrze za chwilę, tak czuła, ale przynajmniej żyła. Żyła naprawdę.

Czy nie tak?

Spróbowała sobie przypomnieć kiedy, ale wszystko zlewało się w jedno. Lata przechodziły w tygodnie, a pojedyncze wspomnienia przeskakiwały w czasie i łączyły się ze sobą w nieprawdopodobne konstelacje.

„Najpierw umrze mi mózg, już to wiem" – pomyślała.

Nie czuła już własnego oddechu. Był tak płytki, że nawet nie odczuwała już drżenia nozdrzy. Drżały jedynie palce wolnej ręki. Te, które w poprzednich dniach wydrapały dziurę w kartonie na górze i napotkały metal. Przez pewien czas usiłowała dojść, co to może być, ale po prostu nie potrafiła.

Teraz palce znów drżały. Tak jakby ruchy były sterowane sznurkami prowadzącymi bezpośrednio do Boga. Drżały i lekko trzepotały, jak skrzydła motyla.

„Boże, chcesz czegoś ode mnie?" – spytała. „Czy to nasz pierwszy kontakt, nim mnie do siebie zabierzesz?"

Uśmiechnęła się w głębi ducha. Tak blisko Boga nie znajdowała się jeszcze nigdy. W ogóle tak blisko kogokolwiek. Nie bała się ani nie odczuwała samotności; była po prostu zmęczona. Niemal nie odczuwała już ciężaru pudeł. Tylko to zmęczenie.

Nagle zabolało ją w piersi. Ukłucie tak zaskakująco bolesne, że otworzyła na oścież oczy w mroku.

„Czyli minął mój ostatni dzień" – pomyślała przez ułamek sekundy.

Usłyszała przez chwilę własne jęczenie, gdy wszystkie mięśnie klatki piersiowej ścisnęły się wokół serca. Poczuła, jak skurcz prostuje jej palce, a mięśnie twarzy sztywnieją.

„Och, jak to boli. O Boże, pozwól mi umrzeć" – modliła się raz po raz, dopóki po jednym ukłuciu, niemal bardziej bolesnym niż na początku, zwiastuny śmierci nie ustąpiły.

Przez pierwsze sekundy była pewna, że serce przestało bić. Właściwie czekała, aż nadejdzie mrok i pochłonie ją raz na zawsze. Jej wargi rozchyliły się w spazmatycznym wysiłku, by gorączkowo wziąć ostatni oddech, który dotarł do małego punkciku w jej wnętrzu, gdzie kryła się resztka jej instynktu przetrwania.

Poczuła puls na skroni i w łydce. Ciało było jeszcze zbyt silne, by się poddać. Bóg nie skończył jeszcze swoich prób.

Strach przed jego kolejnym posunięciem skłonił ją do modlitwy. Krótkiej modlitwy, by nie bolało i żeby śmierć nastąpiła szybko.

Usłyszała, jak jej mąż otwiera drzwi i wypowiada jej imię, ale czas, kiedy mogła sformułować odpowiedź, już dawno minął. Zresztą na co by się to zdało?

Poczuła, jak palce wskazujący i środkowy prostują się, drżąc odruchowo. Czuła, jak trafiają do dziury w kartonie nad nią, jak czubek paznokcia dotyka tego metalowego przedmiotu, który wcześniej wyczuła. Wciąż gładki i nierzeczywisty, dopóki dzięki skurczowi, który wyprostował i usztywnił palce, nie wyczuła nagle, że na gładkiej, chłodnej powierzchni znajduje się małe wybrzuszenie w kształcie litery V.

Spróbowała pomyśleć racjonalnie. Starała się zdystansować od impulsów nerwowych płynących z jelit, które przestały pracować, z wołających o płyny komórek, ze skóry, która już nic nie czuła, by nie zamazywały jej odczuwanego obrazu, który musi pojąć. Obrazu metalowego przedmiotu z małą literą V.

Ponownie przysnęła. Znów ta rosnąca w jej mózgu nicość, ta pustka pojawiająca się w coraz krótszych odstępach czasu.

Wtedy pojawiła się lawina obrazów. Obrazy gładkich przedmiotów, przycisk „menu" na jej komórce, wskazówka zegarka, lustro w jej szufladzie w łazience – zaczęły pojawiać się w jej głowie, bawiąc się ze sobą w chowanego. Wszystko, co gładkie, a co w życiu zarejestrowała, walczyło teraz o miejsce w jej umyśle, gdzie dokona się akt rozpoznania. I oto jest. Przedmiot nie używany przez nią samą, który mężczyźni z dumą wyjmowali z kieszeni w czasach jej dzieciństwa. Również jej mąż dał się w minionych czasach nabrać na ten symbol statusu – zapalniczkę Ronson z literką V, która leżała na dnie pudła, być może w jednym jedynym celu – by się jej przydać. By pobudzić do myślenia, ba, może by stworzyć nowe, ostateczne rozwiązanie na resztę jej odmierzonego życia.

„Gdyby udało mi się ją wydobyć i zapalić, nastąpiłby rychły koniec" – pomyślała. „I wszystko, co do niego należy, zniknęłoby wraz ze mną".

Uśmiechnęła się w duchu. Myśl była na swój sposób osobliwie życiodajna. Gdyby spłonęło wszystko, przynajmniej zostawiłaby ślad. Zasiałaby w jego życiu oset, którego nigdy, przenigdy nie wypleni. Straciłby wszystko to, co stało za jego złymi uczynkami.

Cóż za Nemezis.

Wstrzymała oddech i zaczęła dalej drapać w karton, przekonując się, jak tego typu rzeczy potrafią być mocne. Niemiłosiernie mocne. Wygrzebywała po malutkim kawałeczku, jak osa, która drążyła otwór w blacie ich stołu ogrodowego. Wyobrażała sobie papierowy pył opadający obok twarzy. Cząstki o wielkości łebka od szpilki, które – jeśli palce wytrzymają – sprawią, że zapalniczka prześlizgnie się przez otwór, a jeśli jej się poszczęści – wyląduje w jej dłoni.

W końcu kiedy otwór był wystarczająco duży, by zapalniczka przesunęła się akurat o kilka milimetrów, opadła z sił.

Zamknęła oczy i wyobraziła sobie Beniamina, większego niż teraz, mówiącego, ruchliwego. Pięknego chłopczyka biegnącego jej na spotkanie. Szelmowskie spojrzenie, w ręku skórzana piłka. Jak bardzo chciałaby tego doświadczyć. Jego pierwsze prawidłowe zdanie, pierwszy dzień w szkole, pierwszy raz, gdy spojrzy jej w oczy i powie, że jest najlepszą mamą na świecie.

Wzruszenie zarejestrowała pod postacią odrobiny wilgoci w kąciku oka, ale zawsze. Uczucie wobec Beniamina, synka, który będzie musiał bez niej żyć.

Beniamin, który będzie musiał żyć razem z... nim.

„NIE!" – krzyknęła w duchu, ale na co się to zdało?

Jednak myśl ciągle powracała, z coraz większą intensywnością. O n będzie żył z Beniaminem; to ostatnia rzecz, o której pomyśli, nim serce w końcu się zatrzyma.

Jej palce znów zadrżały, paznokieć środkowego palca sięgnął skrawka papieru pod zapalniczką, a ona drapała tym jednym palcem, dopóki paznokieć się nie złamał. Zabrano jej jedyne narzędzie, a ona odpływała, walcząc z tą świadomością.

Krzyki z ulicy pojawiły się jednocześnie z dźwiękiem komórki w tylnej kieszeni jej spodni. Tym razem dźwięk był słabszy. Za chwilę bateria się rozładuje – znała sygnały.

Głos należał do Kennetha. Może jej mąż jest jeszcze w domu, może otworzy drzwi. Może Kenneth zorientuje się, że coś jest nie tak. Może...

Palce się odrobinę poruszyły. Tylko na taką próbę kontaktu było ją stać.

Ale drzwi wejściowe się nie otworzyły, kłótnia nie nastąpiła. Jedyną rzeczą, jaką rejestrowała, była komórka, której dźwięk słabł, oraz zapalniczka, która powolutku wyślizgnęła się ze swojego miejsca prosto w jej dłoń.

Kołysała się teraz na jej kciuku. Jeden fałszywy ruch, a ześlizgnie się jej z ręki i zniknie pod nią w ciemności.

Próbowała zignorować krzyki Kennetha oraz fakt, że wibracje w tylnej kieszeni powoli słabną. Jeden ruch palcem wskazującym i już ją będzie miała.

Gdy była już pewna, że trzyma zapalniczkę jak należy, przekręciła nadgarstek tak mocno, jak się dało. Może był to zaledwie centymetr, ale wystarczyło. Pomimo braku czucia w małym i serdecznym palcu wierzyła, że się uda.

Nacisnęła z całej siły i usłyszała sączący się gaz z chwilą, gdy klapka zapalniczki się otworzyła. Sączył się stanowczo za słabo.

Jak ma nacisnąć na tyle mocno, by przeskoczyła iskra?

Próbowała wysłać wszystkie siły, jakie jej zostały, w górny paliczek kciuka. Ostatnia oznaka jej woli, która miała dowieść światu, jak przeżyła ostatnich parę godzin i gdzie umarła.

Wtedy nacisnęła. Zredukowała się cała do tego ruchu. Niczym spadająca gwiazda, iskra rozbłysła w mroku przed jej twarzą, gaz się zapalił, rozświetlając wszystko wokół.

Przesunęła nadgarstek o ten wolny centymetr w stronę kartonu, pozwalając, by przez chwilę płomień lizał leniwie ściankę pudła. Następnie zwolniła chwyt, obserwując, jak wąski, niebieski płomień żółknie i poszerza się, pnąc się z wolna ku górze niczym wiązka światła, z każdym strawionym centymetrem pozostawiając za sobą czarny ślad sadzy. To, co właśnie się paliło, gasło jak pasmo prochu strzelniczego wystrzelonego w powietrze.

Po chwili słaby płomień sięgnął szczytu, po czym zgasł. Został tylko pasek ciemnoczerwonego, tlącego się chłodno żaru z boku kartonu. Po chwili i on zgasł.

Słyszała jego krzyk, wiedząc, że to koniec.

Nie miała już sił, by po raz kolejny zapalić zapalniczkę.

Zamknęła oczy, wyobrażając sobie Kennetha stojącego na ulicy przed domem. Jakie piękne rodzeństwo dla Beniamina mógłby jej dać. Jakie piękne życie.

Wciągnęła zapach dymu, a przez głowę przemknęły jej kolejne obrazy. Dni spędzone na skautingu nad jeziorem. Wieczory świętojańskie z chłopakami starszymi od niej o rok czy dwa. Zapach imprezy ulicznej w Vitrolles ten jeden raz, kiedy ona i jej brat pojechali na biwak z rodzicami.

Woń stała się silniejsza.

Otworzyła oczy i zobaczyła żółtą poświatę, która na szczycie sterty kartonów mieszała się z pełgającym, niebieskim światłem.

Chwilę później żar płomieni sięgnął i do niej.

Paliło się.

Słyszała, że niemal wszyscy ginący w pożarze umierali od zatrucia dymem, a jeśli chce się od niego uratować, trzeba czołgać się po podłodze poniżej linii dymu.

Chciała umrzeć od zatrucia dymem; brzmiało to jak miłosierna i bezbolesna śmierć.

Szkopuł w tym, że nie mogła się czołgać, a dym unosił się do góry. Płomienie dosięgną jej prędzej niż dym i spłonie żywcem.

Wtedy pojawił się strach.

Ostatni, ostateczny strach.

45

– Tutaj, Carl! – Assad wskazał remontowany budynek w kolorze rdzawoczerwonym, znajdujący się zaraz za Københavnsvej.

„Otwarte, przepraszamy za bałagan" – było napisane na transparencie nad drzwiami. Tędy w każdym razie nie da rady wejść.

– Carl, skręć w Ro's Torv i od razu w prawo. Przejedziemy tam za placem budowy – powiedział Assad, wskazując ciemny teren za nowo stawianymi budynkami.

Zaparkowali na słabo oświetlonym i niemal zupełnie wypełnionym parkingu przed kręgielnią. Stały na nim co najmniej trzy ciemne mercedesy, ale żaden nie wyglądał tak, jakby brał udział w wypadku.

„Czy można tak szybko zreperować wóz?" – pomyślał Carl. Miał wątpliwości. Następnie pomyślał o pistolecie służbowym, znajdującym się w schowku na broń w komendzie. Prawdopodobnie powinien był go wziąć, ale kto mógł to wiedzieć dziś rano? Dzień okazał się przecież długi i pełen zwrotów.

Spojrzał na budynek.

Jeśli nie liczyć tablicy z kilkoma gigantycznymi kręglami, nic na tyłach tego pretensjonalnego budynku nie wskazywało, że jest to kręgielnia.

Podobnie było, kiedy stali w środku, gapiąc się na lobby wypełnione stalowymi szafkami – takimi jak schowki na bagaż na dworcu. Oprócz nich – zupełnie puste ściany, kilkoro nieoznaczonych drzwi i prowadzące w dół schody w szwedzkich barwach narodowych. Całe piętro było zupełnie pozbawione życia.

– Myślę tak, że powinniśmy zejść po schodach do piwnicy – powiedział Assad.

„Dziękujemy i zapraszamy ponownie do Roskilde Bowling Center – sport, zabawa, emocje" – brzmiał napis na drzwiach.

Czyżby trzy ostatnie słowa rzeczywiście odnosiły się do bowlingu? Według Carla można by je bez problemu wykreślić. Dla niego bowling to nie żaden sport, zabawa czy emocje, lecz obolałe pośladki, piwo kuflowe i ciężkostrawne jedzenie.

Poszli prosto do recepcji, gdzie zasady postępowania na terenie obiektu, torebki ze słodyczami i przypomnienie o konieczności nastawienia timera tworzyły ramę wokół mężczyzny, który rozmawiał przez telefon.

Carl się rozejrzał; bar był pełny. W każdym kącie sportowe torby, grupki ludzi mocno zaabsorbowanych tym, co działo się na torach od 18 do 20 – tak pewnie wyglądają turnieje. Mnóstwo mężczyzn i kobiet w luźnych spodniach i różnorakich jednokolorowych koszulkach polo z logo klubów.

– Musimy porozmawiać z Larsem Brandem, zna go pan? – spytał Carl, gdy mężczyzna za kontuarem odłożył słuchawkę.

Wskazał jednego z mężczyzn przy barze.

– To ten z okularami we włosach. Jeśli zawoła pan „Poczwarka", to pan zobaczy.

– Poczwarka?

– Tak go nazywamy.

Zbliżyli się do mężczyzn, rejestrując spojrzenia taksujące ich ubrania, buty i zamiary.

– Lars Brande czy mam mówić Poczwarka? – spytał Carl, wyciągając rękę. – Carl Mørck z Departamentu Q Komendy Głównej Policji w Kopenhadze. Możemy zamienić parę słów?

Lars Brande uśmiechnął się, wyciągając dłoń.

– A tak, zupełnie mi to wyleciało z głowy. Dopiero co otrzymałem idiotyczną informację od naszego kumpla z drużyny, że postanowił nas teraz zostawić, tuż przed mistrzostwami okręgowymi, więc było o czym myśleć.

Poklepał po plecach siedzącego obok mężczyznę, pewnie rzeczonego chojraka.

– To pana koledzy z drużyny? – spytał, kiwając głową do pozostałych.

– Najlepszy zespół w Roskilde – odparł, podnosząc w górę kciuk.

Carl skinął do Assada. Ma tu zostać i mieć na oku resztę, by się nie wymknęli. Nie mogli sobie pozwolić na takie ryzyko.

*

Lars Brande był wysokim, żylastym, choć stosunkowo szczupłym mężczyzną. Rysy miał dystyngowane, jak ktoś wykonujący pracę siedzącą, na przykład zegarmistrz czy dentysta, ale skóra była ogorzała, a dłonie nieproporcjonalnie szerokie i spracowane. Bardzo dezorientująca całość.

Stanęli pod przeciwległą ścianą i przez chwilę przyglądali się graczom na torach, nim Carl przeszedł do rzeczy.

– Rozmawiałem ze swoją asystentką, Rose Knudsen. Słyszałem, że ubawiła pana zbieżność nazwisk i to, że dopytujemy o breloczek w kształcie kuli do bowlingu. Chciałbym pana poinformować, że nie chodzi o żadną błahostkę. Pracujemy nad wyjątkowo pilną i poważną sprawą, więc wszystko, co pan powie, może zostać wciągnięte do protokołu.

Nagle się zmieszał, a okulary jakby zapadły mu się we włosy.

– Jestem o coś podejrzany? O co chodzi? – był wyraźnie poruszony. Bardzo dziwne, zważywszy że dla Carla pozostawał absolutnie poza podejrzeniem. Dlaczego ktoś miałby być taki uczynny wobec Rose, mając coś na sumieniu? Nie, to się nie trzymało kupy.

– Podejrzany? Nie, chciałbym po prostu zadać panu kilka pytań, czy to możliwe?

Facet spojrzał na zegarek.

– Właściwie to nie. Rozumie pan, za dwadzieścia minut gramy, a zwykle się razem rozgrzewamy. Czy nie można tego przełożyć na później? Choć oczywiście chciałbym się bardzo dowiedzieć, o co chodzi.

– Niestety nie. Może podejdziemy razem do stolika sędziowskiego?

Spojrzał skonsternowany na Carla, ale pokiwał głową.

Sędziowie zaprezentowali taki sam wyraz twarzy, jednak okazali się bardziej skłonni do współpracy, gdy Carl podsunął im odznakę policyjną.

Kiedy wracali pod ścianę obok rzędów stołów, w głośnikach rozległo się ogłoszenie.

„Ze względów praktycznych kolejność występowania poszczególnych drużyn ulega zmianie" – powiedział jeden z sędziów, wymieniając następnie drużyny mające wystąpić w ich miejsce.

Carl spojrzał w kierunku baru, gdzie pięć par oczu patrzyło prosto na nich z powagą i zaaferowaniem, a za nimi stał Assad, czujny jak hiena, nie spuszczając wzroku z karków tej piątki.

Carl był pewien, że któregoś z tych mężczyzn szukali. Dopóki ci ludzie tu są, dzieci są bezpieczne. O ile jeszcze żyją.

– Dobrze pan zna swoich graczy? Wnioskuję, że jest pan kapitanem drużyny.

Kiwnął głową i odpowiedział, nie patrząc na Carla.

– Tworzyliśmy drużynę, jeszcze zanim otwarto tę kręgielnię. Wówczas graliśmy w Rødovre, ale tu jest bliżej. Wtedy w zespole było jeszcze parę innych osób, ale ci z nas, którzy mieszkali w pobliżu Roskilde, postanowili kontynuować tutaj. Owszem, bardzo dobrze ich znam, szczególnie Pasiekę – tego tam, ze złotym zegarkiem. To mój brat, Jonas.

Carlowi wydało się, że zrobił się nerwowy. Czyżby coś wiedział?

– Pasieka i Poczwarka, dość dziwne nazwiska – orzekł Carl. Może drobna, przyjacielska dygresja rozluźni gęstą atmosferę. Sprawienie, by facet czym prędzej puścił farbę, było absolutną koniecznością.

Lars Brande uśmiechnął się krzywo, czyli zadziałało.

– Tak, ale jesteśmy z Jonasem pszczelarzami, więc to może jednak nie takie znów dziwne – powiedział. – Wszyscy w drużynie mamy ksywki, sam pan wie, jak to bywa.

Carl kiwnął głową, choć nie wiedział.

– Zauważyłem, że z wszystkich was chłopy na schwał. Nie jesteście przypadkiem ze sobą spokrewnieni?

Wtedy kryliby się za wszelką cenę.

Ponownie się uśmiechnął.

– Nie, skąd. Tylko Jonas i ja. Ale to fakt, że wszyscy jesteśmy ponadprzeciętnie wysocy. Długie ręce to dobry zamach, wie pan – zaśmiał się. – Nie, właściwie to przypadek. Ale na co dzień nie myśli się o takich rzeczach.

– Za chwilę poproszę panów o numery ewidencyjne, ale najpierw zapytam pana wprost: wie pan, czy któryś z was był karany?

Sprawiał wrażenie mocno zszokowanego. Może dopiero teraz do niego dotarło, że to wszystko dzieje się naprawdę.

Wziął głęboki oddech.

– Aż tak się nie znamy – powiedział. Ewidentnie nie była to cała prawda.

– Czy może mi pan powiedzieć, ilu z was jeździ mercedesem?

Pokręcił głową.

– Nie ja i Jonas. Musi pan sam spytać, czym jeżdżą pozostali.

Krył kogoś?

– Musi pan wiedzieć, jakimi jeździcie samochodami. Nie wyjeżdżacie często razem na turnieje?

Kiwnął głową.

– Owszem, ale spotykamy się dopiero tu. Niektórzy z nas trzymają swój sprzęt w szafkach na górze, a Jonas i ja mamy volkswagena busa, gdzie się mieścimy w szóstkę. Zrzutka wychodzi taniej.

Odpowiedzi brzmiały naturalnie, ale facet wyglądał, jakby się usprawiedliwiał.

– Czy może mi pan wskazać pozostałe osoby w drużynie? – zreflektował się sam przy tym pytaniu. – Zresztą, może nie. Proszę mi najpierw powiedzieć, skąd macie te breloczki z kulami bowlingowymi. Dużo ich jest? Można je kupić we wszystkich kręgielniach?

Pokręcił głową.

– Nie takie. Na naszych jest jedynka, bo jesteśmy tacy dobrzy – uśmiechnął się półgębkiem. – Zwykle nic na nich nie ma albo jest numer odnoszący się do wielkości kuli, której się używa. Nigdy nie jest to jedynka, bo nie istnieją takie małe kule. Nie, któryś z nas je swego czasu kupił w Tajlandii – ujął własny pęk kluczy, prezentując kulę. Była mała, ciemna i sfatygowana. Nic szczególnego poza wygrawerowanym numerem 1.

– Mamy je my oraz kilka osób z dawnej drużyny – ciągnął. – Zdaje się, że kupił ich wszystkich dziesięć.

– Kto?

– Svend. Ten w niebieskim swetrze, co siedzi, żuje gumę i wygląda jak sprzedawca męskiej odzieży. Zresztą chyba nawet kiedyś nim był.

Carl wziął faceta na muszkę. Podobnie jak pozostali nie odrywał oczu od tego, co ich kumpel porabia z policjantem.

– Okej. Kiedy jesteście w tej samej drużynie, trenujecie też razem?

„Dobrze by było wiedzieć, czy któryś z nich często opuszcza spotkania" – pomyślał.

– Tak, trenujemy z Jonasem, ale od czasu do czasu jest też z nami paru innych, w zasadzie to w celach towarzyskich. Kiedyś prawie zawsze tak robiliśmy, ale teraz już nie – znów się uśmiechnął. – Jeśli nie liczyć, że kilku z nas trenuje tuż przed zawodami, to w ogólnym rozrachunku właściwie już nie trenujemy. Może i powinniśmy, ale co tam. Jeśli można w jednej rundzie osiągnąć prawie za każdym razem ponad sto pięćdziesiąt punktów, to w czym problem?

– Wie pan, czy któryś z was ma bliznę w widocznym miejscu?

Wzruszył ramionami. Będą musieli później sprawdzać każdego.

– Myśli pan, że możemy tu usiąść? – wskazał część restauracyjną, gdzie przygotowano rząd stołów nakrytych białymi obrusami.

– Sądzę, że tak.

– W takim razie siadam tu. Czy byłby pan tak miły i poprosił brata?

Jonas Brande był wyraźnie zdezorientowany. O co chodziło? Dlaczego to takie ważne, że aż trzeba było zmieniać program turnieju?

Carl na to nie odpowiedział.

– Czy mógłby mi pan wyjaśnić, gdzie pan był po południu między 15.15 a 15.45?

Carl spojrzał na jego twarz. Męska, jakieś 45 lat. Czy to jego mógł widzieć przy windzie w Szpitalu Królewskim? Człowieka z portretu pamięciowego?

Jonas Brande pochylił się nieco do przodu.

– Między 15.15 a 15.45, powiada pan. Nie wydaje mi się, żebym umiał dokładnie powiedzieć.

– Ach tak. Nawiasem mówiąc, ma pan ładny zegarek, panie Brande. Nie zerka pan na niego zbyt często?

Zupełnie nieoczekiwanie mężczyzna się roześmiał.

– Oczywiście, że zerkam. Ale nie noszę go podczas pracy. Taki zegarek kosztuje ponad 35 tysięcy koron. Odziedziczyłem go po ojcu.

– Czyli twierdzi pan, że pracował między 15.15 a 15.45?

– Tak, na pewno pracowałem.

– Dlaczego zatem nie wie pan, gdzie pan był?

– No, nie wiem, czy byłem w warsztacie i naprawiałem ule, czy byłem w stodole i zmieniałem koło zębate w wirówce.

Raczej nie był tym bystrzejszym bratem. A może właśnie był?

– Dużo sprzedajecie na czarno?

Nie spodziewał się tego zwrotu, czyli sprzedawali. Nie żeby to Carla frapowało, to w końcu inny departament. Chciał po prostu stworzyć sobie obraz człowieka, którego miał przed sobą.

– Czy był pan karany, panie Brande? Powinien pan wiedzieć, że mogę to sprawdzić ot tak – spróbował pstryknąć palcami.

Facet pokręcił głową.

– A pozostali stąd byli?

– Dlaczego?

– Byli?

Cofnął się trochę.

– Wydaje mi się, że Go Johnny, Zawór i Papież byli.

Carl odrzucił głowę w tył. Co za imiona.

– Kim oni są?

Oczy Jonasa Brandego zmrużyły się, gdy spojrzał na mężczyzn przy barze.

– Birger Nielsen, to ten łysy. Grał kiedyś w knajpie na fortepianie, dlatego mówimy na niego Go Johnny. Obok niego siedzi Zawór, ma na imię Mikkel. Jest mechanikiem motocykli w Kopenhadze. Nie wydaje mi się, żeby tych dwóch popełniło coś szczególnego. W przypadku Birgera chodziło chyba o sprzedawanie w knajpie alkoholu bez akcyzy, a Mikkel zdaje się sprzedawał kradzione samochody. Ale to już ładnych parę lat temu, dlaczego?

– A ten trzeci, o którym pan wspominał? Papież, prawda? To musi być Svend, ten w niebieskim swetrze.

– Tak. Jest katolikiem. Nie wiem, co takiego zrobił, chyba coś w Tajlandii.

– Kim jest ostatni z was? Ten, co rozmawia z pana bratem. Czy to nie on opuszcza drużynę?

– Tak, to René. Jest naszym najlepszym graczem, więc to straszna kicha. René Henriksen, tak jak ten dawny obrońca z krajowej reprezentacji piłki nożnej, dlatego mówimy na niego Trójka.

– Okej, domyślam się, że dlatego, że René Henriksen miał na plecach numer trzy?

– W każdym razie w którymś momencie.

– Czy mógłbym zobaczyć jakiś pana dowód tożsamości, panie Brande? Coś z pana numerem ewidencyjnym.

Posłusznie wyciągnął portfel z kieszeni i wyjął zeń prawo jazdy. Carl zapisał numer.

– Tak na marginesie, wie pan może, kto z panów jeździ mercedesem?

Wzruszył ramionami.

– Nie, zwykle się spotykamy...

Carl nie miał czasu wysłuchiwać tego kolejny raz.

– Dziękuję, panie Brande. Może pan poprosić tutaj René Henriksena.

Nie spuszczali się z oczu od chwili, gdy wstał zza baru, aż do momentu, gdy usiadł przed Carlem.

Bardzo atrakcyjny mężczyzna. Może nic szczególnego, ale zadbany i o pewnym spojrzeniu.

– René Henriksen – przedstawił się, podciągając kanty spodni przy siadaniu. – Sądząc po Larsie Brandem, chodzi o jakieś śledztwo. Nie żeby coś mówił, po prostu się domyślam. Chodzi o Svenda?

Carl przyjrzał mu się dokładnie. Przy odrobinie dobrej woli można by uznać, że to jego szukają. Może twarz jest trochę za wąska, ale młodzieńczy tłuszczyk mógł się wytopić z biegiem lat. W świeżo ostrzyżonych włosach widać było zakola, ale peruki ukryją wszystko. Coś w jego oczach sprawiło, że Carla przeszły ciarki po całym ciele. Delikatne zmarszczki wokół oczu nie powstały po prostu wskutek uśmiechania się.

– Svend? Ma pan zapewne na myśli Papieża? – Carl uśmiechnął się, choć nie miał na to chęci.

Facet uniósł brwi.

– Dlaczego pan pyta, czy to ma coś wspólnego ze Svendem? – spytał Carl.

Wyraz twarzy mężczyzny zmienił się. Nie na czujny i defensywny, lecz wręcz przeciwnie. Niemal jak wstydliwe spojrzenie, które pojawia się, gdy człowiek zostanie przyłapany na niewiedzy.

– Och – powiedział. – To mój błąd, nie powinienem był wymieniać Svenda. Zaczniemy od początku?

– Okej. Opuszcza pan drużynę. Przeprowadza się pan? – spytał Carl.

Znów ten wzrok sprawiający wrażenie, że oponent czuje się obnażony.

– Tak – powiedział. – Zaproponowano mi pracę w Libii. Będę zarządzać budową ogromnego lustrzanego urządzenia na pustyni, które ma generować prąd dzięki jednej centralnej jednostce. Rewolucyjne rozwiązanie, może pan o tym słyszał?

– Brzmi ciekawie. Jak się nazywa ta firma?

– No tak, to nieciekawa sprawa – uśmiechnął się. – Na razie to numer rejestracyjny spółki akcyjnej. Nie mogą się zdecydować, czy nazwa ma być po arabsku, czy po angielsku, ale dla pana wiadomości spółka nazywa się obecnie 773 PB 55.

Carl kiwnął głową.

– Kto z drużyny, oprócz pana, jeździ mercedesem?

– Kto powiedział, że mam mercedesa? – pokręcił głową. – O ile wiem, tylko Svend jeździ mercedesem, ale tutaj zwykle przychodzi pieszo, bo ma niedaleko.

– Skąd pan wie, że Svend ma mercedesa? Lars i Jonas napomknęli, że zawsze zabieracie się ich volkswagenem busem.

– Stuprocentowa zgoda. Ale Svend i ja spotykamy się też prywatnie, zresztą już od paru lat. W zasadzie może powinienem raczej powiedzieć spotykaliśmy się, bo w ciągu ostatnich dwóch-trzech lat u niego nie byłem, sam pan pewnie rozumie dlaczego, natomiast wcześniej – owszem. I o ile wiem, ostatnio nie zmieniał samochodu. Osoby na rencie inwalidzkiej nie mają czym szastać na prawo i lewo.

– Co ma pan na myśli, mówiąc, że „pewnie rozumiem" coś na temat tego Svenda?

– Oczywiście jego wyjazdy do Tajlandii. Chyba o tym mówimy?

Brzmiało to jak zwód.

– Jakie wyjazdy? Nie jestem z policji narkotykowej, jeśli o to panu chodzi.

Mężczyzna wyglądał, jakby miał się załamać, ale mogła to być gra pod publiczkę.

– Narkotyki? Ależ skąd – powiedział. – Niech to szlag, nie chciałbym go wpakować w tarapaty, pewnie ja sam mam jakieś błędne wyobrażenia.

– Czy byłby pan tak miły i powiedział mi tu i teraz, jakie pan ma wyobrażenia? W przeciwnym razie będę musiał zabrać pana na przesłuchanie do komendy.

Przechylił głowę.

– Broń Boże, nie, dziękuję. Zdaje się po prostu, że w którymś momencie Svend wyjawił mi, że podczas swoich licznych wyjazdów do Tajlandii organizuje transport niemowląt do Niemiec pod eskortą lokalnych kobiet. To dzieci przeznaczone do adopcji przez wcześniej zaaprobowane, bezdzietne pary. Jest odpowiedzialny za robotę papierkową i twierdzi, że to dobry uczynek, ale nie wydaje mi się, by się aż tak przejmował, w jaki sposób pozyskuje się te dzieci. O to mi chodziło – pokręcił głową. – Jest dobrym graczem, fajnie się z nim gra, ale odkąd się dowiedziałem o tych dzieciach, nie byłem u niego w domu.

Carl spojrzał na mężczyznę w niebieskim swetrze. Czyżby to zasłona dymna, której używał ten Svend, mając co innego na sumieniu? Prawdopodobne. „Trzymaj się blisko prawdy, ale nie za blisko" – brzmiał kodeks większości przestępców. Może wcale nie bywał w Tajlandii. Może był porywaczem, który potrzebował alibi na użytek przyjaciół z kręgielni, podczas gdy zajmował się swym odstręczającym rzemiosłem.

– Wie pan, kto w waszej drużynie śpiewa dobrze, a kto źle?

Mężczyzna zaniósł się nagłym śmiechem.

– Nie, nie śpiewamy za dużo.

– A pan sam?

– Owszem, całkiem nieźle śpiewam. Kiedyś miałem nawet fuchę jako kościelny w kościele we Fløng. Byłem tam też wtedy kantorem. Życzy pan sobie próbkę?

– Nie, dziękuję. Co ze Svendem, dobrze śpiewa?

Pokręcił głową.

– Nie mam pojęcia. Ale proszę mi powiedzieć, to z tego powodu pan przychodzi?

Carl spróbował uśmiechnąć się półgębkiem.

– Wie pan może, czy któryś z was ma blizny w widocznym miejscu?

Mężczyzna wzruszył ramionami. Nie, Carl nie mógł go jeszcze uznać za niewinnego. Po prostu nie mógł.

– Mógłbym zobaczyć jakiś dowód tożsamości z numerem ewidencyjnym?

Nie odpowiedział. Chwycił po prostu za kieszeń i wyłowił jeden z tych portfelików nie mieszczących nic poza plastikowymi kartami. Lars Bjørn z Komendy Głównej też taki miał. Zapewne symbol statusu, ale co on o tym wie?

Carl zapisał numer ewidencyjny. Czterdzieści pięć lat. Zgadzało się z ich przypuszczeniami.

– Proszę mi jeszcze raz przypomnieć, jak się nazywa pańska nowa firma?

– 773 PB 55. Dlaczego?

Carl wzruszył ramionami. Gdyby to on sam wziął z sufitu coś tak szalenie przypadkowego, po dwóch minutach już by tego nie pamiętał. Czyli pewnie się zgadza.

– Ostatnia rzecz. Co pan porabiał dziś między godziną trzecią a czwartą?

Zastanowił się chwilę.

– Między trzecią a czwartą. Byłem u fryzjera na Allehelgensgade. Jutro wybieram się na ważne spotkanie, więc muszę się jakoś prezentować.

Facet przejechał dłonią po skroni, by to unaocznić. Owszem, włosy wyglądały na świeżo ostrzyżone, ale lepiej to sprawdzić u tego fryzjera, kiedy już skończą.

– Panie Henriksen, prosiłbym, aby usiadł pan przy tym białym stole w rogu. Może będziemy jeszcze musieli porozmawiać.

Facet kiwnął głową, mówiąc, że oczywiście chętnie pomoże.

Prawie wszyscy tak mówili w rozmowach z policją.

Następnie Carl dał Assadowi znak, że ma przysłać do niego mężczyznę w niebieskim swetrze. Nie ma chwili do stracenia.

Był to człowiek, który w najmniejszym stopniu nie przypominał osoby na rencie inwalidzkiej. Ramiona wypełniały marynarkę, bynajmniej nie dzięki reminiscencjom w postaci poduszek na ramionach rodem z lat osiemdziesiątych. Miał charakterystyczną twarz, na której mięśnie szczęk poruszały się przy każdym przeżuciu gumy. Szeroka głowa. Wyraziste, lekko zrastające się brwi. Fryzura na jeża i nieco chwiejny chód. Mężczyzna, którego wnętrze było bogatsze, niż mogłoby się wydawać na pierwszy rzut oka.

Pachniał neutralnie, ale dobrze. Miał niepewne spojrzenie i cienie pod oczami, które sprawiały, że rozstaw oczu wydawał się mniejszy niż w rzeczywistości.

Stanowczo całościowy profil i aparycja warte były wnikliwego przyjrzenia się.

Facet kiwnął głową do René Henriksena, gdy ten siadał w rogu. Na swój sposób sprawiało to serdeczne wrażenie.

46

Był jeszcze młody, gdy zdał sobie sprawę, że potrafi kontrolować uczucia do tego stopnia, by nie było ich widać.

Życie w domu pastora przyspieszyło ten proces. Tu nie żyło się w światłości Boga, ale w Jego cieniu. Tu uczucia najczęściej interpretowano niewłaściwie. Radość brano za płytkość, a gniew za niechęć i krnąbrność. Był karany za każdym razem, gdy go źle zinterpretowano. Dlatego zachowywał emocje dla siebie. To się najbardziej opłacało.

Od tej pory bardzo mu to pomagało. Kiedy dołowała go niesprawiedliwość, a rozczarowania wymierzały ciosy.

Dlatego nikt nie wiedział, co w nim siedzi.

Dziś go to uratowało.

Widok pojawiających się z nagła policjantów był prawdziwym szokiem. Ale on go nie okazał.

Zorientował się w chwili, gdy weszli do recepcji kręgielni. To na pewno tych dwóch mężczyzn, którzy dziś po południu rozmawiali z bratem Isabel na dole przy windzie w Szpitalu Królewskim, kiedy on uciekał. Tak niedobranych duetów łatwo się nie zapomina.

Pytanie, czy oni rozpoznali jego.

Nie sądził. Wówczas ich pytania skierowane do niego byłyby znacznie bardziej natarczywe, a funkcjonariusz patrzyłby na niego w zupełnie inny sposób.

Rozejrzał się. Gdyby sytuacja okazała się krytyczna, miał dwie drogi ucieczki. Do pomieszczenia z maszynami, tylnymi drzwiami i w górę schodami przeciwpożarowymi obok tego żałosnego krzesła bez nóg, które ktoś tam położył, żeby zaznaczyć, że nie da się tędy wyjść. Mógł też obrać bezpośrednią drogę obok policjanta. Między recepcją a wyjściem znajdowały się toalety, więc cóż może być bardziej naturalnego niż udanie się w ich kierunku?

Ale wtedy ten śniady mężczyzna go dostrzeże, jak będzie się przemykać obok drzwi do toalet. Będzie zmuszony zostawić swój samochód, bo jak zawsze był zaparkowany w pewnej odległości, na parkingu wielopoziomowym przy Ro's Torv. Zabraknie mu czasu na wydostanie się z parkingu; odetną mu drogę.

Nie, przy tym rozwiązaniu byłby zmuszony zostawić samochód i uciekać. I choć znał w swoim mieście wiele dróg na skróty, nie jest przecież powiedziane, że będzie wystarczająco szybki. To wręcz mało prawdopodobne.

Najpewniej będzie skierować ich uwagę na coś innego, z dala od niego. Dlatego właśnie jeśli ma się wymknąć i jednocześnie być panem sytuacji, co jest absolutną koniecznością, musi uciec się do bardziej radykalnych środków.

Jedno jest pewne: musi trzymać się z daleka od tych policjantów, którzy byli w stanie tak daleko go wytropić. Jakkolwiek, do kurwy nędzy, do tego doszło.

Jasne, że go podejrzewali. W przeciwnym razie po co pytać o mercedesa, jego umiejętność śpiewu i dwukrotnie o wymyśloną przez niego nazwę spółki? Dobrze, że pamiętał ten numer.

Właśnie okazał jednemu z policjantów swoje fałszywe prawo jazdy i podał fałszywe nazwisko, którym przez całe lata posługiwał się w klubie, a funkcjonariusz póki co je zaakceptował. Jak przyszło co do czego, jednak wszystkiego nie wiedzieli.

Problem w tym, że w najbardziej dosłownym sensie zapędzili go do narożnika. Jego kłamstwa można było z łatwością sprawdzić, a co gorsza, wkrótce zaczną mu się kończyć tożsamości i bazy, więc nie będzie mógł tak po prostu się wymknąć. W lokalu wszyscy by widzieli, gdyby tylko spróbował.

Spojrzał na Papieża, który siedział przed policjantem z dochodzeniówki i żuł jak szalony, wyglądając jak jedno wielkie usprawiedliwienie.

Ten mężczyzna był wiecznym kozłem ofiarnym, którego wielokrotnie używał jako wzoru do naśladowania. Właśnie ktoś taki jak Papież stanowił uosobienie przeciętności. Zwyczajny jak on sam. Właściwie to pod wieloma względami naprawdę byli do siebie podobni. Ten sam kształt głowy, wzrost, postura i waga. Obaj atrakcyjni. Z wyglądu budzący zaufanie, może nawet nudnawi. Ludzie, którzy rozumieją, że należy o siebie dbać, ale bez przesady. To Papież zainspirował go do takiej charakteryzacji, by oczy wyglądały na zbyt blisko osadzone, a brwi na zrośnięte. A gdy tylko nałożył odrobinę cienia na policzki, wydawały się równie szerokie jak u Papieża.

Owszem, właśnie te cechy parokrotnie wykorzystywał.

Ale oprócz tych cech charakterystycznych Papież miał jeszcze jedną. Zamierzał jej teraz przeciw niemu użyć.

Bo Svend kilka razy do roku jeździł do Tajlandii i to bynajmniej nie ze względu na piękną przyrodę.

Policjant odesłał Papieża do sąsiedniego stołu. Był zupełnie blady, a wnioskując z wyrazu twarzy, głęboko i autentycznie zraniony.

Zaraz potem nadeszła pora Birgera, po czym zostanie już tylko jeden z nich. Nie pozostało zbyt wiele czasu do zakończenia przesłuchań.

Wstał i przysiadł się do stolika Papieża. Gdyby policjant próbował go powstrzymać, i tak tam zostanie. Poawanturuje się o metody rodem z państwa policyjnego, a gdyby doszło do dalszej wymiany zdań, spokojniutko pójdzie sobie do drzwi, informując ich, że mają się z nim skontaktować w domu. Mają przecież jego numer ewidencyjny, więc gdyby mieli więcej pytań, znalezienie adresu nie powinno sprawiać trudności.

Jest to jakieś wyjście. Nie mogą go przecież ot tak aresztować, jeśli nie mają niczego konkretnego. A gdyby coś było, czego z pewnością nie mają, istniałyby konkretne dowody. Bo choć dużo się w tym kraju pozmieniało, nie można było aresztować obywateli, jeśli nie miało się niepodważalnych dowodów na poparcie oskarżenia, a tych Isabel na pewno jeszcze nie mogła im podać.

Może do tego dojść i pewnie dojdzie, ale jeszcze nie teraz.

Widział, w jakim stanie jest Isabel.

Nie, nie mieli żadnych dowodów. Nie mieli zwłok i nie wiedzieli niczego o domku na łodzie. Wkrótce jego występki zostaną pochłonięte przez fiord.

Jak przyszło co do czego, chodziło tylko o to, by przez parę tygodni trzymać się na uboczu, a potem zatrzeć za sobą ślady.

Papież spojrzał na niego ze złością. Miał zaciśnięte dłonie, napięte mięśnie karku i szybki oddech. Całkiem odpowiednia reakcja, bardzo w tej sytuacji użyteczna. Jeśli postąpi jak należy, za trzy minuty będzie po wszystkim.

– Co im naopowiadałeś, ty gnoju? – zapytał szeptem Papież, gdy się dosiadał.

– Nic, czego by już nie wiedzieli, Svend – odpowiedział szeptem. – Zapewniam cię. On prawdopodobnie wszystko wie. Pamiętaj, że poza tym mają cię w starych rejestrach.

Dostrzegł, że oddech mężczyzny robi się coraz bardziej nerwowy.

– Ale to nie twoja wina, Svend. Pedofile nie są ostatnio popularni – powiedział nieco głośniej.

– Nie jestem pedofilem. Tak mu powiedziałeś? – ton głosu się podniósł.

– On wszystko wie. Namierzyli cię. Wiedzą, że masz na komputerze dziecięce porno.

Ręce zupełnie mu zbielały.

– Nie może tego wiedzieć – powiedział, kontrolując się, ale głośniej, niżby chciał. Rozejrzał się.

Bardzo dobrze. Policjant nie spuszczał ich z oka, tak jak się tego spodziewał. Szczwany lis z tego funkcjonariusza. Na pewno umieścił ich blisko siebie, żeby sprawdzić, jak sytuacja się rozwinie. Jasna sprawa, że obaj są podejrzani.

Obrócił głowę w stronę baru i nie mógł dostrzec jego towarzysza. Czyli on również go nie widział.

– Ten policjant doskonale wie, że nie ściągasz dziecięcego porno z Internetu, Svend, ale że otrzymujesz zdjęcia od przyjaciół na pendrivie – powiedział zwyczajnym głosem.

– To nieprawda!

– Tak mi powiedział, Svend.

– Ale dlaczego wypytuje was wszystkich, skoro chodzi o mnie? Jesteś pewny, że tak właśnie jest? – przez chwilę zapomniał o żuciu gumy.

– Pewnie wypytywał też innych w kręgu twoich znajomych, Svend. Teraz robi to tu, zupełnie jawnie, żebyś się do reszty odsłonił.

Zadrżał.

– Nie mam nic do ukrycia. Nie robię nic, czego nie robią inni. W Tajlandii tak jest. Nic tym dzieciom nie robię, po prostu z nimi przebywam, nie pod względem seksualnym. Nie, kiedy jestem razem z nimi.

– Wiem, Svend, przecież mówiłeś, ale on twierdzi, że handlujesz dziećmi. Że masz pewne rzeczy na swoim komputerze. Że handlujesz zdjęciami i samymi dziećmi. Nie mówił ci tego? – zmarszczył brwi. – Jest coś na rzeczy, Svend? Jesteś taki zajęty, kiedy tam jesteś, sam przecież mówiłeś.

– Mówi, że nimi HANDLUJĘ?! – powiedział trochę za głośno, rozglądając się wokół, po czym się opanował. – Czy to dlatego pytał mnie, czy jestem dobry w wypełnianiu formularzy i tym podobnych? Dlatego mnie pytał, jak mnie może być stać na tak częste podróże przy rencie inwalidzkiej? To przecież ty mu to naopowiadałeś, René. Przecież nie otrzymuję renty inwalidzkiej, tak jak on twierdzi, opierając się na twoich słowach. Tak mu też powiedziałem. Przecież wiesz, że posprzedawałem swoje sklepy.

– Patrzy teraz na ciebie. Nie, nie odwracaj się. Na twoim miejscu, Svend, spokojniutko bym wstał i sobie poszedł. Nie sądzę, by cię zatrzymali.

Włożył rękę do kieszeni i rozłożył w niej nóż, po czym powoli go wyciągnął.

– Po powrocie do domu zniszcz wszystko, Svend. Wszystko, co może cię skompromitować, okej? To tylko dobra rada od dobrego przyjaciela. Nazwiska, kontakty, stare bilety lotnicze – pozbądź się tego wszystkiego, rozumiesz? Idź do domu i to zrób. Wstań i wyjdź. Zrób to teraz, inaczej zgnijesz w więzieniu. Nie wiesz, co więźniowie robią takim jak ty?

Papież popatrzył na niego szeroko otwartymi oczami, po czym się uspokoił. Następnie odsunął krzesło i wstał. Przesłanie dotarło.

On też wstał i wyciągnął rękę do Papieża, jakby chciał ją uścisnąć. Zacisnął dłoń na nożu, którego rękojeść była odwrócona do góry nogami, a ostrze wymierzone w jego stronę.

Papież przez chwilę spoglądał na rękę z wahaniem, po czym się uśmiechnął. Wszystkie jego zastrzeżenia się ulotniły. Był nieszczęśnikiem, który nie potrafił sam kontrolować swoich żądz. Religijnym człowiekiem, który walczył ze wstydem i dźwigał na swoich barkach ciężar ekskomuniki z Kościoła katolickiego. A tu stoi przed nim przyjaciel, wyciągając rękę. Chce dla niego jak najlepiej.

Uderzył w chwili, gdy Papież zamierzał chwycić jego rękę. Włożył nóż w dłoń mężczyzny, chwycił go za palce i zacisnął chwyt, aż

Papież mimowolnie pochwycił rękojeść, po czym przyciągnął dłoń skołowanego mężczyzny do siebie w nagłym pchnięciu, które trafiło w mięsień nad biodrem – powierzchownie, ale czysto. Nie bolało za bardzo, ale będzie na to wyglądało.

– Co robisz? Au! – wrzasnął. – On ma nóż, uwaga! – zawołał i jeszcze raz pociągnął Papieża za rękę. Miał na boku dwie idealne rany. Już teraz koszulka polo była mocno zakrwawiona.

Detektyw zerwał się nagle, przewracając krzesło. Wszyscy ludzie znajdujący się na swoich miejscach w hali zwrócili twarze w stronę zajścia.

Właśnie wtedy odepchnął od siebie Papieża, a ten zaczął odsuwać się bokiem, widząc krew na swoich dłoniach. Był w szoku. Wszystko zdarzyło się tak szybko, a on nie mógł tego ogarnąć.

– Spadaj, morderco – powiedział szeptem, trzymając się za bok.

Wtedy Papież obrócił się w panice, przewracając podczas ucieczki kilka stołów, i pobiegł w stronę torów.

Widać było, że zna kręgielnię jak własną kieszeń, a teraz chce umknąć przez pomieszczenie z maszynami.

– Uwaga, on ma nóż! – krzyknął ponownie, podczas gdy tłum odsuwał się od uciekiniera.

Zobaczył, jak Papież wskakuje na tor numer dziewięć, a niski, śniady policjant rzuca się zza baru niczym drapieżnik. Zanosi się na nierówne polowanie.

Wtedy podszedł do pojemnika z kulami i wyjął jedną.

Gdy policjant dotarł do Papieża na końcu toru, ten jak oszalały zaczął wymachiwać wkoło nożem. Wszystko się dla niego skończyło. Ale policjant dopadł jego nóg i obaj z hukiem upadli na rynny powrotu kul między dwoma ostatnimi torami.

Już teraz wyższy rangą funkcjonariusz znajdował się w połowie drogi do walczących, ale kula bowlingowa, rzucona na ostatni tor przez najlepszego gracza w drużynie, była szybsza.

Słychać było wyraźnie dźwięk, gdy uderzyła Papieża w skroń. Jak zgniatana paczka chipsów. Chrupnięcie.

Nóż wyślizgnął się Papieżowi z ręki i upadł na tor.

Tłum spojrzeń przesunął się z leżącej bez życia postaci na niego. Ci, którzy słyszeli hałas, wiedzieli, że to on rzucił kulą. Kilka osób wiedziało też, dlaczego padł na kolana na podłogę, trzymając się za bok.

Wszystko zgodnie z planem.

Detektyw sprawiał wrażenie poruszonego, gdy podszedłszy do niego, pomógł mu się podnieść.

– To poważna sprawa – powiedział. – Wszystko wskazuje na to, że Svend nie przeżyje pęknięcia czaszki. Niech się pan więc modli, żeby załoga karetki dobrze wykonała swoją robotę.

Spojrzał na tor, gdzie udzielano Papieżowi pierwszej pomocy. „Niech się pan modli, żeby dobrze wykonali swoją robotę" – powiedział policjant, ale pewnie wcale tak nie myślał.

Teraz ktoś z załogi karetki opróżniał kieszenie Papieża i podawał ich zawartość śniademu asystentowi. Ci policjanci najwidoczniej porządnie przykładali się do pracy. Za chwilę tych dwóch zażąda wsparcia i zadzwoni po informacje. Sprawdzą numery ewidencyjne i nazwiska zarówno Papieża, jak i jego. Sprawdzą alibi. Zadzwonią do fryzjera, u którego nigdy nie był. Nim nabiorą podejrzeń, minie trochę czasu – a właśnie ten czas to jedyne, co ma.

Detektyw obok niego marszczył brwi, myśląc, aż trzeszczało, po czym skierował wzrok wprost na niego.

– Mężczyzna, którego być może pan zabił, porwał dwójkę dzieci. Mógł je już zabić, ale jeśli nie, umrą z głodu i pragnienia, jeśli ich w porę nie znajdziemy. Za chwilę pojedziemy przeszukać jego dom, ale może mógłby nam pan pomóc. Wiadomo panu, czy on posiada dom letniskowy czy coś w tym stylu, co jest położone na odludziu? Jakieś miejsce z domkiem na łodzie?

Udało mu się zamaskować szok wywołany pytaniem. Skąd ten policjant wiedział o istnieniu domku na łodzie? Naprawdę go zaskoczył. Do kurwy nędzy, skąd on o tym wie?

– Przykro mi – powiedział, kontrolując się. Spojrzał na słabo oddychającego mężczyznę na podłodze. – Naprawdę mi przykro, ale nic nie wiem.

Policjant pokręcił głową.

– Pomimo okoliczności nie uda się uniknąć wszczęcia sprawy. Powinien pan o tym wiedzieć.

Powoli kiwnął głową. Po co protestować wobec czegoś tak oczywistego? Chciał wyjść na uczynnego, żeby się bardziej wyluzowali.

Śniady policjant podszedł do nich, kręcąc głową.

– Jest pan takim idiotą czy jak? – powiedział, patrząc wprost na niego. – Przecież nie było żadnego niebezpieczeństwa, już go miałem. Po co pan to tak zrobił z tą kulą? Jest pan świadomy, co pan takiego zrobił?

Pokręcił głową i podniósł zakrwawione ręce w stronę policjanta.

– Tak, ale on przecież zupełnie oszalał – powiedział. – Przecież widziałem, że niemal wbił w pana nóż.

Ponownie przyłożył rękę do biodra, mrużąc oczy, żeby widzieli, jak go boli.

Następnie zwrócił twarz w stronę policjanta, robiąc pokrzywdzoną i rozgniewaną minę.

– Powinien mi pan raczej dziękować i cieszyć się, że tak celnie trafiłem.

Obaj policjanci debatowali przez chwilę.

– Niedługo przyjedzie lokalna policja, będzie mógł pan im złożyć wstępne zeznanie – powiedział wyższy rangą. – Postaramy się, żeby znalazł się pan jak najszybciej pod opieką lekarską. Druga karetka jest już w drodze. Proszę się tylko spokojnie zachowywać, wówczas nie będzie pan tak silnie krwawił. Szczerze mówiąc, nie wygląda to aż tak poważnie.

Kiwnął głową i wycofał się.

Czas na kolejne posunięcie.

Przez głośnik nadano kilka komunikatów. Przemówiła ława sędziowska. Zawody zostały odwołane z powodu dramatycznych wydarzeń.

Spojrzał na swoich kumpli z drużyny. Siedzieli z pustymi spojrzeniami, ledwie rejestrując polecenie policjantów, aby nie ruszali się z miejsca.

Owszem, policja miała co robić. Wszystko wymknęło się spod kontroli. Nim skończy się noc, będą mieli co wyjaśniać przełożonym.

Wstał i spokojnie poszedł wzdłuż zewnętrznej ściany w stronę uwijającej się załogi karetki na końcu toru numer 20.

Skinął do nich głową, schylił się szybko za ich plecami i podniósł nóż. Upewniwszy się, że nikt inny na niego nie patrzy, wślizgnął się do wąskiego przejścia i wszedł do pomieszczenia z maszynami.

W niecałe dwadzieścia sekund był już na parkingu u szczytu schodów przeciwpożarowych i dalej w drodze na parking wielopoziomowy przy Ro's Torv.

Dokładnie w chwili, gdy niebieskie światła karetki zamajaczyły gdzieś w oddali na Københavnsvej, mercedes płynnie wjechał na jezdnię.

Tylko trzy skrzyżowania ze światłami i już go nie było.

47

Sytuacja przybrała przerażający obrót. Przerażający, nie inaczej.

Pozwolił, by tych dwóch mężczyzn usiadło przy tym samym stole i sprawy potoczyły się fatalnie.

Carl pokręcił głową. Kurwa mać. Był zbyt zapalczywy, zbyt zdeterminowany, ale skąd miał wiedzieć, że pójdzie aż tak źle? Przecież chciał ich po prostu zestresować.

Każdy z mężczyzn mógł być porywaczem, pytanie tylko, który z nich nim był? Obaj na swój sposób przypominali mężczyznę z portretu pamięciowego. Dlatego chciał sprawdzić, jak zareagują pod presją. Przecież jest specjalistą w rozpoznawaniu ludzi, którym ciąży poczucie winy. W każdym razie tak sądził.

A teraz wszystko przybrało fatalny obrót. Jedynego człowieka, który mógł mu powiedzieć, gdzie są dzieci, wynoszą do karetki na noszach, bliskiego śmierci, i to z jego winy. Po prostu straszne.

– Popatrz, Carl.

Odwrócił głowę do Assada, który trzymał w ręce portfel Papieża. Nie był zachwycony.

– Tak, o co chodzi, Assad? Widać po tobie, że niczego nie znalazłeś. Nie ma adresu?

– Owszem, jest. To nie o to chodzi, tylko o coś innego. I to nic dobrego, Carl. Popatrz!

Podał mu paragon z supermarketu Kvickly.

– Spójrz na godzinę, Carl.

Carl przez chwilę spoglądał na paragon, czując, jak na szyi zbiera mu się pot.

Assad miał rację. Jeszcze jedna fatalna rzecz.

Był to paragon kasowy z Kvickly w Roskilde. Kwit za dość skromne zakupy. Kupon Lotto i paczka gum Stimorol, kupione tego samego dnia o 15.25. Prawie w tym samym momencie, gdy Isabel Jønsson została napadnięta w Szpitalu Królewskim w Kopenhadze, ponad 30 kilometrów stąd.

Jeśli to był paragon Papieża, nie on był porywaczem. A dlaczego miałby nie należeć do niego, skoro znajdował się w jego portfelu?

– Kurwa jego mać – zajęczał Carl.

– Ratownicy medyczni z Falcka dopiero co znaleźli pół paczki gumy do żucia Stimorol w jego kieszeni, kiedy ich poprosiłem, by je opróżnili – powiedział Assad, rozglądając się z ponurą miną.

Po chwili wyraz twarzy Assada się zmienił. Zrobił się jakby bardziej otwarty.

– Gdzie jest René Henriksen? – wybuchnął.

Carl przeskanował salę wzrokiem. Cholera, gdzie on się podział?

– Tam! – krzyknął Assad, wskazując wąskie przejście prowadzące do pomieszczenia z maszynami, gdzie obsługiwano i serwisowano automaty do kręgli.

Carl to zobaczył. Smuga na ścianie szerokości pięciu centymetrów, dokładnie na wysokości bioder. Była to ewidentnie krew.

– Kurwa mać! – wybuchnął, rzucając się do biegu przez tory.

– Uważaj, Carl! – zawołał z tyłu Assad. – Na torze do kręgli nie ma noża. Zabrał go ze sobą.

„Proszę, niech będzie w środku" – pomyślał Carl, wchodząc do pomieszczenia o szerokości paru metrów, wypełnionego maszynami, narzędziami i gratami. Było tu aż za cicho.

Przebiegł obok rur wentylacyjnych, drabin i stołu z drewna tekowego z puszkami spreju i segregatorami, po czym nagle stanął przed tylnymi drzwiami.

Pełen złych przeczuć chwycił za klamkę, z łatwością otworzył drzwi i spojrzał w czarną nicość, do której prowadziły schody przeciwpożarowe.

Mężczyzna zniknął.

Assad wrócił po dziesięciu minutach spocony i z niczym.

– Widziałem plamkę krwi przy parkingu wielopoziomowym – powiedział.

Carl powoli wypuścił powietrze. To były upiorne minuty. Właśnie otrzymał wiadomość od dyżurnego z Komendy Głównej.

– Nie, niestety. Nie istnieje osoba o takim numerze ewidencyjnym – powiedział.

Nie istnieje osoba o takim numerze! René Henriksen w ogóle nie istniał, a właśnie jego poszukiwali.

– Okej, dzięki, Assad – powiedział ze zmęczeniem. – Wezwałem patrol z psami, zaraz tu będą. Przecież złapią jakiś trop. To nasza jedyna nadzieja.

Zapoznał Assada z sytuacją. Nie mieli żadnych danych na temat mężczyzny, który nazywał się René Henriksen. Zbrodniarz jest na wolności.

– Znajdź numer do inspektora policji tu w Roskilde. Nazywa się C. Damgaard – powiedział Carl. – Ja w tym czasie zadzwonię do Marcusa Jacobsena.

Już wcześniej dzwonił do szefa na telefon domowy. Numer szefa Wydziału Zabójstw był dostępny dzień i noc, taka była umowa.

– W mieście takim jak Kopenhaga przemoc nigdy nie ma wolnego, dlaczego więc ja miałbym mieć? – zwykł mawiać.

Jednak wyrwany z wieczornego relaksu Marcus bynajmniej się nie rozradował, słysząc, o co chodzi.

– Carl, do czarta. Musisz zdobyć telefon Damgaarda. Roskilde to nie mój rejon.

– Tak, Marcus, wiem, Assad już szuka numeru, ale to twój podwładny nawalił.

– No, no, nigdy bym się nie spodziewał, że Carl Mørck powie coś takiego – brzmiał, jakby wręcz triumfował.

Carl odsunął od siebie tę myśl.

– Za chwilę będą tu dziennikarze – powiedział. – Co mam robić?

– Przekaż informacje Damgaardowi i weź się w garść. Pozwoliłeś, by facet się wymknął, to musisz się, kurka, postarać go schwytać. Zaangażuj miejscowych, dobrze? Dobranoc, Carl, udanych łowów. Resztą zajmiemy się jutro.

Carl poczuł lekki ucisk w piersi. Krótko mówiąc, on i Assad zostali z tym sami, będąc na samym dnie.

– Oto taki numer prywatny inspektora policji Damgaarda – powiedział Assad. Wystarczyło wcisnąć przycisk komórki.

Słuchając sygnału, Carl czuł, jak ucisk w piersi się wzmaga. Nie, do kurwy nędzy, nie teraz!

– Tu Damgaard. Niestety nie ma mnie w domu. Proszę zostawić wiadomość – w komórce rozległa się poczta głosowa.

Carl ze złością zamknął klapkę telefonu. Czy ten zasrany inspektor policji w Roskilde zawsze jest nieuchwytny?

Westchnął. Nie pozostało nic innego, jak zadowolić się tymi miejscowymi ludźmi, którzy się pojawili. Może któryś z nich wiedział, jak opanować ten cały cyrk. Lepiej niech to zrobią, nim wszyscy zelandzcy dziennikarze pojawią się u drzwi przy schodach, skąd kilkoro miejscowych już teraz energicznie robiło zdjęcia. O bogowie! W społeczeństwie multimedialnym plotki z czasem rozchodzą się szybciej niż same wydarzenia. Setki par oczu widziały zajście, setki osób miały telefony komórkowe. Oczywiście padlinożercy już tu są.

Kiwnął głową do dwóch miejscowych detektywów, którym funkcjonariusze pilnujący porządku przy recepcji pozwolili przejść.

– Carl Mørck – pokazał im legitymację. Obaj z pewnością rozpoznali nazwisko, choć tego nie skomentowali. Zapoznał ich z sytuacją, co nie było takie proste.

– Czyli szukamy mężczyzny, który potrafi przebrać się tak, że nikt go nie rozpozna, którego nazwiska nie znamy i którego mercedes jest naszym jedynym rzeczywistym punktem zaczepienia. Brzmi prawie niewykonalnie – powiedział jeden z nich. – Zaraz zbierzemy odciski palców z jego wody mineralnej. Miejmy nadzieję, że to coś da. Co z raportem, mamy go teraz spisywać?

Carl poklepał kolegę po ramieniu i spojrzał ponad nim.

– To może poczekać, mnie przecież zawsze znajdziecie. Jak zaczniecie od ludzi, którzy tam pracują, ja porozmawiam z czwórką kumpli od bowlingu.

Chcąc nie chcąc, pozwolili mu odejść. Miał przecież rację.

Carl kiwnął głową do Larsa Brandego, który sprawiał wrażenie mocno poruszonego. Odeszło dwóch ludzi naraz. Pchnięcie nożem i zgon. Jego drużyna w ruinie, ludzie, o których sądził, że ich zna, zawiedli go w absolutnie niewybaczalny sposób.

Owszem, był poruszony, podobnie jak jego brat i pianista. Cała trójka miała milczące, smutne twarze.

– Musimy się dowiedzieć, kim naprawdę jest René Henriksen, więc proszę się zastanowić, czy mogą panowie nam pomóc? Cokolwiek. Czy ma dzieci, jak mają na imię, czy jest żonaty? Gdzie pracował, gdzie robi zakupy? Czy przychodził z ciastkami z konkretnej piekarni? Pomyślcie!

Trzech kumpli od bowlingu nie zareagowało, ale czwarty, mechanik, na którego mówili Zawór, przesunął się trochę. Może nie był aż tak poruszony jak pozostali.

– Właściwie to czasem się dziwiłem, że nigdy nie mówił o swojej pracy – powiedział. – W końcu wszyscy o tym gadaliśmy.

– Tak, i?

– Sprawiał wrażenie trochę zamożniejszego od reszty z nas, czyli miał dobrą pracę, no nie? Po zakończonych zawodach stawiał więcej piw. Tak, na pewno miał więcej pieniędzy niż my. Proszę choćby spojrzeć na tę torbę.

Wskazał za stołek barowy, na którym siedział.

Carl nagłym ruchem cofnął się i spojrzał prosto w dół na dziwaczną torbę, składającą się z wielu wszytych kieszeni.

– To Ebonite Fastbreak – oznajmił mechanik. – Jak pan myśli, ile taka towarzyszka kosztuje? Co najmniej tysiąc trzysta. A zobaczyłby pan moją. Nie mówiąc już nawet o jego kulach, są...

Carl już go nie słuchał. Po prostu niewiarygodne. Dlaczego wcześniej o tym nie pomyśleli? Przecież torba tu stoi.

Odsunął stołek barowy i wyciągnął torbę. Wyglądała jak normalna walizeczka na kółkach, ale z wszystkimi możliwymi konstelacjami schowków.

– Jest pan pewien, że to jego?

Mechanik kiwnął głową, nieco zdziwiony, że tę informację tak poważnie przyjęto.

Carl zamachał do kolegów z Roskilde.

– Gumowe rękawiczki, szybko! – zawołał.

Jeden z nich podał mu parę.

Carl poczuł, jak pot zaczyna kapać mu z czoła na niebieską torbę, kiedy ją otwierał. To jak wtargnąć do dawno zapomnianego grobowca.

Pierwszą rzeczą, jaką zobaczył, była wielobarwna kula, wypolerowana na błysk i bardzo nowoczesna. Następnie para butów, mała puszka talku i buteleczka japońskiego olejku miętowego.

Pokazał buteleczkę kolegom z drużyny.

– Do czego tego używał?

Mechanik spojrzał na nią.

– To taki jego zwyczaj. Za każdym razem przed startem wkraplał odrobinę tego bajeru do obu dziurek w nosie. Pewnie sądził, że mu to daje więcej tlenu. Coś tam związanego z koncentracją, ale niech pan sam spróbuje, do dupy to jest.

W międzyczasie Carl otwierał pozostałe przegródki. W jednej kula, a druga pusta. To wszystko.

– Mogę tak jeszcze też zobaczyć? – spytał Assad, gdy Carl odsunął się w tył. – Co z tymi przegródkami z przodu, patrzyłeś tam?

– Właśnie miałem to zrobić – odpowiedział Carl, już myślami gdzie indziej.

– Wiecie, gdzie kupił tę torbę? – zadał pytanie w przestrzeń.

– W Internecie – rozległy się trzy głosy naraz.

W Internecie, kurwa mać. Niech diabli porwą ten Internet.

– A buty i resztę? – spytał, a Assad wyciągnął z kieszeni długopis i zaczął grzebać w dziurce jednej z kul.

– Wszyscy wszystko kupujemy w Internecie, taniej wychodzi – powiedział mechanik.

– Nigdy nie rozmawialiście o prywatnych sprawach? O dzieciństwie, młodości, o tym, jak zaczęliście grać? O waszym pierwszym wyniku ponad 200 punktów?

„Wymyślcie coś, durnie. To po prostu niemożliwe".

– Niee. Właściwie to rozmawialiśmy tylko o tym, co robimy tu i teraz – ciągnął mechanik. – A jak skończyliśmy, gadaliśmy o tym, jak nam poszło.

– Patrz, Carl – powiedział Assad.

Carl spojrzał na zwitek papieru, który trzymał przed sobą. Zupełnie zmięty i twardy jak drewno.

– Znajdował się w tej kuli, na dnie dziurki na kciuk – powiedział Assad.

Carl spojrzał na niego z zupełną pustką we łbie. Na dnie dziurki na kciuk, tak powiedział?

– A tak – powiedział Lars Brande. – To się zgadza. René wykładał dna otworów na kciuki. Jego kciuki są dość krótkie, a on ma obsesję, że palec powinien dotykać dna. Twierdził, że daje mu to lepsze wyczucie kuli podczas podkręcania.

W tym momencie wtrącił się jego brat Jonas.

– Miał sporo rytuałów. Olejek miętowy, wyłożone otwory na kciuki, kolor kul. Na przykład w ogóle nie potrafił grać czerwonymi kulami. Mówił, że przeszkadza mu to w koncentracji na kręglach podczas wyrzucania ręki w przód.

– Tak – dodał pianista. Odezwał się po raz pierwszy. – I stał przez jakieś trzy–cztery sekundy na jednej nodze, nim wziął rozbieg. Nie powinien się był nazywać Trójką, tylko Bocianem. Częstośmy tak żartowali.

Śmiali się przez krótką chwilę, po czym przestali.

– To z drugiej kuli – powiedział Assad, podając mu kolejny kawałek papieru. – Byłem tak bardzo ostrożny.

Carl rozprostował oba zwitki papieru na blacie baru.

Następnie spojrzał na Assada. Co, u diabła, by bez niego zrobił?

– Wyglądają jak pokwitowania, Carl. Potwierdzenia z bankomatu.

Carl kiwnął głową. Paru bankowcom szykują się nadgodziny.

Paragon z Kvickly i dwa pokwitowania z Danske Bank. Trzy małe, niepozorne karteczki.

I wracają do gry.

48

Oddychał spokojnie. W ten sposób trzymał w odwodzie automatyczne mechanizmy obronne organizmu. Gdyby adrenalina zaczęła pompować się do żył, serce zaczęłoby mocniej bić, a to mu nie było do niczego potrzebne, zważywszy że biodro już i tak za bardzo krwawiło.

Przemyślał swoją sytuację.

Przede wszystkim umknął. Nie rozumiał, jak mogli tak go podejść, ale przeanalizuje to później. W tej chwili liczyło się tylko to, że nic we wstecznym lusterku nie wskazywało na pościg.

Pytanie tylko, jakie będzie kolejne posunięcie policji.

Mercedesów takiego typu, jakim jeździł, były tysiące. Już sama liczba wykupionych na własność taksówek była ogromna. Ale gdyby zablokowali drogi wokół Roskilde, zatrzymywanie wszystkich mercedesów nie stanowiłoby problemu.

Dlatego musiał jak najszybciej jechać dalej, byle do domu. Wrzucić zwłoki żony do bagażnika, odszukać trzy najbardziej kompromitujące pudła i wziąć je ze sobą. Zamknąć dom na klucz i w drogę na północ, do domu nad fiordem.

Przez następne tygodnie to będzie jego baza.

A jeśli będzie musiał wychodzić gdzieś na zewnątrz, będzie po prostu nakładał charakteryzację. Protestował, gdy z okazji zdobywania pucharów drużynie robiono zdjęcia. W większości wypadków udawało mu się tego uniknąć. Jednak jeśli będą wystarczająco nieustępliwi, znajdą jakieś jego zdjęcia. Z pewnością znajdą.

Dlatego kilkutygodniowa izolacja w Vibegården była ze wszech miar dobrym pomysłem. Rozpuścić ciała i zniknąć.

Dom w Roskilde będzie musiał zostawić, a Beniamin będzie musiał zostać u ciotki. Kiedy nadejdzie odpowiedni czas, na pewno go odzyska. Po dwóch-trzech latach w policyjnych archiwach sprawę porośnie mech.

Będąc dalekowzroczny, zgromadził w Vibegården rzeczy potrzebne w sytuacji takiej jak ta. Nowe dokumenty, całkiem sporo pieniędzy. Nie tyle, żeby opływać w dostatki, ale wystarczająco, żeby sobie spokojnie żyć gdzieś na świecie, a z czasem rozpocząć coś nowego. Przydałoby mu się parę lat świętego spokoju.

Spojrzał ponownie we wsteczne lusterko i zaczął się śmiać.

Pytali go, czy potrafi śpiewać.

– Oczywiście, że umiem śpieeeewać – zaśpiewał, aż dźwięk rozległ się w całej kabinie. Śmiał się, myśląc o spotkaniach wspólnoty Kościoła Matki Bożej we Frederiks. Nie, wszyscy pamiętają, jak ktoś fałszuje. Dlatego właśnie to robił. Wtedy ludzie sądzą, że wiedzą o kimś coś istotnego, choć tak nie jest.

W rzeczywistości miał ponadprzeciętnie dobry głos.

Ale jedną rzecz będzie musiał zrobić. Musi znaleźć chirurga plastycznego, który usunie mu bliznę za prawym uchem. Tam, gdzie gwóźdź prawie przeszedł na wylot, gdy go nakryli na podglądaniu przybranej siostry. Skąd, do kurwy nędzy, w ogóle wiedzieli o tej bliźnie? Czyżby w którymś momencie nie był wystarczająco ucharakteryzowany? Pilnował tego przecież, odkąd ten dziwny chłopak, którego kiedyś zabił, zapytał go, skąd mu się wzięła ta blizna. Jak się nazywał ten chłopak? Niedługo nie będzie umiał ich od siebie odróżnić.

Porzucił tę myśl i przerzucił się na wydarzenia z kręgielni.

Nie znajdą odcisków palców na jego wodzie mineralnej, jeśli na to liczyli, bo wytarł ją serwetką, gdy przesłuchiwali Larsa Brandego. Nie znajdą też odcisków palców na krzesłach i stołach – był na to zbyt przezorny.

Uśmiechał się do siebie przez chwilę. Dobrze to obmyślił.

Właśnie w tym momencie przyszła mu do głowy myśl o torbie do bowlingu. Wtedy pomyślał o tym, że odciski palców znajdują się na jego kulach i że w otwory na kciuki są wciśnięte kwity, które mogą doprowadzić ich do adresu w Roskilde.

Wziął głęboki oddech, myśląc znów o tym, by zachowywać się spokojnie i nie krwawić zbyt mocno.

„Nonsens" – powiedział do siebie. Nie znajdą tych kwitów, przynajmniej nie od razu.

Nie, czasu było dość. Może za dobę lub dwie dotrą do jego domu tu w Roskilde. W tej chwili potrzebował nie więcej niż pół godziny.

Skręcił w swoją ulicę i zobaczył młodego mężczyznę na trawniku przed swoim domem. Wykrzykiwał imię Mii.

Kolejna komplikacja.

„Muszę go szybko załatwić" – pomyślał, zastanawiając się, czyby nie zaparkować na którejś z bocznych uliczek.

Odszukał zakrwawiony nóż w schowku i wyjął go.

Następnie przejechał cicho obok domu, odwracając głowę w drugą stronę. Facet brzmiał jak oszalały kocur z tym swoim tęsknym nawoływaniem. Naprawdę wolała tego chłopca od niego?

Właśnie wtedy zauważył, że dwoje starych z naprzeciwka wygląda przez szpary między zasłonami. Najlepsze lata mieli już za sobą, ale ciekawości – bynajmniej.

Dodał gazu.

Nie może nic zrobić. Za dużo byłoby świadków, gdyby zaatakował tego młodego gościa.

Muszą znaleźć zwłoki w domu, i tyle. Cóż to właściwie zmieniało? Policja i tak podejrzewała go o poważne sprawy. Nie wiedział jakie, ale wystarczająco poważne.

Może w końcu dogrzebią się do kartonu z broszurą o domach letniskowych na sprzedaż, ale do czego im się przyda? Przecież nic nie wiedzieli. Przecież nie istniały żadne papiery, które potwierdziłyby, który z nich zdecydował się swego czasu kupić.

Nie, nie traktował tego jako realnego zagrożenia. Akt własności Vibegården leżał w sejfie wraz z pieniędzmi i paszportami.

Byle tylko udało mu się zatamować krwawienie i nie zostać zatrzymanym w drodze na północ. Wtedy wszystko będzie dobrze.

Odszukał apteczkę i zdjął ubranie z górnej części ciała.

Rany były trochę głębsze, niż sądził, szczególnie ta zadana jako ostatnia. Wprawdzie kalkulował, jak mocno ma pociągnąć Papieża za rękę, ale nie przewidział, jak mały opór będzie stawiać.

Dlatego tak mocno krwawił. I dlatego będzie musiał poświęcić sporo czasu, by usunąć ślady z miejsca dla kierowcy w swoim mercedesie, nim go sprzeda.

Wyciągnął strzykawkę i ampułkę ze środkiem znieczulającym i przemył rany spirytusem, po czym zrobił sobie zastrzyk.

Przez chwilę siedział, rozglądając się po salonie. Miał wielką nadzieję, że nie znajdą Vibegården. To właśnie tutaj czuł się najbardziej u siebie. Wolny od świata, wolny od jego rozczarowań i oszustw.

Przygotował igłę i nić. Po zaledwie minucie można było wbić igłę w ciało wokół ran, nic nie czując.

„Teraz przybędzie mi kolejnych blizn dla chirurga plastycznego" – pomyślał, śmiejąc się.

Gdy skończył, spojrzał na efekt szycia i znów się roześmiał. Mówiąc oględnie, ładnie to nie wyglądało, ale krwawienie ustało.

Założył na rany kompres z gazy i plaster i położył się na kanapie. Gdy będzie gotowy, wyjdzie na zewnątrz i zabije dzieci. Im szybciej to zrobi, tym szybciej ciała się rozpuszczą i tym prędzej będzie mógł się stąd wynieść.

Jeszcze dziesięć minut i pójdzie do budynku gospodarczego po młotek.

49

Po dwudziestu minutach wiedzieli, kto podjął pieniądze i gdzie mieszkał. Nazywał się Claus Larsen i mieszkał tak blisko, że można było dotrzeć do jego willowej uliczki w niespełna pięć minut.

– Co sądzisz, Carl? – spytał Assad, gdy Carl wjechał na rondo na Kong Valdemars Vej.

– Sądzę, że to dobrze, że na ogonie siedzi nam kilku kolegów, którzy mają przy sobie pistolety służbowe.

– Myślisz, że będą takie konieczne?

Kiwnął głową.

Skręcili w ulicę willową i już z odległości stu metrów od domu zobaczyli mężczyznę stojącego w półmroku światła ulicznego i krzyczącego.

Nie był to z pewnością ten, którego szukali. Był młodszy, chudszy i całkiem zdesperowany.

– Pospieszcie się! Pomóżcie! Tam na górze się pali – krzyknął, gdy do niego podbiegli.

Carl zobaczył, że jego koledzy w aucie z tyłu zahamowali i natychmiast wezwali posiłki, ale zdążyła to już z pewnością zrobić para starszych sąsiadów z naprzeciwka, stojących w swoich szlafrokach na chodniku po drugiej stronie.

– Wie pan, czy w domu ktoś jest? – krzyknął Carl.

– Myślę, że tak. Coś jest nie tak z tym domem, i to bardzo – brzmiał, jakby mu brakowało tchu. – Przychodzę tu parę dni z rzędu, ale nikt nie otwiera drzwi, a kiedy dzwonię na komórkę przyjaciółki, słyszę, jak dzwoni na górze, ale ona nie odbiera – wskazał okno mansardowe, dotykając w przerażeniu czoła.

– Dlaczego teraz się PALI? – krzyknął.

Carl spojrzał w górę na płomienie, które było wyraźnie widać we wskazanym przez mężczyznę oknie mansardowym tuż nad drzwiami wejściowymi.

– Nie widział pan przypadkiem, czy przed chwilą do domu wchodził mężczyzna? – spytał.

Facet pokręcił głową; nie potrafił ustać w miejscu.

– Wyważę drzwi, tak zrobię! – krzyknął z desperacją. – Wyważam je, okej?

Carl spojrzał na kolegów. Pokiwali głowami.

Był rosłym i silnym facetem. Był dobrze wytrenowany i wiedział, co robi. Wziął rozbieg i w chwili, gdy dobiegł do drzwi, podskoczył w górę i wymierzył miażdżący kopniak obcasem w zamek. Zajęczał głośno, wylewając z siebie strumień przekleństw, gdy upadł na ziemię, a drzwi pozostały nienaruszone.

– Kurwa mać, są dla mnie zbyt mocne – odwrócił się z paniką do stojącego za nim wozu patrolowego. – Pomóżcie mi, myślę, że Mia jest w środku! – krzyknął.

W tej samej chwili rozległ się gigantyczny huk. Carl zwrócił głowę w stronę dźwięku i ujrzał, jak Assad znika w stłuczonym oknie salonu.

Carl pobiegł w tamtą stronę, a za nim młody mężczyzna. Ze strony Assada było to bardzo skuteczne posunięcie, bo na podłodze, pod kołem zapasowym, które wrzucił do środka, leżały zarówno szprosy, jak i roztrzaskane wewnętrzne skrzydła okienne.

Wskoczyli do środka.

– To tu! – zawołał mężczyzna, ciągnąc za sobą Assada i Carla do przedsionka.

U podnóża schodów dymu nie było aż tyle, ale piętro wyżej – owszem. Właściwie to nie widać było wyciągniętej przed siebie ręki.

Carl zasłonił usta koszulą i polecił, żeby tamci zrobili to samo. Słyszał przecież, jak Assad kaszle za nim na schodach.

– Idź na dół, Assad – krzyknął, ale Assad nie słuchał.

Słyszeli z dworu zbliżające się wozy strażackie, ale dla młodego mężczyzny, słaniającego się przy ścianie, nie stanowiło to pocieszenia.

– Myślę, że ona jest w środku. Mówi, że zawsze ma tę komórkę przy sobie – wykaszlał w gęstym dymie.

– Posłuchajcie, co się teraz wydarzy – najwyraźniej wystukał numer na swojej komórce, bo po paru sekundach rozległ się parę metrów przed nimi słaby dźwięk.

Mężczyzna rzucił się przed siebie, szukając po omacku drzwi. Następnie usłyszeli, jak wewnątrz, za ścianą, pęka z gorąca świetlik w dachu.

W tym momencie kaszląc, wszedł po schodach jeden z kolegów z Roskilde.

– Mam tu małą gaśnicę! – zawołał. – Gdzie się pali?

Dowiedzieli się tego, gdy facet rozwalił drzwi do pomieszczenia, a płomienie buchnęły poziomo w ich stronę. Następnie rozległ się syczący dźwięk gaśnicy, ale efekt był mizerny, choć gaśnica na tyle ugasiła ogień, żeby można było zajrzeć do środka.

Nie wyglądało to dobrze. Płomienie zajęły sufit i mnóstwo stojących w środku kartonowych pudeł.

– Mia! – zawołał facet z desperacją w głosie. – Mia, jesteś tam?

W tej samej sekundzie przez okno mansardowe przedarł się z hukiem strumień wody z zewnątrz, aż w ich stronę buchnęła para.

Rzucając się na podłogę, Carl poczuł palący ból w ręce i na ramieniu, którym instynktownie zasłonił twarz.

Usłyszeli krzyki z zewnątrz i pojawiła się piana.

W ciągu paru sekund było już po wszystkim.

– Musimy otworzyć okna – wykaszlał obok funkcjonariusz z Roskilde, a Carl dał susa, szukając po omacku drzwi, podczas gdy policjant odnalazł jeszcze inne.

Gdy dym został wyssany z piętra, Carl zobaczył pomieszczenie, w którym się paliło. W drzwiach, na śliskiej podłodze, stał młody mężczyzna, rzucając gorączkowo za siebie kartonowe pudła. Wiele z nich jeszcze się tliło, ale to go nie powstrzymało.

Właśnie wtedy Carl natknął się u szczytu schodów na leżące bez życia ciało.

To był Assad.

– Uważajcie! – zawołał, odsuwając w bok jednego z funkcjonariuszy.

Zeskoczył na stopień pod Assadem i chwycił go za nogi. Przyciągnął go jednym ruchem do siebie i zarzucił na ramię.

– Pomóżcie mu – warknął do paru ratowników na trawniku przed domem, gdy na usta Assada zakładano aparat tlenowy.

„Pomóżcie mu, do cholery" – myślał wciąż, a krzyki na piętrze przybierały na sile.

Nie widział młodej kobiety, gdy z nią schodzili. Dostrzegł ją dopiero, gdy kładziono ją na noszach obok Assada. Leżała całkiem wykręcona, jakby następowało już stężenie pośmiertne.

Wtedy przyprowadzili młodego mężczyznę. Był czarny od sadzy, a sporą część włosów miał spaloną, choć twarz nie została poszkodowana.

Płakał.

Carl oderwał wzrok od Assada i podszedł do gościa. Wyglądał, jakby w każdej chwili mógł się załamać.

– Zrobił pan, co w pana mocy – Carl zmusił się, by to powiedzieć.

Wtedy facet zaczął śmiać się i płakać jednocześnie.

– Ona żyje – powiedział, padając na kolana. – Czułem bicie jej serca.

Za plecami Carla rozległ się kaszel Assada.

– Co się dzieje? – krzyknął, machając rękami i nogami.

– Proszę leżeć spokojnie – powiedział ratownik. – Zatruł się pan dymem, to może być coś poważnego.

– Nie zatrułem się tak żadnym dymem. Upadłem na schodach i uderzyłem się w głowę. W tym całym dymie nie widziałbym tak nawet dupy słonia.

Po dziesięciu minutach kobieta otworzyła oczy. Tlen i kroplówki podane jej przez lekarza z karetki zdecydowanie pomogły.

W tym czasie strażacy zdążyli się zająć dogaszaniem, a Assad, Carl i koledzy z Roskilde przeszukali dom, ale nie było ani śladu po dokumentach dotyczących René Henriksena czy Clausa Larsena. Ani też informacji o domu położonym nad wodą.

Znaleźli jedynie akt własności domu, w którym się znajdowali. Był zapisany na nazwisko jeszcze innej osoby.

Beniamin Larsen – brzmiał zapis.

Następnie sprawdzili, czy pod tym adresem jest zarejestrowany jakiś mercedes. Znów na próżno.

Mężczyzna miał po prostu tyle opcji, ile jest wyłazów z lisiej nory, wręcz nieprawdopodobne.

Widzieli kilka fotek ślubnych w salonie. Ona z uśmiechem i dużym bukietem, on sztywny i bez wyrazu. Czyli kobieta leżąca na noszach była jego żoną. Imiona znajdowały się też na drzwiach – Mia i Claus Larsenowie.

Biedna Mia.

– Dobrze, że pan tu był, gdy przyjechaliśmy, w przeciwnym razie fatalnie by się to skończyło – powiedział do młodego mężczyzny, który wszedł za kobietą do karetki, a teraz trzymał ją za rękę. – Co pana łączy z tą panią? Kim pan jest? – spytał Carl.

Odpowiedział, że ma na imię Kenneth; poza tym nie powiedział nic. Wyjaśnienia będą musieli uzyskać jego koledzy.

– Będzie pan musiał się trochę przesunąć. Muszę zadać pani Mii Larsen parę pytań, które po prostu nie mogą czekać – spojrzał pytająco na lekarza, który podniósł w górę dwa palce.

Miał do dyspozycji dwie minuty.

Carl wziął głęboki oddech. To mogła być ich ostatnia szansa.

– Pani Larsen – powiedział. – Jestem policjantem. Jest pani w dobrych rękach, więc proszę się nie obawiać. Szukamy pani męża. Czy to on jest sprawcą tego wszystkiego?

Cicho pokiwała głową.

– Musimy wiedzieć, czy pani mąż posiada dom albo bywa w miejscu, gdzie w pobliżu jest woda. Może jakiś domek letniskowy. Wie pani coś o tym?

Zacisnęła usta.

– Może – powiedziała bardzo słabo.

– Gdzie? – zapytał, próbując zapanować nad sobą.

– Nie wiem. Broszury na górze w kartonach – kiwnęła głową ku otwartym drzwiom karetki, w stronę domu.

Cóż za niemożliwe zadanie.

Carl zwrócił się do funkcjonariuszy z Roskilde i poinstruował ich, czego mają szukać. Budynek z domkiem na łodzie gdzieś nad fiordem. Gdyby znaleźli podobny prospekt lub coś w tym stylu w którymś z kartonów, które Kenneth rzucił na korytarz, mają się natychmiast z nim skontaktować. Nie muszą teraz grzebać w pudłach, które jeszcze znajdują się w środku. Na bank nie nadają się do użytku.

– Czy zna pani męża pod innymi nazwiskami niż Claus Larsen? – spytał w końcu.

Pokręciła głową.

Następnie podniosła rękę. Powolutku, w stronę głowy Carla. Drżała z wysiłku, kładąc delikatnie dłoń na jego policzku.

– Proszę znaleźć Beniamina, dobrze? – po czym jej ręka opadła w dół, a ona zamknęła oczy z wycieńczenia.

Carl spojrzał pytająco na młodego mężczyznę.

– Beniamin to ich synek – powiedział. – Jedyne dziecko Mii. Ma niewiele ponad półtora roku.

Carl westchnął, ostrożnie ściskając ramię kobiety.

Jakichże cierpień jej mąż przysporzył światu. I kto ma go teraz powstrzymać?

Wstał i po raz ostatni poddał oględzinom rękę i bark. Lekarz ostrzegał, że przez kolejnych parę dni będą boleć jak cholera.

Niech i tak będzie.

– Dobrze się czujesz, Assad? – spytał, gdy strażacy zwijali węże, a karetka zniknęła na końcu ulicy.

Jego pomocnik przewrócił oczami. Nie licząc lekkiego bólu głowy i wysmarowania sadzą, wszystko było z nim w porządku.

– Wymknął się, Assad.

Assad kiwnął głową.

– Co nam jeszcze zostało do dyspozycji?

Wzruszył ramionami.

– Jest już ciemno, ale sądzę, że powinniśmy pojechać nad fiord i zerknąć na miejsca, które Yrsa zaznaczyła kółkiem.

– Mamy przy sobie te zdjęcia?

Kiwnął głową, biorąc z tylnego siedzenia plastikową koszulkę. Wszystkie zdjęcia lotnicze wybrzeża fiordu, razem piętnaście. Nie tak znowu mało tych kółek.

– Myślisz, że dlaczego ten Klaes Thomasen tak nie oddzwonił? – spytał Assad, wsiadając do samochodu. – Mówił, że porozmawia z leśnikiem.

– Masz na myśli leśniczego! Owszem, tak mówił. Pewnie nie udało mu się z nim skontaktować.

– Mam tak zadzwonić do Klaesa i spytać, Carl?

Carl kiwnął głową, podając Assadowi swoją komórkę.

Po chwili Assad nawiązał kontakt. Widać było, że coś jest nie tak. Następnie zamknął klapkę komórki.

Spojrzał na Carla gniewnie.

– Klaes Thomasen był bardzo zaskoczony. Już wczoraj powiedział Yrsie, że leśniczy z Nordskoven tak potwierdził, że kiedyś istniał domek na łodzie na drodze prowadzącej do strażnika leśnego – na chwilę spojrzał w dal, dziwiąc się temu określeniu, po czym kontynuował. – Powiedział Yrsie, żeby to przekazała. Myślę, że to było wtedy, jak dawałeś jej róże, Carl. Zapomniała o tym powiedzieć.

Powiedział „zapomniała"? Jak, do licha, to się mogło stać? Taka ważna informacja. Czy ta kobieta zupełnie zwariowała?

Sam powściągnął tę myśl. Komu, do cholery, miałby się poskarżyć?

– Gdzie leży ten domek na łodzie, Assad?

Assad położył mapę na desce rozdzielczej i wskazał. Widniało tam podwójne kółko. Vibegården na Dyrnæsvej w lesie Nordskoven. Miejsce, na które Yrsa sama zwróciła uwagę. To było wręcz nie do zniesienia.

Ale skąd mieli wiedzieć, że trafiła w sedno? I skąd mieli wtedy wiedzieć, że nie mają ani cholernej chwili do stracenia? Że doszło do kolejnego porwania?

Pokręcił głową. Ale właśnie nastąpiło kolejne uprowadzenie, a skutek...?! Nie śmiał nawet dokończyć tej myśli.

Bowiem wszystko wskazywało na to, że dwoje dzieci znajduje się obecnie w tej samej sytuacji, co Poul i Tryggve Holt trzynaście lat temu. Dwójka dzieci w skrajnym niebezpieczeństwie! Akurat tu i teraz!

50

W miasteczku Jægerspris zjechali przy czerwonym pawilonie z napisem „Rzeźba i Malarstwo" i już byli w lesie.

Przejechali spory odcinek po mokrym od deszczu asfalcie, nim dotarli do tabliczki z napisem „Zakaz wjazdu nieupoważnionych pojazdów mechanicznych". Idealny wybór, jeśli się nie chciało, by ktokolwiek przeszkadzał w tym, co się robi.

Jechali powoli. GPS informował, że wciąż znajdują się ładny kawałek od domu, ale światło halogenowe ich reflektorów sięgało daleko w teren. Gdyby nagle ukazał im się kawał otwartej przestrzeni dochodzącej do fiordu i samego domu, będą musieli zgasić światła. Za parę tygodni na drzewach pojawią się liście, ale teraz nie było za bardzo za czym się ukryć.

– Teraz będzie droga, która nazywa się Badevej, Carl. Zgaś tak już światła. Potem pojawi się niezadrzewiony odcinek.

Carl wskazał schowek, z którego Assad wyjął latarkę.

Następnie Carl wyłączył światła.

Toczyli się wolno w świetle latarki – na tyle, by móc się orientować.

Ze strony fiordu majaczyły pola, może nawet trochę leżącego w trawie bydła. Następnie po lewej stronie drogi pojawiła się mała stacja transformatorowa. Kiedy ją mijali, buczała słabo.

– Czy to ona mogła wtedy tak buczeć? – spytał Assad.

Carl pokręcił głową. Nie, dźwięk był zbyt słaby. Nie było go już słychać.

– Tam, Carl – Assad wskazał w stronę czarnego kształtu, który chwilę potem okazał się żywopłotem z zarośli, ciągnącym się od drogi aż do samej wody. Czyli tuż za nim leżało Vibegården.

Zaparkowali samochód na poboczu i stali przez chwilę na drodze, odpoczywając.

– Co myślisz, Carl? – spytał Assad.

– Myślę o tym, co znajdziemy. Myślę też o pistolecie, który leży sobie w Komendzie Głównej.

Za zaroślami znajdował się uskok, a za nim jeszcze jedna kępa drzew, ciągnąca się aż do wody. Posiadłość nie była duża, ale idealnie usytuowana. Były tu wszelkie możliwości, by wieść szczęśliwe życie. Albo ukrywać najbardziej odrażające postępki.

– Patrz! – wskazał Assad i Carl to zobaczył. Zarys małego domku przy wodzie. Pewnie budynek gospodarczy albo altana.

– I tam – powiedział Assad, wskazując między drzewa.

Było tam widać bardzo słabe światło.

Przecisnęli się przez gałęzie żywopłotu i przyjrzeli się domowi z czerwonej cegły, leżącemu za kępą drzew. Zniszczony i nieco podupadający. W dwóch oknach od strony drogi było światło.

– Jest w środku, nie sądzisz? – spytał szeptem Assad.

Carl nie odpowiedział. Skąd ma to wiedzieć?

– Zdaje się, że trochę dalej za domem jest wjazd. Może zobaczmy, czy nie stoi tam mercedes? – wyszeptał Assad.

Carl pokręcił głową.

– Stoi, możesz mi wierzyć.

Wtedy usłyszeli niskie buczenie dochodzące z dołu ogrodu. Jakby motorówka, prująca do domu po gładkich jak lustrzana tafla wodach. Jak cichy, niski szum dobiegający z oddali.

Carl zmrużył oczy. Czyli jednak było to buczenie.

– Dobiega z budynku na tyłach ogrodu. Widzisz go, Assad?

Assad chrząknął. Widział.

– Nie sądzisz, że domek na łodzie może się znajdować w tych krzakach obok budynku gospodarczego? Już w samej wodzie – powiedział Assad.

– Możliwe. Ale boję się tego, że on może tam być. I tego, co tam teraz robi – odparł Carl.

Cisza panująca wokół domu i dźwięk dobiegający z budynku gospodarczego przyprawiały go o ciarki.

– Będziemy musieli tam pójść, Assad.

Jego towarzysz kiwnął głową i podał Carlowi zgaszoną latarkę.

– Weź ją jako broń, Carl. Ja bardziej tak polegam na własnych rękach.

Przecisnęli się przez krzew, który zranił Carla w poparzoną rękę. Gdyby nie wilgoć koszuli i marynarki, a także chłodząca mżawka, musiałby stać przez chwilę, by zdławić w sobie ból.

Gdy zbliżyli się do budynku gospodarczego, dźwięk stał się wyraźniejszy. Monotonny, niski i ciągły. Jak świeżo naoliwiony silnik na najniższym biegu.

Pod drzwiami było widać wąską smugę światła. Czyli w środku coś się działo.

Carl pokazał na drzwi, ściskając ciężką latarkę. Gdyby Assad otworzył raptownie drzwi, wtargnie do środka, gotowy do ciosu. Muszą zobaczyć, co się tam kryje.

Przez parę sekund patrzyli po sobie, po czym Carl dał znak. Jeden ruch i drzwi stały otworem, a sekundę później Carl wparował do pomieszczenia.

Rozejrzawszy się, opuścił rękę z latarką. Nikogo. Nic tu nie było oprócz stołka, paru narzędzi na ławie ciesielskiej, wielkiego zbiornika po ropie, kilku szlauchów, no i generatora, który buczał na podłodze niczym pozostałość z czasów, kiedy wszystkie sprzęty wykonywano tak, by przetrwały wieczność.

– Czym tutaj śmierdzi, Carl? – spytał szeptem Assad.

Owszem, mocno śmierdziało, a Carl znał ten zapach. Zresztą już dawno się nań nie natknął. Ostatni raz przed wielu laty, gdy wszystkie sosnowe meble i drzwi poddawano kąpieli w kwasie. Ta lepka, wilgotna woń, od której zwierały się nozdrza. Zapach wodorotlenku sodu. Ługu.

Obrócił się w stronę zbiornika po ropie z głową pełną nieprzyjemnych wyobrażeń. Przysunął bliżej stołek i pełen złych przeczuć stanął na nim, po czym uniósł wieko pojemnika.

„Jedno pstryknięcie latarki i doznam szoku" – pomyślał, kierując snop światła w głąb pojemnika.

Ale nie zobaczył niczego. Tylko woda i metrowa grzałka, wisząca po wewnętrznej stronie zbiornika.

Nietrudno wydedukować, do czego zbiornik mógł być używany. Zgasił latarkę, ostrożnie zszedł ze stołka i spojrzał na Assada.

– Myślę, że dzieci są wciąż w domku – powiedział. – Może żyją.

Byli bardzo uważni, wychodząc z budynku gospodarczego, po czym stali przez chwilę, by przyzwyczaić oczy do mroku. Za trzy miesiące o tej porze będzie widno jak w ciągu dnia, ale teraz widzieli jedynie niewyraźne kształty majaczące między nimi a fiordem. Czy w tych niskich krzewach naprawdę miałby się znajdować domek na łodzie?

Pomachał do Assada, by ten poszedł za nim, i przez kolejnych parę metrów czuł, jak pod stopami ślizgają się duże, nagie ślimaki. Assadowi się to zdecydowanie nie podobało, to pewne.

Dotarli do krzaków. Carl schylił się, odsunął na bok gałąź i oto tuż przed jego oczami ukazały się drzwi, znajdujące się pół metra nad ziemią. Dotknął grubych desek, w których były osadzone. Były śliskie i wilgotne.

Śmierdziało smołą, czyli to w ten sposób uszczelnił szpary. Tą samą smołą, którą Poul Holt zakorkował butelkę z listem.

Słyszeli przed sobą chlupot wody; to znaczy, że domek leżał tuż nad wodą. Bez wątpienia umieszczono go na palach. To rzeczywiście był domek na łodzie!

Znajdowali się we właściwym miejscu.

Carl chwycił za klamkę, ale drzwi nie ustąpiły. Wtedy wymacał tkwiący w ryglu skobel. Uniósł go ostrożnie i pozwolił, by opadł na swym łańcuchu. Czyli ma pewność, że tego bydlaka nie ma w środku.

Powoli otworzył drzwi i od razu usłyszał cichy, tłumiony oddech. Uderzył go odór gnijącej wody, moczu i kału.

– Jest tu ktoś? – spytał szeptem.

Po chwili rozległ się zduszony jęk.

Zapalił latarkę i od widoku, jaki mu się ukazał, ścisnęło mu się serce.

W odległości dwóch metrów od siebie siedziały we własnych odchodach dwie skulone postacie. Mokre spodnie, tłuste włosy. Dwa małe, żywe zawiniątka, które już się poddały.

Chłopak patrzył wprost na Carla wielkimi, oszalałymi oczami. Wciśnięty pod strop, pochylony, z zawiązanymi z tyłu rękami i przykuty łańcuchem. Na ustach miał taśmę klejącą, która pulsowała słabo, gdy oddychał i całym sobą wołał o pomoc. Carl skierował latarkę w bok i ujrzał dziewczynkę, pochyloną na swoim łańcuchu. Głowa zwisała bezwładnie na ramieniu, tak jakby była pogrążona we śnie, ale nie spała. Miała otwarte oczy i zareagowała na światło mruganiem; była tak wycieńczona, że po prostu nie miała siły, by unieść głowę.

– Pomożemy wam – powiedział i wdrapał się do domku na czworakach. – Zachowujcie się cichutko, damy radę.

Carl podniósł swoją komórkę i wystukał numer. Po chwili połączył się z posterunkiem policji we Frederikssund.

Wyjaśnił, z czym dzwoni, i poprosił o wsparcie, po czym zamknął klapkę telefonu.

Chłopak rozluźnił ramiona. Ta rozmowa sprawiła, że się odprężył.

W tym czasie do środka wszedł Assad. Klęczał teraz pod stropem przedsionka, zdejmując taśmę z ust dziewczynki. Poluzował już jej pasek, a wtedy Carl zaczął pomagać chłopakowi. Był skory do współpracy. Nawet nie pisnął przy zdzieraniu taśmy i przesunął się w bok, by Carl mógł dosięgnąć sprzączki skórzanego pasa na jego plecach.

Następnie odsunął dzieci od ściany i zaczął szarpać się z łańcuchem okręconym wokół ich talii i przypiętym do innego łańcucha, który był przyśrubowany do ściany.

– Owinął nas nimi wczoraj i zamknął na klucz. Przedtem łańcuch w ścianie był przymocowany tylko do skórzanego pasa. On ma klucze – odezwał się chłopak.

Carl spojrzał na Assada.

– Widziałem łom w budynku gospodarczym, pójdziesz po niego, Assad? – spytał.

– Łom?

– Tak, Assad, do diaska!

Carl zorientował się po wyrazie twarzy Assada, że doskonale wie, czym jest łom. Po prostu nie chciał przedzierać się jeszcze raz przez te wszystkie ślimaki, jeśli nie musiał.

– Potrzymaj latarkę, sam po niego pójdę.

Wydostał się z domku na łodzie. Trzeba było od razu zabrać ten łom. To skądinąd niezła broń.

Przeczłapał jeszcze raz przez breję z żywych i martwych ślimaków i dostrzegł słabe światło w jednym z okien domu wychodzących na fiord. Wcześniej go tam nie było.

Zatrzymał się i stał przez chwilę cicho jak mysz pod miotłą, nasłuchując.

Nie, absolutnie znikąd nie było słychać żadnej aktywności.

Podszedł więc do budynku gospodarczego i ostrożnie otworzył drzwi.

Łom znajdował się tuż przed nim na ławie ciesielskiej, pod młotkiem i kluczem francuskim. Przełożył młotek, a klucz francuski odsunął na bok. Drgnął, gdy klucz, przechyliwszy się na krawędzi, spadł na podłogę z metalicznym brzękiem.

Przez chwilę stał w bezruchu w przyćmionym świetle i nasłuchiwał.

Następnie wziął łom i wymknął się na dwór.

Spojrzeli na niego z ulgą, gdy wrócił. Tak jakby każdy ruch Carla i Assada, odkąd otworzyli do nich drzwi, sam w sobie był cudem. Całkowicie zrozumiałe.

Ostrożnie wyrwali łańcuchy ze ściany.

Chłopak natychmiast wyczołgał się spod ściany skosowej, ale dziewczynka leżała nieruchomo, jęcząc.

– Co z nią? – spytał Carl. – Brakuje jej wody?

– Tak, jest wycieńczona. Długo tu byliśmy.

– Poniesiesz dziewczynkę, Assad – powiedział szeptem Carl. – Trzymaj mocno łańcuchy, żeby nie brzęczały. Ja pomogę Samuelowi.

Dostrzegł, że chłopak zesztywniał. Obrócił ku niemu brudną głowę i wpatrywał się, jakby w duszy Carla objawił się szatan.

– Wie pan, jak mam na imię – powiedział chłopak podejrzliwie.

– Jestem policjantem, dużo o was wiem, Samuelu.

Odchylił głowę w tył.

– Skąd? Rozmawiał pan z mamą i tatą? – spytał.

Carl zaczerpnął powietrza.

– Nie, nie rozmawiałem.

Samuel cofnął ręce i lekko zacisnął dłonie.

– Coś jest na rzeczy – powiedział. – Nie jest pan policjantem.

– Owszem, Samuelu, jestem. Chcesz zobaczyć odznakę?

– Skąd pan wiedział, gdzie jesteśmy? Przecież nie mógł pan tego wiedzieć?

– Pracujemy od dawna, by znaleźć waszego porywacza, Samuelu. Chodź, nie ma chwili do stracenia – poprosił Carl, podczas gdy Assad wyciągał dziewczynkę przez drzwi.

– Jeśli jesteście policjantami, to dlaczego nie ma chwili do stracenia? – teraz wyglądał na przerażonego. Widać było, że nie jest sobą. Czy to szok?

– Musieliśmy wyrwać wasze łańcuchy ze ściany, Samuelu. Czy to nie wystarczający dowód? Nie mieliśmy klucza.

– Chodzi o moją mamę i mojego tatę? Nie zapłacili? Coś im się stało? – pokręcił głową. – Co się stało tacie i mamie? – powtórzył znacznie za głośno.

– Ćśś – powiedział Carl.

Usłyszeli na dworze głuchy odgłos. Czyli Assad potknął się na śliskiej ścieżce w ogrodzie.

– Stało się coś? – spytał szeptem Carl. Zwrócił się do Samuela. – Chodź, Samuelu. Nie ma chwili do stracenia.

Chłopak podejrzliwie spojrzał na Carla.

– Przed chwilą nie rozmawiał pan wcale z nikim przez komórkę, prawda? Weźmiecie nas na zewnątrz i zabijecie, tak? Czy tak właśnie zrobicie?

Carl pokręcił głową.

– Teraz wyjdę na zewnątrz i zobaczysz przez drzwi, że wszystko jest w porządku – powiedział i ześlizgnął się na zewnątrz na świeże powietrze.

Usłyszał jakiś dźwięk i poczuł silne uderzenie w kark, a potem ogarnęła go ciemność.

51

Może to ten hałas na zewnątrz, może ból biodra w miejscu, gdzie się zszył. W każdym razie obudził się raptownie i zdezorientowany rozejrzał się wokół.

Wtedy przypomniał sobie, co się wydarzyło, i spojrzał na zegarek. Odkąd się położył, minęło prawie półtorej godziny.

Wciąż zaspany wyprostował się na kanapie i przechylił na bok, by sprawdzić, czy krew się nie przesączyła.

Pokiwał z zadowoleniem głową nad swoją robotą. Sucho i ładnie. Bardzo dobrze jak na pierwszy raz.

Wstał i przeciągnął się. W kuchni miał kartony z sokiem i jedzenie w puszkach. Szklanka soku z granatów i kromka chleba chrupkiego z tuńczykiem z pewnością go wzmocnią po utracie krwi. Jeden kęs i idzie do domku na łodzie.

Zapalił światło w kuchni i przez chwilę spoglądał w mrok, po czym opuścił roletę. Po co światło ma być widoczne z wody. Przezorności nigdy dość.

Zastygł, marszcząc brwi. Czyżby usłyszał dźwięk? Jakby brzęk metalu? Przez chwilę stał w bezruchu. Teraz znów było cicho.

Może zaskrzeczał jakiś ptak? Ale czy ptaki skrzeczą o tej porze dnia?

Poluzował roletę i spojrzał w kierunku, skąd według niego dobiegał dźwięk. Zmrużył oczy, stojąc w całkowitej ciszy.

Wtedy to zobaczył. Duży, niewyraźny, ruchomy kształt trudno było dostrzec w mroku, ale jednak tam był.

Tuż przed budynkiem gospodarczym – i zniknął.

Odskoczył od okna.

Serce znów waliło mu mocniej, niżby sobie tego życzył.

Ostrożnie wysunął szufladę kuchenną i wybrał długi, wąski nóż do filetowania. Człowiek nie przeżyje celnie zadanych nim ciosów. Nie przy tak wąskim i długim ostrzu.

Włożył spodnie i boso wymknął się w mrok.

Teraz wyraźnie słyszał dźwięki dobiegające z domku na łodzie. Jakby ktoś w środku usiłował coś rozerwać. Mocne uderzenia w drewno.

Stał przez chwilę, nasłuchując. Już wiedział, co to takiego. Dobrali się do łańcuchów. Ktoś wyrywał sworznie, którymi przymocował łańcuchy do ścian.

Ktoś?

Jeśli to policja, stawia czoło lepszej broni niż ta jego, ale to on zna teren. To on potrafi wykorzystać zalety ciemności.

Minął budynek gospodarczy i od razu zauważył, że smuga światła pod drzwiami jest szersza, niż powinna.

Owszem, drzwi były niedomknięte, a był pewien, że je zamykał, gdy był w środku i sprawdzał temperaturę w zbiorniku po ropie.

Może jest ich więcej. Może teraz ktoś jest w środku.

Szybko wycofał się pod ścianę, by się zastanowić. Zna budynek gospodarczy jak własną kieszeń. Jeśli wewnątrz ktoś jest, w okamgnieniu go zaatakuje. Będzie celował prosto w czuły punkt pod mostkiem i zada pojedynczy cios. W ciągu paru sekund jest w stanie go zadać wielokrotnie i w różnych kierunkach, nie zawaha się. Oni albo on.

Następnie wszedł do środka z nożem wyciągniętym przed sobą, przeczesując wzrokiem puste pomieszczenie.

Nikogo tam nie było. Stołek stał inaczej, grzebano w narzędziach, na podłodze leżał klucz francuski. Czyli to właśnie słyszał.

Przesunął się w bok i odszukał młotek na ławie ciesielskiej. To właśnie z nim był najlepiej zaznajomiony. Dobrze się go trzymało. Użył go już wcześniej wiele razy.

Postąpił parę kroków po ścieżce ogrodu, miażdżąc ślimaki między palcami u nóg. Przeklęte szkodniki. W odpowiednim czasie będzie musiał je wyplenić.

Nachylił się i dostrzegł słabe światło w szparze wokół drzwiczek domku. Ze środka dobiegały ciche głosy, ale nie słyszał, kto i co mówił. Zresztą co za różnica.

Jak ci w środku będą chcieli wyjść, to właśnie tędy. Wystarczy doskoczyć do drzwi i zasunąć zasuwę, a zamknie ich wewnątrz. Nie zdążą się uwolnić za pomocą strzałów, nim on przyniesie z auta kanister z benzyną i podłoży ogień.

Okej, płonący domek będzie widać z oddali, ale jaką miał alternatywę?

Nie, podpali domek na łodzie, zabierze wszystkie papiery i pieniądze i pojedzie w stronę granicy tak szybko, jak potrafi. Musi tak być i już. Kto nie umie w porę modyfikować swoich planów, ten idzie na dno.

Wsadził za pasek nóż do filetowania i podkradł się pod drzwi. Jednak od razu zorientował się, że te zostały otwarte i że wystają z nich nogi.

Szybko dał krok w bok. Czyli będzie musiał dopadać ich po kolei, w miarę jak będą wychodzić.

Obserwował postać, której nogi stanęły na ziemi, a reszta ciała tkwiła w domku na łodzie.

– Co się stało tacie i mamie? – spytał nagle głośno chłopak, po czym rozległo się uciszanie.

W tej chwili niski, śniady policjant wyciągnął dziewczynkę przez drzwi, wziął ją na ręce i zaczął się cofać wprost na niego. Ten sam śniady mężczyzna, co w kręgielni. Ten, co przewrócił Papieża na tor. Jak mogło do tego dojść?

Skąd wiedzieli o tym miejscu?

Zamachnął się młotkiem w powietrzu i płaską stroną uderzył mężczyznę prosto w kark, a ten osunął się bezgłośnie z dziewczynką na sobie. Spojrzała na niego biernie. Już dawno temu pogodziła się z losem. Następnie zamknęła oczy. Od śmierci dzielił ją jeden cios, ale to może poczekać. I tak już do niczego się nie przyda.

Spojrzał w górę, czekając, by wyszedł towarzysz policjanta imigranta. Nogi funkcjonariusza wystawały chwilę przez drzwi, podczas gdy mężczyzna zapewniał chłopaka, że wszystko jest jak powinno.

– Teraz wyjdę na zewnątrz i zobaczysz przez drzwi, że wszystko jest w porządku – powiedział mężczyzna.

Wtedy uderzył.

Detektyw cichutko osunął się na ziemię.

Upuścił młotek, patrząc na dwóch nieprzytomnych mężczyzn. Przez chwilę słuchał szumu wiatru i odgłosu deszczu na płytkach. Zdaje się, że chłopak miotał się w środku, ale poza tym nic.

Podniósł dziewczynkę, jednym ruchem wepchnął ją z powrotem do domku na łodzie, zamknął drzwi i zasunął zasuwę.

Wyprostowawszy się, rozejrzał się wokół. Nie licząc protestów chłopaka, okolica wciąż była zupełnie spokojna. Żadnych wozów na sygnale, żadnych innych nieznanych dźwięków. W każdym razie jeszcze nie.

Zaczerpnął powietrza. Co go teraz czeka? Przyjedzie ich więcej czy to tylko dwóch samotnych kowbojów, chcących zaimponować zwierzchnikom? Po prostu musi to wiedzieć.

Jeśli ci dwaj mężczyźni działali na własną rękę, będzie mógł kontynuować swój plan, a jeśli nie – musi się zbierać. Kiedy będzie wiedział coś więcej, bez względu na wszystko będzie musiał pozbyć się całej czwórki.

Jednym susem znalazł się z powrotem przy budynku gospodarczym i zdjął z haka sznur do snopowiązałki wiszący nad drzwiami.

Związywał już ludzi. Nie zajmuje to dużo czasu.

Podczas gdy związywał ręce na plecach obu nieprzytomnym mężczyznom, z domku na łodzie dobiegał przeraźliwy raban. To chłopak wrzeszczał i wołał, że ma ich wypuścić. Że ich rodzice nie zapłacą, jeśli ich nie odzyskają.

Twarda sztuka z tego chłopaka. Niezła próba.

Następnie chłopak zaczął kopać w drzwi.

Spojrzał na zasuwę. Zamontował ją wiele lat temu, ale drewno było jeszcze porządne i powinno wytrzymać jego kopniaki.

Odciągnął mężczyzn od domku na łodzie na tyle, by światło padające z budynku gospodarczego oświetlało ich twarze. Następnie ustawił tego wyższego tak, że siedział na płytkach pochylony w przód.

Uklęknął przed policjantem i parokrotnie mocno uderzył go w twarz.

– Hej ty, ocknij się! – zakomenderował, wymierzając ciosy.

W końcu zadziałało.

Funkcjonariusz wpierw wywrócił oczami, parę razy zamrugał i odzyskał ostrość widzenia.

Spojrzeli sobie w oczy. Role się odwróciły. To już nie on siedział przy białym obrusie w kręgielni, zmuszony do opowiadania o swoich poczynaniach.

– Ty bydlaku – powiedział policjant przez nos. – Dorwiemy cię. Wozy policyjne są w drodze. Mamy twoje odciski palców.

Spojrzał policjantowi w oczy. Widać było, że mężczyzna ucierpiał w wyniku uderzenia. Źrenice reagowały trochę za wolno, gdy przesunął się w bok i światło z budynku gospodarczego padło mu na twarz. Może to dlatego był zadziwiająco spokojny. Czyżby nie wierzył, że on jest w stanie ich zabić?

– Wozy policyjne, dobre sobie – powiedział do funkcjonariusza. – Nawet jeśli jest, jak mówisz, niech sobie jadą. Widać stąd fiord aż do Frederikssund – oznajmił. – Niebieskie światła będą widoczne, jak będą jechać mostem Księcia Fryderyka, więc mam sporo czasu, żeby zrobić co trzeba, nim tu dotrą.

– Przyjadą z południa ze strony Roskilde, więc gówno zobaczysz, idioto – powiedział policjant. – Uwolnij nas i poddaj się dobrowolnie, a za piętnaście lat wyjdziesz na wolność. Jeśli nas zabijesz, gwarantuję ci, że już jesteś martwy. Zastrzelą cię moi koledzy albo zgnijesz na dożywociu w więzieniu, na jedno wychodzi. W tym systemie mordercy policjantów nie przeżywają.

Uśmiechnął się.

– Pleciesz bzdury i łżesz. Jeśli nie odpowiesz na moje pytania, będziesz leżeć w kadzi, która stoi w budynku gospodarczym, za... – zerknął na zegarek – powiedzmy, od teraz za dwadzieścia minut. Ty, dzieci i twój kumpel. I wiesz co?

Przysunął do niego blisko twarz.

– Mnie już tu nie będzie.

W tym momencie uderzenia dochodzące z domku na łodzie zaczęły przybierać na sile. Stały się mocniejsze i zyskały metaliczny pogłos. Instynktownie spojrzał na ziemię w miejsce, gdzie upuścił młotek, nim podniósł dziewczynkę.

Instynkt go nie mylił – młotka nie było. Dziewczynka go wzięła, a on tego nie zauważył. On sam go wrzucił do środka wraz z nią. Do kurwy nędzy. Czyli ta mała, szczwana lisica nie była aż tak nieprzytomna, jak sądził.

Powoli wyjął nóż zza paska. Czyli to za jego pomocą będzie musiał położyć temu kres.

52

Dziwna sprawa, ale Carl się nie bał. Nie żeby miał złudzenia, że człowiek, którego miał przed sobą, nie jest na tyle szalony, by go bez wahania zabić, ale dlatego, że wszystko sprawiało takie sielankowe wrażenie. Płynące po niebie chmury, przysłaniające księżyc, cichy chlupot wody i te zapachy. Nawet huczący z tyłu generator oddziaływał osobliwie uspokajająco.

Może był to efekt poprzedniego uderzenia. W każdym razie pękała mu głowa, przyćmiewając ból barku i ramienia.

Wtedy za jego plecami chłopak znów załomotał w drzwi. Tym razem jeszcze mocniej niż przedtem.

Spojrzał na mężczyznę, który właśnie wyjął nóż zza paska.

– Pewnie chciałbyś wiedzieć, jak cię znaleźliśmy, prawda? – zapytał Carl, czując, że związane na plecach ręce nie są już pozbawione czucia. Spojrzał w górę na padającą mżawkę. Wilgoć poluzowała sznur, więc teraz trzeba było tylko grać na zwłokę.

Spojrzenie mężczyzny było twarde jak głaz, ale przez sekundę jego wargi zareagowały skurczem mięśni.

Tak, miał rację. Jeśli ten bydlak chciałby się czegoś dowiedzieć, to właśnie tego.

– Był taki chłopak, miał na imię Poul. Poul Holt, pamiętasz go? – spytał, zamaczając sznur w kałuży pod sobą. – To był dość szczególny chłopak – powiedział, podczas gdy jego dłonie pracowały.

Carl zamilkł i kiwnął głową do mężczyzny. Nie spieszyło mu się z tym opowiadaniem. Bez względu na to, czy sznury puszczą, czy nie, im bardziej rozciągnie w czasie swoje opowiadanie, tym dłużej będą żyć. Uśmiechnął się do siebie. Ta metoda przesłuchania była dosyć niekonwecjonalna. Co za ironia.

– No i co z tym Poulem? – spytał stojący przed nim mężczyzna.

Carl się zaśmiał. Teraz odstępy czasu między uderzeniami w domku na łodzie się zwiększyły, za to sprawiały wrażenie bardziej precyzyjnych.

– Tak, to kawał czasu, co? Pamiętasz to? Tej dziewczynki, która jest teraz w środku, jeszcze wtedy nie było na świecie. A może nigdy nie myślisz o swoich ofiarach? Oczywiście, że nie myślisz. Jasne, że nie.

W tym momencie wyraz twarzy mężczyzny zmienił się w sposób, który przyprawił go o zimny dreszcz.

Mężczyzna podniósł się raptownie z ziemi i uniósł nóż nad szyją Assada.

– Odpowiadaj szybko i wprost, inaczej za sekundę usłyszysz, jak on rzęzi we własnej krwi, kapujesz?

Carl kiwnął głową, mocując się ze sznurami. Facet mówił śmiertelnie poważnie.

Porywacz zwrócił się w stronę domku na łodzie:

– Samuelu, jeśli nie przestaniesz walić młotem, gwarantuję ci, że zdążysz się nacierpieć przed śmiercią! – krzyknął.

Na chwilę uderzenia ustały. Słychać było płaczącą w środku dziewczynkę, po czym uderzenia przybrały na sile.

– Poul wrzucił do wody list w butelce. Trzeba było wybrać sobie lepsze miejsce do przetrzymywania ludzi niż ten domek nad wodą – powiedział Carl.

Zmarszczył czoło. List w butelce?

Teraz wystarczyło tylko szarpnąć sznurem. Jedna z pętli się ześlizgnęła.

– Wyłowiono go parę lat temu w Szkocji, a na koniec wylądował na moim biurku – ciągnął, kręcąc nadgarstkami.

– Tym gorzej dla ciebie – powiedział mężczyzna, wciąż się dziwiąc.

Nietrudno było zgadnąć, co myśli. Co może mu zrobić list w butelce? Żadne z dzieci, które w ciągu lat siedziały w tym domku, nie mogło wiedzieć, gdzie są więzione. W jaki sposób list w butelce miałby to zmienić?

Carl dostrzegł, że noga Assada drgnęła.

„Leż, Assad. Śpij dalej. I tak nie możesz nic zrobić" – powiedział do siebie. Mogłoby im pomóc poluzowanie więzów na tyle, by się oswobodził. A nawet wtedy rezultat jest niepewny. I to jak. Facet, którego miał przed sobą, jest silny, pozbawiony skrupułów i trzyma w ręce długi, odrażający nóż. Cios w głowę z pewnością też go spowolnił. Nie, nie miał wielkich nadziei. Gdyby tak zadzwonił do kolegów z Roskilde z prośbą, by przyjechali z południa, może mieliby szansę. Ale ten bydlak miał rację, że ci z Frederikssund, do których zadzwonił, nie mogli przyjechać niepostrzeżenie. Auta na sygnale będą widoczne, gdy tylko wjadą na most. Za parę minut je zobaczą, a wiedział, że wtedy będzie już po wszystkim. Sznury były wciąż za ciasne.

– Pryskaj, Larsen, jeśli mogę cię tak nazywać. Jeszcze zdążysz – spróbował Carl, podczas gdy dźwięk uderzeń w drzwi domku na łodzie raptem stał się głębszy.

– Masz rację, nie nazywam się Claus Larsen – powiedział, stojąc nad bezwładnym ciałem Assada. – I nie macie pojęcia, jak się nazywam. Myślę, że ty i twój kompan działacie dziś wieczór w pojedynkę. Dlaczego więc miałbym prysnąć? Dlaczego uważasz, że się was boję?

– Jakkolwiek masz na imię, zwiewaj. Jeszcze nie jest za późno. Zniknij i spróbuj innego życia. Będziemy cię szukać, ale w międzyczasie będziesz mógł się zmienić. Potrafisz?

W tym momencie jeden sznur puścił.

Spojrzał mężczyźnie prosto w oczy i dostrzegł refleksy błękitnego światła igrające na jego ubraniu. Czyli wozy na sygnale są w drodze nad fiordem. Nadszedł ich kres.

Carl wyprostował plecy i podciągnął nogi, gdy mężczyzna podniósł głowę i spojrzał na niebieskie światło, od którego wibrował cały krajobraz. Potem uniósł nóż nad bezbronnym ciałem Assada. W tej chwili Carl rzucił się przed siebie, uderzając głową w nogi faceta. Upadł, wciąż z nożem w ręce, złapał się za biodro i spojrzał na Carla z wyrazem twarzy, o którym Carl pomyślał, że będzie ostatnim, jaki widzi w życiu.

Wtedy wreszcie sznury puściły.

Carl rozplątał się i rozpostarł ramiona. Dwie ręce kontra nóż mężczyzny. Na co się to zda? Czuł, jaki jest zamroczony. Choćby nie wiem jak chciał, nie ucieknie. Bez względu na to, jak kusił klucz francuski na podłodze budynku gospodarczego, nie potrafił skoordynować ruchów. Wszystko wokół jakby się kurczyło i rozciągało naraz.

Cofnął się chwiejnie parę kroków, a mężczyzna podniósł się, kierując nóż w jego stronę. Serce zaczęło się tłuc, a w głowie dudniło. Przez chwilę zobaczył przed sobą piękne oczy Mony.

Zaparł się stopami w ziemi. Ogrodowa ścieżka była śliska; znów czuł przyklejającą się do butów breję ze ślimaków. Stał w bezruchu i czekał.

Migającego niebieskiego światła na moście nie było już widać. Za pięć minut będą tu wozy patrolowe. Gdyby tak wytrzymał jeszcze chwilkę, może uratowałby życie dzieci.

Spojrzał w górę na gałęzie drzew zwieszające się nad ścieżką.

„Gdybym tak ich dosięgnął i się wspiął" – pomyślał, dając krok do tyłu.

Wtedy doskoczył do niego mężczyzna z ostrzem noża zwróconym w kierunku Carla i wściekłością malującą się na twarzy.

Został powalony niewielką stopą, nawet nie rozmiar 40.

Krótkie nogi Assada kręciły młynki w ślimakowej masie, sięgając kostki napastnika. Nie przewrócił się od razu, ale poślizgnął się bosymi stopami na lepkiej substancji. Rozległo się plaśnięcie, gdy uderzył policzkiem o płytki, a Carl rzucił się przed siebie i kopał go w brzuch, dopóki ten nie wypuścił noża.

Carl chwycił nóż, z wysiłkiem podciągnął mężczyznę i spojrzał mu prosto w oczy, przystawiając mu nóż do tętnicy szyjnej. Tuż za nim Assad zaczął się mozolić, próbując przewrócić się na bok, ale zaczął wymiotować i opadł w tył. Wraz z zawartością żołądka z jego ust popłynął strumień arabskich przekleństw. Nie brzmiało salonowo, czyli tak znowu mocno nie ucierpiał.

– Po prostu zmiataj – powiedział mężczyzna. – I tak już nie mam ochoty patrzeć na twój ryj.

Gwałtownie szarpnął głową w przód w samobójczej akcji, ale Carl to dostrzegł i cofnął nóż na tyle, by rana na szyi mężczyzny była jedynie powierzchowna.

– Tak myślałem – powiedział z pogardą, a z jego mokrej od deszczu szyi sączyła się krew. – Nie zrobisz tego, nie ośmielisz się.

Ale tu się mylił. Gdyby jeszcze raz wykonał podobny manewr, Carl nie cofnąłby noża. Zamglone oczy Assada byłyby świadkiem, że mężczyzna sam jest winien swojej śmierci. Niech no tylko spróbuje, a system sądowniczy sporo zaoszczędzi.

W tej chwili uderzenia dochodzące z domku na łodzie ustały.

Carl spojrzał nad ramieniem mężczyzny i zobaczył, że drzwi się otwierają, jakby pociągnięte za pomocą sprężyny.

Wtedy bydlak przesłonił mu cały widok.

– Nie powiedziałeś mi, jak mnie znaleźliście. W takim razie będę musiał z tym poczekać do rozprawy – powiedział. – Mówiłeś, że ile dostanę? Piętnaście lat? Jakoś przeżyję – odchylił głowę i wybuchnął śmiechem. Może za chwilę będzie chciał się nadziać na nóż. Niech i tak będzie.

Carl zacisnął palce wokół rękojeści, wiedząc, że byłoby to odstręczające.

Wtedy rozległ się dźwięk podobny do tego, który towarzyszy stłuczeniu skorupki jajka. Niepozorny, krótki dźwięk, który sprawił, że mężczyzna opadł na kolana i nie wydawszy ani jednego odgłosu, zwalił się na bok. Carl spojrzał na stojącego przed sobą Samuela, który trzymał w ręku młotek, a po policzkach płynęły mu strużki łez. Roztrzaskał młotkiem zamek od środka. Jak, do cholery, się do niego dobrał?

Carl opuścił wzrok, po czym rzucił nóż i nachylił się nad mężczyzną, który leżał na ziemi w drgawkach. Jeszcze oddychał, ale nie potrwa to długo.

Był świadkiem najzwyczajniejszej egzekucji. Morderstwa z premedytacją. Przecież miał go pod kontrolą, a chłopak z pewnością to widział.

– Odrzuć młotek, Samuelu – powiedział, zerkając na Assada. – To była samoobrona, zgadzamy się, Assad?

Assad odchylił głowę i wydął dolną wargę.

Odpowiedział falami, wymiotując.

– Tak, przecież zawsze się tak zgadzamy, Carl. Prawda?

Carl nachylił się nad mężczyzną, który leżał z otwartymi ustami i szeroko otwartymi oczami na śliskiej, wyłożonej płytkami ścieżce.

– Niech cię diabli – powiedział szeptem mężczyzna.

– I ciebie też – odparł Carl.

Wtedy usłyszeli w lesie dźwięk syreny.

– Jeśli przyznasz się do wszystkiego, co zrobiłeś, śmierć będzie lżejsza – powiedział szeptem Carl. – Ile osób zabiłeś?

Zamrugał.

– Wiele.

– Ile?

– Wiele.

Jego organizm jakby się poddał, głowa opadła na bok, tak że widać było wyraźnie przerażającą ranę na potylicy. Oraz czerwonawą bliznę, ciągnącą się wzdłuż ucha.

Z ust mężczyzny dobiegł bulgoczący dźwięk.

– Gdzie jest Beniamin? – spytał pospiesznie Carl.

Jego powieki powoli się zamknęły.

– Jest u Evy.

– Kim jest Eva?

Zamrugał na wpół zamkniętymi powiekami, tym razem bardzo wolno.

– Moją odrażającą siostrą.

– Podaj mi swoje nazwisko. Muszę je znać. Jak się naprawdę nazywasz?

– Jak się nazywam? – uśmiechnął się, po czym wypowiedział swe ostatnie słowa.

– Nazywam się Chaplin.

epilog

Carl był zmęczony. Pięć minut temu z plaśnięciem rzucił teczkę sprawy na stertę w kącie.

Rozwiązana, gotowa, z głowy.

Dużo wody upłynęło, odkąd Assad powalił Serba na podłogę piwnicy. Ludzie Marcusa Jacobsena zajęli się trzema nowymi sprawami podpaleń, ale na starej z 1995 z Rødovre Departament Q utknął. Wojna gangów po prostu nadmiernie absorbowała całe drugie piętro.

Zarówno w Serbii, jak i w Danii powsadzano ludzi do więzień, a teraz brakowało im już tylko paru zeznań. Jakby mieli je kiedykolwiek uzyskać, jak mawiał Carl. W każdym razie uwięzieni Serbowie woleliby gnić piętnaście lat w duńskim więzieniu, niż podpaść tym, którzy to wszystko zainicjowali.

Reszta pozostaje więc w gestii oskarżyciela publicznego.

Przeciągnął się, rozważając, czyby nie zdrzemnąć się chwileczkę w świetle płaskoekranowego telewizora, gdzie TV 2 News plotło o ministrach, którzy nie są w stanie wsiąść na rower, nie przewracając się i nie łamiąc sobie gnatów.

Wtedy zadzwonił telefon. Pieprzony wynalazek.

– Mamy tu na górze wizytę – odezwał się Marcus w słuchawce. – Czy moglibyście tu przyjść? Cała trójka.

Deszcz padał nieprzerwanie od dziesięciu dni, w środku lipca. Słońce zapadło w sen zimowy. Po co, do licha ciężkiego, przemieszczać się na drugie piętro? Przecież tam jest prawie tak samo ciemno jak u nich na dole.

Wchodząc po schodach, nie zamienił z Assadem i Rose ani słóweczka. Cholerne wakacje. Jesper przez cały dzień przesiaduje w domu ze swoją dziewczyną. Morten wybrał się na rowery z kimś o imieniu Preben i trochę się to przeciągało. W międzyczasie zatrudnili dla Hardy'ego pielęgniarkę domową, a Vigga podróżowała po Indiach z mężczyzną, który pod turbanem chował półtora metra włosów.

A on był tu, podczas gdy Mona w towarzystwie swojego potomstwa opalała się na piękny brąz w Grecji. Gdyby choć Assad i Rose wzięli teraz urlopy, mógłby na całego walnąć nogi na biurko i spędzić dzień pracy w towarzystwie Tour de France.

Nienawidził wakacji, szczególnie kiedy to nie on je miał.

Na drugim piętrze spojrzał na puste miejsce Lis. Może znów pojechała na wakacje camperem ze swym pełnym temperamentu mężem. To by się mogło okazać bardziej korzystne w wypadku pani Sørensen. Małe figlowanie w camperze ruszyłoby chyba nawet taką mumię jak ona.

Mrugnął przyjaźnie do wiedźmy, otrzymując w odpowiedzi środkowy palec. Co za finezja. Nie ma co, ta skwaszona zołza idzie z duchem czasu.

Otworzyli drzwi gabinetu Marcusa Jacobsena i Carl spojrzał w twarz kobiety, której nie znał.

– Tak – powiedział ze swego fotela Marcus Jacobsen. – Pani Mia Larsen przyszła tu z mężem, by wam podziękować.

Carl zauważył stojącego nieco na uboczu mężczyznę. Jego znał. To gość, który stał przed płonącym domem w Roskilde. Ten Kenneth, który wyniósł kobietę na zewnątrz. Czy tamta powykręcana biedaczka to ta sama kobieta, która teraz tu stoi, spoglądając na niego ze skrępowaniem?

Rose i Assad podali jej ręce, a Carl z wahaniem poszedł w ich ślady.

– Przepraszam – powiedziała młoda kobieta. – Wiem, że są państwo zajęci, ale chcieliśmy osobiście wam podziękować za uratowanie mi życia.

Stali przez chwilę, spoglądając na siebie. Carl nie miał pojęcia, co powiedzieć.

– Nie powiem, że tak nie ma za co – odezwał się Assad.

– Ja też nie powiem – dodała Rose.

Pozostali się roześmiali.

– Dobrze się już pani czuje? – spytał Carl.

Wzięła głęboki oddech i zagryzła wargę.

– Chciałam zapytać, jak się miewa ta dwójka dzieci. Mieli na imię Samuel i Magdalena, prawda?

Zmarszczki na czole Carla wygładziły się nieco.

– Szczerze mówiąc, tego nigdy do końca nie wiadomo. Dwóch najstarszych chłopców wyprowadziło się z domu i zdaje mi się, że Samuel miewa się dobrze. Jeśli chodzi o Magdalenę i dwoje pozostałego rodzeństwa, to słyszałem, że zajęła się nimi wspólnota. Może też mają się dobrze, nie wiem. Trudno jest dzieciom przeżyć utratę rodziców.

Kiwnęła głową.

– Tak, rozumiem. Mój eksmąż wyrządził bardzo wiele zła. Jeśli mogłabym coś zrobić dla tej dziewczynki, to mam nadzieję, że będę miała szansę. – Spróbowała się uśmiechnąć, ale nie zdążyła, nim wyrwało się jej następne zdanie. – Trudno jest dzieciom przeżyć utratę rodziców, ale matce też jest trudno przeżyć utratę dziecka.

Marcus Jacobsen położył jej rękę na ramieniu.

– Pani Larsen, wciąż pracujemy nad sprawą. Policja ślęczała nad informacjami, które pani dostarczyła. Przecież na dłuższą metę muszą okazać się wystarczające. W tym kraju nie da się tak po prostu ukrywać dziecka przez całą wieczność.

Przy sformułowaniu „cała wieczność" opuściła głowę. Carl pokusiłby się o nieco inny dobór słownictwa.

Wtedy inicjatywę przejął młody mężczyzna.

– Chcielibyśmy po prostu wyrazić wdzięczność – powiedział, kierując spojrzenie na Carla i Assada. – Inna rzecz, że niepewność niemal zabija Mię.

Biedacy. Czemu nie pozwolić sobie po prostu na szczerość w tej sprawie? Minęły cztery miesiące, a chłopca nie znaleziono. Na poszczególnych szczeblach nie przeznaczono na to odpowiednich zasobów, a teraz pewnie już za późno.

– Nie za dużo wiemy – powiedział Carl. – Wiemy, że siostra pani eksmęża ma na imię Eva. Ale co z nazwiskiem? I co z nazwiskiem pani eksmęża? Może być jeszcze inne. Nie znamy nawet jego prawdziwego imienia, a właściwie to nie wiemy nic o jego przeszłości. Tylko to, że ojciec Evy i pani eksmęża był pastorem. Pod tym względem można stwierdzić, że imię Eva nie jest jakoś szczególnie niezwykłe dla córek pastorów. Okej, wiemy, że kobieta może dobiegać czterdziestki, ale to tyle. Zdjęcie Beniamina wisi we wszystkich posterunkach policyjnych, a ostatnia wiadomość jest taka, że moi koledzy powiadomili wszystkie służby socjalne w kraju, żeby mieli tę sprawę na oku. Tyle możemy w tej chwili zrobić.

Kiwnęła głową. Widać było, że nie chce tej informacji postrzegać jako czegoś, co może podkopać jej nadzieję. Oczywiście, że nie chciała.

Wtedy młody mężczyzna wyciągnął bukiet róż i powiedział, że Mia dzień w dzień przetrząsa wszystkie możliwe miejsca w poszukiwaniu gazetki kościelnej czy wycinka z gazety ze zdjęciem ojca swojego byłego męża. Że stało się to jej pełnoetatowym zajęciem i gdyby coś znalazła, oni pierwsi się o tym dowiedzą.

Następnie podał kwiaty Carlowi i podziękował.

Po ich wyjściu Carl stał przez chwilę z niesmakiem w ustach i bukietem w dłoni. Co najmniej czterdzieści krwistoczerwonych róż. Wolałby ich nie dostać.

Pokręcił głową. Nie, nie mogą stać na jego biurku, to po prostu nie przejdzie, ale też nie mogą powędrować do domu Rose i Yrsy. Nigdy nie wiadomo, do czego to może doprowadzić.

Gdy przechodzili, rzucił bukiet na miejsce pani Sørensen.

– Dziękuję za to, że zawsze stoi pani na posterunku, pani Sørensen – powiedział po prostu, pozostawiając ją w morzu konsternacji i niemych protestów.

Popatrzyli na siebie, schodząc po schodach.

– Wiem, o czym myślicie – powiedział, kiwając głową.

Będą musieli rozesłać pismo do wszystkich instancji i służb w Danii, mogących wejść w posiadanie informacji o dziecku o wyglądzie i w wieku Beniamina, które nagle pojawiło się w nieoczekiwanym miejscu. Właściwie te same informacje, które policja już wcześniej rozsyłała.

Tyle że tym razem z dodatkowym pisemkiem, że uprasza się kierowników administracji o zajęcie się sprawą osobiście.

Wtedy zadanie na sto procent nabierze wyższej rangi i zostanie szybko przekazane właściwym osobom.

W ciągu ostatnich dwóch tygodni Beniamin nauczył się co najmniej pięćdziesięciu nowych słów, a Eva wręcz nie mogła nadążyć.

Ale też bardzo dużo rozmawiali, oni dwoje, bo Eva kochała chłopca nad wszystko inne w życiu. Stanowili teraz pełną, małą rodzinę; jej mąż też tak czuł.

– Kiedy przyjdą? – spytał mąż po raz dziesiąty tego dnia. Był zajęty od wielu godzin. Odkurzanie, pieczenie chleba, wszystkie drobne zajęcia wokół Beniamina. Na tym spotkaniu wszystko musi być perfekcyjne.

Uśmiechnęła się. Jak to dziecko dużo zmieniło w ich życiu.

– Słyszę, że idą. Mógłbyś podać mi Beniamina, Willy?

Poczuła dotyk miękkiego policzka chłopczyka na swoim.

– Teraz przyjdzie ktoś, kto nam powie, czy możemy cię zatrzymać, Beniaminie – szepnęła mu do ucha. – Myślę, że możemy. Chciałbyś z nami zostać, skarbeńku? Chcesz być u Evy i Willy'ego?

Przytulił się do niej.

– Evy – powiedział ze śmiechem.

Wtedy wyczuła, że Beniamin pokazuje na korytarz, skąd dobiegały głosy.

– Idzie ktoś – powiedział.

Przytuliła go lekko i poprawiła ubranie. Willy mówił, że ma mieć zamknięte oczy, bo to nie wygląda tak przerażająco. Następnie wzięła głęboki oddech i uścisnęła chłopca.

– Wszystko będzie dobrze – wyszeptała.

Głosy były przyjazne, znała je. To kobiety, które miały zająć się kwestiami formalnymi. Już tu bywały.

Podeszły do niej obie i podały jej ręce. Dobre, ciepłe dłonie. Powiedziały parę słów do Beniamina i usiadły w pewnej odległości.

– Pani Evo, przyjrzałyśmy się państwa warunkom i możemy powiedzieć, że nie są państwo najbardziej typowymi kandydatami, z jakimi miałyśmy do czynienia. Chciałybyśmy jednak na wstępie zaznaczyć, że postanowiłyśmy nie brać pod uwagę pani utraty wzroku. Wcześniej już się zdarzało, że osoba niewidoma otrzymała pozwolenie na adopcję, a już na pewno nie widzimy żadnych przeszkód, jeżeli chodzi o zdatność funkcjonalną i generalne przystosowanie się.

Poczuła, jak wewnątrz niej wybija źródełko. Powiedziały „żadnych przeszkód". Czyli wszystkie jej modlitwy pomogły.

– To imponujące, jak dużo byliście w stanie zaoszczędzić przy waszych skromnych dochodach. Dowiedliście tym samym, że panujecie nad wszystkim lepiej niż większość. Poza tym odnotowałyśmy, że w bardzo krótkim czasie naprawdę mocno pani zeszczuplała, pani Evo. Pan Willy mówi, że dwadzieścia pięć kilo w niewiele ponad trzy miesiące. To rzeczywiście wyjątkowe. Ładnie pani wygląda, pani Evo.

Ogarnęło ją ciepło, po skórze przeszły dreszcze. Nawet Beniamin to wyczuł.

– Eva jest miła – powiedział chłopiec. Poczuła, że macha do obu pań. Willy mówił, że to bardzo, ale to bardzo słodko wygląda, kiedy tak robi. Niech Bóg błogosławi to dziecko.

– Ładnie się tu państwo urządzili. Widać, że to może być naprawdę dobry dom, by w nim dorastać.

– Liczy się też to, że pan Willy dostał taką dobrą pracę – powiedziała ta druga. – Jednak czy nie sądzi pani, że jego długie przebywanie poza domem będzie stanowiło dla pani problem, pani Evo?

Uśmiechnęła się.

– Myśli pani o tym, czy poradzę sobie sama z Beniaminem? Straciłam wzrok jako mała dziewczynka, jednak nie wydaje mi się, że istnieje wielu widzących, którzy widzieliby równie dobrze jak ja.

– Co ma pani na myśli? – zapytał niski głos.

– Czy nie chodzi o to, by wyczuwać, jak miewają się nasi najbliżsi? Ja wyczuwam takie rzeczy. Rozpoznaję potrzeby Beniamina, nim on sam je pozna. Wyczuwam w głosach ludzi, co czują. Pani, na przykład, jest obecnie bardzo zadowolona. Wydaje mi się, że w głębi serca się pani uśmiecha. Czy nie doświadczyła pani właśnie czegoś radosnego?

Zaśmiały się obie.

– Owszem, skoro pani o tym wspomina. Dziś rano zostałam babcią.

Pogratulowała i odpowiedziała na mnóstwo pytań praktycznych. Nie miała wątpliwości, że pomimo jej kalectwa oraz wieku jej i Willy'ego skierują ich sprawę dalej. Tylko tego pragnęli. Skoro dotarli już tak daleko, wszystko będzie dobrze.

– Na razie rozmawiamy o zatwierdzeniu państwa w charakterze rodziny zastępczej. Dopóki nie dowiemy się, co się stało z pani bratem, nie możemy właściwie zrobić nic innego. Jednak biorąc pod uwagę wasz wiek, możemy potraktować to jako manewr przygotowujący do adopcji.

– Od jak dawna nie mieli państwo kontaktu z pani bratem? –

spytała pierwsza. Pytała już o to chyba piąty raz w trakcie ich kolejnych rozmów.

– Od marca, kiedy przywiózł Beniamina. Obawiamy się, że matka Beniamina umarła na jakąś chorobę. W każdym razie brat mówił, że jest ciężko chora – zrobiła na piersi znak krzyża. – Mój brat jest skryty z natury. Jeśli matka Beniamina umarła, obawiam się, że mógł pójść w jej ślady.

– Nie byliśmy w stanie ustalić, kim jest matka Beniamina. Na jego akcie urodzenia, który od państwa dostaliśmy, jej numer ewidencyjny jest nieczytelny. Czy mógł zostać zamoczony?

Wzruszyła ramionami.

– Pewnie tak. Gdy go dostaliśmy, już taki był – powiedział z kąta jej mąż.

– Prawdopodobnie rodzice Beniamina po prostu żyli razem. W każdym razie z numeru ewidencyjnego pani brata nie wynika, by kiedykolwiek był żonaty. W ogóle postępowanie pani brata nie jest łatwe do rozszyfrowania. Wiemy, że parę ładnych lat temu ubiegał się o przyjęcie do komandosów, ale od tamtej chwili wszystkie informacje na jego temat jakby rozpływały się w niebycie.

– Tak – kiwnęła głową. – Jak już wspominałam, miał skrytą naturę. Właściwie to nie zwierzał się na temat swojego życia.

– Ale jednak powierzył wam Beniamina.

– Tak.

– Beniamin i Eva – powiedział chłopczyk, ześlizgując się na podłogę.

Usłyszała, jak drepcze po dywanie.

– Moje auto – powiedział. – Duże. Piękne.

– Widzimy, jaki jest szczęśliwy – powiedział niski głos. – Jest naprawdę dobrze rozwinięty na swój wiek.

– Tak, przypomina swojego dziadka. Był bardzo mądrym człowiekiem.

– Tak, pani Evo, dobrze znamy pani pochodzenie. Jest pani córką pastora. Wiem, że pani ojciec sprawował funkcję pastora niedaleko stąd. O ile się dobrze orientuję, był bardzo lubiany.

– Ojciec Evy był fantastycznym człowiekiem – powiedział w tle Willy. Eva się uśmiechnęła. Zawsze tak mówił, choć nigdy go nie poznał.

– Mój miś – powiedział Beniamin. – Miś jest śliiiczny. Miś ma niebieską muszkę.

Roześmiali się.

– Nasz ojciec dał nam porządne, chrześcijańskie wychowanie – ciągnęła Eva. – Willy i ja chcielibyśmy wychować Beniamina w jego duchu, jeśli władze pozwolą nam go zatrzymać. Poglądy życiowe mojego ojca będą dla nas wzorcem.

Wyczuła, że im się to spodobało. Cisza niemal rozgrzewała.

– Przez dwa weekendy będziecie musieli przejść kurs przygotowujący do adopcji, nim do akcji wkroczy komisja adopcyjna i podejmie decyzję o ewentualnym udzieleniu zgody. Nie wiadomo, jak to przebiegnie, ale sądzę, że poradzą sobie państwo lepiej niż większość z zasadniczymi życiowymi kwestiami, więc...

Wyczuła, że coś im przerwało. Jakby całe ciepło wypełniające pokój gdzieś się ulotniło. Nawet Beniamin przestał się wiercić.

– Tam – powiedział. – Niebieskie światło. Niebieskie światło miga.

– Zdaje się, że na podwórze podjechała policja – powiedział Willy. – Kto wie, może jakiś wypadek.

Myślała, że może chodzi o jej brata, dopóki nie usłyszała głosów w korytarzu i protestów swojego męża, który sprawiał wrażenie rozgniewanego.

Następnie Eva usłyszała kroki w salonie i obie panie wstały i cofnęły się w głąb pokoju.

– Czy to on, pani Larsen? – spytał męski głos, którego nie rozpoznała.

Rozległy się szepty. Nie słyszała, czego dotyczą. Brzmiało to tak, jakby mężczyzna wyjaśniał coś dwóm paniom, z którymi dopiero co rozmawiała.

Jej mąż zaczął przeklinać w korytarzu. Dlaczego nie wchodzi do środka?

Wtedy usłyszała płacz młodej kobiety. Najpierw z pewnej odległości, a potem bliżej.

– Dobry Boże, co się dzieje? – spytała w przestrzeń.

Poczuła, że podchodzi do niej Beniamin, bierze ją za rękę i wspina się kolanem na jej nogę. Podniosła go.

– Pani Evo Bremer, jesteśmy z policji w Odense. Przyprowadziliśmy matkę Beniamina, która chciałaby go zabrać do domu.

Wstrzymała oddech, modląc się do Boga, by oni wszyscy zniknęli. Błagała go, by pozwolił się jej obudzić z koszmaru.

Zbliżyli się do niej i usłyszała, jak kobieta przemawia do chłopczyka.

– Cześć, Beniamin – zabrzmiał jej drżący głos. Głos, którego nie powinno tu być. Niech się wynosi. – Nie poznajesz mamy?

– Mamy – powiedział Beniamin. Sprawiał wrażenie zalęknionego i skrył się w objęciach Evy.

– Mama – powiedział, trzęsąc się przy jej szyi. – Beniamin boi.

W pokoju zapanowała zupełna cisza. Przez chwilę Eva słyszała oddech chłopca. Oddech dziecka, które pokochała nad życie.

Naraz poczuła też inny oddech, równie głęboki i przepełniony obawą. Słuchała, czując, jak za plecami chłopca zaczynają drżeć jej ręce. Słyszała ten oddech i w końcu usłyszała też własny.

Troje oddychających głęboko ludzi. W szoku i strachu przed sekundami, które mają nastąpić.

Przycisnęła do siebie dziecko, wstrzymując oddech, by się nie rozpłakać. Trzymała go tak blisko, że niemal stanowili jedność.

Potem rozluźniła uścisk. Chwyciła go za rączkę i przytrzymała. Przez chwilę walczyła z płaczem, ale w końcu wyciągnęła przed siebie dłoń, trzymając w środku dłoń chłopczyka. Przez krótką chwilę siedziała spokojnie, po czym usłyszała gdzieś z oddali własne słowa.

– Ma pani na imię Mia, prawda?

Usłyszała ostrożne „tak".

– Chodź, Mio. Chodź tu do nas. Chcemy cię poczuć.

Gorące podziękowania dla Hanne Adler-Olsen za codzienną inspirację, zachętę oraz mądre, wnikliwe uwagi. Dziękuję też Elsebeth Wæhrens, Freddy'emu Miltonowi, Eddiemu Kiranowi, Hanne Petersen, Michy Schmalstiegowi i Karlowi Andersenowi za niezbędne i celne komentarze, a Anne C. Andersen za oczy ostre jak brzytwa i radosną energię. Podziękowania dla Henrika Gregersena, Lokalavisen/Frederikssund. Dziękuję Gitte & Peterowi Rannesom oraz Duńskiemu Centrum Pisarzy i Tłumaczy Hald, a także Steve'owi Scheinowi za gościnność, gdy paliła potrzeba. Podziękowania dla zastępcy kierownika Pracowni Genetyki Sądowej, Bo Thisteda Simonsena. Dziękuję komisarzowi policji Leifowi Christensenowi za szczodrość w dzieleniu się swoim doświadczeniem i poprawki dotyczące kwestii związanych z pracą policji. Podziękowania dla konserwatora Jana Andersena i podkomisarza policji René Kongsgarta za pouczające godziny w Komendzie Głównej Policji, a dla funkcjonariusza Knuda V. Nielsena ze Stowarzyszenia Pogrzebowego Kopenhaskiej Policji za miłą atmosferę i gościnność.

Dziękuję Wam, moi fantastyczni czytelnicy, za to, że odwiedzaliście moją stronę domową www.jussiadlerolsen.com i zachęcaliście do dalszej pracy, pisząc na jussi@dbmail.dk.